CB034160

Mundo por
TERRA

PATROCÍNIO

APOIO

MUNDO POR TERRA

ONDE TERMINAM AS ESTRADAS

ROY RUDNICK & MICHELLE F. WEISS

1ª reimpressão

São Bento do Sul-SC
2020

INFORMAÇÕES TÉCNICAS:

Texto:
Roy Rudnick e Michelle Francine Weiss

Foto de capa (Rio Yana congelado, Rússia):
Roy Rudnick

Foto de contracapa (Lobo da Estrada, Canadá):
Michelle Francine Weiss

Fotografias de miolo:
Roy Rudnick e Michelle Francine Weiss

Supervisão, estruturação e revisão:
Eloi Zanetti

Revisão:
Elisa P. Carneiro
Michele Muller

Projeto Gráfico:
Michelle Francine Weiss

Ilustrações:
Lucas Tadeu de Lima Gonçalves

Impressão:
Gráfica Pallotti

Dados Internacionais de Catalogação na Publicação (CIP)
(Câmara Brasileira do Livro, SP, Brasil)
Maria Alice Ferreira - Bibliotecária - CRB-8/7964

Rudnick, Roy.
Mundo por Terra : onde terminam as estradas /
Roy Rudnick, Michelle Francine Weiss. -- 1. ed. --
São Bento do Sul, SC : Edição do Autor, 2020.

ISBN 978-65-00-02790-7

1. Relatos de viagens 2. Rudnick, Roy 3. Weiss,
Michelle Francine 4. Viagens - Narrativas pessoais
I. Weiss, Michelle Francine. II. Título.

20-37160
CDD-910.4

“À Serena, que tem um mundo a descobrir”.

Prefácio

Quando eu me preparava para minha viagem solo pelo norte da Iakutia estava pronto para tudo: geadas fortes de inverno, ataques de animais selvagens, avarias mecânicas e até a possibilidade de ficar sem o carro ou o equipamento. Mas eu não estava preparado para o encontro que estava para acontecer na rodovia Kolyma em 25 de fevereiro de 2016.

Há lugares tenebrosos no mundo, que por amedrontarem as pessoas, muitas procuram evitá-los e muitos desses lugares estão na Rússia. Um dos que considero mais sombrios é a rodovia Kolyma – a estrada que liga Iakutsk a Magadan. Foi construída há 90 anos por prisioneiros dos campos de concentração do ditador Stalin. Tantas pessoas morreram ali que ela passou a ser chamada de "estrada dos ossos".

Era tarde da noite quando dirigia por aquela rodovia, nas proximidades da cidade Susuman, e deparei-me com um Land Rover Defender convertido em motorhome estacionado em um posto de combustível. As luzes de dentro estavam acesas. Não é sempre que se encontra viajantes por essas terras selvagens, ainda mais no inverno, então decidi parar e cumprimentá-los.

Caminhei ao redor do veículo num frio que beirava os -40°C e percebi que, inacreditavelmente, as placas eram brasileiras. Como um carro brasileiro veio parar na região mais remota da Rússia? Eu posso imaginar o quão surpresos eles também ficaram quando um homem barbudo aproximou-se naquela hora da noite e bateu em sua porta.

Eles me receberam, nos apresentamos e conversamos um pouco. Descobri que Roy e Michelle faziam sua segunda viagem de volta ao mundo de carro. Nesse ponto eles estavam no segundo ano da sua jornada. Contei sobre meus planos de ir até Magadan e depois seguir para o Norte, em direção ao Oceano Ártico, até a vila de Tiksi. A coincidência foi que o sonho de ambos envolvia dirigir ao Norte; eles almejavam alcançar a Latitude 70 na Rússia, o que já haviam tentado uma vez, mas sem sucesso. Sugeri que viajássemos em dois carros. Roy prometeu pensar e entrar em contato comigo por e-mail. Foi uma decisão inteligente. Teria sido loucura concordar em viajar ao lado de um estranho logo numa primeira conversa.

Presenteei-os com um kit de sobrevivência russo, um livro de fotos documentando uma viagem que fiz na Mongólia e retomei meu trajeto. Depois, enquanto eu estava em Magadan, recebi o contato do Roy aceitando o meu convite de irmos juntos para o Norte. Foi o começo de uma grande aventura.

E vieram três mil quilômetros das difíceis estradas de inverno da Iakutia, por onde viajamos juntos por duas semanas. Vimos muitas coisas incríveis: testemunhamos caminhões enormes caírem no gelo; convivemos com um pastor de renas na parte mais remota de uma floresta de taiga; montamos renas e provamos pratos de peixe cru congelados; admiramos auroras boreais de tirar o fôlego; demos carona para um cachorro que aparentava estar perdido nas estepes congelantes daquele lugar; conhecemos pessoas queridas que nos ajudaram e que ficaram felizes em nos conhecer. Momentos como os que vivenciamos fazem-nos sentir vivos.

Sou grato ao Roy e a Michelle porque eles não apenas viajam. Eles estudam o mundo a fundo e transmitem-nos a vida como ela realmente é. Utilizam seus próprios recursos de maneira eficaz e mostram que é possível interagir com as mais diferentes etnias. Graças a eles muitas pessoas passaram a sonhar e a perseguir os seus sonhos. Essa é uma missão honrosa.

Konstantin Petrov, de Briansk, Rússia.

1.
Introdução

-42°C, -45°C, -48°C, -49°C, -49,9°C e, de repente, LL,L.

"O termômetro parou de funcionar, Michelle. Veja isso!"

Passava das 17 horas. Eram meados de fevereiro no Hemisfério Norte, estava escuro havia muito tempo. À medida que a temperatura caía, a cada quilômetro que avançávamos, nossa ansiedade aumentava em progressão geométrica. Os pedais do carro ficavam cada vez mais duros – a embreagem não voltava direito, o freio era acionado com dificuldade e a direção estava pesada. Se a temperatura havia superado as extremidades do termômetro, era certo que a resistência do nosso carro também beirava o seu limite. Na cabine reinava uma tensão insuportável. O pavor estava visível em nossos pensamentos e expressões: "Por que fomos nos meter em uma situação dessas?". Eu começava a me arrepender da aventura.

Duas horas e meia depois, ao chegar em Tomtor, tivemos a sorte de encontrar um posto de combustível aberto. Tínhamos diesel no tanque reserva, mas naquele frio não me soava como uma boa ideia ter que sair do carro para transferi-lo para o tanque principal com uma mangueira. Nesse cenário, o diesel seria imprescindível, pois o carro teria que ficar funcionando a noite toda. Nós aprendemos com o povo local que se desligássemos o motor naquela temperatura teríamos que esperar até a primavera para poder ligá-lo novamente.

A pequena cidade estava deserta. A única alma viva que vimos foi um cavalo amarrado ao lado de uma casa. Pobre coitado, devia estar duro de frio. Dirigimos pelas ruas escuras à procura de um lugar para estacionar e passar a noite. Os caminhos eram confusos; muitos não tinham saída, pois eram interrompidos pelas tubulações de aquecimento que garantem a vida nesse lugar inóspito. O pouco que conseguíamos ver pelo facho de luz do carro nos deu a impressão de estarmos num lugar mal-assombrado. As casas eram simples, de madeira, com manutenção precária. A grossa camada de neve deixava tudo monocromático, criando uma atmosfera assustadora. Chegar à noite num lugar desses, com a temperatura abaixo de -50°C nos deu muito medo.

Estacionamos em frente à praça, preparamos uma sopa enlatada com macarrão de arroz e sem demora fomos tentar dormir. A última conferida no termômetro nos mostrou o que já havíamos visto antes: LL,L. Além do motor ligado, o aquecedor interno trabalhou intensamente, mas mesmo assim fez frio, muito frio.

Sobrevivemos aquela noite e na manhã do dia seguinte fiquei observando de dentro do carro o nosso redor, imaginando o que os moradores daquela cidadezinha no Extremo Oriente Russo iriam pensar quando nos vissem ali: "Um carro brasileiro? Por que estão aqui? Devem ser loucos". Muitos de fato nos questionavam o que estávamos fazendo no inverno naquele lugar, que é considerado a localidade habitada mais fria do mundo. A resposta me parecia compreensível: queríamos experimentar a sensação do frio extremo pelo menos uma vez na vida – simples assim. Também queríamos ver como as pessoas sobrevivem nessas condições. Agora quem nos devia uma resposta eram eles: porque cargas d'água moravam nesse lugar tão congelante?

Aquela comunidade está localizada na região de Oymyakon, que é conhecida como o Polo do Frio. Já registrou a menor temperatura em lugares habitados pelo homem: -71,2°C. Somente a Antártica marcou oficialmente temperatura mais baixa que essa, mas lá não vivem pessoas. Num contraste assombroso, em seu curto verão, a temperatura pode ir aos 35°C, entendendo-se que essa localidade, junto às cidades russas Verkhoyansk e Iakutsk, são os únicos lugares habitados do planeta onde a amplitude térmica anual pode variar em até 100°C.

A resposta devida do porquê algumas pessoas vivem em um lugar tão frio e inóspito nos foi dada mais tarde: a antiga União Soviética compreendia um território gigantesco desabitado, porém rico em madeira e minerais. Para garantir a soberania sobre essas regiões, o governo central enviou ocupantes para os lugares mais remotos imagináveis e alguns povoados adotaram o formato de fazendas comunitárias, onde se produzia alimentos para o regime socialista. Assim foi com a região de Oymyakon. Naquela época as pessoas não tinham opção, pois eram forçadas a viver onde o governo mandava. Com o tempo, essas famílias se acostumaram a lidar com o frio extremo e hoje já não se abalam mais.

Por uma estrada estreita sobre a neve esburacada, dirigimos mais 38 quilômetros até a vila de Oymyakon. Não havia nada de especial naquele lugar, apenas representava um grande marco para nossa viagem. Nas ruas vazias, brincamos na neve como duas crianças. Uma das brincadeiras consistia em aquecer a água e arremessar para o alto só para vê-la transformar-se instantaneamente em gelo cristalizado. Fotografamos e filmamos a experiência, mas o frio intenso nos forçava a intercalar alguns minutos de diversão fora do carro com longos períodos dentro do veículo, para não congelarmos. A noite chegou e nos deixou novamente apreensivos por termos que pernoitar mais uma vez dentro de um carro no lugar mais frio do mundo e no inverno. Detalhe: ficamos sabendo disso mais tarde que, de acordo com a estação meteorológica de Oymyakon, quando estivemos lá os termômetros registraram -55°C.

No dia seguinte, ao retornarmos pela mesma estrada, no meio do nada, o carro começou a falhar – puhf, puhf, puhf – até que simplesmente morreu. Ao mesmo tempo em que o motor apagou, nossos corações se incendiaram de pavor. O silêncio mortal da natureza era o que menos queríamos escutar naquele momento. Se as vilas estavam desertas, a estrada estava mais ainda. Caminhar dezenas de quilômetros para pedir ajuda era inconcebível. Correríamos risco de morrer por hipotermia.

Um amigo chinês que também esteve nessa vila nos falou que fez um teste deixando exposto ao frio um litro de vodca, que congelou em pouco tempo. No que se transformaria o óleo do motor? Pedi a Michelle que desligasse o aquecedor interno imediatamente para preservarmos as baterias, pois elas seriam cruciais naquele momento. Dei a partida com a esperança remota do carro funcionar, mas nada, nem sinal.

Quando o motor para de funcionar a essa temperatura, sua capacidade de geração de energia e calor fica comprometida e, sem aquecimento interno, a temperatura de dentro do veículo se iguala à externa em uma questão de horas. A tendência era que o nosso problema aumentasse, literalmente, como uma bola de neve.

Em nossa primeira viagem de volta ao mundo, onde estivemos praticamente só em lugares quentes, tínhamos o clima como aliado. Quando ocorria um problema, podíamos sair do carro para analisar a situação e até preparar um café para poder refletir com serenidade e encontrar uma solução. Mas ali, naquela estrada hostil, onde o frio podia nos aniquilar de forma rápida, não tínhamos muito tempo para pensar: era agir – e logo. Cada minuto que passava conspirava contra nossa segurança. O ínfimo calor do motor seria dissipado num piscar de olhos.

Ao olhar para o painel vi que o marcador de combustível estava praticamente na reserva. Havíamos abastecido dois dias antes, mas o consumo estava muito alto: são necessários, em média, 30 litros para manter o carro e o aquecedor funcionando 24 horas e, assim, não se perder o motor por congelamento. Calculei que desde o último abastecimento que havíamos feito, o carro deve ter consumido mais de 50 litros. Então resolvi que se o combustível tivesse acabado, iria tirar alguns litros do tanque reserva, colocar num galão e transferi-lo para o tanque principal.

Saí do carro nervoso e no desespero esqueci até de calçar as luvas e colocar o gorro – uma imprudência grave, pois perdemos calor do corpo pela cabeça e pelas extremidades. Peguei uma chave Philips para afrouxar a braçadeira da mangueira de saída do tanque reserva para esgotar o diesel e, ao desconectá-la, a mangueira partiu na minha mão como se fosse um lápis, mesmo sendo reforçada em lona dupla especial. Mais um susto enorme. Materiais deste tipo, feitos em borracha e plástico, no frio intenso alcançam o ponto de transição vítrea e se quebram com facilidade. Ao observar a forma que o diesel saiu do orifício me dei conta de que não era por falta de combustível que o motor havia parado, mas pelo diesel ter congelado. Ele ficou tão pastoso que saía com dificuldade pelo orifício de meia polegada de diâmetro.

Lembrei que havia transferido um pouco de diesel do tanque reserva para o principal na noite anterior, com o intuito de evitar um esgotamento de combustível, já que o carro ficaria ligado durante toda noite. Mas esse diesel reserva foi provavelmente abastecido em uma região não tão fria na própria Rússia. Existem três tipos de diesel no país: o normal, o de inverno e o ártico – usados conforme a média de temperatura local. E com base na temperatura de onde estávamos, precisaríamos usar o diesel próprio para a região – o ártico. Esse é um diesel que praticamente não possui em sua composição a parafina, componente que fica gelatinoso em baixas temperaturas. Na verdade, o congelamento do combustível era o nosso maior medo.

Corre aqui, congela as mãos ali, pega a caixa de ferramentas, joga aditivo no diesel, experimenta bombear manualmente. Ferramentas jogadas por todos os lados. Até o trinco da minha porta se congelou e não fechava mais. Na correria, eu havia deixado a porta aberta. Aquele terrível silêncio continuava a nos rondar, como que prenunciando um acontecimento fatal.

Depois de uns 15 minutos de tentativas frustradas, tive a ideia de abrir um a um os bicos injetores, enquanto a Michelle dava a partida para estimular a fluidez nas passagens do combustível e, assim, desobstruir o bloqueio. Só depois de sangrar o quarto cilindro, creio que mais por milagre do que por técnica, é que o carro voltou a funcionar, mas só para nos dar a chance de voltar a Tomtor, onde o motor pifou de vez. Tentamos reanimá-lo de todos os jeitos, mas nada funcionou.

Pelo menos conseguimos voltar à civilização. No posto, um motorista russo que abastecia seu carro acabou nos ajudando. Ele nos rebocou para tentar fazer o carro pegar no tranco. Quando percebemos que todas as tentativas estavam sendo frustradas, ele nos puxou até o corpo de bombeiros e nos deixou nas mãos deles.

A Michelle foi levada para uma pousada para se aquecer e eu continuei trabalhando para encontrar uma solução. Enquanto os bombeiros faziam algumas ligações para procurar uma garagem aquecida, o Lobo ficou abandonado no meio da rua por mais de duas horas, o que fez com que a temperatura interna já estivesse abaixo dos 30 graus Celsius negativos. Depois de finalmente terem negociado um espaço em uma garagem, um motorista barbeiro, dirigindo o caminhão 6x6 do Corpo de Bombeiros, rebocou-me até o local. Como tudo o que era hidráulico estava em processo de congelamento, o Lobo foi literalmente deslizando sobre a estrada congelada, pois a direção não girava. Eu não conseguia fazer uma curva sequer e tampouco frear. Quando colocamos o carro dentro da garagem foi um alivio. No abrigo aconchegante, com temperatura de 10°C, ele ficaria pelo menos 24 horas para descongelar.

Terminado o sofrimento da estrada, fomos nos hospedar em um quarto quentinho na pousada da Susanna, a única da cidade. Parecia uma casa de avós: decoração exagerada, mesa farta, comida caseira e coração generoso. A Susanna tem um jeito de *babushka* – "vovó" em russo. A primeira das três refeições servidas foi fígado cru de cavalo congelado, que comemos igual se come um picolé. O inconveniente da pousada era a ausência de chuveiros. Não pergunte como eles costumam tomar banho... Creio que em saunas.

A comunicação até então era toda por meio de gestos, mas logo Susanna chamou a única pessoa que falava inglês na cidade: Lyuba, a professora de inglês. E o interrogatório começou: todos estavam curiosos para saber por que aqueles brasileiros estavam perdidos no Polo do Frio. Foi divertido. Susanna gostou tanto da nossa visita – os únicos brasileiros até então em sua pousada – que pediu para tirarmos uma foto juntos. Solicitou à Michelle que tirasse o gorro e, quando viu o estado em que estava o seu cabelo, imediatamente improvisou um banho de bacia para nós dois. Já se passara uma semana desde que havíamos tido essa regalia.

À noite, com dificuldade de dormir devido a tudo o que havíamos passado naquele dia, conversamos sobre o problema que ocorreu com o Lobo e repensamos nosso objetivo de continuidade da viagem, pois iríamos para lugares ainda mais frios e isolados. Enfrentar um problema como aquele em um lugar com certa infraestrutura, como Tomtor, era uma coisa. Mas o que seria de nós se isso se repetisse no meio do nada? O que faríamos se na investida à Latitude 70°N o diesel congelasse novamente? Isso sem contar os outros problemas relacionados ao frio que poderiam acontecer. Aquela que era para ser a aventura de nossos sonhos num piscar de olhos poderia se transformar num inferno. Amigos russos a quem falamos sobre o nosso projeto da Latitude 70 nos alertaram sobre as dificuldades das estradas de inverno: são noventa e nove por cento utilizadas por comboios de caminhões 4×4 ou 6×6 com pneus gigantes e, quando neva, deixam valetas profundas na neve, que seriam obstáculos intransponíveis para o nosso Land Rover com pneus de tamanho original. Se até os caminhões viajavam em comboio, o que seria de nós sozinhos? Nada melhor que um dia após o outro para nos dar essa resposta.

Noutro dia, após um delicioso café, Lyuba veio toda feliz para nos dar uma boa notícia: "Meninos, animem-se: hoje está fazendo somente -43°C lá fora". Dá para acreditar que nós demos um pulo de alegria?

REPÚBLICA FEDERATIVA DO BRASIL
PASSAPORTE
Consulate General of the Islamic Republic of Afghanistan
Permit of vehicle entrance to Afghanistan
Type of Vehicle
Color
Number plate
Country
Name of Co.& Owner
Engine No.
VISA
KYRGYZ REPUBLIC
№ 0030994
ВИЗА
AZƏRBAYCAN RESPUBLİKASI
REPUBLIC OF AZERBAIJAN
AB 0158764
GEO, Tbilisi
8 DEC 2016
7 JAN 2017
30 DAYS
7 DEC 2016
REPÚBLICA FEDERATIVA DO BRASIL
Circulação Internacional de Automotores
MINISTÉRIO DAS CIDADES
DEPARTAMENTO NACIONAL DE TRÂNSITO - DENATRAN
PERMISSÃO
INTERNACIONAL
PARA DIRIGIR
Nº 009038426
ANVISA
Agência Nacional de Vigilância Sanitária
Certificado Internacional de
Vacinação ou Profilaxia

2.
Planejamento

"Ninguém sobe tão alto como quem não sabe para onde vai". Oliver Cromwell.

Frase intrigante, essa do Cromwell. Quando a li, fiquei absorvido por um instante. Ela ia na contramão de todos os princípios que aprendi na vida. Em casa, na faculdade, no trabalho, a palavra "planejamento" era uma das que mais eu escutava. O revolucionário inglês foi ousado: ele enxergou a execução de um projeto por um viés diferente, para o qual tive que dar meu braço a torcer. De acordo com seu pensamento, se fizermos um bom planejamento com objetivos definidos, daremos nosso máximo para chegarmos a eles, mas dificilmente iremos além.

O filme L'Ascension, produção francesa de Ludovic Bernard de 2017, baseado em uma história real, retrata de uma outra forma a frase de Cromwell. Conta o caso de um argelino que não gostava de montanhas e, sem preparo nenhum, escalou o Everest. Ele não tinha informação sobre o trajeto, nem preparo físico; não tinha conhecimento das dificuldades de uma escalada em altitudes elevadas, tampouco dos perigos que enfrentaria. Foi para cumprir uma promessa que havia feito à namorada. Com a cara e a coragem, avançou passo a passo e no decorrer do caminho foi aprendendo como fazer. E por não ter as preocupações que os outros escaladores tinham, não ficou ansioso. Talvez por isso seu corpo não demandou tanto oxigênio, o que lhe permitiu ser o único da equipe a chegar ao cume da montanha mais alta do mundo.

Claro que isso é um caso à parte, quase folclórico. Sabemos que a maioria das conquistas do Everest foram feitas com muito planejamento e preparo. A Michelle e eu sempre levamos a sério o planejamento das nossas viagens, mas geralmente não partimos com muito apresto. Em se tratando de uma viagem a lugares que ainda não conhecemos, deixar um pouco por conta do inesperado, do imprevisível, pode ser salutar e deixar a aventura mais interessante.

O que respeitamos é a data definida para a partida, mesmo sem estarmos cem por cento prontos. É que sempre falta alguma coisa: sempre poderíamos ter feito tal coisa melhor ou de forma mais prática; sempre poderíamos ter mais informações ou detalhes sobre os países a conhecer. Nós, que passamos a ter mais tempo em viagem, sabemos que tudo o que não foi feito antes da partida poderá ser realizado na estrada. Pela segunda vez, começamos nossa volta ao mundo sem o carro estar pronto. Também não tínhamos os equipamentos necessários para a invernada na Rússia – a etapa mais difícil da viagem. Nós sabíamos, porém, que no decorrer da expedição iríamos dar um jeito em tudo. Esse era o plano.

Mas por que essa pretensão de ir ao Extremo Oriente Russo justamente no inverno? Não seria mais agradável e proveitoso ir no verão? Três anos depois do retorno da nossa primeira viagem de volta ao mundo iniciamos o planejamento da segunda. Gostamos tanto do viver na estrada que uma viagem só parecia pouco. A falta de um horizonte sem fim à nossa frente era sentida todos os dias ao acordarmos. Queríamos viajar mais, nos aventurar mais, pois havia ainda muitas coisas a serem descobertas. Lembro que próximo ao fim da nossa primeira viagem havíamos firmado um compromisso – iríamos novamente.

Na primeira viagem permanecemos mais ao sul das massas de terra que representam os continentes. Mas ao olharmos no mapa-múndi a partir da linha do Equador, vamos perceber que os continentes América do Sul, África e o sul da Ásia parecem pertencer ao sul do mundo, porém grande parte de suas terras se situam acima da Linha do Equador. Tanto que na primeira viagem, na qual contornamos esses continentes, chegamos a cruzar a linha do Equador seis vezes. Há muito mais massa de terra no Hemisfério Norte do que no Hemisfério Sul. Parte do Brasil, um pouco acima de Belém, pertence ao Hemisfério Norte; a maior parte da África idem e, na Ásia, tudo o que está acima da Indonésia também está acima da Linha do Equador.

O que sobrou, então, para uma segunda viagem? O Norte.

Temos um mapa-múndi pendurado na parede do escritório. É o elemento de decoração com o qual mais nos identificamos. Os mapas nos inspiram e guiam nossos passos, nos fazem viajar. São eles que nos levam e trazem de volta. Costumamos percorrer com os olhos e canetas as linhas que representam as estradas. É uma maneira de viajar sem sair de casa. Tudo parece fácil quando viajamos na imaginação: não precisamos parar nas fronteiras, mostrar documentos, obter vistos para entrada; não existem estradas ruins; as travessias oceânicas são fáceis – um pulo; não temos problemas mecânicos. E tudo é perto: um centímetro nesse nosso mapa representa 285 quilômetros no mundo real.

Então num dia qualquer de 2012, com o objetivo de clarear as ideias quanto à rota que pretendíamos fazer nesta segunda aventura, começamos a olhar o mapa e rabiscá-lo. A brincadeira foi longe – primeiro no mapa, depois na realidade. A imaginação segue o desejo e a ação segue a imaginação.

O traço, percorrido a dedo, começou em São Bento do Sul, em Santa Catarina, e foi subindo, seguindo as estradas. Percorremos a América do Sul, América Central e Estados Unidos, procurando passar pelas cidades e pontos de interesse sobre os quais já tínhamos informação e pretendíamos conhecer. Era fundamental, porém, que o itinerário fosse lógico, para que não perdêssemos muito tempo com longas distâncias fora da rota principal. Nas viagens, não é possível ver tudo. Continuamos o trajeto pelo oeste do Canadá e entrarmos no Alasca, o maior estado americano. Os dedos no mapa continuaram rumo ao Norte embalados por vias inóspitas, quase sem cidades, até que a estrada acabou. Chegamos tão ao Norte que o mar à frente, por sua textura azul e branco craquelado, representava estar congelado – Mar de Beaufort. Recorremos a um mapa da internet para ver a região com mais detalhes e pela primeira vez lemos o nome Dead Horse, a cidade petrolífera que se situa no fim da estrada.

Agora vejam como as coisas se desenrolaram. O mapa apresentava mais uma informação: uma linha horizontal desenhada abaixo de Dead Horse. Seguindo-a com o dedo descobrimos se tratar da Latitude 70°N. "Opa! Como é que é? Latitude 70°N?!", exclamei, ao mesmo tempo em que nos entreolhamos.

"Onde mais, no mundo, conseguiríamos ir de carro até a Latitude

70°N? Seria possível chegar assim tão ao Norte num lugar em cada continente?", continuou a Michelle, empolgada.

Quem nos deu a resposta foi o próprio mapa. Havia uma estrada na Noruega (Europa), que passava da Latitude 70°N e ia até o Nordkapp. Na Rússia (Ásia), uma sequência de cidades sugestionava haver uma estrada que terminava em Pevek, a 69,5°N. O pior era que faltava meio grau para os 70. Ao olharmos aquele mapa, no conforto do nosso escritório, o desafio não aparentava ser tão difícil. Pevek parecia estar tão perto, no papel, da Latitude 70°N, que nos fazia pensar que uma vez que estivéssemos lá, daríamos um jeito.

Quiséramos nós saber a furada em que estávamos nos metendo – ou não. Se tivéssemos, de antemão, a informação sobre as dificuldades de onde pretendíamos chegar, talvez nem topássemos tamanho desafio; ou, parafraseando Cromwell, "não subiríamos tão alto, se soubéssemos para onde iríamos".

Deve ser assim que pensavam e agiam os navegadores portugueses e espanhóis na época dos descobrimentos. Colombo guiou-se pela intuição e nunca soube direito onde chegou; morreu pensando que havia alcançado a Índia e nem ficou sabendo que mudou o mundo. Em nosso caso, foi assim que o projeto Latitude 70 surgiu: com o propósito de alcançar, dirigindo, um ponto acima da Latitude 70°N em cada continente – América, Ásia e Europa.

Nós aprendemos, com as experiências da vida, que a vantagem de se traçar objetivos é que eles ajudam a nos manter motivados. Isso serve para qualquer atividade. Nossas viagens foram longas – mais de mil dias cada uma. Muitas vezes houve momentos ou acontecimentos que nos fizeram pensar o que estávamos fazendo lá. Se não tivéssemos um plano e objetivos definidos, talvez não tivéssemos chegado até o fim. E o pior, se não tivéssemos feito um plano e desistido no meio do caminho, esse fato nem seria considerado como desistência, porque não teria havido um tempo de viagem estipulado, itinerário e nem um plano a ser cumprido.

Nossa ansiedade aumentou quando descobrimos que aquela estrada que chegava perto da Latitude 70°N, na Rússia, não é uma estrada normal: é uma *zimnik*, como se diz em russo – uma estrada temporária de inverno. Forma-se sobre rios e lagos congelados e sobre regiões pantanosas de taiga e tundra, por cima de uma base de neve compactada. Resumindo: se quiséssemos passar por ela, a única estação do ano em que isso seria possível era o rigoroso inverno da região mais fria do mundo entre as permanentemente habitadas. A Michelle, especialista em planejamento em viagens ousadas, nos dá a sua versão:

Sair por aí sem planos, sem objetivos, sem lenço, sem documento, literalmente ao deus-dará, vivendo cada dia à medida que ele for acontecendo, parece perfeito. Talvez para algumas pessoas seja, mas para nós seria um desperdício de tempo.

Com certeza quando viajamos a nossa liberdade aumenta. Livres das amarras da sociedade, como regras de conduta, dos julgamentos, valores e preceitos estabelecidos, somos livres para escolher entre as diversas alternativas que o caminho oferece, para ir e vir, para ficar ou partir. Mas isso não significa que não precisamos de um guia. Imaginem se em cada esquina tivéssemos que parar para discutir se vamos à direita ou à esquerda? Ou se já na saída de casa tivéssemos que decidir se vamos dar a volta ao mundo pelo Leste ou Oeste? Precisamos otimizar o nosso tempo. Quando temos todo o tempo do mundo – afinal, três anos e quatro meses parece uma eternidade – é bem mais fácil desperdiçá-lo. Então planejar é preciso. O mais importante em viagens longas como as nossas é ter flexibilidade para mudarmos os planos. Ser flexível é a chave para adquirirmos a liberdade que buscamos ao viajar.

A primeira expedição foi de pura descoberta. O mundo para nós era totalmente desconhecido e sabíamos de pouca gente que havia feito algo parecido, então eu nem sabia ao certo o que planejar. Era tudo novo – desde como cruzar as fronteiras até como seria a rotina dentro do motorhome. Nosso inglês era precário e nosso entendimento sobre as burocracias e sobre o mundo em geral era limitado. Fomos descobrindo aos poucos.

Já a segunda eu digo que era para ser uma viagem de afirmação. Uma viagem para realmente formarmos uma opinião sobre o mundo. Por já termos vivido aquela experiência, em alguns pontos a segunda expedição foi mais fácil. Já sabíamos cruzar as fronteiras, nos adequar às diferentes culturas e estávamos bem mais desenvoltos na comunicação. A internet passou por uma evolução radical nos anos que antecederam a segunda viagem e eu possuía uma enxurrada de informações ao meu dispor. Sabia o que pesquisar, mas devido aos objetivos desafiadores e diferentes com os quais nos comprometemos, como chegar a lugares intocados e longe das facilidades do turismo, tivemos a dificuldade do pioneirismo. Quase não encontrava informações do extremo leste da Rússia, pois quase ninguém se aventura por lá, ainda mais no inverno.

O planejamento é uma ferramenta que nos faz pensar com antecedência. É quando traçamos nosso itinerário considerando as necessidades trazidas pelas estações – das secas às chuvas –, as melhores épocas para se visitar cada lugar, de acordo com os pontos de interesse e a intuição. É quando pesquisamos as possíveis e mais baratas rotas marítimas para o despacho do carro, disponibilidade de voos, vistos, permissões especiais, problemas políticos (como guerras e conflitos) e a necessidade de recursos e equipamentos específicos para o proposto também são levados em consideração. É impossível saber de tudo e planejar tudo. É muita informação. Então após ter o esboço geral de nossa trajetória, eu me aprofundei somente no que seria de extrema importância naquele momento, que em nosso caso, antes da partida, era ter informações sobre os primeiros destinos e sobre como tornar possível a conquista da Latitude 70°N na Rússia – rotas, equipamentos, preparação do carro, permissões, entre outros detalhes.

Foram horas e mais horas de pesquisas e contatos, sendo que grande parte das informações que conseguia era em russo. Nada que um tradutor on-line não pudesse resolver. Mas quando necessitamos de informações mais precisas, ficar só nas entrelinhas não ajuda. Até tentei estudar russo em casa. Em primeiro momento, aprender o alfabeto foi fácil, mas quando chegou a hora de juntar as letras e formar aquelas palavras ilegíveis e impronunciáveis, desisti. A falta de tempo também me desmotivou.

Investiguei sobre expedições que foram feitas na região. Uma delas foi a Cape to Cape, realizada pelo inglês Steve Burgess e sua equipe em 2008. Ele foi o primeiro a cruzar o Estreito de Bering com um carro (uma Land Rover!). Na verdade, ele não fez todo o trajeto dirigindo, já que tiveram que cruzar cerca de cem quilômetros pelo mar. Para isso, a equipe adaptou duas bananas infláveis à Land, tornando-a uma espécie de carro anfíbio e, com o próprio motor, propulsionaram o veículo. Depois de 18 horas e 50 minutos, chegaram do outro lado, conquistando a proeza.

A expedição de Steve era a única referência concreta que tínhamos. Ele foi um dos únicos que respondeu meus e-mails e compartilhou seus conhecimentos. Com poucas e vagas informações, três tópicos me aterrorizavam: rota, permissões e equipamentos, tanto pessoais como para o carro. Quanto à rota, saímos de casa sem informações precisas de onde era a estrada de inverno para Pevek. Sabíamos que ela existia, mas por onde passava exatamente teríamos que descobrir in loco. Quanto a mapas, nos que estavam disponíveis, se havia escrito algum nome de povoado naquela região, 99% eram em cirílico. Entender como?

Brasileiros não necessitam de visto para entrar na Rússia. Podemos permanecer no país por 90 dias num período de seis meses, mas com tantas incertezas e longas quilometragens a serem percorridas, não sabíamos se esse tempo seria suficiente para investirmos na Latitude 70°N. Liguei, então, para a embaixada da Rússia em Brasília e enchi o atendente de perguntas referentes à extensão do visto e também a uma permissão que necessitaríamos para adentrarmos o estado de Chukotka – o mais isolado e uma das fronteiras mais sensíveis do país. Na verdade, toda a costa do Ártico até cem quilômetros terra adentro é considerada pelo governo russo zona sensível e para se visitar essa extensão é necessário levar uma permissão especial. O atendente ficou sem respostas às minhas perguntas tão incomuns e por isso respondeu com outra pergunta: "Por que você não faz como todo mundo e visita os lugares mais comuns da Rússia? Tipo Moscou, São Petersburgo ou viaja de trem pela Transiberiana?".

A ligação estava quase tão péssima como a comunicação, já que ele falava um português ruim e com sotaque russo. Ficava difícil me explicar e me defender numa situação dessas. Realmente algumas pessoas não entendem nosso espírito desbravador e nunca irão entender. Desisti de tentar convencê-lo. Sem ajuda, a decisão foi nos contentarmos com apenas 90 dias de visto e descobrir sobre a permissão nos 500 dias seguintes que teríamos até chegar lá. Quanto aos equipamentos para extremo frio, conseguimos informações, mas definitivamente o Brasil não era o local ideal para os comprarmos. Deixamos para organizá-los nos Estados Unidos e Canadá, que são muito mais preparados para o frio: oferecem mais opções e a preços mais acessíveis. Nem lá esses equipamentos técnicos são baratos, mas de onde tiraríamos dinheiro para comprá-los era uma questão com a qual também deixaríamos para nos preocupar no futuro. Já tínhamos o suficiente para encher nossas cabeças até aquele momento. Resumindo: saímos de casa com muitas dúvidas e incertezas, mas isso não nos fez deixar de buscar nosso sonho.

Preciso confessar uma coisa (não contem para o Lobo, o nosso carro): eu estava com a intenção de realizar esta segunda viagem de caminhão. Já tive oportunidade de viajar de moto, de carro, de caminhonete, mas nunca de caminhão. Sempre me pareceu fascinante a posição mais alta que um caminhão oferece ao motorista e seus ocupantes. Ele impõe respeito na estrada. O que mais me fascinava nessa ideia era a perspectiva do prazer em dirigir um caminhão pelas diferentes estradas do mundo. Seria um desafio, pois ao invés de ter que cruzar um atoleiro, erosão ou duna com um veículo de três toneladas, teria que transpassar os obstáculos com seis, oito ou até nove mil quilos, dependendo do caminhão. Penso que daria outro ritmo à viagem. Era essa nova pegada que me entusiasmava. Feitas as pesquisas iniciais, veio a primeira frustração: em nosso país não existem muitas opções de caminhões 4x4. Na Europa, onde as estradas são melhores, existem várias opções desse tipo de veículo.

Fui a Tatuí, interior de São Paulo, à procura de mais informações. Conversei com o Edu Piano, piloto de rally que conquistou vários títulos no Rally dos Sertões na categoria caminhões. Sua experiência tinha que ser levada em conta, mesmo que seus caminhões fossem para provas de velocidade. Questões como confiabilidade, praticidade e dirigibilidade valiam também para a nossa finalidade. Além disso, a empresa de Edu Piano instalava tração 4x4 nos caminhões F-4000, Trafic e Cargo, o que enriquecia as minhas opções.

À medida que as possibilidades foram aparecendo, um fator que até então eu estava ignorando tornou-se decisivo: o custo. Nossas contas nos revelaram que para adquirir um caminhão e prepará-lo para a viagem, das duas uma: ou conseguíamos um patrocínio, o que não seria fácil e tardaria o início da preparação, ou teríamos que vender o velho guerreiro Lobo da Estrada, companheiro de milhares de quilômetros em dezenas de países. A Michelle e eu voltamos de nossa primeira viagem mais desapegados, a ponto de cogitarmos a sua venda, mas entre cogitá-la e efetivá-la havia uma distância considerável. Ainda bem que ninguém nos fez uma proposta.

Colocados os prós e contras no papel, verificamos que além do custo alto do veículo e da preparação, teríamos maior consumo de combustível, mais dificuldades e custos nos despachos marítimos, acesso mais difícil às estradas menores e aos estacionamentos nas cidades grandes. Se construíssemos um motorhome nesse tão sonhado (por mim, não pela Michelle) caminhão, creio que não ganharíamos em espaço e conforto o equivalente ao que perderíamos com essas limitações.

Custou para que eu caísse na real – o veículo ideal para viajarmos aos confins do mundo já estava em nossas mãos. A Michelle falava isso desde o início. Cada vez mais eu reconheço que é preciso escutar as mulheres. O Lobo necessitava apenas de uma boa revisão, de um novo motorhome – mais leve, mais bem projetado e com melhor isolamento térmico –, afinal iriamos encarar o frio intenso no Extremo Oriente Russo e outras tantas estradas que estavam por vir.

Uma pergunta nos é feita com frequência: é necessário que um veículo seja 4×4 para se viajar pelo mundo? Em nossa opinião, não. Nossa escolha é pelo gosto e estilo. Fui criado no meio off-road. A começar pelos lendários Jeep Willys – um modelo 1951 e outro 1960 –, que foram minha condução para a escola. Lembro-me também do dia em que vi um Land Rover ao vivo pela primeira vez. Eu tinha 13 anos e fiquei tão empolgado que não queria mais sair do lado do carro – ao menos não sem antes tirar uma foto junto ao meu irmão Igor, cheios de pompa.

Éramos pirados por esses tipos de carros, que até então quase não existiam no Brasil. O Camel Trophy (competição off-road internacional dos anos 80 e 90) contaminou muitos da nossa geração com o sonho de participar dessa competição, mas dá para contar nos dedos os brasileiros que tiveram a chance. Eu não fui um deles, nem tinha idade para isso, mas também não posso reclamar, pois competi e organizei provas de raids (jipes) e enduros (motos) por vários anos. Esta minha paixão pelo "fora-de-estrada" nos fez escolher um veículo 4x4, pois o nosso caminho seria longe das rodovias asfaltadas.

Certo dia recebemos a visita do Álvaro Link, da sua mulher Adelaide e do filho Artur e, por serem viajantes também, durante o almoço nosso papo foi principalmente sobre experiências de viagem. Conversamos sobre destinos, carros e equipamentos e, lá pelas tantas, não me contive e desvendei o nosso segredo: a intenção de reconstruir o motorhome no Lobo. Falei das melhorias que planejávamos fazer, sendo uma delas a busca por um material mais tecnológico.

A Michelle possui uma grande virtude: sabe manter sigilo sobre os nossos planos. E pega no meu pé quando dou com a língua nos dentes, pois acredita que um projeto em segredo está protegido das más energias. Concordo com ela em gênero e número, mas não em grau, pois penso que quando mantemos um segredo bloqueamos também as energias boas. Chegamos a um acordo: só contamos nossos projetos para aqueles que realmente possam nos ajudar. O Álvaro é um deles.

No retorno à sua terra natal, Rio Grande do Sul, ao passar pela proximidade de Araquari, em Santa Catarina, talvez por ainda estar pensando naquilo que conversamos durante o almoço, parou em uma fábrica de motorhomes para ver as novidades. De lá me ligou: "Roy, você precisa conhecer a matéria-prima que os caras estão utilizando aqui. Parece ser o que você procura". Era a fábrica Victória Motorhomes. Fui até lá e, ao segurar um pedaço de placa do divinycell, constatei que esse material era a nossa solução; parecia algo de outro mundo – do mundo dos barcos: leve, resistente e com bom isolamento térmico e acústico. A placa de divinycell é uma composição tipo sanduíche: duas faces de manta de fibra encharcadas em resina e um núcleo de espuma. A fibra de vidro é a mais utilizada por ser mais barata, mas pode ser substituída por fibra de carbono ou outra. As resinas também podem variar, assim como o tipo da espuma. Tudo depende da aplicação. A indústria náutica utiliza essa solução há muito tempo, especialmente com a espuma de PVC (policloreto de polivinila), que é impermeável devido às suas células fechadas. Também não propaga fogo e resiste às altas temperaturas. Obrigado, Álvaro, pela dica.

Pedi ao gerente da fábrica de motorhomes para levar uma amostra e carreguei-a no carro durante algumas semanas. Mesmo dirigindo, eu a segurava, contorcia, batia e o que me entusiasmava era sua relação peso/durabilidade. Foi amor à primeira vista. Eu tinha a certeza de que estava segurando a melhor solução para nosso carro. Bastava projetá-lo e depois construí-lo. Opa, não tão fácil assim: precisaríamos, primeiro, encontrar uma maneira de viabilizar financeiramente a construção. E o melhor caminho para isso era propor-lhes uma parceria. Alguns dias depois, entusiasmado, lá estava eu conversando com o Plinio Cesar Pasa, com um esboço feito pela Michelle a lápis de cor. Detalhei o plano da viagem oralmente.

Apesar da forma simples e direta como apresentei a proposta, eu estava muito confiante no sucesso da parceria, pois três anos antes ele havia nos visitado em uma exposição fotográfica que fizemos referente à nossa primeira volta ao mundo no Shopping Mueller, em Joinville. A exposição estava linda, imponente, com o Lobo exposto no centro da praça de eventos. Os caprichos com a exposição devem ter dado a ele uma noção do quanto de dedicação e carinho nós investimos em nossos projetos. Participar da segunda viagem como fornecedor poderia trazer bons frutos à sua empresa e marca.

"Topo!", disse ele, "mas com uma condição: vocês detalham o projeto, compram a matéria-prima, os equipamentos e eu forneço a mão de obra, o conhecimento técnico, as ferramentas e um espaço dentro de minha fábrica para construí-lo."

Aceitei sem hesitar e, na minha empolgação, visualizei todo o projeto dando certo. Eu sou assim. A Michelle é quem precisa me trazer de volta ao planeta Terra. "Você pode construir castelos no ar, mas não se esqueça de dar-lhes os alicerces", dizia ela, parafraseando o filósofo Henry David Thoreau. Só eu e a Michelle sabíamos o quanto a resposta positiva do Plinio foi importante – nossa segunda viagem, nascida de um passeio de dedos sobre um mapa, começava a ganhar contornos reais.

Combinamos também com o Plinio que a Michelle e eu trabalharíamos juntos na construção do carro e gerenciaríamos todo o processo construtivo, cada qual com a sua expertise – a Michelle no detalhamento do projeto e eu na execução. Essa combinação acabou nos ajudando lá na frente, durante a viagem, nas manutenções que se fizeram necessárias: sabíamos por onde passava cada cano d'água e cada fio elétrico.

Asas à imaginação para ver o mundo de cima

Quando viajava a São Paulo eu pernoitava na casa de um amigo, o Raul Stolf, companheiro de paraquedismo de longa data e que também fez uma viagem de volta ao mundo "mochilando". Assim como eu, ele gostava de fotografia. Certa vez me mostrou um livro chamado Eyes over África, de Michael Poliza. Era um livro de mesa, grande, capa dura, impresso em alta qualidade e mostrava fotografias da África (do Egito à África do Sul) sob uma perspectiva diferenciada, vista do alto, ou seja, de um helicóptero. Cada imagem das paisagens, animais e povos ocupava duas páginas espelhadas. Eram maravilhosas. Enquanto eu folheava o livro, lá no fundo aflorava em minha mente uma ideia: por que não fazer algo parecido? Ok, Roy, mas agora pés no chão, mal vai poder dar conta da construção do carro e ainda quer fazer fotos aéreas de um helicóptero?

De volta a São Bento do Sul, ao encontrar a Michelle a primeira coisa que lhe falei foi sobre o livro. Tentei descrevê-lo, mas percebi que a única forma de fazê-la enxergar aquela beleza seria presenteando-a com um exemplar no Natal. Fiz a compra pela internet, mas para minha infelicidade, o livro, que já não tinha sido barato, chegou acompanhado de uma fatura com acréscimo de 100% sobre seu valor em imposto. Livros são isentos de impostos de importação em nosso país e a livraria americana não destacou na fatura que se tratava de um livro. A Receita Federal caracterizou-o como produto tributável. Achei injusto, devolvi o pacote e solicitei o reembolso. E a Michelle, naquele Natal, ficou apenas com um vale livro.

Alguns meses depois, num domingo de manhã, quando assistíamos a um programa de esportes na TV, vimos uma matéria sobre um brasileiro tentando quebrar o recorde de altitude em um paramotor. Nem sei dizer se ele conseguiu, pois minha atenção ficou totalmente direcionada para a aeronave que ele pilotava. Aparentava ser leve, desmontável e fácil de decolar; precisava apenas caber em um porta-malas. Ops! Estava aí a solução: levar um paramotor para fazer imagens aéreas.

O livro O Segredo, de Rhonda Byrne, fala que as coisas acontecem pela lei da atração. Talvez seja mesmo dessa forma: de tanto vislumbrar o tal do paramotor, o sonho passou a se tornar realidade. Uma conversa com o parapentista Guido Gustavo Lutz, rendeu o contato do Ary e do Fernando Pradi, proprietários da Sol Paragliders – empresa reconhecida mundialmente na área do parapente e que, por coincidência, ficava a apenas 60 quilômetros da nossa casa. No primeiro encontro com Ary, ele falou que já tinha lido nosso livro, fato que, imagino, ajudou-me a obter a resposta positiva que buscava – a Sol Paragliders passou a ser mais uma empresa parceira, fornecendo-nos o equipamento e ensinando-nos a voar. Perfeito.

Com isso acrescentei mais um item aos afazeres dos preparativos – aprender a voar. É claro que minha experiência como paraquedista facilitou, mas quem ajudou mesmo foi o dedicado instrutor Andy Moreira, que entendeu a nossa situação e, nas poucas horas vagas que tínhamos, colocou a Michelle e eu no ar. Mais tarde, já com noções bastante claras, fomos a Santos e Itanhaém para aprender a voar com o motor nas costas, tendo o experiente Lu Marini, da Escola Brasileira de Paramotor, como instrutor.

Quando contar a história é mais complicado do que vivê-la

Os anos 2007, 2008 e 2009, os da nossa primeira viagem de volta ao mundo, transformaram nossas vidas. Mas isso aconteceu porque quando retornamos da viagem demos a chance dessa mudança acontecer. Na ocasião tínhamos duas opções: voltar a trabalhar com o que fazíamos antes ou continuar no caminho das mudanças. Optamos pelo caminho mais arriscado, pois queríamos compartilhar as histórias vividas por meio da publicação de um livro (Mundo por Terra: uma fascinante volta ao mundo de carro – edição de autor, disponível em nosso site www.mundoporterra.com.br), realizar exposições das fotos da viagem e ministrar palestras motivacionais, contando nossas experiências.

Escrevo "caminho mais arriscado" porque tudo era novo para nós. Não tínhamos experiência como escritores, muito menos como palestrantes. Como se escreve um livro? Como se vende uma exposição de fotos a um shopping center? Na ocasião, nossas economias estavam no limite e precisávamos que esses produtos fossem rentáveis e de forma rápida.

Foi uma fase difícil, mas estávamos sempre confiantes, pois éramos incentivados pelas pessoas que acompanhavam nosso website e nos davam feedbacks de que a nossa viagem, de alguma forma, era inspiradora e as influenciavam, dando-lhes motivação e, em alguns casos, até fazendo-as tomar decisões que levariam a grandes mudanças em suas vidas. Jamais imaginamos que a viagem repercutiria tanto. Então, se não tínhamos experiência, sabíamos que a história era boa e seguimos em frente.

As etapas mais difíceis são sempre as que nos trazem as melhores recordações. A escrita de nosso primeiro livro foi um trabalho de 20 meses a fio: escreve, pesquisa, escreve, apaga tudo, começa de novo, escreve, lê os cadernos de anotações, pesquisa, lê os diários de bordo, olha as fotos, pesquisa e escreve. Nós nos dedicávamos de corpo e alma, em horário comercial – das 8h às 17h, de segunda a sexta. Havia dias em que a escrita rendia muito, mas em outros não saía nada. Nos encontros com amigos, quando éramos perguntados sobre o que estávamos fazendo da vida, caíamos no descrédito. A resposta era sempre a mesma: escrevendo o livro; e nada de terminar.

Quando enfim ficou pronto, um caminhão descarregou na garagem de casa uma pilha de caixas contendo quase duas toneladas de papel. Felizes, mas com um problema: nos demos conta de que éramos autores independentes e não tínhamos nenhuma editora para cuidar da distribuição e das vendas. O trabalho estava só começando.

Na véspera do Natal de 2012, pouco mais de um ano após o lançamento do livro, viajávamos pela BR-101 e, como estávamos perto de Balneário Camboriú, em Santa Catarina, aproveitamos para visitar uma das lojas da rede Livrarias Curitiba para ver como estava exposto nosso livro. Por ser final de ano, a loja estava lotada e os vendedores corriam de um lado para outro. Sem querer atrapalhar, perguntamos onde ficava o setor de livros de viagens. A vendedora parou, mostrou o caminho e quando ia nos deixando, fez um movimento como se tivesse acabado de lembrar de algo, e disse: "Ah! A minha indicação é o livro Mundo por Terra, é ótimo". Só de ouvir isso, achamos que valeu a pena todo o esforço. Um depoimento espontâneo como aquele, vindo de uma pessoa que pode defender e indicar uma obra, vale mais que retorno financeiro. Outros feedbacks positivos vieram por e-mail e mídias sociais, comprovando que se temos um sonho, temos que correr atrás dele, mesmo que alguns pensem que não somos capazes. Lembro-me de que quase ao terminar a primeira viagem, ao falarmos a um amigo sobre a intenção de escrever um livro, ele nos jogou um balde de água fria dizendo: "Não se metam com isso. Escrever não é para qualquer um; vocês precisam contratar alguém para escrever a história de vocês".

Um amigo que sempre nos ajudava na montagem das exposições fotográficas, o Mauri Ponikerski, foi testemunha de boas histórias sobre as dificuldades que essa experiência nos trouxe. As obras foram expostas onze vezes, a maior parte em shoppings centers de Santa Catarina e do Paraná. Acho que a produção do mobiliário foi mais fácil do que as montagens e desmontagens. Os móveis, que não eram poucos, nem leves (30 expositores de fotos, oito expositores de objetos e um *overview* grande), ficavam armazenados em um depósito onde, apesar de bem protegidos, enchiam-se de poeira, teias de aranha e cocôs de mosca. Antes de levá-los para cada exposição, tínhamos que limpá-los, além de organizar o transporte e carregar tudo no braço – sozinhos. Muitas vezes nós mesmos transportamos os móveis com um caminhão Mercedes 1951 do meu pai, Leomar. Na estrada, o caminhão bicudo chamava mais atenção do que o próprio Lobo que vinha atrás em comboio. Nosso carro a ser exposto saía de casa tinindo, mas as viagens, longas e muitas vezes debaixo de chuva, nos obrigavam a lavá-lo novamente quando chegávamos ao destino: baldes, panos e mãos à obra nos estacionamentos dos shoppings.

Após o fechamento ao público, geralmente às 22 horas, éramos autorizados a entrar nos shoppings. Descarregávamos o caminhão e transportávamos tudo para a praça de eventos: móveis, fotos, objetos, acrílicos, tapetes, ferramentas e o Lobo. Como o motorhome tinha 2,7 metros de altura, não passava por algumas portas, obrigando-nos a desmontar o teto para diminuir 30 centímetros em altura e esvaziar os pneus para baixar outros 15 centímetros. Quando nem isso era suficiente, convidávamos os seguranças para entrarem no carro e fazerem peso para baixar a suspensão. Certa vez chegamos a colocar oito pessoas dentro do carro para abaixá-lo. Em um dos lugares tivemos que tirar as quatro rodas e puxar o carro sobre três jacarés (macaco de borracharia) por debaixo da porta. Noutra ocasião usamos plataformas elevatórias para não quebrar as escadas de granito da entrada do shopping. Então só para entrar com o carro pelas portas baixas gastávamos várias horas.

E quando tudo estava dentro, inclusive o carro, a Michelle, o Mauri e eu tínhamos até a manhã do dia seguinte, de acordo com a norma dos shoppings, para deixar tudo pronto: definir o layout, dispor os móveis, montar os acrílicos, colar as fotos, colar as legendas, dispor os objetos e suas legendas, montar a estrutura do painel *overview*, instalar as luzes e lonas, montar o teto do carro e organizá-lo por dentro, colar o tapete e, por fim, limpar tudo. O último item que ia para seu lugar era um livro de visitas, que era colocado num porta-livros ao lado do móvel *overview*. Hoje temos uma coleção desses livros, com centenas de comentários positivos. Sempre conseguimos terminar tudo no horário permitido, mas chegamos a ficar até às 8h30 do dia seguinte trabalhando na montagem. Saíamos acabados e muitas vezes, quando não tínhamos onde ficar, íamos diretamente do shopping até a estrada de volta para casa.

A exposição geralmente ficava montada por um mês e nós participávamos aos sábados, domingos e em alguns dias de grande movimento. Quando cansávamos de falar da viagem, escapávamos para o andar de cima para ver do alto a reação das pessoas diante das fotos e objetos expostos. As crianças amavam. Certa vez, no Park Shopping Barigui, em Curitiba, contamos cerca de cem pessoas ao mesmo tempo visitando a exposição – uma grande recompensa.

Houve também as palestras que iniciamos tão logo retornamos da viagem – a memória estava fresca, seria mais fácil lembrar-nos das aventuras. Como qualquer carreira, o início foi difícil e o principal desafio era enfrentar o público, pois não tínhamos essa experiência. Uma boa forma de começar foi promovendo debates em universidades, onde o clima é mais descontraído. Ao mesmo tempo em que falávamos, medíamos o impacto das mensagens e, aos poucos, íamos ganhando confiança para enfrentar plateias. A cada palestra surgia uma nova ideia, uma forma diferente de abordar o tema. Material, histórias e imagens nunca faltaram. As empresas passaram a gostar de colocar nossas palestras em suas convenções – as metáforas oriundas das nossas dificuldades e de como as superávamos servem muito bem para o ambiente corporativo.

Partimos para a segunda expedição, Latitude 70°N, em um domingo e, na sexta-feira, em meio a toda a correria que antecede uma partida, fizemos uma última palestra em Florianópolis. A próxima demoraria pelo menos três anos e meio.

A construção do motorhome – o primeiro grande desafio

Retirar a cabine dupla e transformá-la em simples para aumentar o espaço de acomodação era uma melhoria óbvia a realizar. Ao removê-la, ganharíamos mais um metro linear para aumentar o motorhome, o que significava 50% a mais de espaço interno. Ampliaríamos também a passagem para a cabine – um conforto e tanto para nós –, lembrando que na primeira viagem tínhamos uma abertura baixa e estreita para passar. Para retirar a cabine dupla, precisamos cortar apenas duas longarinas de alumínio; o resto foi desmontado por parafusos. O teto, que era uma peça única, retiramos por completo: nosso plano era construir um novo em divinycell, mais alto que o original e interligado com o casco do motorhome.

Mas tínhamos um dilema: as caminhonetes têm suas caçambas separadas das cabines. São construídas assim, pois o chassi possui certa elasticidade e torce em terrenos desnivelados. Em nosso projeto, consideramos fazer uma coisa só – cabine e motorhome – cientes de que se a construção não fosse forte o suficiente, poderia quebrar ou trincar. O tema gerou dúvidas, mas a decisão teve alicerce de uma pesquisa que fizemos na internet: descobrimos que uma empresa alemã especializada em construção de motorhomes em Defenders 130 (nosso carro) unificava as duas partes, assim como queríamos fazer.

Sem teto, sem a cabine dupla e sem a caçamba, o Lobo parecia estar nu. Tirei as medidas do chassi e com o meu primo Kleber Mafra, a partir do esboço que a Michelle desenhou, fizemos o detalhamento técnico necessário. Desenhamos peça por peça para construir um molde em MDF, do qual tiraríamos a estrutura do motorhome por infusão.

Como o molde não pode ter vazamentos de ar nas emendas, a construção foi realizada com muita atenção às minúcias; foi feita na Móveis Rudnick. Mais ainda pelo fato de termos sido exigentes nos detalhes: a metade superior da parede lateral do motorhome foi projetada com uma inclinação de 4,5 graus – ângulo que imitaria o da cabine do Defender – e para executá-la no molde, sua lateral teve de ser unida em duas partes. Um toque sutil de beleza, que deixou as laterais reforçadas.

Quando os trabalhos em São Bento do Sul terminaram, transportei o molde montado e o Lobo para Araquari, cidade da Victória Motorhomes. Na época, a fábrica situava-se num galpão aos fundos de um posto de combustível na BR-101, aproximadamente onde ela encontra a BR-280. Ao descarregarmos o molde, pelos comentários ressabiados de alguns funcionários ficou evidente que o método por infusão era algo novo na construção automotiva.

O meu primeiro contato com a técnica da fibra de vidro – das muitas horas que estavam por vir – foi o de melhorar a vedação das emendas do molde para que não corrêssemos o risco de haver vazamentos. Trabalhar com fibra de vidro é pior que rolar sem camisa na grama, de tanto que pinica a pele. Não só coça, como arde, pois pó de vidro é cortante. Araquari é quente e faz a gente suar, então quando eu esfregava a mão na testa para me livrar do suor, conduzia ainda mais pó para dentro dos meus poros, causando mais lesões. Coisa de principiante.

Além de botar a mão na massa, fui encarregado de gerenciar o processo e negociar com os fabricantes de matéria-prima. Com o fornecedor do divinycell, por exemplo, conseguimos que fosse enviado um técnico, o Rodrigo Lorente, para ensinar os fibreiros da Victória Motorhomes a metodologia de infusão. A peça modelo utilizada para a instrução foi o nosso motorhome. Quem vê esse processo pela primeira vez fica deslumbrado. Todos os funcionários da fábrica foram ver como funcionava.

O processo é assim: imagine que o molde é um copo. O primeiro passo é forrar o interior dele com a manta de fibra de vidro por todos os lados, inclusive o fundo. Em seguida, precisamos preenchê-lo com espuma de PVC de espessura previamente definida. Escolhemos a de 15 milímetros. Depois deve-se forrar novamente, por cima da espuma, com mais uma manta de fibra de vidro. As três partes irão formar uma espécie de sanduíche – fibra-espuma-fibra. Sobre este sanduíche instalam-se mangueiras, umas para sucção de ar (vácuo) e outras para entrada de resina. E por último cobre-se tudo com plástico maleável e resistente. No caso do copo, o plástico é colado em sua borda com uma fita dupla face.

Finalizada esta fase, liga-se a bomba de vácuo conectada à mangueira de sucção para tirar o ar do sanduíche, criando um vácuo lá dentro. Isto faz com que o plástico – que é maleável – seja forçado contra o molde, posicionando o sanduíche – fibra-espuma-fibra – no seu devido lugar. Quando o vácuo chega na pressão negativa mínima especificada pelo fabricante pode receber a resina – previamente misturada com catalizador pelas mangueiras de resina. Na espuma de PVC há frisos quadriculados, estreitos e rasos, bem como furos passantes, que servem de caminho para que a resina se alastre e encharque de forma homogênea todas as partes do produto final.

Visualize agora essa parafernália montada no molde do motorhome, com três metros de comprimento, dois de largura e dois de altura. Quando o barômetro indicou o vácuo mínimo ideal – momento de pura exaltação entre nós, pois isso mostrava que o molde não continha vazamentos –, o Rodrigo abriu a torneira da resina, que passou a ser sugada pelo vácuo para dentro do sanduíche. A resina se alastrava vagarosamente pelos frisos da espuma, cruzava de um lado para outro pelos furos e por onde passava ia encharcando tudo, centímetro por centímetro. Foi um processo lindo de se ver, mas muito tenso, pois tínhamos que estar atentos para que em hipótese alguma faltasse resina no balde, o que criaria uma bolha de ar no circuito. Os 22 metros quadrados – ou 44, se considerarmos os dois lados da parede – foram completados em menos de meia hora. Nessa metragem não está incluso o teto, que foi feito separadamente.

Mas a infusão não terminava por aí – a bomba de vácuo tinha que ficar ligada até que a resina secasse, o que levaria mais seis horas. Se por azar houvesse uma queda de energia e a bomba fosse desligada, a resina, que chegou a subir pelas paredes sugada pelo vácuo, começaria a descer. Aí o trabalho, a matéria-prima e inclusive o molde iriam para a reciclagem. Por sorte tudo correu bem, mas de tão apreensivo que fiquei com essa possibilidade levantada pelo pessoal, devo ter ficado a metade do tempo debruçado sobre a borda do molde, olhando e rezando para que o barulho ensurdecedor da bomba continuasse importunando meus ouvidos.

No outro dia, bem cedo, desmontamos o molde. Como um pintinho que sai da casca do ovo, surgiu a estrutura de nossa nova casa sobre rodas. Pura felicidade, afinal era ali que passaríamos três anos de nossas vidas. Chutei as laterais para ver se pareciam duráveis; caminhei por dentro para ter uma percepção do espaço; levantei-o para ver seu peso. Tudo estava melhor do que eu havia imaginado.

O que eu não contava, até pela minha falta de experiência, era que o trabalho mais árduo ainda estava por vir: fixar o motorhome no chassi e interligá-lo à cabine; construir o teto da cabine e fixá-lo ao motorhome; fabricar as portas, janelas e o mobiliário, cujas estruturas também seriam feitas em divinycell, e instalá-los; isolar as paredes e o teto com isopor e forrar as partes internas com fórmica; colar o piso, fabricar o deck do chuveiro, fazer as instalações elétricas, hidráulicas e de demais equipamentos. Para as frentes de gavetas, portas dos armários, mesa e outros acabamentos usamos a madeira kiri – leve e durável –, oriunda de uma plantação que meu pai tinha feito 40 anos antes. As árvores cresceram comigo e depois viajaram pelo mundo conosco. Isso foi meio mágico, não foi?

Um livro serve também para registrar erros, certo? Afinal, são eles que nos ensinam. Logo que o casco ficou pronto, a Victória Motorhomes mudou de endereço, apenas 15 quilômetros distante do local antigo. Como o motorhome ainda não estava fixo no chassi, o Plinio sugeriu que eu contratasse um caminhão com plataforma para transportá-lo até as novas instalações. Teimoso, decidi que eu mesmo o levaria para economizar alguns trocados. Fixei o motorhome com sargentos (grampos metálicos de marceneiro) e o teto com uma cinta larga, dessas utilizadas para amarrar carga de caminhão, para que ele não saísse voando.

Como o motorhome era mais largo que a cabine e as laterais ainda não estavam emendadas, a saliência funcionou como um coletor de ar. Ao acelerar, a pressão interna do motorhome se elevou e a cinta estourou, fazendo o teto levantar voo e pousar em plena BR-101, impedindo o fluxo do trânsito. A Michelle vinha logo atrás em um Spacefox e viu toda a cena. Aliás, quase foi atingida. Não vi o voo do teto, mas escutei o estrondo. Virei-me para trás e escutei os gritos do Emerson, que veio para me ajudar: "Para! Para!". Estacionei e pelo retrovisor percebi a asneira que tinha feito. Não sei quem foi mais rápido, se eu ou o Emerson. Saímos em disparada para juntar o teto e tirá-lo da pista. Se não tivéssemos sido rápidos poderíamos ter causado um acidente com uma carreta que vinha logo em seguida em alta velocidade.

Ao juntarmos a peça, pensamos que estaria muito danificada. Ficamos surpresos, pois ela sofreu apenas um amassado na quina e alguns arranhões, nada mais. Foi o melhor teste de durabilidade e qualidade a que poderíamos submetê-la. Desta vez, colocamos o teto dentro do motorhome, de lado, como deveríamos ter feito desde o princípio, e seguimos viagem de forma mais segura. A preocupação que ficou foi se alguma câmera da BR-101 teria filmado o quase acidente. Se tivesse, a divulgação de nosso projeto teria começado cedo, com notícias em telejornais.

Há sangue meu resinado para sempre em alguns pontos desse motorhome, literalmente.

O ponto de vista de uma mulher arquiteta e viajante

Apesar de já termos algumas opiniões bem formadas sobre o motorhome que queríamos depois da nossa primeira experiência de volta ao mundo, eu e o Roy nos empenhamos muito na pesquisa para definirmos o projeto final. Enquanto ele sonhava em comprar um caminhão, eu relutava para não abrirmos mão do Lobo, pois acreditava que ele tinha o tamanho ideal de carro para essas expedições. Vibrei quando decidimos que era com ele que viajaríamos pela segunda vez. Vibrei ainda mais quando me deparei na internet com o projeto de um Iveco 4x4 com um ótimo aproveitamento interno. O chuveiro, por exemplo, ficava bem na porta de entrada. Que sacada. Essa zona, apesar de necessária para a circulação de entrada e saída do motorhome, era bastante inútil. Com esse projeto, poderia ainda servir de área para banho. Assim não necessitaríamos criar uma caixa compartimentada e separada noutro local com essa finalidade. Com a área molhada já na porta, também teríamos a opção, nos dias de calor, de usar o mesmo chuveiro na parte de fora. A cama na largura, e não no comprimento, como tínhamos no primeiro projeto, também foi uma boa opção para otimizar o espaço interno. O piso acompanhou o desenho do chassi e, consequentemente, ficou com um degrau. O degrau mais baixo foi o definidor da altura interna, baseado na altura do Roy (1,78 metro). A parte mais baixa do piso ficou na área da cozinha, que seria mais usada no dia a dia. Ali o Roy ficaria em pé tranquilamente, mesmo que o teto estivesse fechado. Já nos fundos do carro, o pé-direito ficou mais baixo (12 centímetros a menos, por causa do degrau) e ali o Roy ficaria com a cabeça um pouco abaixada quando estivesse em pé. Mas para ficar mais confortável ele tinha a opção de sentar-se à mesa, ou ainda de abrir o teto.

Muitas vezes, em meu trabalho como arquiteta, fui questionada por clientes com relação ao preço de projetos de banheiros, closets e lavanderias. "Por que um preço tão elevado por um espaço tão pequeno?", perguntam. Mas o que define o custo de um projeto não é a metragem de um ambiente, e sim o nível de detalhamento que ele exige. Projetar espaços pequenos é muito trabalhoso. O devido lugar de cada coisa deve ser muito pensado para aproveitar ao máximo os espaços, sem perder a funcionalidade. E projetar um espaço como aquele é ainda mais desafiador: além de ser pequeno, cheio de peculiaridades de formas e curvas, traz a questão da mobilidade, que é diretamente afetada pelo peso e aerodinâmica do veículo.

Na primeira viagem eram cinco horas da tarde do domingo de partida quando fomos carregar o motorhome com o que iríamos levar. Não fazíamos a mínima ideia de como organizar as coisas, nem mesmo se caberiam no carro. Quanta discussão! A organização foi melhorando ao longo da viagem. Nos viramos com o que tínhamos e nos saímos bem, mesmo o espaço não tendo ficado tão bem aproveitado. Já no segundo projeto, pudemos pensar tudo com antecedência. Tivemos muitos apoios com equipamentos (pneus Atturo, baterias Heliar, painéis solares 60Hz, filtros de água Acqualive, toldo Sumatra, caixas e lanternas Pelican, ferramentas Gedore, louças esmaltadas Ewel, galões e pranchas de desatolar Armazém 4x4, kit embreagem Euro Import de Curitiba, luzes de LED Scenarius, metais Docol, fogões e garrafas térmicas de camping Primus, kit farmácia Drogaria 25 de Julho, caixas organizadoras Vitrine do Mundo, paramotor Red Fly e rastreadores Spot) e sabíamos o que iríamos levar, a quantidade e dimensões. Assim, pude planejar detalhadamente onde cada objeto seria guardado dentro do carro, o que possibilitou um ótimo aproveitamento interno. E ainda com um bônus: sem as coisas caírem e fazerem aquela barulheira enquanto dirigíamos. Hoje, são mínimos os detalhes que penso que ainda deveriam ser melhorados.

Também estávamos mais conscientes quanto à saúde relacionada aos equipamentos que usamos. Na primeira expedição levamos o que tínhamos em casa: alguns equipamentos que usávamos em nossos acampamentos de final de semana, outros improvisados. Nada específico ou técnico. Já na segunda viagem, mais conscientes, substituímos as louças de plástico e panelas de alumínio, comprovadamente prejudiciais à saúde, por esmaltadas. Tudo vem com a experiência. Mas não precisamos ficar neuróticos. Na verdade, não necessitamos de nada muito técnico. Um exemplo disso são as roupas para outdoor. Quem disse que temos todos que nos vestir da mesma forma para nos aventurar ou fazer alguma atividade física? Como faziam os aventureiros há cem anos? É claro que existem tecidos melhores, mais leves e que ocupam menos espaço, secam mais rápido ou não amassam. O problema é que hoje em dia tudo vira motivo para comércio. Em 2007, a roupa que levamos foi a que tínhamos em casa. Para mim, sair para uma aventura com o Roy significava ir para o meio do mato, fazer caminhadas com lama, poeira, tomar banho de rio, fazer fogueira, ficar cheirando fumaça e voltar imunda para casa. Então escolhi para a viagem as roupas mais velhas e simples que tinha – seriam três anos assim. Em um de nossos primeiros encontros no começo do namoro, acho que para me testar, o Roy me convidou para tomar banho de cachoeira. Para impressioná-lo, fui toda arrumada, de bermuda e chinelinho. O que ele não me contou é que iríamos para o meio do mato, caminhar por uma trilha cheia de plantas cortantes e de lama. Para subir no topo da cachoeira, por ser uma trilha íngreme, o jeito foi deixar a elegância de lado e caminhar descalça. No final, um banho congelante, daquele tipo "banho de gato", que quando o corpo ainda está entrando na água, já está se projetando para sair. Eram assim os nossos finais de semana em São Bento do Sul depois que começamos a namorar. Minha mãe, Arlette, deveria amar quando eu voltava para casa aos domingos à tarde, deixava a roupa encardida na lavanderia para ela lavar e pegava o ônibus para Curitiba, onde passava a semana.

Hoje podemos falar de boca cheia que temos um dos melhores carros-casa do mundo. À primeira vista, em sua nova versão, o Lobo pode parecer um carro sofisticado, luxuoso, superequipado e caro. A realidade é bem o contrário: ele é muito simples e básico. O que o difere é que foi pensado, planejado, projetado e executado muito bem. E não posso negar que o meu conhecimento como arquiteta, o do Roy como marceneiro e o da Victória Motorhomes com execução agregaram muito ao projeto. Para termos um bom resultado, não precisamos usar os materiais e recursos mais caros, basta usar as diversas opções de que dispomos de forma correta, sempre pensando em praticidade, funcionalidade e manutenção. E, claro, com um bom gosto ganhamos de brinde uma boa apresentação e aparência.

Costumamos dizer que temos um carro pequeno por fora e grande por dentro. Não foram poucas as pessoas que se surpreenderam com o nosso espaço interno quando nos visitavam. Temos uma casa maior até que muitas vans e caminhões. Mais uma vez, o bom planejamento do projeto foi essencial para obter esse resultado. A frase "Menos é mais", do arquiteto modernista Mies van der Rohe, foi sempre levada em conta. Quanto mais enchemos de armários, mais coisas levamos e menos espaço de circulação temos. No exercício da minha profissão aprendi que alguns truques ajudam – como usar materiais claros para dar sensação de amplitude aos ambientes pequenos. Pensar numa boa iluminação e ventilação também favorece, bem como usar cores agradáveis, diferentes das chapas vermelhas que tínhamos no primeiro projeto, além de luzes quentes e madeira para trazer o aconchego. Todos esses detalhes foram minuciosamente pensados e o resultado foi mais do que ótimo.

Havia outro ponto a pensarmos e planejarmos: nosso objetivo era compartilhar ao máximo o que viveríamos e aprenderíamos na estrada e a principal ferramenta para esse fim seria o nosso website. Para tornarmos nossa comunicação com os seguidores mais eficiente, contamos, desde 2010, com o apoio da empresa Xthor, de Rio Negrinho (SC). Foi com a ajuda deles que pensamos no design e na organização do website, nas mídias sociais e nas campanhas de divulgação. Quando oficializamos nossa partida para a segunda volta ao mundo, lançamos junto com a Xthor a campanha "O que você faria em 900 dias?". Além de instigar as pessoas a uma reflexão sobre suas próprias vidas, com ela anunciamos alguns de nossos objetivos pontuais para a segunda expedição, que eram: cruzar com uma onça pintada no pantanal brasileiro; ultrapassar a barreira dos seis mil metros de altitude numa montanha boliviana; mergulhar em praias paradisíacas na América Central; conhecer dezenas de parques nacionais dos Estados Unidos; procurar por ursos na regiões remotas do Alasca; ir em busca da Aurora Boreal nas regiões polares; atingir o Polo do Frio, lugar permanentemente habitado mais frio do mundo; experimentar as comidas mais exóticas na China; dirigir pelo Deserto de Gobi, na Mongólia; aprender sobre as tradições nômades dos países da Ásia Central; percorrer a Transilvânia, por entre castelos e montanhas na Romênia; apreciar algumas das melhores cervejas do mundo na República Tcheca e fotografar o Monte Fitz Roy, na Argentina.

Uma das coisas que mais nos preocupou em nossa primeira partida, o tenebroso Carnet de Passages en Douane – necessário para a importação temporária do carro em alguns países da Ásia, Oceania e África – dessa segunda vez foi um item dispensável para nós. Nos mais de cinquenta países por onde passaríamos ele não seria necessário. Uma preocupação e gasto a menos. Assim poderíamos nos dedicar mais ao planejamento de outros itens.

Pessoas sempre nos perguntam quanto tempo nós levamos para planejar nossa segunda volta ao mundo. Respondemos que cinco anos: um ano e oito meses antes da expedição e três anos e quatro meses em viagem – planejamento é constante, ou seja, nunca termina.

O difícil caminho dos patrocínios

Patrocínio é um assunto delicado, especialmente quando sua finalidade é uma viagem. Nós imaginamos que seria mais fácil captar recursos para esta segunda expedição, visto que após a primeira nós criamos produtos que tiveram aquilo o que as empresas consideram mais importante na hora de financiar um projeto: boa visibilidade.

Mas mesmo assim foi difícil. Houve até certo menosprezo por parte de alguns potenciais patrocinadores. Em uma oportunidade fiz uma viagem a São Paulo com o único intuito de apresentar a proposta a uma montadora em uma reunião que estava marcada havia semanas. Quando me apresentei pontualmente à recepcionista, o recado que recebi foi que o diretor estava em uma ligação telefônica e por isso enviaria um assistente para me atender. Eu tinha viajado mil quilômetros, entre ida e volta, para uma hora de sua atenção e ele não podia deixar a ligação para mais tarde ou mesmo pedir para eu esperar.

O patrocínio, em alguns casos, é visto como um favor e não uma troca. Eu e a Michelle não tínhamos uma proposta milagrosa, mas não deixava de ser interessante aos que abraçassem a causa. Eu estou certo de que centenas de boas oportunidades são desperdiçadas pelo simples fato de não serem ouvidas. "Lá vem mais um sonhador que quer que paguemos por seu ano sabático", muitos deviam pensar. Afinal, lá no fundo, viajar não é o que todos gostariam de fazer?

O Sebastião Salgado falou uma coisa hilária no documentário Revelando Sebastião Salgado, dirigido por Betse de Paula, ao comunicar a seu chefe na Organização Internacional do Café, onde era economista, sobre sua intenção de deixar a carreira de executivo para ser fotógrafo. Com um sorriso irônico, o chefe retrucou que ele também queria ser fotógrafo, sua mulher queria ser fotógrafa, todo mundo queria ser fotógrafo. Há certas atividades que parecem ser o sonho e desejo de muitas pessoas, como viajar e fotografar, mas eu ainda penso que o sonho pertence àquele que sonha o tempo todo, dormindo ou acordado – e não só quando alguém toca no assunto.

Analisando a questão pelo lado da empresa, é compreensível quando decidem por não investir. Existem as questões foco, estratégia e imediatismo. Nossa viagem foi muito longa – mais de três anos – e parte dos resultados viriam só quando ela terminasse. Para se ter retorno, é imprescindível que a empresa esteja engajada no projeto do começo ao fim.

Um patrocínio financeiro nos ajudaria muito, mas não seria ponto decisivo. Se não conseguíssemos, iríamos com nossos próprios recursos. Na verdade, não tínhamos muito o que reclamar, pois já tínhamos ganho muito com parcerias que nos garantiram equipamentos e serviços, feitas com a Victória Motorhomes, Sol Paragliders e Xthor. Quando estávamos bem próximos da data da partida, a Intercroma, empresa sediada em nossa cidade, interessou-se em patrocinar uma parte do projeto. Eles são incentivadores e patrocinadores de programas sociais e esportivos na região. Após algumas conversas com o Rafael Garcia, acertamos um patrocínio, para nós valioso, que cobriria o custo equivalente à nossa maior despesa – o combustível. Sem esse apoio, as variações cambiais que ocorreram durante a viagem e outros apuros pelos quais passamos teriam tornado difícil que cumpríssemos o que havíamos planejado. As economias que fizemos com a venda dos livros da primeira viagem, das palestras e das exposições não seriam suficientes para cobrir todos os gastos.

Para fechar o assunto patrocínio, há uma coisa que gostaria de mencionar: a escassez de recursos em uma aventura é o condimento da história. É o que tempera e traz criatividade à resolução dos problemas; muitas coisas teriam sido diferentes se os nossos recursos fossem abundantes e a história que segue provavelmente não teria sido a mesma.

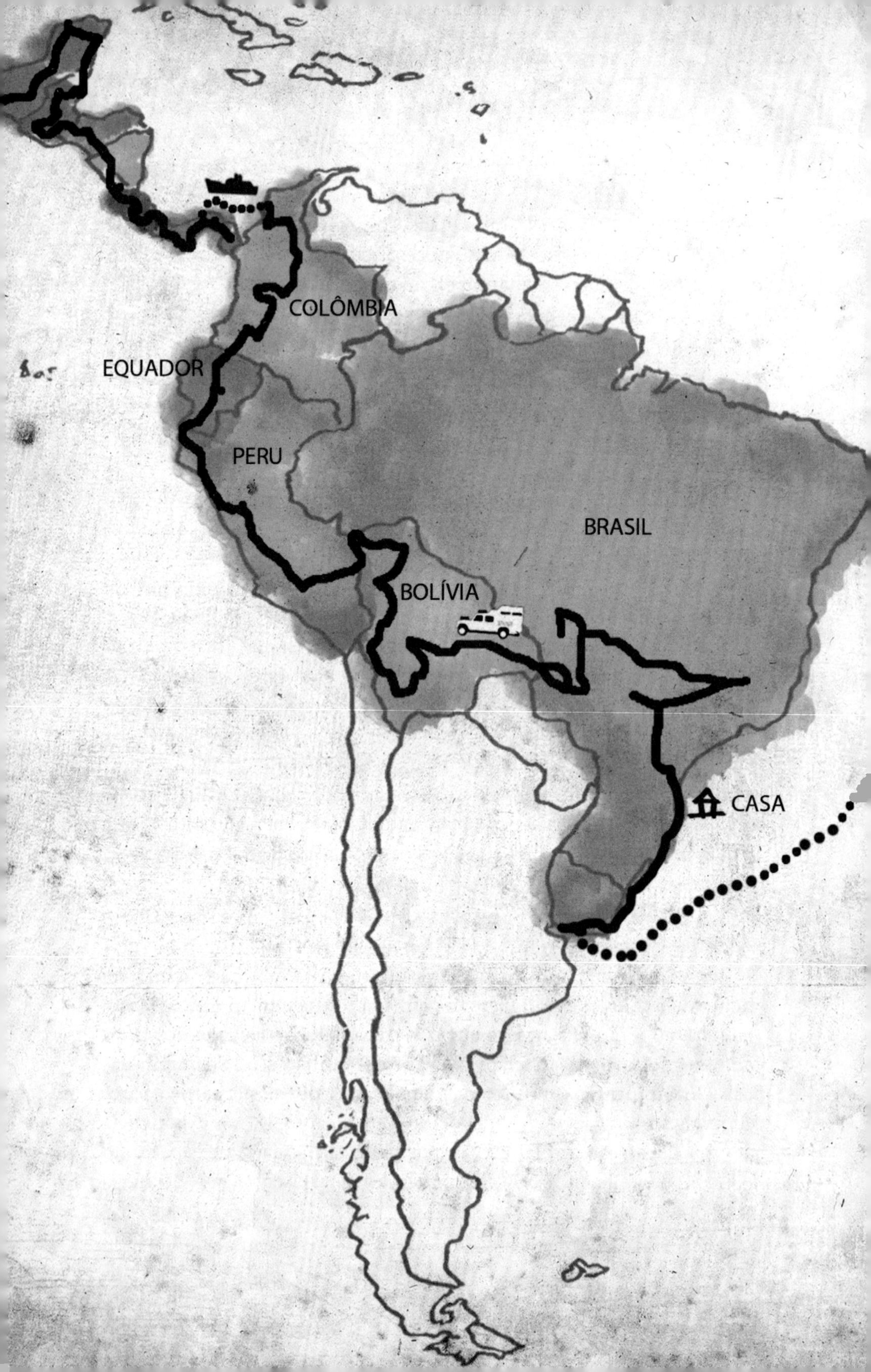
COLÔMBIA
EQUADOR
PERU
BRASIL
BOLÍVIA
CASA

3.
América do Sul

Eu procurava não olhar para a Michelle enquanto dirigia: a emoção da partida nos deixava pensativos e melancólicos – o que será que nos aguardava? De vez em quando a cabine do carro era iluminada por segundos, com a passagem de um facho de luz de um carro que vinha no sentido inverso. Dividíamos a estrada: eles, provavelmente, perto das suas casas; nós, distanciando-nos da nossa, milhares de quilômetros pela frente. As fracas luzes do painel acentuavam de maneira nostálgica aquele momento. Melhor assim: a penumbra mantinha nossa discrição e escondia as lágrimas que escorriam em nossos rostos. Já era tarde, passava das 22 horas do dia 17 de agosto de 2014. A aventura estava apenas começando.

No início do nosso namoro, a Michelle e eu fomos ao Deserto do Atacama em uma viagem que durou apenas 16 dias. Lembro-me dela se despedindo da mãe e das irmãs. Se aquela despedida para uma curta temporada fora de casa já emocionava todos, imagine agora que dávamos adeus para mais de três anos. Minutos antes estávamos reunidos na casa dos pais da Michelle: pais, irmãos, cunhados e sobrinhos. Mas dali para frente seríamos apenas nós dois. A dor dessa partida parecia mais forte do que a da primeira volta ao mundo – a experiência de uma separação dos familiares por tanto tempo dava um aperto no peito. Todos sabíamos o que significava ficar afastados por tão longa temporada.

O sinal para deixarmos de nos enrolar e cair na estrada foi quando meu irmão Igor perguntou: "Escutem, não está na hora de vocês partirem?". Sim, já era hora de botar o pé na estrada.

A emoção não era nossa única sensação. Estávamos cansados, pois como bons brasileiros, muita coisa ficou para última hora. Apesar de termos iniciado os preparativos com muita antecedência, o Lobo saiu da Victória Motorhomes apenas uma semana antes da partida e foi direto para a oficina trocar a embreagem, molas e amortecedores.

Foi aí que a tal da lei de Murphy começou a nos pegar de surpresa: "Se alguma coisa tem a mais remota chance de dar errado, certamente dará". Na quinta-feira, ao dar uma volta com o Lobo para o último teste, quando eu acionava o pisca, o carro simplesmente pifava. Aconteceu duas vezes no centro da cidade. O motor parava de funcionar por causa de uma pane elétrica e o pisca agia como gatilho para desencadear o problema. Um antigo sistema antifurto já desativado entrou em curto e foi consertado no dia seguinte.

Teria sido mais inteligente se tivéssemos passado a noite em casa e partido só no outro dia, mas como temos um compromisso muito sério com as nossas decisões – e também seguindo o princípio de que "planejar é importante, mas não mais do que partir" – tínhamos que sair na data marcada. Assumir obrigações com as datas e respeitá-las sempre fez com que o universo conspirasse a nosso favor. Partimos tarde naquele dia, mas partimos. Dirigimos apenas 60 quilômetros até a cidade de Rio Negro e estacionamos no pátio da Polícia Rodoviária Federal na BR-116 para passar a primeira noite da viagem. Extenuados, não conseguíamos nem dormir. Havia um mundo à nossa frente a ser percorrido e muitas incertezas em nossas cabeças. Como nas histórias de aventuras, era o primeiro portal a ser ultrapassado.

No corredor do motorhome as coisas espalhadas pelo chão. Por não termos encontrado lugar para guardar tudo nos armários, ainda teríamos um certo trabalho de organização pela frente. Não seria fácil trocar os quase cem metros quadrados de um apartamento por apenas seis, ainda mais em um veículo que chacoalhava conforme o tipo de terreno. Um novo aprendizado se iniciava. Mas, apesar da insegurança de um começo de viagem, estávamos felizes – afinal, estrada para nós simbolizava liberdade. Ninguém nos obrigava estar ali, estávamos porque realmente queríamos nos dar a chance de viver a vida dentro de um carro mais uma vez.

Usamos as primeiras semanas ainda no Brasil para resolver certas pendências. Em Curitiba instalamos um filtro de água, um item que não tínhamos solucionado ainda. Dias antes havíamos recebido um daqueles e-mails que parecem cair do céu: um franqueado da empresa Acqualive, o Luiz Carlos da Silva, nos oferecendo um filtro. Aceitamos na hora, até porque Curitiba estava em nosso caminho. Com este filtro poderíamos abastecer a caixa d'água em qualquer lugar: poços, torneiras, rios, lagos e fontes. Nossa pia passou a ter duas torneiras: uma com água comum e outra com água potável.

As noites que passamos em Curitiba dormimos na casa do Iguaçu Paraná e da Silvia Claudia Menezes – amigos de longa data. A casa deles é uma verdadeira base e ponto de parada quase que obrigatório a todos os viajantes e adeptos do off-road que passam pela cidade. O Iguaçu foi um dos percursores do "fora de estrada" no sul do Brasil. A Silvia é uma ótima anfitriã e boa cozinheira. Foram noites de reunião entre amigos e mais despedidas.

O primeiro grande deslocamento foi para Araçatuba (SP), onde fomos pegar o equipamento que faltava para a produção das imagens aéreas – o paramotor. Só lamentávamos não ter feito essa aquisição antes, pois assim poderíamos ter praticado melhor a técnica de voar e, com mais experiência, adaptado ao paramotor os suportes dos equipamentos de fotografia. Mas o ótimo está meio mundo longe do bom. Não tivemos tempo. Havia outra dúvida que me atormentava: a caixa da Pelican que iria acondicionar o motor, já fixada no reck sobre a cabine, era de tamanho adequado?

Felizmente coube, mas cada peça tinha que entrar de forma sequencial em seu lugar específico – caso contrário a tampa não fecharia. O motor coube na caixa de cima da cabine, enquanto a vela e as seletes ganharam um espaço no baú debaixo da cama. O paramotor é fabricado pela Red Fly e tem as seguintes características técnicas: motor Fly 100 Evo 2 de 100 cilindradas; pesa 17 quilos sem combustível; estrutura central de alumínio e periférica em fibra de carbono; e hélice de madeira. Já a vela era da Sol Paragliders, própria para voo livre – escolhida pela versatilidade, pois com ela poderíamos voar com ou sem motor.

Já com o aparato de voo acomodado, seguimos para Minas Gerais a fim de resolver a última pendência – aprender a filmar. Na primeira volta ao mundo nós só fotografamos e o pouco que filmamos não ficou bom, pois não tínhamos equipamento adequado, nem conhecimento técnico. É claro que nos arrependemos. Amigos nos alertaram sobre a necessidade de filmar a viagem, mas na época não demos ouvidos, até porque a fotografia já era algo novo para nós. Mas dessa vez não abriríamos mão. Queríamos fotografar e filmar e as nossas câmeras fotográficas já incorporavam o modo filmagem. Bastava ajustar algumas configurações e podíamos gravar em alta qualidade.

Em uma feira de esportes ao ar livre em São Paulo conhecemos o fotógrafo de natureza e aventura Alberto Andrich. Sabe aquela boa sintonia que acontece com certas pessoas? Aconteceu conosco. Beto é o fundador e CEO da World Adventure Society e apaixonado por fotografia desde criança. Ao conhecer a nossa história se dispôs a nos ensinar a filmar. E não poderíamos ter encontrado um professor melhor. Ficamos juntos por três dias na Serra do Cipó para aprender da forma mais eficiente a arte da filmagem. As lições práticas eram fazer nosso próprio vídeo, desde o roteiro e até a sequência das tomadas, os cuidados com o áudio e as edições – que foram finalizadas posteriormente na casa do Beto.

A Serra do Cipó situa-se a cem quilômetros ao norte de Belo Horizonte e pela natureza exuberante do cerrado mineiro foi selecionada pelo Beto para dar ao nosso vídeo um ar de aventura. É a terra do Juquinha, protagonista de uma lenda regional. Diz-se que o tal Juquinha, que encantava os turistas com flores nativas, custou a morrer. Ele sofria de catalepsia – seu coração parava de bater e depois de um certo tempo, voltava à vida. Conta a história que houve até alguns velórios e que no meio da cerimônia fúnebre ele se levantava do caixão, assombrando a todos. Ele morreu – pela última vez – em 1983.

Começamos a aplicar as técnicas aprendidas com o Beto em um cenário lindo – montanhas, rios cristalinos e belas cachoeiras. Reservamos uma manhã para realizar a primeira imagem aérea com o paramotor e foi o meu primeiro quase acidente. Movido pela ansiedade, segundos depois da decolagem devo ter apertado demais o gatilho e quebrei o acelerador, forçando-me a fazer um pouso de emergência. Sorte ter sido em meio a uma vegetação rasteira. Primeiro voo, primeira pane. O difícil foi sair da mata com todo aquele equipamento. À noite consertei o acelerador e noutro dia cedo decolei para um voo lindo e sem imprevistos. Ao sobrevoar o rio Cipó, vivi a emoção de registrar os primeiros animais vistos do alto – um bando de capivaras cruzando o rio. Ao ver os vídeos e fotos no computador, mais tarde, me dei conta de como haveria, pela frente, oportunidades de encontros com animais e paisagens deslumbrantes. Isso foi muito motivador.

Enquanto este velho trem atravessa o Pantanal

Ipês floridos, tucanos, emas, araras, plantações de soja e algodão formavam o cenário da estrada que nos levava a Cuiabá (MT). Os dias estavam quentes e por precaução, enquanto dirigia serra acima, parte da minha atenção ficava no termômetro de mercúrio instalado como acessório extra de medição de temperatura do motor. Ele me mostrava que o motor estava chegando perto dos 120°C – e eu não estava gostando nada disso.

Em Mineiros (GO) demos uma parada para visitar o Luis Carlos, a Cheila, a Maria Alice e o João Luis. Luis Carlos é primo da Michelle e mora em Goiás há algum tempo. É veterinário e, assim como muitos sulistas, mudou-se para o estado para trabalhar com pecuária e agricultura.

A caminho do Pantanal, ao cruzarmos a divisa entre Goiás e Mato Grosso, me veio à mente a música Comitiva Esperança, de Almir Sater e Paulo Simões. A letra fala da vida dos boiadeiros pantaneiros, que tocavam suas boiadas a passos lentos, não sabendo onde chegariam no fim do dia. Eu me via como eles: sem pressa, sem saber o que haveria após a próxima curva e sem saber o próximo paradeiro. A nossa única preocupação era a mesma dos boiadeiros: as chuvas que chegam em novembro.

O Pantanal é a maior planície alagadiça do planeta. O ciclo das chuvas nas regiões altas da bacia hidrográfica do Alto Paraguai é que dita as regras deste bioma. De novembro a abril, coloca tudo debaixo d'água. O aguaceiro, pela pouca declividade da planície, tem baixo escoamento e por isso eleva o nível das baías permanentes, cria outras, transborda os rios e alaga os campos, deixando de fora apenas morros isolados, que passam a ser ilhas dentro de um mar do interior. Entre maio e outubro, período da seca, os rios voltam a seus leitos normais. Parando para analisar, a água protege a vegetação nativa do avanço do desenvolvimento humano. Nesta extraordinária biodiversidade existem milhares de espécies de animais e plantas.

Nosso desejo era modesto: sonhávamos em ver de perto, em seu habitat natural, a predadora número um das Américas – a onça pintada. Em nossas andanças pelo mundo tivemos contato próximo com praticamente todos os grandes felinos em seu meio selvagem: leões, leopardos, guepardos e tigres. Mas a onça pintada, por seu estilo refinado e ao mesmo tempo agressivo, na minha opinião é um dos animais mais majestosos da natureza. Vive solitária e por isso desenvolveu sofisticadas técnicas de caça, como a de atacar a cabeça da presa, enquanto outros comumente atacam no pescoço. Tem a mordida mais forte entre os felinos. Está no topo da cadeia alimentar e necessita de grandes áreas para sobreviver. Sua existência no Pantanal, portanto, indica um alto nível de preservação da vegetação nativa, que se mantém em torno de 85%.

Não é fácil avistá-la. Arriscamos nossa primeira chance no Pantanal Norte – via Rodovia Transpantaneira, que inicia em Poconé, cem quilômetros ao sul de Cuiabá, e termina em Porto Jofre. A estrada percorre 150 quilômetros cruzando 120 pontes. Entusiasmados em fotografar a diversidade de animais que encontrávamos pelo caminho – cervos, veados, capivaras, porcos monteiros, catetos, jacarés, tuiuiús, carcarás, ariranhas, tatus, quatis, graxains, garças, tucanos, emas, papagaios, araras, seriemas, curicacas e mutuns –, levamos 24 horas para fazer o percurso.

Ao sentarmos em uma das pontes, perto de uma lagoa, começamos a perceber o deslumbramento que o local nos causava: pequenos peixes fervilhavam na água e saltavam por sobre a superfície, deixando jacarés e pássaros quase em transe com tanta fartura. Um martim-pescador pousou ao nosso lado e exibia um peixe que flechou. Fiquei imaginando a precisão e a velocidade de decisão e ação que ele precisava ter para pegar um peixe mergulhando nas águas com seu bico pontiagudo. Apareceu um enorme tuiuiú ciscando as margens e em seguida desceu pelo barranco uma família de capivaras. A sensação de estar naquele ambiente selvagem era tão gostosa que mesmo se não víssemos a onça já estava valendo a pena.

Mas a sorte aparece para quem procura: ao chegarmos em Porto Jofre conhecemos Renata e William, um casal de biólogos que quase todos os anos, nas férias, vai ao Pantanal contemplar a vida animal. Eles tinham um barco de alumínio que nos foi emprestado, pois iriam se ausentar para fazer um trabalho em Poconé no dia seguinte. Precisaríamos apenas abastecer o motor e contratar um piloteiro para nos guiar no labirinto formado pelos rios Cuiabá, Piquiri e Três Irmãos. Renata e William já haviam avistado seis onças-pintadas naquele ano. Uma delas foi vista na manhã anterior à nossa chegada, no ancoradouro dos barcos, perambulando num banco de areia a 50 metros dali. Nossa expectativa estava a mil.

Depois de uma noite de muito calor, acordamos bem cedo e embarcamos. Jair, o nosso piloteiro, falava sobre as onças e passava instruções sobre onde teríamos mais chance de avistá-las. "Normalmente andam pelas prainhas do rio para pegar sol", disse, complementando que a região tem uma das maiores densidades populacionais desse animal no Brasil. A quantidade de turistas, muitos estrangeiros, também é grande. Eles passam dias em hotéis no meio da mata para pescar e ver animais.

Enquanto o barco deslizava, nosso olhar se fixava na mata. Algumas vezes chegávamos a ver onças – mas só em pensamentos. A beleza da mata fascinava: árvores frondosas, troncos curvados e raízes quase entrando no rio. Brincávamos dizendo que havíamos visto uma e que se fôssemos onça escolheríamos um daqueles lugares para deitar.

Ainda pela manhã outro piloteiro avisou o Jair que uma onça havia sido avistada e passou a localização. Eles trocam informações entre si para aumentar a chance dos turistas conseguirem ver o felino. Chegamos tarde: o animal já havia deixado o local. Devemos ter percorrido dezenas de quilômetros por aqueles três rios até que, no final da tarde, recebemos outro chamado. Fomos às pressas para o local informado e lá nos misturarmos a alguns barcos que já estavam apoitados. Foi quando, finalmente, alcançamos uma das metas da nossa aventura: no meio da mata, um pouco distante, mas muito nítida, uma onça desfilou à nossa frente. Era um macho grande e aparentemente muito saudável. Estava inquieto, incomodado com o calor e com os insetos ao seu redor.

O que desapontou um pouco foi a coleira de localizador em seu pescoço. Segundo Jair, aquela era uma das únicas onças com colar, que foi colocado por uma empresa de turismo, já que a espécie era o maior atrativo dos visitantes. Achei covardia usar tecnologia em animais selvagens com fins comerciais. Mas fazer o quê? Admiramos o animal por uns vinte minutos, até o momento que ele resolveu desaparecer na mata fechada.

Ao rumar para Mato Grosso do Sul, a monotonia das planícies se quebrava quando bandos de araras surgiam, fuçando as terras dobradas pelos tratores, à procura de insetos. Outro objetivo nosso era um dia ver o tamanduá-bandeira, mas por mais que procurássemos ele não nos dava o ar da sua graça.

Na capital sul-mato-grossense a ideia era resolver alguns problemas mecânicos no carro, como o aquecimento do motor. Mas conhecemos tanta gente por lá que acabamos ficando um tempo maior do que o previsto. Aliás, Campo Grande foi a cidade que mais amigos fizemos em toda a viagem: Argeu, Sonja, Iandara, Ricardo, Nelson, Jéssica, Romeo, André, Ana Paula, Álvaro, Christiana, Armando, Carla, Cuia, Denilson e os mecânicos da oficina. Na cidade vizinha Aquidauana também conhecemos Kleber, Rhobson, Lise, Leonel e Ângela. As amizades são geralmente frutos de afinidades, como o off-road, viagens e paramotor. Mas a coincidência que envolveu com o Álvaro foi muito além de interesses em comum. Ele tem um Land Rover do mesmo ano e modelo que o nosso. Eu sabia que não havia muitos carros desse tipo no Brasil e por conta disso imaginei que os números do chassi de ambos poderiam ser próximos, mas não ao ponto de serem quase irmãos. Dentre os 17 caracteres que os identificam, todos, exceto o último, eram idênticos. O último número do chassi do carro do Álvaro era dois acima do nosso, o que indicava que na linha de montagem da Land Rover havia apenas um carro entre eles.

Deixamos a BR-262 em Aquidauana e seguimos pela MS-170, uma estrada vicinal, longe da rodovia principal, que de fazenda em fazenda, num percurso de mais de 400 quilômetros, nos levaria a Corumbá. Ao final do aterro, o nosso caminho se transformou em areia, buracos e atoleiros e passou a fazer jus ao conselho que nos foi dado: de não viajar por lá sozinhos. O "buraco quente", como é conhecido pelos locais, nos rendeu a primeira de muitas encalhadas e nos ensinou que o Pantanal pode ter água mesmo na época seca. Outro risco era de nos perdermos. Tínhamos GPS, mas ele não continha as informações sobre as estradas dessa região. O jeito foi seguir a cartilha que o Argeu escreveu com o nome de cada uma das várias fazendas que estariam em nosso caminho.

Como de costume, mantivemos os olhos mais no mato do que na estrada, ainda mais que apostamos uma garrafa de vinho para quem visse o primeiro tamanduá-bandeira. Até que apareceu um, ainda no aterro. Depois surgiu um segundo, terceiro e muitos outros (não lembro se a Michelle já me pagou essa aposta), além de veados, emas, porcos monteiros e tuiuiús. Como se já não estivéssemos suficientemente apaixonados pelo Pantanal, com seus animais selvagens, os boiadeiros e seus rebanhos, as surpresas não se esgotavam. Cruzamos a fazenda Retirinho, dirigimos até a Barra Mansa e às margens do Rio Negro paramos para pernoitar. Um banho no rio seria uma ótima oportunidade para nos refrescarmos.

Lá de dentro do rio eu escutei: "Ai, meu Deus!". Quando me virei, vi a Michelle paralisada, olhando em direção aos chinelos que ficaram na barranca. Não precisei esperar que ela dissesse o que tinha acontecido: um jacaré aparecera exatamente onde ela pretendia sair da água e encarava-a de frente. Depois de passado o susto, a situação pareceu hilária. Naquela noite acendemos uma fogueira e flagramos com a lanterna um veado campeiro a apenas dois metros de distância, bisbilhotando nosso acampamento.

Estrada precária e encruzilhadas duvidosas nos levaram, no outro dia, à Fazenda Rio Negro, na Nhecolândia – uma das regiões mais bonitas e bem preservadas do Pantanal Sul. Se a cada quilômetro percorrido na Transpantaneira (próximo a Cuiabá) havia uma ponte, ali havia uma porteira. A Michelle, que as abria e fechava, mal se acomodava no banco e já tinha que sair do carro novamente. Nas outras regiões do Brasil a gente se orienta pelas cidades por onde passa; no Pantanal, pelos nomes das fazendas.

As estradas que interligam as propriedades são particulares, mas pela lei de servidão de passagem é obrigatório permitir o acesso a quem precisa transitar pelos locais mais isolados. Há rumores de que nem todos os proprietários de fazenda são corteses: dizem que alguns já atenderam aos pedidos de passagem com chumbo grosso. Há fazendas com menos de 5 mil hectares e as que passam dos 50 mil.

A Fazenda Rio Negro é uma das mais tradicionais da região. Fundada pela família Rondon em 1895, por cem anos teve como principal atividade a pecuária extensiva. Trocou de proprietário algumas vezes e praticamente 90% de seu território é protegido por lei. Ficou conhecida no Brasil quando serviu de cenário para a novela Pantanal, sucesso da Rede Manchete no início da década de 90.

Sonia, a responsável da fazenda, nos deixou acampar na propriedade por alguns dias. Estacionamos na sombra de uma frondosa mangueira para amenizar o calor, mas nem isso foi o suficiente. O sufoco parecia intensificar-se às 18 horas, quando o vento parava e os mosquitos saíam para buscar suas presas – nós. Certo dia contamos: 65 picadas em uma – apenas uma – de minhas pernas. Quando reclamávamos daquele calorão, nem imaginávamos o quanto iríamos sentir sua falta em outros trechos da viagem.

O tempo na fazenda foi bem aproveitado, especialmente no Rio Negro, quando remamos em uma canoa emprestada com a esperança de encontrar mais onças. Mas o que vimos foram somente pegadas. Além de nadar com mais jacarés, sobrevoei a fazenda com o paramotor. Dessa vez o mico do voo foi diferente – ainda com pouca experiência, montei a hélice invertida, o que me fez correr como um louco pelos campos sem conseguir decolar. Cada lado da hélice é diferente e o que deve ficar para frente tem o desenho da parte de cima de uma asa de avião, que, em velocidade, gera a baixa pressão, ocasionando o empuxo. Só percebi isso quando já estava com as pernas cansadas de tanto correr pelos campos. Com a hélice fixada de forma correta, fiz um belo voo e flagrei do alto diversos animais.

Seguimos viagem pelas fazendas Tupanciretã, Fazendinha, São Jorge, Santa Maria, Retiro e Firme. Os rastros dos pneus, a cartilha do Argeu e a intuição nos levaram pelo caminho certo, mas não evitaram os grandes atoleiros. Na fazenda Tupanciretã pegamos diversas áreas alagadas, que dizem ser as vazantes que dificilmente secam. Em duas encalhamos, com a água entrando levemente pelas portas. Na primeira usamos um poste para nos guinchar, mas na segunda, por não termos algo para fixar o guincho, tivemos que macaquear o carro com o *high-lift-jack* (conhecido como Chicão) e erguer as rodas para colocar debaixo delas as pranchas de desatolar. Tive que praticamente mergulhar na água enlameada para fazer a operação.

Na última noite no Pantanal Sul acampamos na Fazenda Firme e no outro dia, após a Curva do Leque, chegamos na Estrada Parque, que nos levaria a Corumbá. A letra da canção Comitiva Esperança termina exatamente como nós terminamos: "fomos pra Corumbá". Para nossa surpresa, pela comemoração dos 236 anos da cidade, Almir Sater fez um show e cantou Comitiva Esperança. Foi de arrepiar – um bom final para comemorar nossa passagem pela região.

Se tudo pareceu perfeito, não foi bem assim. Nessa etapa da viagem, após cruzarmos a região alagada do Pantanal, um problema apareceu no carro e levou tempo para ser identificado e resolvido. Foi um ruído de engrenagens e tanto a caixa de transferência como o diferencial nos deram pistas de que o problema poderia estar ali. A caixa estava quase sem óleo e no diferencial havia água misturada no óleo. Com receio de seguir assim, voltamos a Campo Grande, onde já conhecíamos um bom mecânico. Baixamos a caixa para inspecioná-la, trocamos o rolamento do pinhão do diferencial traseiro, mas o ruído não só persistiu como aumentou, nos acompanhando até os Estados Unidos.

No regresso a Campo Grande, enquanto aguardávamos em uma barreira os trabalhos de manutenção da ponte sobre o Rio Paraguai, a Michelle viu um gatinho correr para baixo do carro. Com o coração partido, ao perceber o perigo que aquele ser indefeso corria de ser atropelado, saiu para socorrê-lo. Vendo a cena, um trabalhador do DNIT (Departamento Nacional de Infraestrutura de Transportes), que sinalizava o trânsito, mobilizou-se também e veio ajudá-la. O gatinho, muito arrisco e assustado, entrou na fresta entre a roda e o disco de freio e não saiu mais. Não podíamos nem estacionar no acostamento, pois ele certamente morreria esmagado se movêssemos a roda. Para salvá-lo, causamos o maior tumulto no trânsito: tivemos que macaquear o carro no meio da estrada para retirar a roda e libertar o animal. Ficamos felizes que o trabalhador do DNIT resolveu adotá-lo.

Primeiros passos na Bolívia

A condição da estrada que liga Corumbá a Santa Cruz de la Sierra mudou muito nos últimos anos, a ponto de eu não mais reconhecê-la. Passei por ali no começo de 2002 quando, juntamente com os amigos Juraci Rossetto e Sandro Becker, regressava de uma viagem pelo Paraguai, Peru e Bolívia. Nossas dificuldades chegaram ao ponto de termos que dirigir pelos trilhos do trem para desviar das carretas que estavam encalhadas e bloqueavam a rodovia. A estrada era toda de chão batido e quando chovia virava um lamaceiro infernal. Passamos por caminhoneiros que estavam encalhados havia três dias.

A precariedade da estrada, naquela época, não foi o único problema: corremos o risco de sermos assaltados. Certa noite fomos perseguidos por uma caminhonete F-1000 com homens armados na caçamba. Quando conseguimos nos distanciar, entramos num carreiro da mata para nos esconder, mas o calor e os mosquitos pareciam ser mais ameaçadores do que os bandidos. Saímos dali em busca de outro lugar para passar a noite. Fomos às pressas para a vila mais próxima e lá pedimos informação num posto militar. A certeza de que os homens armados estavam atrás de nós deu-se quando vieram em nossa direção novamente e, ao nos verem junto aos militares, fizeram uma volta repentina e desapareceram. O soldado não se mobilizou com o acontecido, então decidimos pedir pouso em alguma casa da vila, batendo de porta em porta. Na terceira casa demos sorte: os moradores nos receberam de braços abertos. Deixaram-nos esconder nossa caminhonete no quintal. O Juraci e eu dormimos debaixo de uma frondosa mangueira e o Sandro dentro do carro. Nossos anfitriões foram tão gentis que trouxeram limão espremido com mel para o Juraci, que não parava de tossir. E confirmaram que a estrada de Corumbá à Santa Cruz era perigosa – o paraíso dos carros roubados e do tráfico de drogas.

Chiquitos e Las Misiones Jesuíticas Guaraníes

Uma rodovia impecável em concreto substituiu a estrada dos pesadelos dos caminhoneiros e descortinou para nós uma região cheia de história e cultura. Chegamos em Chiquitos, que no século 17 foi palco de um dos episódios mais marcantes da colonização espanhola. O local era estratégico para os espanhóis, pois permitia o acesso ao Rio Paraguai, de onde era transportada a prata extraída das minas de Potosí, nos Andes, até Assunção no Paraguai; dali seguia até o Rio Paraná, depois ao Rio da Prata, para então chegar ao Oceano Atlântico. Devido à hostilidade indígena, as incursões espanholas não tiveram sucesso, obrigando as autoridades de Santa Cruz a recorrer aos jesuítas para pacificar e catequizar os índios.

A Ordem Jesuítica espanhola criou Las Misiones Jesuíticas Guaraníes, que chegou a abranger 30 aldeias organizadas, economicamente sustentáveis, congregando 2 mil guaranis por aldeia e reunindo, no final, cerca de 150 mil índios. Tanto o governo espanhol quanto o português, temendo a criação de um novo país na região, fizeram vistas grossas aos constantes ataques dos bandeirantes paulistas. Esses tinham à disposição das suas sanhas índios catequizados, profissionalizados e pacíficos para serem vendidos como escravos às minas e às lavouras açucareiras do Brasil. A civilização guarani, se não tivesse sido molestada, teria mudado os rumos da América do Sul. Os jesuítas foram expulsos em 1748, deixando no caminho ruínas e igrejas coloniais magníficas. Hoje seis das dez igrejas sobrevivem; foram restauradas e declaradas Patrimônio Mundial da Humanidade pela Unesco. Essas igrejas, que resistem há três séculos, são de estilo barroco, com pinturas, murais e colunas entalhadas em madeira e detalhes em couro.

Algum tempo depois outro povo veio a se estabelecer às margens da rodovia Corumbá–Santa Cruz de La Sierra. Como não tínhamos informações sobre eles, achávamos estranho ver adolescentes loiros, de pele clara, bem diferentes dos bolivianos que conhecíamos, andando pelas estradas, ruas e cidades. "Quem são essas crianças?", perguntei. As duas meninas usavam vestidos longos e os rapazes camisas de manga longa xadrez, macacão, suspensórios e bonés. "Parece a família Von Trapp", respondeu a Michelle, referindo-se ao filme A Noviça Rebelde. "Ou a Família Addams", comentei e na hora recebi um olhar de desaprovação da Michelle. Brincadeira à parte, os trajes clássicos europeus remeteram-nos ao começo do século 19 e nos deixaram atônitos. Quilômetros adiante apareceram adultos, vestindo as mesmas roupas, em carroças com pneus tipo de moto e molejos bem macios. Cruzamos também com mulheres com vestidos longos em uma charrete.

Que gostosa a sensação de descoberta. Estávamos nos sentindo como os irmãos Villas-Bôas, quando na década de 40, na Expedição Roncador-Xingu, fizeram contato com povos indígenas ainda não conhecidos. Em determinado ponto da rodovia não deu mais para segurar nossa curiosidade: avistamos ao longe uma povoação, desviamos a rota e fomos lá conhecer aquela gente. Encontramos uma vila com pequenas propriedades agrícolas, casas com jardins bem cuidados e um galpão de madeira onde parecia estar acontecendo uma reunião paroquial. No pátio em frente estavam estacionadas dezenas de charretes. Dirigimos mais alguns quilômetros e na volta, quando passamos pelo galpão, os homens, um a um, vestindo suas jardineiras, partiam em carroças, o que nos levou a deduzir que o encontro havia acabado. Eu não me aguentei: estacionei o carro, desembarquei e pedi a um carroceiro que também parasse – tinha que perguntar quem eram aquelas pessoas. Numa comunicação truncada eu arranquei dele um "somos bolivianos". "Como assim, bolivianos? Que língua vocês falam?", perguntei. "Alemão", respondeu, desconfortável com a nossa presença.

Na primeira oportunidade pesquisamos na internet e descobrimos que esse povo pertencia à colônia alemã de Manitoba. Suas características tão peculiares devem-se ao fato de serem menonitas. Esse grupo cristão descende do movimento anabatista, que surgiu na Europa no século 16 – mesma época da reforma da igreja. Acreditavam que a religião não devia ser ditada pelo Estado e que o batismo tinha que ser voluntário e em idade adulta – o que explica o nome anabatistas. Ao serem perseguidos na Europa migraram para a Rússia, México, Belize, Estados Unidos e Canadá (onde são chamados de *amish*). Vieram para a América do Sul no século 20, atraídos pelas terras baratas e a garantia de liberdade religiosa.

Cerca de 20 mil menonitas vivem na Bolívia e nas proximidades de Santa Cruz de la Sierra. Eles recusam o uso de armas (estão dispensados do Exército Boliviano) e também são caracterizados pela simplicidade nas vestimentas e hábitos, por não casarem com pessoas de outros grupos e, principalmente, por rejeitarem a tecnologia, como carros, computadores, celulares e até energia elétrica. Em raros momentos são vistos em carros, mas sempre de carona, jamais dirigindo. Alguns falam espanhol, mas a língua oficial é o plattdeutsch, dialeto alemão oriundo do norte da Alemanha.

Estávamos entusiasmados em continuar descobrindo mais coisas sobre a Bolívia. Em alguns lugares parecia que voltávamos no tempo. Gostávamos da simplicidade do país e até a pouca infraestrutura nos agradava porque tornava a viagem mais desafiadora. Nos países desenvolvidos tudo é fácil, acessível, mas tem uma desvantagem que os países em desenvolvimento não têm: as regras. Tudo é regulamentado: aqui pode estacionar, já ali não; aqui não pode acampar; em tal lugar não se pode fazer fogo e, em outro, nem parar no acostamento para tirar uma foto. Na Bolívia nos sentíamos bem para viajar do nosso jeito – livres, leves e soltos, podendo parar onde bem entendíamos.

Cochabamba está localizada dentro de um vale fértil rodeado por montanhas. Uma cidade com avenidas largas e arquitetura colonial bem preservada. É o centro comercial dos campesinos e os seus diversos mercados mostram que o baixo desenvolvimento econômico pode trazer um benefício: preserva a cultura local. O Mercado La Pampa abriga cerca de oito mil vendedores credenciados, a maioria mulheres. Elas se vestem com saias típicas multicoloridas e sobrepostas, usam chapéus e tranças compridas. É o maior mercado da Bolívia, com a maior quantidade de vendedores e compradores. Para um estrangeiro pode soar como um local caótico. Quase nos perdemos por seus meandros, mas vimos de tudo. Num momento caminhávamos pelo colorido setor das frutas e verduras e de repente nos víamos no meio de eletrônicos chineses. Num lugar podíamos comprar comidas a granel e uma infinidade de temperos, em outro tínhamos que forçar a passagem por entre produtos de feitiçaria, como fetos de lhama e burrinhos mumificados. Neste imenso mercado, em meio a cabelos para perucas, comida para cachorro, sapatos e panelas, há quem lê o futuro por meio de folhas de coca. Em outro setor pode-se contratar serviços de encanadores, pintores, eletricistas e marceneiros, todos identificados por uma placa colocada à frente das suas maletas de ferramentas. Gostaríamos de poder fotografá-los, mas as câmeras fotográficas não são bem-vindas naquele lugar. Eu confesso que tentei camuflar uma minicamera na alça da mochila, mas como o ambiente era escuro, as imagens não ficaram boas.

Outra cidade interessante e que por conta de sua situação geográfica e arquitetura colonial é considerada uma das mais bonitas da Bolívia é Sucre. Para nós, que aprendemos que La Paz é a capital boliviana, foi uma surpresa ouvir que ela é apenas a sede do governo e que Sucre é a capital legal e constitucional do país. Este é o seu quarto nome: o primeiro foi Charcas, nome indígena; o segundo foi La Plata, seguido de Chuquisaca e, finalmente, Sucre, em homenagem ao marechal da grande batalha de Ayacucho, que antecedeu a independência do país.

Fomos à Casa da Independência e conhecemos a sala em que Simón Bolívar instituiu a república em 1825. Na parede, um quadro do "Pai da Independência Sul-Americana". Nascido em Caracas, Venezuela, Bolívar foi um incansável lutador pela independência dos países da América do Sul. Sua carreira militar começou no movimento de independência da Venezuela. Venceu importantes batalhas que garantiram também a independência da Colômbia, Equador, Peru e Bolívia – cujo nome deriva de Bolívar.

Pegadas de dinossauros

A Michelle sugeriu que fôssemos à Cordilheira de los Frailes, onde teríamos a oportunidade de ver pegadas de dinossauros. Confesso que não me empolguei muito. No meu pragmatismo, pensava ser absurdo, pois qualquer pegada exposta ao clima e tempo por milhões de anos estaria apagada. Acabei mordendo a língua: a experiência foi fascinante, a começar pela cordilheira, com serras íngremes, estradas de chão batido e centenas de curvas. Começamos a contá-las mas desistimos no meio do caminho – eram muitas.

No fundo do vale está a cratera do vulcão inativo Maraguá, cuja formação rochosa nos remetia a uma paisagem lunar – um ambiente árido, com rochas de cores diferentes esculpidas pela ação do vento, da chuva e do movimento sísmico. Como era final de tarde, procuramos um lugar no alto da cratera para que no outro dia cedo pudéssemos contemplar o nascer do sol de um ponto privilegiado. Dito e feito: o sol nasceu e irradiou a sua luz intensificando o avermelhado da cratera, deixando o lugar ainda mais bonito.

Depois do café, partimos para uma caminhada de 12 quilômetros (ida e volta) até a localidade de Niñu Mayu, situada na parede externa da cratera. Não foi preciso imaginar por onde os dinossauros passaram: as pegadas estavam surpreendentemente intactas. Isso se deve ao fato de que no momento em que eles andaram por ali a lava do vulcão estava em estado líquido. As pegadas impressas na rocha (lava endurecida) têm até dez centímetros de profundidade. As mais nítidas são supostamente de um dinossauro bípede de três dedos, que atravessou o local com mais de dez passos. Eu não as medi, mas imagino que têm o tamanho superior às minhas duas botas colocadas lado a lado. Antigos moradores da região, como nunca ouviram falar de dinossauros, imaginavam que as terras eram habitadas por flamingos gigantes. Outras pegadas, arredondadas e bem maiores que as de um elefante, indicam ser a de um dinossauro quadrúpede. Há também uma que se suspeita ser de um tipo de armadilho, o nosso tatu. O vulcão Maraguá também pode ser apreciado por meio de uma imagem de satélite. É só usar as coordenadas -19.058333 e -65.430000. Uma dica: é preciso afastar o zoom para poder ver a cratera como um todo e as suas distintas camadas rochosas. Já as pegadas valem a pena conferir ao vivo, mesmo.

No caminho de volta encontramos bonecos em tamanho de humanos pendurados em postes no meio das vilas. Alguns estavam pintados de vermelho, como se estivessem sangrando; outros traziam mensagens em papelão: "cuidado, ladrón". Compreendemos que se tratava de um tipo de justiça feita com as próprias mãos contra a criminalidade. Os bonecos serviam de aviso aos bandidos que, caso fossem pegos, responderiam ao próprio povo pelos seus atos. O governo, apesar de não aprovar, acaba favorecendo esse tipo de atitude, pois não provém segurança pública nos povoados mais distantes. Vimos em sites de notícias locais alguns atos contra policiais corruptos, ladrões e outros criminosos que foram, literalmente, linchados pela população. Em 2018, os jornais brasileiros publicaram a notícia de que um brasileiro teria sido vítima desses ataques. Parece que ele foi confundido com um bandido e foi morto pela população. Fazer "justiça com as próprias mãos" é uma atitude correta? Difícil dizer – e quem somos nós para julgar? Mas uma coisa é certa: além daquela ameaça que tive em 2001, na estrada Corumbá-Santa Cruz de la Sierra, em nenhum outro momento nos sentimos intimidados nem fomos roubados naquele país.

Testemunhamos outro fato estranho no altiplano boliviano, entre Sucre e Potosí. Os cães ficam sentados no acostamento, longe de qualquer vila ou cidade, assistindo ao movimento dos carros e caminhões. Seus olhos tristes, suplicantes, nos acompanhavam enquanto passávamos. Eram muitos, às vezes mais de dez, separados por uma certa distância entre eles – não havia dois cachorros juntos. Ao perguntar aos moradores sobre aquilo, eles nos explicaram: para que sejam abençoados pelos santos da estrada e façam boa viagem, os caminhoneiros alimentam os cães que, logicamente, gostaram da ideia e viraram fregueses.

Chegamos a Potosí, cidade colonial situada a 4.070 metros de altitude – uma das cinco mais altas do mundo. Em certo momento da sua história chegou a superar Madrid, capital do seu país colonizador, em número de habitantes, com uma população estimada, na época, de 200 mil moradores. Tudo começou em 1544, quando o pastor inca Diego Huallpa, ao procurar por uma lhama desaparecida, fez uma fogueira no sopé da montanha Potojsi, hoje conhecida por Cerro Rico. Na base do fogo o solo passou a derreter e a transformar-se num líquido cinza brilhante. Diego sabia que os espanhóis tinham interesse nesse metal e levou-os até lá. Tratava-se de prata – pura prata.

Os espanhóis, tão logo perceberam a proporção da riqueza ali existente, começaram a mineração. Nasceu ao pé da montanha a Vila Imperial de Carlos V. Para retirar tanta prata foram recrutados à força indígenas locais e, mais tarde, africanos. Para manter a produtividade da mina, os escravos com idade superior a 18 anos eram forçados a trabalhar em turnos de 12 horas, permanecendo dentro da mina por quatro meses, sem poder sair e ver a luz do sol. Os espanhóis estavam repetindo o que os romanos fizeram com seus antepassados em suas próprias terras centenas de anos antes.

A prata era transportada por lhamas até Arica (Chile) ou Callao (hoje Lima, no Peru) e depois navegava para a Espanha. Com o esgotamento da mina, a população foi decaindo e hoje não passa de dez mil habitantes. Em 1987 a Unesco declarou Potosí Patrimônio Histórico da Humanidade, reconhecendo sua rica e trágica história, bem como sua linda arquitetura colonial. Quanto às edificações, o destaque fica por conta do museu da Casa da Moeda: com 15 mil metros quadrados de área, abrangendo toda uma quadra, nos dá a noção da riqueza ostentada no passado. O maquinário para a produção de moedas foi importado da Áustria, é todo em madeira e movido por tração animal.

Lá estão expostas obras de arte de pintores indígenas anônimos, artefatos em prata e moedas produzidas no período em que se extraiu a prata. Ao olhar esta vasta coleção, podemos entender por que as moedas, mais tarde, foram padronizadas em peso e tamanho. Antigamente, elas tinham apenas a inscrição de seu valor na face e, por não terem tamanho definido, ao passarem de mão em mão, a prata era cuidadosamente roubada – lixada, grama por grama; e as moedas iam ficando cada vez menores.

Quando estive em Potosí com os amigos Juraci e Sandro, compramos no mercado municipal dinamites e estopins para termos o gostinho de explodi-los na montanha histórica – brincadeira de adolescentes. Dessa vez, nada de dinamites. Apenas fomos ver de perto as escavações na montanha, subindo-a até o topo. Após tantos séculos, a mina de prata ainda funciona. É difícil estimar o quanto de minério foi removido, mas a lenda diz que poderia ser feita uma ponte inteira de prata dali até a Espanha e ainda sobraria material. Fala-se também que a fartura era tanta, no final do século 18, que algumas ruas de Potosí foram pavimentadas em prata.

Voar como os condores, pero no mucho

Após semanas sem uso, voltamos a voar de paramotor, dessa vez acima dos 3.670 metros de altitude – iniciativa nada prática. Explico: quanto mais alto subimos em relação ao nível do mar, menor é a pressão atmosférica, pois cada mil metros de subida correspondem a uma atmosfera a menos de pressão. Como consequência, menor é a sustentação da vela (asa), menos oxigênio para a combustão do motor e menos força de propulsão da hélice.

Apesar do enorme desafio, foi o sonho de ver de cima uma paisagem do altiplano boliviano que nos entusiasmou pelo paramotor. Permanecia a dúvida se conseguiríamos voar sobre esse cenário espetacular: o Salar de Uyuni – a maior planície de sal do mundo, com mais de um milhão de hectares. Já havíamos estado outras vezes no Uyuni, mas só de passagem e durante o dia. Dessa vez passaríamos quatro dias e três noites no meio dessa área inóspita. A sensação de solidão é imensa. Parece um oceano branco, salpicado aqui e ali por algumas elevações de terra, chamadas pelos locais de "ilhas". Subi-las e olhar o horizonte ao longe é uma experiência indescritível. Algumas, como a Isla del Pescado, recebe visita de turistas de todo mundo.

Cactos longevos dominam a vegetação das ilhas e crescem cerca de um centímetro por ano. Alguns têm doze metros de altura – faça a conta. Poucos animais encaram a hostilidade do salar e os mais arrojados, como alguns pássaros, têm a vantagem de não possuir predadores. Dentre os mamíferos que habitam as ilhas está a *viscacha*, um pequeno roedor da família das chinchilas, que parece uma mistura de coelho com canguru. Tem cara de ranzinza sonolento.

A cada final de dia víamos um espetáculo diferente, digno de ser chamado "o pôr do sol mais bonito" que já tínhamos visto. A planície salgada adquire uma cor avermelhada intensa, misturando-se com a barra do final do dia no horizonte. As noites são mágicas e frias. Um céu límpido deixava transparecer as milhares de estrelas da Via Láctea. Na primeira noite, a Michelle preparou um delicioso strogonoff com carne de lhama, comprada antes num vilarejo local. Como acompanhamento, arroz, vagem cozida e o vinho argentino Don Valentin.

No terceiro dia, o despertador tocou às 5h45. Após o café, nos dirigimos para o norte do salar, onde faríamos a primeira tentativa de voo. Havíamos montado o aparelho dentro do carro na noite anterior e no maior aperto. Lá fora ventava muito e o frio era intenso. Ao ligar o motor, percebi a falta de oxigênio que deixava a mistura de combustível/oxigênio demasiadamente rica – muito combustível para pouco oxigênio. Por tentativa e erro regulei o carburador.

Quando percebi melhora no desempenho do motor, estendi a vela no chão, vesti o capacete, coloquei a selete – uma espécie de mochila que carrega o motor – liguei-o, segurei os tirantes de forma a puxá-los apropriadamente e esperei uma rajada de "vento de nariz", para não precisar correr tanto na decolagem. Lancei-me. Com dificuldade, a vela subiu sobre minha cabeça. Girei o corpo em 180 graus, dei máxima rotação no motor e, com o paramotor nas costas, comecei a correr,

correr, correr, como nunca tinha corrido antes, até que, lentamente, a vela caiu ao meu lado direito, fazendo-me ter que abortar a investida. Um a zero para o paramotor.

Fiz uma segunda tentativa, ajeitando a vela no chão. Esperei uma nova rajada e sai correndo. A vela subiu, acelerei ao máximo e comecei a sentir que, lentamente, meus pés iam saindo do chão. Finalmente, consegui voar sobre o Salar de Uyuni – o sonho se tornava realidade.

Continuei acelerando o máximo e fui encontrando algumas térmicas que me ajudaram a subir e possibilitaram uns 30 minutos de voo; minhas referências em terra eram o Lobo e a Ilha Incahuasi, com cuidado permaneci voando ao redor deles. O visual lá de cima era estupendo – parecia miragem. O branco do sal não tinha fim, sendo manchado pela sombra de algumas nuvens que se formavam no céu. Rastros de carros também ficavam evidentes e, por estenderem-se até o horizonte, pareciam o caminho para o paraíso. Quando eu voava mais próximo do chão, podia ver o sal seco e craquelado como uma casca de laranja. As duas minicâmeras acopladas ao aparelho garantiram as imagens. Até hoje lamento não ter podido levar a câmera fotográfica profissional comigo, mas fui prudente: se já estava difícil controlar uma máquina, imagine duas.

No quarto dia lembrei-me de uma viagem que fiz anos antes, de moto, ao deserto do Atacama. A moto também havia sofrido com a altitude, mas seu desempenho melhorou muito quando, ao observar que por onde andava não havia poeira nas estradas, retirei o filtro de ar. Essa ação havia favorecido a entrada de mais oxigênio para combustão.

Fiz o mesmo com o paramotor e, para nossa alegria, a potência aumentou. Voei primeiro, mas nesse dia queria incentivar a Michelle a fazer seu voo. Ela estava com um certo medinho. Ao pousar, sem dar chance de ela procurar alguma desculpa, fui preparando o equipamento, pois as condições eram boas e ela precisara superar seu medo. Afinal, é voando que se aprende a voar – não é assim com os filhotes dos pássaros? E voar por cima do salar valia a pena. Minutos depois ela estava com o motor ligado e correndo para a decolagem. Foi uma subida linda, muito melhor do que a minha. Após o pouso, também feito com maestria, comemoramos aquele momento de missão cumprida e seguimos viagem com um gostinho doce na boca.

Muitas pessoas nos perguntam quem tirou a foto da capa de nosso primeiro livro, onde ambos estamos sentados no capô do carro. "Ora, nós!" Geralmente era o Roy quem programava a foto no tripé. Ele estudava a composição e a exata posição onde deveria ficar; acionava o timer e corria para chegar em seu local em tempo. Mas nesta segunda volta ao mundo, como realmente queríamos registrar mais e também filmar, foi bem mais complicado. A experiência de voar no Salar Uyuni mostrou que a nossa missão em documentar a viagem não seria nada fácil, ainda mais do ponto de vista de um paramotor. Na época, o drone estava apenas surgindo no mercado.

Aqueles que veem nossas imagens não fazem ideia das dificuldades que tivemos para registrá-las. A equipe – eu e o Roy, é claro – tinha que realizar vários trabalhos ao mesmo tempo: éramos atores, câmeras, diretores, pilotos, assessores e organizadores de arquivos de histórias, fotografias e filmagens.

Para as filmagens aéreas era necessário escolhermos o melhor local para o voo – decolagem e pouso – e analisarmos as condições climáticas, a força e a direção dos ventos. O Roy cuidava da montagem do paramotor e fazia a assistência técnica de regulagem para a altitude na qual precisaríamos voar. Enquanto ele preparava o equipamento para o voo, eu organizava os de fotografia, filmagem e comunicação por rádio. Depois, juntos, checávamos a segurança das presilhas do paramotor e da vela. Enquanto ele estava concentrado na decolagem, eu verificava os equipamentos de fotografia e filmagem que ele usaria. Também testava os rádios e checava se o vento estava favorável, ou mesmo se ainda existia. Para saber a direção do vento usávamos um pedaço de papel higiênico como biruta e, de vez em quando, eu tinha que ir bem longe e segurá-lo para o alto. Ah, e não podíamos esquecer de registrar todo esse processo. Afinal, éramos os atores, câmeras, contrarregras, continuístas... Eu ficava meio perdida ao fazer tantos papéis ao mesmo tempo.

Usávamos duas câmeras grandes e várias minicâmeras, para ajudar na captação do maior número de tomadas, o que dava muito trabalho para programar: qual lente fica com qual câmera; uma para filmagem, outra para fotografar. O Roy levava uma e a outra ficava comigo, às vezes no tripé, às vezes nas mãos. Depois de tudo pronto, ainda havia possibilidade de ele não conseguir decolar de primeira e tudo recomeçava.

Sempre que um de nós decolava dava aquele frio na barriga, tanto para quem voava como para quem ficava no chão. Não tínhamos dublês. Para mim, por causa da minha pouca experiência em voo, o frio era maior ainda. Eu ajudava o Roy a acionar o motor, desejava um bom voo e corria para longe, onde eu deveria cuidar da biruta, escutá-lo no rádio e registrar as ações. Algumas vezes o ajudava na decolagem, mandando sinal para ele encarar ou abortar a investida.

O momento de alçar o voo era quando ele tinha que fazer bonito, pois estava sendo filmado. Em muitas vezes, de tão apreensiva, devido às condições não estarem favoráveis, esquecia de acompanhar a decolagem com a câmera e perdia o instante em que ele saía do chão. Quando me lembrava já era tarde: o Roy já estava longe e não tinha mais como repetir a cena.

Enquanto o Roy tinha a sua missão lá em cima, eu ficava em terra, atenta para ver se ele não pousaria em outro local (eu era o seu socorro, caso isso acontecesse). Quando seu voo era muito turbulento, ou seja, o paramotor chacoalhava bastante, preferia nem olhar.

Neste voo no Uyuni ele me chamou no rádio: "Michelle! Dirige o Lobo para que eu possa filmá-lo em movimento. Rápido!" Aquele momento ficou em minha memória, pois não era tão fácil ser rápida como ele esperava. Antes de deslocar o carro, eu deveria recolher todo o equipamento de filmagem e as ferramentas que haviam ficado no chão e espalhadas pelo capô e até no interior do Lobo. O Roy não é das pessoas mais organizadas. Eu não podia esquecer nada, pois naquela vastidão branca, sem referências visuais marcantes, eu jamais conseguiria voltar para aquele mesmo lugar caso esquecesse algo. Nesse momento de correria me caiu a ficha que a nossa vida de viajante não seria moleza. Imagina então a vida de um viajante, cinegrafista e ator ao mesmo tempo?

É difícil falar com certeza sobre isso, mas é possível que nós tenhamos sido os primeiros a voar de paramotor no Uyuni. Menciono isso não para me vangloriar, mas porque recentemente vi a publicação de um fotógrafo da National Geographic que voou lá em 2019 e se autocondecorou com esse mérito. Voamos cinco anos antes dele. Mas não temos como saber se alguém já havia voado antes de nós. Como o fotógrafo puxou para si esse título, escrevi a ele noticiando o nosso voo em data anterior, mas ele não deu importância para o meu comentário. Acho que não gostou.

Quando deixávamos o salar, fomos surpreendidos por uma paisagem surreal – faltavam 18 quilômetros sobre o sal para finalizar o percurso e as chuvas das noites anteriores cobriram o caminho com uma camada de cinco centímetros de água e isso deu um efeito espetacular ao cenário. A planura do deserto coberto por um manto de água criou um espelho, tornando difícil identificar a linha do horizonte – não dava para saber onde terminava a terra e onde começava o céu. A vontade era acelerar ao máximo, mas o Lobo precisava ser preservado, pois o estrago causado pela água salobra poderia ser grande. Para evitar os espirros da água no chassi e em outras partes metálicas do carro, dirigimos a menos de 10 quilômetros por hora – o percurso levou três horas para ser concluído. Nos divertimos muito. A certa altura saímos do carro e ele passou a se deslocar sem ninguém na direção. Enquanto ele rodava em marcha lenta, caminhávamos ao seu lado ou íamos de carona sobre o capô. Até o Pato Donald, nosso mascote de borracha, chegou a assumir a direção. Em ritmo lento fomos avançando e saímos por Tahua, um pequeno vilarejo situado ao norte do Uyuni, ao pé do vulcão Tunupa.

Lavamos o carro em Tahua, num rio que descia das montanhas. A água era tão limpa que aproveitamos para abastecer nossas reservas. Almoçamos carne de lhama na praça da cidade. Segundo algumas mulheres que também almoçavam no lugar – essas que possuem tranças longas, cabelos negros e espessos, saias coloridas, chapéus arredondados e prata nos dentes –, a carne de lhama é a melhor do mundo.

Se Maomé não vai a montanha...

Se já estávamos altos quando dirigíamos nos quatro mil metros de altitude em relação ao nível do mar, as montanhas ao nosso redor arranhavam o céu. O vulcão Tunupa, de mais de 5,3 mil metros, mal chegava aos ombros do Nevado Sajama, ponto culminante da Bolívia com seus 6.542 metros. A diferença de altitude entre seu cume e a planície onde estávamos era de 2.428 metros, ou seja, à nossa frente erguia-se um paredão cônico com altura equivalente a um prédio de 800 andares.

Estávamos no Parque Nacional Sajama. Desfrutamos o entardecer em uma piscina natural de águas termais – tudo o que precisávamos depois de um dia empoeirado e uma estrada cheia de buracos. Banhados pela água morna proveniente das profundezas de um vulcão, olhávamos para a montanha imaginando como devia ser linda a vista lá do alto.

Até então a maior altitude que alcançamos foi quando fizemos uma caminhada de 220 quilômetros no Himalaia. Durante 15 dias, partindo de 700 metros, subimos vales e montanhas até chegar ao passo Thorong La, a 5.416 metros do nível do mar. Mas agora queríamos superar essa marca. Planejamos escalar o Huayna Potosí, montanha situada nas imediações de La Paz, com 6.088 metros. Ultrapassar seis mil metros é um feito importante no montanhismo e esta montanha, de acordo com nossa pesquisa, seria uma das opções mais acessíveis. Queríamos testar o nosso preparo. Foi quando nos informamos sobre uma onda de mau tempo que se aproximava, tirando-nos a oportunidade de uma parada mais longa em La Paz antes da escalada, pois a previsão mostrava que o céu estaria limpo apenas nos dois dias seguintes. Varamos La Paz só para nos organizarmos e partimos para a montanha.

Assim sendo, domingo de eleições presidenciais no Brasil, com o apoio do nosso guia Hilárion, nos deslocamos até o local do início da caminhada. O Lobo sofreu para superar a falta de oxigênio – nos 30 quilômetros de percurso subimos de 3.640 a 4.772 metros. Vestimos nossas mochilas, olhamos ansiosos para o alto da montanha e demos início à primeira etapa da escalada, que nos levaria, em três horas, até o acampamento alto (a 5.130 metros), onde passaríamos uma noite. Pedras soltas e trilha íngreme não foram as nossas principais dificuldades, mas sim a falta de ar. Assim como o Lobo, sentimos nos pulmões o ar rarefeito de grandes altitudes.

O acampamento alto é um abrigo tipo chalé e encontramos lá montanhistas de vários países. Apreciamos o entardecer conversando com alguns estrangeiros. Jantamos e às seis e meia da tarde veio o toque de recolher. Um pouco cedo para dormir, estava claro ainda, mas tínhamos que aproveitar as poucas horas de sono que teríamos. A caminhada começaria à uma da madrugada. Custei a pregar os olhos porque para compensar a falta de oxigênio meu coração batia como se eu tivesse corrido uma ultramaratona – sem falar no frio. A falta de experiência também me pregou uma peça: para amenizar os efeitos da altitude, bebi chá de folha de coca, bebida comum nos Andes, sem me dar conta do teor de cafeína que a folha possui, o que me manteve desperto. À meia-noite as luzes foram acesas, hora de acordar, e eu tinha acabado de adormecer. Para se chegar ao cume ao raiar do dia, momento em que o tempo na montanha está descoberto, é preciso iniciar a caminhada na primeira hora da madrugada. Leva-se entre seis e sete horas até o cume.

Tomamos nosso “café da meia-noite”, calçamos nossas botas pesadas, polainas para gelo, grampões, capacete, cadeirinha e piolet. Nos prendemos um ao outro com a corda de segurança e botamos nossas pernas para funcionar. Para cima, para o alto. O caminho foi todo sobre a neve. Para driblar a inclinação, caminhamos em ziguezague, devagar, mas sem paradas. Na escuridão total, enxergávamos um pouco mais que a distância de um passo. A montanha só se desvendava quando alguns relâmpagos pipocavam no horizonte – aqueles que estavam anunciando o mau tempo. Abaixo de nós víamos as luzes das lanternas dos outros montanhistas que caminhavam em uma bela fila indiana, iluminando a subida.

Às três horas da madrugada o grau de dificuldade se intensificou. Para superar um paredão de gelo, subimos por uma crista pontiaguda em inclinação acentuada, o que nos forçava a caminhar de lado, pois as botas pesadas de cano alto, pouco maleáveis, não nos deixavam assentar a sola por completo na neve. Ao menos na escuridão não conseguíamos ver o precipício a menos de um metro da trilha, à nossa esquerda.

Às quatro horas chegamos na parte alta da crista. O vento forte e a temperatura negativa, de –15ºC, somados às paradas por não estarmos em boas condições físicas, resultaram no congelamento das extremidades das mãos e dos pés da Michelle, protegidas por duas luvas, duas meias e botas apropriadas. Em inglês isso é conhecido por Frostbite – congelamento do tecido em partes do corpo, causado pela exposição a baixas temperaturas. É comum ocorrer nas partes mais distantes do centro do corpo, aquelas que já possuem, por natureza, menor fluxo sanguíneo. A sensibilidade é perdida e as alterações de cor ocorrem de forma progressiva, podendo chegar à necrose. A ocorrência na Michelle veio à tona também por ela sofrer da síndrome de Raynaud – hipersensibilidade ao frio que desencadeia espasmos nas artérias.

> *Lá pelas quatro horas da madrugada cheguei ao meu limite. A dor nas mãos e nos pés era insuportável; estavam congelando e, mais um pouco, poderiam gangrenar. Não teria como continuar. Implorei para pararmos. O guia, assim que soube o que se passava comigo, ordenou rápido que eu retirasse as luvas e colocasse minhas mãos debaixo das suas axilas. O aquecimento fez com que o sangue voltasse a fluir pela ponta dos dedos, o que provocou dores lancinantes. Era como se milhares de agulhas me espetassem embaixo das unhas ao mesmo tempo em que ateavam fogo em minhas mãos. "Por que eu estava merecendo tamanha tortura"? Sim,*

uma verdadeira tortura chinesa, daquelas de filmes de horror. Sem saber como reagir, só me restava urrar. Depois de um certo alívio, foi a vez dos pés.

Sentei-me na neve congelante e tirei as botas para que o Hilárion e o Roy colocassem meus pés congelados e ao mesmo tempo molhados embaixo das suas roupas para aquecer. No frio extremo, eu suava frio. Era mais um ato de extrema crueldade que sofria naquela escalada e mais uma vez chorei de dor.

O entusiasmo logo no início da nossa viagem nos fez cometer este erro. Foi uma temeridade tentar uma investida aos seis mil metros de altitude já de início e sem o devido preparo físico e mental – algo que vamos adquirindo no decorrer de uma expedição longa. Além disso, o fato de o Roy não ter passado bem na noite anterior da investida não nos ajudou em nada. Ele estava exausto e nos trechos mais difíceis necessitou de muitas paradas. Em escaladas altas é melhor caminhar lentamente, sem interrupção, mantendo um ritmo constante – assim a mente fica ocupada e o corpo não esfria. Lembro-me de estar presa a uma corda entre ele e o guia numa espécie de cabo de guerra: o guia incentivando-nos a andar e o Roy devagar, quase parando. Isso me estressou um pouco, o que, somado aos outros fatores – a síndrome de Raynaud, o vento, o frio e a falta de oxigênio – ajudou a desencadear o rápido congelamento das extremidades do meu corpo, o que é perigoso.

Na segunda parada para um novo aquecimento, o frio e o vento estavam ainda mais intensos. Faltava-nos 266 metros para o cume, mas em consenso com nosso guia Hilárion, tomamos a decisão de abortar a escalada e voltar à base. Vontade de continuar a gente tinha. Quem sabe se tivéssemos encarado o desafio eu teria conseguido suportar. Talvez! Nas experiências anteriores, quando minhas mãos e pés congelaram, eu aguentei, mas era porque tinha a certeza de uma infraestrutura próxima: um abrigo para entrar, o aquecedor de um carro ou um chuveiro com água quente. A distância de 266 metros parece pouca, mas percorrê-la levaria cerca de duas horas e meia só de ida – tempo suficiente para transformar uma bela experiência em um arrependimento colossal.

O pior é que a nossa desistência não resolveu o problema, pois ainda teríamos que descer o mesmo tanto que subimos. O corpo pesava e a mente mais ainda. Eu caminhava como uma "walking dead", pensando, com remorso, que deveríamos estar indo na direção oposta, rumo ao cume. E a medida que o dia clareava a montanha ia mostrando os riscos pelos quais passamos na subida: gretas profundas, penhascos, vales, estalagmites de gelo. Tudo branco, muito branco – um cenário, que apesar de assustador, era espetacular. Agora, vendo de perto os perigos, sem a escuridão da noite para escondê-los, redobramos o cuidado ao caminhar naquela crista íngreme. Se cair ali: bye, bye.

Chegamos exaustos ao acampamento alto. Para me manter aquecida, meu corpo demandou muita energia. Deitamos nos beliches e capotamos. Só acordamos quando os outros montanhistas começaram a chegar do cume, eufóricos, contando o feito. Foi difícil não sentir a frustração do dever não cumprido. O tecido das minhas mãos e pés foi tão agredido que demorou alguns dias para que a sensibilidade voltasse ao normal. Quanto à tortura, foi apenas um aperitivo, entre os muitos episódios que ainda estavam por acontecer. A KGB russa me aguardava para mais torturas a frio.

Na vida geralmente não somos ensinados a desistir. Crescemos ouvindo de nossos pais e professores que devemos ser persistentes para alcançar nossos objetivos e metas. Uma expressão popular diz: "desistir não faz parte do meu vocabulário". Sou partidário dessa forma de pensar, acho que a força da mente é uma das grandes responsáveis pelas nossas conquistas. Mas ali na montanha, naquele momento crítico, a sutil diferença entre persistir e teimar, entre ser determinado e ser irresponsável, poderia comprometer a integridade física da Michelle. Precisamos aprender a ser humildes e reconhecer nossa inferioridade frente às forças da mãe natureza. A 5,8 mil metros de altitude, na escuridão, faltando pouco para a conquista, desistir foi também um ato de coragem.

La Paz é de perder o fôlego – literalmente

O capitão espanhol Alonso de Mendoza nunca deve ter imaginado que a pequena vila por ele fundada há 470 anos – Nuestra Señora de La Paz – se tornaria uma belíssima e importante cidade. Se a visse do ponto de onde nós a vimos ficaria como a gente – estonteado. A cidade se estende por um cânion profundo cavado pelo rio Choqueyapu, em cujas encostas encontram-se casas e edifícios literalmente pendurados. Em alguns trechos, os paredões chegam a 400 metros até o fundo. É uma espécie de caos organizado, onde habitam mais de um milhão de pessoas. Como pano de fundo desse buraco descomunal desponta a Cordilheira Real, com algumas das montanhas mais altas do país.

O mirante ao qual me refiro fica em El Alto – um antigo subúrbio de La Paz que virou outra cidade, ainda mais populosa que a capital. Por conta de sua constituição geográfica, no alto de uma planície, ali foi construído o Aeroporto Internacional. Cabe aqui registrar um aprendizado de estrada: estacionamento de aeroporto é um ótimo local para se pernoitar. Estacionamos o Lobo ali por alguns dias e tivemos segurança, banheiros e internet – bastava ir até o saguão.

Até há pouco tempo a única conexão entre El Alto e La Paz era uma autopista, onde vans superlotadas subiam e desciam o cânion em 30 minutos. Elas não deixaram de existir, porém, a partir de 2014 as duas cidades ganharam uma rede complexa de teleféricos, que por três bolivianos (valor equivalente a um real, em 2014), permitem descer do alto da planície até a base do cânion em apenas sete minutos. Para nós, que estávamos a passeio, a agilidade nem foi o ponto alto, mas sim a vista panorâmica. O teleférico passava por cima de casas monocolores que víamos de longe. Do alto reparamos que esse efeito é causado pela falta do reboco final nas paredes. Os proprietários não dão este acabamento para não terem que pagar mais impostos.

La Paz situa-se a 3.660 metros acima do nível do mar (El Alto a 4.100 metros), o que a declara a sede de governo mais alta do mundo. Quem não esquece esse título são os jogadores brasileiros de futebol, que, acostumados a jogar ao nível do mar, sofrem com a perda de fôlego em partidas na cidade.

Nos arredores da Plaza San Francisco estabeleceu-se a região turística da cidade, com hotéis, restaurantes, bares, lojas de souvenirs, agências de turismo e de esportes ao ar livre. Ao afastarmo-nos dali pela rua Santa Cruz a verdadeira La Paz se revelou, com mercados locais repletos de gente e onde se encontra de tudo o que se possa imaginar. Os sábados são os melhores dias para se apreciar a cultura local. É quando os bolivianos das vilas e dos subúrbios aparecem para vender seus produtos típicos e se abastecem de provisões.

Pelos perigos da Estrada da Morte

Partimos de La Paz, subimos a La Cumbre com os seus 4.670 metros e começamos a descer por uma linda serra em direção a Yungas, onde dois importantes ícones naturais da América do Sul se encontram: a Cordilheira dos Andes e a Floresta Amazônica. Levamos três dias para chegar próximo ao nível do mar. Neste caminho percorremos a acidentada e perigosa Estrada da Morte, considerada pelo Banco

Interamericano de Desenvolvimento, em 1995, uma das estradas mais perigosas do mundo. Foi escavada por prisioneiros paraguaios durante a década de 30 – quando a descoberta de petróleo na região do Chaco Boreal originou uma disputa territorial entre os dois países, cuja pendência já se arrastava por muito tempo. Dizem que o saldo foi a morte de 60 mil bolivianos e 30 mil paraguaios. A Bolívia foi derrotada e a região do Chaco passou a pertencer ao Paraguai.

A estrada serpenteia entre as paredes verticais das montanhas altas do Yungas e era até há pouco tempo a única ligação entre La Paz e Coroico. Carros, caminhões e ônibus transitavam em uma pista de apenas três metros de largura, sem pavimento ou qualquer proteção para os abismos que chegam a 600 metros de altura. Por ser perigosíssima, os locais controlavam o fluxo de veículos: de manhã subiam e a tarde desciam. Mas mesmo com esse cuidado, as erosões e desmoronamentos causados pela chuva, somados à neblina constante, levavam muitos veículos a despencarem paredão abaixo.

Em 2007 foi construída uma estrada moderna no lado oposto do vale e a Estrada da Morte transformou-se num ponto turístico, atraindo visitantes de todos os cantos do mundo, sobretudo ciclistas, que pedalam os 64 quilômetros até Coroico. A rota, no entanto, continua perigosa. Ela persiste em não perdoar os desatentos. Até 2014 havia registros de pelo menos 20 ciclistas mortos neste percurso.

Hoje, a estrada não segue mais a regra "de manhã se sobe e à tarde se desce". A prática fez com que ela virasse estrada de mão inglesa. Só fui entender esta regra quando tive que dividir a via com os carros que subiam – estando eu em mão inglesa, podia espichar meu pescoço para fora da janela e controlar melhor até onde o pneu do carro podia avançar próximo ao precipício para dar espaço aos que subiam.

A Michelle e eu achamos essa experiência o máximo, tanto que demoramos seis horas para cumprir o percurso e paramos muitas vezes para admirar a proeza dos paraguaios que a construíram. Por eu estar na direção, podia enxergar melhor os penhascos, pois eles ficavam ao meu lado. Mas a Michelle é quem tomava os maiores sustos quando eu dirigia em proximidade perigosa. Ali o passageiro está em desvantagem, pois não tem o controle da situação e precisa confiar cegamente no motorista. No seu diário de bordo, ela escreveu: "a apreensão aumentava quando passávamos pelas cruzes na beira da estrada – elas marcavam antigas fatalidades".

Paramos em um local notável durante a descida: uma cachoeira que cai sobre a estrada, obrigando os carros a cruzá-la por baixo.

De repente tudo mudou

Calor, umidade, poeira e muitos mosquitos contrastavam com o altiplano deixado para trás. A pequena cidade de Rurrenabaque parecia estar inserida em um outro mundo – até as pessoas eram diferentes. Na avenida da cidade, às margens do rio Beni, sentados em nossas cadeiras de praia, discutimos sobre aquela dúvida cruel que assola os viajantes de vez em quando: por qual caminho seguir? O destino estava claro: Cusco-Peru. O trajeto pensado era: cortaríamos a Amazônia Boliviana, entraríamos "de raspão" no Brasil pelo Acre e de lá viajaríamos pela Estrada do Pacífico (Interoceânica) no sentido Cusco. A condição da estrada pelo norte boliviano não nos animava. Se fôssemos por ela, seriam 700 quilômetros a mais que na segunda opção: pegar o caminho que saía da Bolívia pelo Lago Titicaca.

Então levantamos a seguinte questão: Qual era mesmo o motivo da nossa viagem? Buscar atalhos ou desbravar o desconhecido? A pronta resposta resgatou instantaneamente o nosso norte. E foi exatamente para o Norte que seguimos. Mantivemos a proposta inicial – o caminho estava traçado no mapa e o destino nas estrelas.

Os primeiros 100 quilômetros quase nos fizeram desistir: o trilho da estrada estava duro, com muitas pedras. Tudo tremia – até o pensamento. Aos poucos a estrada foi melhorando, até que se transformou num tapetão de chão batido, gostoso de trafegar. Só a poeira não dava trégua. As áreas alagadas, seus animais e aves nos lembravam o Pantanal Brasileiro – capivaras, jacarés, garças, tuiuiús e araras por toda parte.

De repente passamos por Austrália. "Ops! Repete, por favor. Austrália, na Bolívia?" Foi engraçado depararmos com essa placa de sinalização. E o nome é sugestivo: parecia mesmo que estávamos no interior desse país, que visitamos demoradamente na última viagem. Estrada reta de barro vermelho, repleta de costelas de vaca e de altos e pontiagudos cupinzeiros. Coincidência ou não, na Austrália existe a Vila Bolívia, situada a alguns quilômetros ao sul de Brisbane.

Após 400 quilômetros a mata começou a se fechar, indicando que entrávamos na Floresta Amazônica. Algumas áreas estavam preservadas, com árvores tão altas e densas que escureciam a estrada. De vez em quando a paisagem era tomada por zonas devastadas, verdadeiras feridas no ambiente mais rico do planeta.

Os estados bolivianos de Beni e Pando são cortados por rios que alimentam o rio Madeira, no Brasil. Para cruzá-los, somente por meio de balsas. Em El Sena, povoado situado onde o rio Manurimi desemboca no Madre de Dios, comemos filé de pirarucu com arroz e banana da terra frita. Pernoitamos em frente ao atracadouro, à espera da balsa que chegaria no outro dia cedo. Se foi história de pescador eu não sei, mas um senhor nos falou que pegou um pirarucu de 90 quilos e 1,90 metro na semana anterior à nossa passagem por lá.

Mais estrada e mais poeira. As fazendas de gado ficando cada vez maiores. Ao completarmos 850 quilômetros desde Rurrenabaque, cruzamos por um dos lados da tríplice fronteira Bolívia/Brasil/Peru. Poderíamos ter seguido direto para o Peru, mas quem iria resistir à tentação de um gostinho de volta para a casa. Resvalamos no último território anexado ao Brasil, o Acre. A saudade era de comer um bom churrasco e apreciar uma cerveja brasileira. Ali pudemos tomar um banho mais demorado, comprar farinha de mandioca e, depois, seguir rumo ao ex-império Inca.

Aprendi o segredo da vida vendo as pedras que choram sozinhas no mesmo lugar... (Raul Seixas)

E o que falar dos incas, se passados quase 500 anos desde que os espanhóis os dizimaram e ainda não descobrimos como faziam emendas tão perfeitas em suas construções de pedra? Como transportavam por longas e acidentadas distâncias, montanhas acima, imensos blocos de pedra – muitos pesando até 300 toneladas – quando sequer conheciam a tecnologia da roda? Como cruzavam os rios com eles?

Esse povo da América pré-colombiana construiu um dos maiores impérios que o mundo já conheceu. Era formado por diferentes povos da Cordilheira dos Andes: Peru, Equador, oeste e sul da Bolívia, noroeste da Argentina, norte e centro do Chile e uma pequena fração do sudoeste da Colômbia. O resultado foi um grupo heterogêneo de culturas, organizado sócio e politicamente de forma sofisticada. Todos pagavam impostos a um estado maior cuja capital era Cusco. Estima-se que na época a população chegou a 15 milhões de pessoas.

Construíram uma extensa malha viária, com mais de cinco mil quilômetros. Uma ordem do imperador era recebida nos confins do império em poucos dias. Produziam tecidos e joias refinadas e eram bons agricultores, mas foi no campo da arquitetura que, aos nossos olhos, se destacaram. Cusco e Machu Picchu são provas desta habilidade.

Ao apreciar as construções remanescentes ficávamos procurando respostas sobre as técnicas usadas para construir aqueles encaixes tão perfeitos. A Michelle, como arquiteta, delirava e as perguntas vinham uma atrás da outra: "Quanto tempo levavam para construir um templo, já que possuíam ferramentas relativamente precárias para o nível de precisão alcançado? Como faziam para averiguar os encaixes, se as pedras eram tão pesadas? Quantas pessoas trabalhavam em cada obra?". Não há exagero quando falo que entre as emendas das pedras não se consegue colocar um cartão de crédito. Tudo foi tão bem encaixado que as construções resistiram a diversos abalos sísmicos.

Eu acredito que o homem de hoje não seja capaz de construir uma edificação inca com as ferramentas e técnicas daquela época. Não me refiro a falta de capacidade, mas ao imediatismo que nos assola. Creio que não teríamos paciência para uma obra de tal envergadura; jamais iniciaríamos um projeto sem a certeza de vê-lo finalizado. Ops! Acho que mordi a língua: existem centenas de obras dos governos brasileiros paradas há mais de 50 anos. Mas não ficam prontas por motivos muito diferentes.

O Templo do Sol, uma das mais importantes construções incas, foi destruído pelos espanhóis para que ali fosse erguido, como exemplo de dominação, o Convento de Santo Domingo. A construção aproveitou o sólido alicerce inca como base. Em 1950 um forte terremoto transformou o templo dominicano em pó; o que sobrou foi a base construída pelos incas. No filme Diários de Motocicleta, que conta a passagem de Che Guevara por Cusco, um garotinho, guia de turismo, levou Che a uma ruela, onde mostrou o imponente muro inca, com suas pedras entalhadas e encaixadas com perfeição e, do outro lado, o muro feito pelos espanhóis, em pedras quadradas e simples. O menino o chamou de "o muro dos incapazes".

Machu Picchu é a cidade inca mais famosa. Como já havíamos visitado em nossa primeira viagem, desta vez nos dedicamos a explorar o Vale Sagrado, tão deslumbrante quanto a famosa cidade perdida. Situado nas imediações de Cusco, o vale possui um microclima ideal para a agricultura: posiciona-se de leste para oeste, recebendo luz solar o dia todo, e escapa do vento e do frio por ser muito profundo. Na sua parte mais baixa corre o rio Vilcanota ou Wilcamayu, que depois passa a se chamar de Ucayali, Urubamba, Marañon e, centenas de quilômetros adiante, ajuda a formar o Amazonas.

Para não ficarmos entediados com tantas ruínas, escolhemos visitar somente as principais: Pisac, Ollantaytambo, Moray e Chinchero. Pisac é um dos monumentos mais bonitos do Vale. Suspende-se pela parede íngreme de uma montanha e combina pedras empilhadas com perfeição, com terraços de agricultura e refinados sistemas de irrigação. Estudos indicam que ali foi a fazenda real do inca Pachacutec e as construções incluíam ambientes domésticos e salas cerimoniais e de observação astronômica.

Ollantaytambo é a cidade de onde parte o trem que vai para Machu Picchu. Já estivemos nessa vila antes, mas confesso que não demos importância: pura inocência. A vila possui uma das ruínas mais incríveis de todo o Peru. Existem no local pedras enormes trazidas de até seis quilômetros de distância. Os incas mudavam o curso do rio para que pudessem atravessar com elas: quando a pedra chegava a uma margem, faziam um novo leito e as águas passavam a correr por detrás da pedra, que, assim, passava de uma margem para a outra.

Ollantaytambo está dividida em parte alta que abriga o centro cerimonial de purificação e o culto à água e parte baixa onde fica a cidade propriamente dita. Suas ruelas de pedra possuem canais de distribuição de água, que se ramificam alcançando boa parte da cidade. Estima-se que o local era ao mesmo tempo centro militar, agrícola e religioso e dali se controlava todo o Vale Sagrado. Uma curiosidade: Ollantaytambo é uma das únicas cidades em que praticamente cem por cento dos moradores atuais são descendentes diretos dos incas.

Moray é diferente: trata-se de uma série de terraços circulares em formato de anfiteatro. Para os historiadores este sítio demonstra o profundo conhecimento agronômico dos incas. Como não podiam fazer a produção agrícola em grande escala, criaram esses terraços para o plantio. Ao mesmo tempo serviam como laboratórios experimentais, pois em altitudes e microclimas diferentes obtinham, para o mesmo cultivo, diferentes resultados. É por isso que no Peru existem centenas de variedades de milho e de batata.

Chinchero é mais uma cidade inca com uma igreja construída sobre seus muros. Aqui um crédito para os espanhóis – as pinturas do templo com altares esculpidos em madeira e folheados a ouro são hipnotizantes.

Seguimos viagem pelo coração dos Andes rumo à Cordilheira Branca – um caminho pouco usual de 1.650 quilômetros. Partimos de Cusco, passando por Abancay, Ayacucho, Huancayo, Cerro de Pasco, Huánuco, La Union, Huari, Chacas e Carhuaz. A estrada é razoável, porém por ser estreita limita a velocidade a uma média de 30 quilômetros por hora. Anotamos as variações de altitudes do percurso (em metros): 3.500, 4.005, 1.782, 4.160, 2.820, 4.266, 1.975, 4.295, 2.173, 3.916, 3.277, 4.400, 1.920, 4.005, 2.993, 3.430, 3.152, 4.537, 2.638, 4.367, 2.855, 4.782 e 2.247.

As alturas dos abismos superam os da Estrada da Morte boliviana; as curvas são intermináveis. "É curioso", disse a Michelle, "estamos choramingando por levar sete dias para fazer este trajeto de carro, quando os incas cumpriam distâncias muito maiores nessas montanhas a pé". Dizem que havia um imperador inca que andava de Cusco até as proximidades do vulcão Sajama, na Bolívia, somente para se banhar em águas termais.

E chegamos à Cordilheira Branca, que de norte a sul mede 180 quilômetros e possui 16 picos nevados acima dos seis mil metros. Um deles, o Huascarán (6.768 metros), é um dos mais altos da América do Sul. É pouco? Então tem mais: ali formam-se 663 glaciares, 269 lagoas e 41 rios. Quanto a nós, dirigimos essa cordilheira para a cruzarmos de leste a oeste, depois dirigimos até os 4.314 metros sobre a Cordilheira Negra e despencamos em 80 quilômetros até o nível zero. Naquela tarde fomos apreciar o pôr do sol no Oceano Pacífico.

Indiana Jones peruano

Ruínas, pirâmides, tumbas, tesouros, arqueólogos, caçadores de relíquias, saqueadores e piratas representam o norte do Peru e seus resquícios arqueológicos ainda mais antigos que os dos incas. Existem evidências de ocupações com mais de cinco mil anos. A moderna arqueologia descobriu que esses povos não eram selvagens como os relatos espanhóis os descreviam (baseados no que os incas contavam).

Eram, sim, muito mais avançados para seu tempo do que supomos. As provas estão ficando cada vez mais evidentes com as descobertas recentes em Moche, Chimu, Chavín e Sipán.

A história da descoberta de Sipán se parece com a do filme Indiana Jones e os Caçadores da Arca Perdida. As ruínas foram encontradas por *huaqueiros*, ou melhor, caçadores de *huacas* (pirâmides, templos e tumbas). Em 1987, o arqueólogo peruano Walter Alva percebeu que objetos de grande valor histórico estavam sendo vendidos no mercado negro. Foi atrás da informação e descobriu que uma das tumbas já havia sido saqueada. Elas pertenciam a um aglomerado de imensas pirâmides de adobe com mais de 1,7 mil anos. A intervenção rápida segurou o saque e o restante do sítio foi protegido. A tumba mais valiosa e intacta é a do Senhor de Sipán, um governador pré-colombiano. Foram descobertas também as tumbas de um sacerdote e de figuras ilustres da sociedade moche.

O que se sabe sobre os moches ou mochicas é que existiram entre 200 e 850 d.C e que eram agricultores, artistas, pescadores e guerreiros, com um alto grau de desenvolvimento e organização. Construíram pirâmides, desenvolveram tecnologias para canais de irrigação, dominavam o uso do cobre, ouro e prata, utilizados na fabricação de armas, ferramentas e objetos decorativos. A maior proeza nessa área foi a folheação do cobre com ouro e a expressão máxima da sua arte foi a da cerâmica, considerada a mais técnica e realista de todas as culturas do Peru.

Para eles, a morte não era o final da vida, mas uma passagem para outra dimensão – razão pela qual os mortos eram sepultados com bens e provisões. O Senhor de Sipán foi enterrado com três mulheres, dois homens, um menino, dois guardiões, um cachorro e vários pertences: cerca de 400 joias de ouro, prata e pedras semipreciosas, além de provisões como água e comida, guardadas em potes de cerâmica.

A costa norte peruana não se resume a riquezas históricas – sua natureza é bela e conta com ótimas praias para a prática do surfe, como Puerto Chicama ou Malabrigo, onde se forma a maior onda de esquerda do mundo (que quebra no sentido esquerdo de quem está surfando). A praia é rasa e plana, o que propicia a formação de ondas de até quatro quilômetros de extensão e podendo chegar a dois metros de altura.

Onze quilômetros ao Sul, próximo à Vila Negritos, localiza-se o ponto mais ocidental desse continente: Punta Pariñas. É um lugar cheio de vida, onde tivemos a grata surpresa de avistar a fotogênica patola-de-pés-azuis. Foi algo totalmente inesperado, pois para nós esta espécie de pássaro existia somente nas Ilhas Galápagos. A patola-de-pés-azuis é uma ave da família dos atobás. O nome deriva da cor dos seus pés, que contrastam harmonicamente com o corpo branco e marrom – característica importante para os machos, pois é por meio da beleza das cores que atraem suas potenciais parceiras. Quanto mais azuis são seus pés, maior é a chance da conquista. Uma cena deste encontro nos deixou tristes: um dos pássaros carregava um fardo pesado, talvez para o resto da vida; ele havia se enroscado em uma linha de nylon, na qual, na outra extremidade, estava amarrada uma garrafa de plástico de água mineral. Tentamos acudi-lo, mas o pobre se assustava e voava cada vez que nos aproximávamos.

Descemos da pedra alta onde abrigavam-se as patolas, a fim de caminhar pela praia, e tivemos mais uma surpresa desagradável: o local, que de longe parecia lindo, estava tomado por lixo. Aliás, no Deserto de Secura, onde essa praia está inserida, encontramos milhares de sacolas plásticas penduradas nos galhos dos arbustos. Os plásticos que não se enroscavam continuavam sendo conduzidos pelo vento deserto adentro.

Ao longo dessa primeira fase da viagem encontramos muito lixo pelo caminho. É inacreditável a quantidade de plástico jogado na natureza. Grotões, leitos de rios secos, praias e desertos são os lugares preferidos para o homem se livrar dos dejetos que produz. Bolívia, Peru e Colômbia foram os lugares onde mais observamos tal comportamento. Ver alguém arremessando uma latinha ou garrafa para fora da janela do ônibus ou carro era normal. No norte da Colômbia vimos moradores de uma pequena cidade, que ficava de um lado da rodovia, atravessando o asfalto com carrinhos de mão e despejando seus lixos do outro lado com a maior naturalidade.

O estilo de vida moderno faz com que a praticidade seja mais importante do que o cuidado com nosso planeta. Produzimos mais embalagens do que os produtos contidos nelas. Os restaurantes *fast-food* são bons exemplos. Um dia, ao fazer um lanche em uma dessas casas, observamos a quantidade de lixo que geramos e chegamos a ficar constrangidos: copos de papel, canudinhos de plástico, papel de propaganda na bandeja, guardanapos, sachês de tempero e caixas de papelão para embalar o sanduíche. Como se tudo isso fosse necessário.

Nos mercados, para os enlatados ficarem mais chamativos na prateleira, eles são acondicionados dentro de uma embalagem de papel. Ou seja, uma embalagem dentro de outra. A bisnaga da pasta de dente vem dentro de uma caixa de papelão por quê? Fabricantes de chocolate e bolacha devem ser os maiores produtores de lixo em relação à quantidade de itens que vendem, pois cada unidade vem dentro de até três embalagens, geralmente uma de papel e duas plásticas. Mas não faltam outros exemplos: água mineral, garrafas pet, tampas de garrafas plásticas, pratos e talheres descartáveis, embalagens de remédios, sacolas plásticas dos supermercados, fraldas e infinitas coisas mais – tudo isso nós víamos nas barrancas próximas às comunidades pobres dos países de terceiro mundo.

A prova de que quem joga o lixo na natureza não é o único culpado está no fato de que em países mais fechados para o comércio internacional, como o Afeganistão, não se vê um papel de bala, uma lata de sardinha ou uma sacola plástica no chão. Não existe esse lixo, pois eles não os utilizam. Na Escandinávia a reciclagem do lixo é levada tão a sério que às vezes voltávamos com lixo para o carro, pois ficávamos em dúvida com relação ao tambor em que deveríamos colocá-lo.

Quando nos deparávamos com esses despejos, fazíamos duas fotos: a primeira, da bonita paisagem e a segunda, da mesma bonita paisagem tomada pelo lixo, e as publicávamos como forma de ajudar na conscientização. A fotografia é uma boa ferramenta para esse tipo de provocação.

"Não existe pecado do lado debaixo do Equador" (Chico Buarque)... E do lado de cima?

Deixamos o Peru e entramos no Equador. Arrisco dizer que é um dos meus países preferidos da América do Sul. Seu pequeno território abriga a Floresta Amazônica, os Andes – com montanhas de mais de seis mil metros –, praias de águas mornas e as Ilhas Galápagos. Os moradores brincam dizendo que podem acordar nas terras baixas da Amazônia, subir os Andes para almoçar e jantar frutos do mar na costa do Pacífico. Sua rica biodiversidade coloca o país entre os 17 considerados megadiversos pela Conservação Internacional.

Subimos montanha acima em direção a Santa Ana de los Ríos de Cuenca, a terceira maior cidade do país. Disputa com a capital Quito o título de cidade colonial mais bonita. E não é para menos: seu centro histórico muito bem preservado ostenta belezas para ninguém botar defeito. Quer dizer, um defeitinho apenas: é curioso que a edificação mais importante de Cuenca, a Catedral de la Inmaculada Concepción, por um erro estrutural não pôde ter suas torres construídas. Errinho básico.

A região traz mais uma curiosidade: lá são fabricados os legítimos chapéus do Panamá, aqueles leves, elegantes, confeccionados em palha clara e fina. Eles não são do Panamá, como muita gente pensa – são originais de Cuenca há mais de um século. Os créditos foram dados ao Panamá por um mal-entendido: por volta de 1800, os espanhóis, reconhecendo a qualidade dos chapéus, passaram a exportá-los via Panamá. Durante o século 19, portanto, na construção do Canal do Panamá, os trabalhadores passaram a utilizá-los também, pois eram leves e resistentes. Em 1906, a imprensa mundial publicou a foto do então presidente americano Theodore Roosevelt vestindo um desses chapéus em uma visita ao Canal do Panamá e isso fez a popularidade do acessório ganhar o mundo. A moda se estendeu com tanta força que grandes personalidades o imitaram: Winston Churchill, Al Capone, Santos Dumont, Getúlio Vargas, Tom Jobim e Michael Jackson, além de ter sido usado em filmes de Hollywood, como E o Vento Levou e Casablanca, caracterizando também o nosso Zé Carioca no filme Los Três Amigos, de Walt Disney, em uma alusão ao sambista carioca.

Nos arredores de Cuenca, no vilarejo Sígsig, enquanto circulávamos pela vila esbarrávamos a todo instante com mulheres tecendo chapéus. Isso acontece o dia todo, todos os dias. Uma senhora nos contou que essas tecelãs adquiriram tanta prática em tecer que o fazem automaticamente. Tecem andando na rua sem tropeçar, enquanto cuidam dos filhos pequenos, lidam com a lavoura, com os animais e dezenas de outros tipos de trabalho.

Há chapéus que são feitos em um único dia e há os que levam seis meses para serem finalizados. Aí o diferencial nos preços. Um chapéu mais requintado, em palha fina e flexível, pode custar mais de dois mil dólares.

Garantimos o nosso chapéu do Panamá no Equador e seguimos para o norte, rumo ao altiplano equatoriano. No caminho, uma grande concentração de vulcões ativos e inativos. Surpreendentemente, apesar de não ser o ponto culminante da Terra (esse crédito é dado ao Monte Everest), o cume do Vulcão Chimborazo, com 6.267 metros de altitude, é o ponto mais distante do centro geodésico do planeta, isto é, do centro da Terra. Parece confuso? Nós também achamos ao ouvir isso. O Everest pode ser a montanha mais alta do mundo, mas com relação ao nível do mar. Entretanto, nosso planeta não é uma esfera perfeita – ele é mais achatado nos polos e ovalado na Linha do Equador –, então o Chimborazo, por estar localizado na parte ovalada do globo, tem seu cume em um ponto mais distante do centro da terra que o Everest.

Nós vimos tantos vulcões, que entendemos por que os equatorianos batizaram aquela rodovia de Avenida dos Vulcões: Cotopaxi, o vulcão em atividade mais alto do mundo; o Tungurahua, também em atividade, do qual se aproveita águas termais na cidade de Baños; Ilinizas, que são dois vulcões gêmeos – o Sul e o Norte; El Altar, vulcão que possui nove picos e é considerada a montanha mais bonita do Equador; ainda havia o Carihuairazo, o Rumiñahui, o Sincholagua, o Cayambe, o Imbabura, o Cotacachi e o Fuya Fuya. Muitos, não? E não eram os únicos do caminho: havia Pichincha, Corazón e Chiles – mas não os vimos, pois estavam encobertos.

Os perigos de Michelle

Os voos de parapente nos renderam emocionantes histórias. Algumas começaram de uma forma inesperada: quando parapentistas locais viram a logomarca da Sol Paragliders em nosso carro e fizeram contato conosco. Quem diria que um simples adesivo iria nos trazer boas amizades?

O primeiro voo foi em Baños. Eu decolei do Ojos del Vulcan, uma montanha que fica de frente para o vulcão Tungurahua. Ela possui esse nome – "olhos do vulcão" – porque é de lá que se monitora a atividade vulcânica do Tungurahua. O voo foi, na verdade, um simples planeio em descida, pois no momento não havia térmicas ou ascendentes para me sustentar. Apesar de curto, foi surreal: pude avistar à direita o Tungurahua e à frente um vale verde e profundo que se estende até a Amazônia Equatoriana. Embaixo, a charmosa cidade de Baños, onde tive que procurar o pequeno estádio, que era para ser o meu local de pouso. Fui perdendo altura ao passar por cima de uma igreja e quase ralei no muro de entrada do estádio, o que aconteceu no momento certo, pois se entrasse mais alto poderia sobrevoar todo o campo e colidir com a arquibancada oposta.

O segundo voo aconteceu próximo a Ambato, num festival de parapente beneficente. A Michelle, por ainda não estar confiante para fazer um voo solo, pegou uma carona num voo duplo com um instrutor local que se ofereceu para levá-la e eu voei próximo a eles. Do alto, avistamos os três vulcões: Cotopaxi, Tungurahua e Chimborazo. Ao pousar, fomos rodeados por crianças curiosas, deslumbradas em ver como aquele simples tecido costurado junto a linhas simétricas nos fazia voar.

No mesmo dia, com os nossos novos amigos, fomos a Latacunga para mais um voo. Esse rendeu história para contar. Como o dia estava quente, aguardamos até o final da tarde para aproveitar o vento que costuma bater na montanha Putzalahua e então subir – a famosa ascendente. Como voar ali era considerado seguro, a Michelle, que tinha pouca experiência em voo sem motor, participaria também em voo solo. A ordem de decolagem estabelecida pelos nossos amigos foi: Hector, o mais experiente e que conhecia bem a montanha, na frente; na sequência viria a Michelle, eu e, por último, o Mauro, que também conhecia o local.

O Aníbal ficou na área de pouso com um rádio para ajudar em qualquer eventualidade. À nossa esquerda, por detrás de outra montanha, uma nuvem se formava. O Hector apressou os procedimentos de preparação e decolagem: temia que o mau tempo pudesse vir em nossa direção. "Vamos, vamos!", dizia ele. Uma pressão que Michelle não gosta.

Hector decolou. A Michelle, pressionada, decolou em seguida. E a história que vamos contar agora guardamos só para este livro. Foi um pacto nosso, pois sabíamos que se contássemos antes geraria apreensão entre nossos familiares. Quando a Michelle já estava no ar – um momento sem volta –, o Hector, que decolara um minuto antes, lançou seu paraquedas reserva, pois sofrera uma fechada, ou seja, a força do vento súbito e instável dobrou o velame do seu parapente principal.

Vendo os apuros do nosso companheiro, o Mauro e eu abortamos nossas decolagens, mas a Michelle não teve tempo, já estava a 30 metros de altura em relação a montanha. Nos minutos seguintes, passei a vivenciar uma das maiores angústias dessa viagem e da minha vida:

ver a Michelle voar em uma zona de perigo. A ameaçadora nuvem de chuva havia invertido o vento em 180 graus, causando uma corrente rotorizada (quando forma rotor no vento, depois que bate em uma montanha). Este é o maior pavor para quem voa com uma asa não rígida, a de um parapente: ela pode fechar com você no ar, exatamente como aconteceu com Hector.

O Hector desapareceu com seu paraquedas reserva de nosso campo de visão logo depois de sua pane. A Michelle, tomando fechadas momentâneas de até 50% em sua asa, foi brigando montanha abaixo, em direção ao vilarejo, saindo completamente do rumo combinado para o pouso. Eu não sei pelo Mauro, mas eu, vendo aquele parapente fechar em um lado, depois em outro, chacoalhando daquele jeito, descendo mais rápido que um planeio normal e sem poder fazer nada, gritei, rezei, esperneei e chorei de aflição.

Vimos a Michelle voar por cima da vila, até que o parapente tomou mais uma fechada (*front*), despencando alguns metros. Estremeci. Gritei. Dei mais um grito. De onde eu estava tinha pouca noção da altura que ela voava em relação ao solo. Parecia muito baixo. Um segundo depois, como num passe de mágica, a vela voltou a voar bem e, aos trancos e barrancos, a Michelle foi conduzida até um pasto, onde a vimos pousar em aparente segurança.

Meus olhos estavam grudados nela, queria ver seus próximos passos. Ver se ela estava bem. Ao que ela começou a recolher as linhas e o pano respirei aliviado. Agradeci a Deus por tê-la colocado em segurança no chão e tudo o que queria era lhe dar um abraço. De certa forma sentia-me culpado por tê-la colocado no mundo dos voadores. Se para mim, em terra firme, esses momentos foram difíceis, imagina para ela, que estava lá, no meio do turbilhão.

Peguei apressada os batoques, inflei a vela sobre a cabeça, girei 180 graus e corri entusiasmada para a decolagem. Segundos depois, assim que os meus pés saíram do chão, vejo bem à minha frente o equipamento do Hector entrando em colapso: sua vela dobrando e ele lançando rapidamente o paraquedas reserva. Assustada, perguntei-me o que estava acontecendo. Não demorou muito para saber a dura resposta: meu parapente, assim que saiu da proteção da montanha, começou a pendular e eu, debaixo das linhas, passei a ser jogada para todos os lados. Então o pior começou a acontecer: de repente, a metade direita da vela se fechou e eu percebi que havia me metido numa bela enrascada.

Uma vez no ar, já não tinha mais como voltar à terra firme. Eu teria que encarar as condições turbulentas ocasionadas por aquela nuvem grande e ameaçadora que se aproximava. A vela, apesar de estar pendulando e das fechadas a todo momento, voava. Agi rapidamente e nem cogitei abrir o reserva. "Vou enfrentar o que vier pela frente", pensava. Logo perdi altura, estava entrado numa descendente e decidi me aproveitar dela para tentar pousar o quanto antes. Foram dois minutos de muita angústia e medo e, por incrível que pareça, consegui manter a calma.

Até aquele dia, 14 de dezembro de 2014, dois episódios perigosos haviam me marcado, pois tive a sensação de a minha vida estar por um fio. Um deles foi ao final de nossa primeira viagem, quando quase me afoguei em Mangue Seco, na Bahia, ao salvar duas meninas locais que não sabiam nadar. Lembro-me do exato momento em que me dei conta de que iríamos todas morrer afogadas. Mas por um milagre conseguimos sair do buraco e nos salvamos. O segundo episódio aconteceu perto de casa, na estrada, quando fiz uma ultrapassagem proibida e coloquei em risco não somente a minha vida, mas a da minha irmã Daniela. Foi muita irresponsabilidade minha. Naquele voo no Equador eu vivia um terceiro momento de grande perigo e no meio daquela confusão, pensei: "Essa é a hora, agora acabou mesmo".

O plano de voo era nos deslocarmos em "L" para a direita, onde estava a área de pouso, mas a descendente acabou me levando para a esquerda, onde havia algumas casas. Fiquei com medo de pousar sobre elas. Vejo até hoje, nitidamente, a imagem de um poste de luz se aproximando, ao que fiz uma curva para a direita e uma terra de cultivo aberto apareceu no meu campo de visão. Aliviada, pensei que havia encontrado um bom local para pousar. No entanto, aqui vale aquele ditado de não cantar a vitória antes da hora.

Muitas vezes me peguei imaginando o que passava na cabeça das pessoas pouco antes de morrer. Nessa experiência, surpreendi-me com o quão consciente eu estava. Apesar das horríveis condições de voo, comigo estava tudo normal. E pensar que em um segundo eu poderia deixar de existir. Que sentimento estranho. Nunca falei tantos palavrões na minha vida e eles foram essenciais para me manter calma. A cada um eu liberava um pouco do stress e adrenalina do meu corpo, o que me ajudou a não me desesperar. Uma mente tranquila é essencial para tomada de decisões corretas em momentos difíceis.

O campo de pouso escolhido se aproximava – assim como o solo – quando entrei numa ascendente, ganhei altura e, numa fração de segundo, levei um front (o que acontece quando o parapente perde sua sustentação por algum motivo e perde seu aspecto de asa, deixando de voar, despencando). Ver aquela vela amarela na minha frente, sem pressão, foi assustador. Foi nesse momento que eu tive aquele pensamento "agora acabou".

Eu havia entrado em queda livre muito próxima do solo e senti o vento acelerando no meu rosto. Definitivamente, não teria tempo de abrir o reserva. Conforme disse em um depoimento num vídeo que gravamos naquele dia: "É a visão do inferno". Por sorte ou destino, o parapente recuperou seu voo. Mas quando um front acontece e o parapente reabre, a vela entra num mecanismo pendular a todo vapor. Então quando percebi que ela vinha para frente novamente, acionei os freios para corrigir o avanço e consegui evitar um segundo colapso. Tive sucesso na ação: a vela se estabilizou sobre minha cabeça. Foram somente alguns segundos a mais de planeio e, quando vi, já estava pousando sobre um arbusto. Foi um pouso forte, mas não tive nem tempo de sentir dor, pois a sensação de alívio por colocar os pés no chão superava qualquer outra. Eu carregava um rádio, mas em nenhum momento do voo tive a coragem de largar os batoques para tentar alguma comunicação. Assim que pousei acionei o botão e pedi desesperadamente ao Aníbal para avisar o Roy e o Mauro que seria necessário abortar a decolagem.

Alguns locais vieram em minha direção. Creio que vinham ver se eu estava viva, já que testemunharam, assustados, toda a minha luta. O que eu mais queria naquele momento era ver o Roy e falar que estava tudo bem. "Repolhei" a vela e no caminho até a estrada caminhei com uma sensação de vazio, de vácuo, de "o que foi aquilo? Tinha sido real? Acontecido mesmo?". Via o entorno, as pessoas, mas parecia que estava num mundo paralelo.

O Aníbal e sua esposa Naty me aguardavam na estrada. Ela, com lágrimas nos olhos. Fiquei à espera do Roy, que desceu a pé da montanha e demorou uma eternidade. Quando o reencontrei, nos abraçamos muito e só então tive a certeza de que estava bem.

Como disse o Mauro em seu depoimento em vídeo: "Nós sempre voamos em Putzalahua. É uma zona muito nobre, boa, mas hoje tivemos um contratempo. Começou a se formar uma chuva que mudou completamente o panorama de voo [...]. Esse episódio nos dá a experiência de que quando há nuvens grandes e escuras, mesmo que longe no horizonte, não se deve voar. Devemos respeitar a natureza e voar somente em boas condições. Como não aconteceu nada de mais grave, estamos aqui contando essa história".

Quando nos propusemos a esse projeto de voar para fazer imagens aéreas, tínhamos em mente o velho ditado dos aviadores: "É preferível estar no chão querendo voar do que estar no ar querendo estar no chão". Nossos instrutores nos alertaram desde o início que diferentemente do paramotor, o parapente depende de propulsão natural – térmicas e ascendentes – e de uma montanha para a decolagem, então se faz necessário muito conhecimento das condições climáticas locais. O paramotor, por ser capaz de decolar do plano, permite voar longe dos obstáculos que possam rotorizar o vento. Então decidimos que voaríamos de parapente somente na companhia de outros parapentistas que possuíssem tal conhecimento – mas dessa vez parece que nem isso inibiu o perigo.

É sempre um dilema para quem voa: quando é o momento de recuar? Eu pratiquei paraquedismo por mais de vinte anos e percebi que a maioria dos acidentes acontece com os experientes, pelo excesso de confiança. A Michelle e eu, nessa viagem, por estarmos longe de casa e com um projeto gigantesco à nossa frente, deveríamos ser muito prudentes. Um simples pé quebrado poderia colocar tudo a perder. É difícil ter que passar por um risco desses para aprender, mas dessa forma acho que o aprendizado é mais efetivo: com emoção.

Proporcionalmente ao tempo de nossa viagem, até que voamos pouco. E depois dessa, cada vez que tiramos os pés do chão foi com cem por cento de certeza de que pousaríamos em segurança. Deixe-me corrigir isso para "quase" todas as vezes.

"Eu tenho três vulcões. Dois vulcões em atividade e um vulcão extinto" (O Pequeno Príncipe – Saint Exupery)

O legal foi que nossa experiência com vulcões não se limitou a apreciá-los somente do chão. Voamos de parapente e do ar pudemos ver o Chimborazo, o Tungurahua e o Cotopaxi. Em nossa viagem anterior, ao passarmos por Baños, o vulcão Tungurahua estava em atividade, mas por azar não tivemos a oportunidade de vê-lo explodindo em lavas. Altas nuvens de cinzas o encobriam por completo. Na verdade, é besteira falar que "por azar" o vulcão não expelia lavas, pois o que é atração natural para uns – os que não vivem lá – pode ser a desgraça para outros. Pode ser um lindo espetáculo, mas para quem mora no seu sopé, a possibilidade de sua casa ser soterrada por lava ou cinzas não deve ser uma boa experiência. Vulcões em erupção são um acontecimento normal no Equador. Muitas cidades têm planos de evacuação de emergência e os moradores devem treiná-los de três em três meses.

Baños se desenvolveu por causa das suas águas termais medicinais, mas nos últimos anos, devido à sua localização privilegiada, descobriu-se o local para o turismo-aventura: rafting, ciclismo, canyoning e outros esportes. Fica entre montanhas, não tão distante da Amazônia e o caminho que conecta esses dois ícones da natureza é magnífico. Na queda d'água Pailón del Diablo (Caldeirão do Diabo), a força da água é tanta que o nome dado é até modesto.

Fizemos hidroterapia nas suas águas termais, intercalando entre uma piscina com 46ºC e outra com 10°C, o que nos causava um formigamento na pele indicando que o processo de circulação e oxigenação acontecia a todo vapor – literalmente.

Em um dos restaurantes experimentamos um prato tradicional – o *cuy* –, um pequeno roedor muito comum no Peru e Equador. No Brasil e em alguns outros países ele é conhecido como porquinho da Índia, mas de Índia não tem nada, pois é mesmo originário do Peru. A história conta que os navios portugueses e espanhóis que faziam a rota das Índias nos tempos coloniais também andavam pelo Peru. Nessas viagens levavam os porquinhos para alimentação dos marinheiros, já que eles se reproduzem com facilidade; no mesmo dia em que a fêmea dá luz a uma ninhada já pode ficar prenha para a próxima. Nos países onde aportavam, deixavam esses animaizinhos, que ficaram conhecidos como sendo "da Índia" – uma história parecida com a que já contamos, do chapéu do Panamá que na verdade vem do Equador.

Volvemos ao prato do dia: ver esse bichinho fofinho, gordinho e simpático ser apresentado assado, com cabeça e tudo, em uma travessa, dificulta o apetite. Como nos dispusemos a sair para o mundo, adotamos o lema "quem está na chuva é para se molhar". Experimentar pratos típicos, sejam eles quais forem, estava em nossos propósitos. Assim aprendíamos mais sobre a cultura dos povos que visitávamos. E a culinária diz muito da cultura local. O *pobrecito* do *cuy* veio acompanhado de arroz e um molho feito do seu próprio fígado.

Mais vulcões no caminho, lindas lagoas e belas paisagens nos levavam ao Norte. Passamos por Quito e cruzamos a Linha do Equador. Nesse momento faltavam os 70 graus de latitude para completar o nosso primeiro grande objetivo. Conforme o planejado, chegamos a

Otavalo num sábado, dia do mercado de animais. Nos países andinos é o dia de a comunidade se encontrar, dia de se vestir bem. Os homens, quase todos de baixa estatura e traços um pouco diferentes dos demais equatorianos, ostentavam tranças em seus cabelos compridos e chapéus. Usavam calças brancas meia canela e alpargatas, mesmo com o evento acontecendo em um piquete cheio de barro e fezes de animais espalhadas pelo chão. Para se protegerem do frio, alguns usavam ponchos.

As mulheres, tal qual em muitos lugares do mundo, parecem ser mais rigorosas em manter a tradição. Trajavam saias pretas, longas, blusas brancas com babado e bordados, cintos largos coloridos e sandálias. Em meio ao barulho emitido pelos animais, o comércio acontecia. Os futuros *almuerzos* – bois, ovelhas, cabras, leitões, galinhas, patos e *cuyes* – após o término das negociações caminhariam, relutantes, puxados pelos seus novos proprietários.

O desenvolvimento desenfreado dos grandes centros fez com que nos afastássemos deste tipo de vida. Nossas crianças já não sabem mais de onde vem o ovo ou o leite que vão às suas mesas. Às vezes fico pensando sobre isto e tenho uma certa saudade desses tempos – que na verdade eu nem vivi –, quando a carroça e o cavalo eram o meio de transporte e a proximidade das pessoas com a vida no campo acontecia no dia a dia e não somente em esporádicos eventos de finais de semana.

Ali, em Otavalo, as roupas, os bordados e os tecidos são feitos pelas próprias pessoas da comunidade onde vivem e vendidos nesses mercados movimentados – locais de encontros, conversas e interação. Não chegam pelos correios de uma indústria qualquer da China em compras realizadas pela internet. Esse povo está mais próximo da essência da vida do que nós. Prova disso está no fato de termos perdido os conhecimentos dos nossos ancestrais: não olhamos mais para fora, por exemplo, a fim de analisar as nuvens e o vento para prever as condições de tempo, basta olharmos para nossos *smartphones*. Tabuada, ninguém mais sabe. Para elas existem as calculadoras e para nos orientarmos, o GPS. Marcam-se compromissos em agendas eletrônicas e até escrevemos sob o comando de voz. Tudo cabe no bolso. Só não sabemos as consequências futuras dessas comodidades.

De El Angel, próximo à fronteira com a Colômbia, trouxemos uma recordação que gosto de mostrar aos amigos que nos visitam: uma folha de *frailejones* ou espeletia. É uma planta do gênero dos subarbustos perenes, da família do girassol, que alcança até sete metros de altura e vive em altitudes elevadas, nos ecossistemas de páramo. Suas folhas, algumas guardadas por nós com muito carinho, são peludas, parecidas com veludo. Essas folhas são de marcescência, ou seja, morrem no outono, mas não se desprendem do tronco durante o inverno, ajudando a planta a se proteger do frio. É por isso que nossas amostras não apodreceram nem secaram. Quando passamos por aquela magnífica floresta de *frailejones* fazia frio e havia muita neblina. E ao tocá-las a gente sentia o calor do sol ali retido. Pela capacidade de captar e armazenar em seu tronco esponjoso a água dos nevoeiros, elas funcionam como conservadoras do meio ambiente, pois em determinado momento soltam a água conservada por seus troncos, que vai à terra, se transforma em nascentes e alimenta os riachos.

Um bandidão para ninguém botar defeito

Um casal argentino que conhecemos quando acampamos lado a lado na Praça de Sucre, na Bolívia, nos presenteou com os 113 episódios da novela colombiana *El Patron del Mal*. A série é baseada na vida de Pablo Escobar, um dos mais perigosos e sanguinários narcotraficantes do mundo. Sua história é ao mesmo tempo chocante e fascinante. Se ele tivesse aproveitado sua inteligência e perspicácia para o bem, com certeza seria uma das pessoas mais bem-sucedidas do século.

Não somos fãs de séries televisivas, pois viciam e nos fazem perder muito tempo, mas desta não escapamos. Pensamos que já que estávamos a caminho da Colômbia, a visita seria mais bem aproveitada se assistíssemos à série, pois nela deveria haver boas informações sobre o país, sua história e costumes. Assistimos ao primeiro episódio e fomos fisgados, já não dormíamos mais se não assistíssemos pelo menos um capítulo por noite. Durante o dia, enquanto o carro era alimentado com a energia do alternador, carregávamos a bateria do computador e assim garantíamos a próxima sessão de cinema, sempre após o jantar.

Os produtores da série, Camilo Cano e Juana Uribe, sofreram com as ações de Escobar: o pai do Camilo, Guilhermo Cano, editor do jornal El Espectador, foi assassinado em dezembro de 1986. A mãe de Juana, Maruja Pachón foi sequestrada e o seu tio, Luis Carlos Galán, candidato à presidência da Colômbia, foi assassinado em agosto de 1989.

Os colombianos começaram seus conflitos internos bem antes de Escobar aparecer no cenário nacional. Em 1948, o candidato liberal à presidência, Jorge Eliécer Gaitán, foi assassinado – ato que acendeu o estopim para um período de violência extrema. Os partidos Liberal e Conservador entraram em conflito pelo poder. Os liberais aliaram-se aos socialistas e a guerra civil durou 16 anos – de 1948 a 1964. Porém, em 1964 os liberais aliaram-se aos conservadores por temer o crescimento da guerrilha comunista, apoiada pela revolução cubana. A confusão começou a se armar de novo, pois os guerrilheiros adeptos ao socialismo fundaram as FARC – Forças Armadas Revolucionárias da Colômbia. Outros grupos de esquerda formaram o ELN – Exército de Libertação Nacional. Em 1968 foi aprovada uma lei que dava liberdade para a formação de milícias paramilitares a fim de combater os guerrilheiros de esquerda. Os grupos de direita fundaram, em 1997, as AUC –Autodefensas Unidas da Colômbia. Cada grupo, ao seu modo, visava chegar ao poder. Não pela linha democrática, mas pela luta armada.

Nos anos 80, para complicar ainda mais o cenário colombiano, entrava em cena Pablo Emilio Escobar Gaviria e o tráfico de drogas pesadas ficou ainda mais intenso. Pablo chefiava o Cartel de Medellín, que no seu auge chegou a dominar 80% do tráfego mundial de cocaína. Os "negócios" prosperaram e ele se tornou um dos homens mais ricos do mundo, chegando a faturar cerca de um milhão de dólares por dia. Suborno, corrupção e intimidação foram seus principais métodos. Seu lema era: *plata o plomo* – dinheiro ou chumbo. A lista conhecida dos seus feitos passa por assassinatos de membros do governo, jornalistas, explosão de um avião, do prédio de segurança de Bogotá e o financiamento da famosa invasão da Suprema Corte Colombiana pelo grupo guerrilheiro M-19. Escobar tinha a petulância de convidar seus inimigos para seu próprio velório. Estima-se que ele foi responsável por mais de seis mil mortes.

Odiado por uns, idolatrado por outros, conseguia apoio popular distribuindo dinheiro entre amigos, familiares e pobres. E para se tornar mais popular ainda iniciou carreira política, sonhando um dia ser presidente de república. Sua longa história de mal feitos terminou em 1993, quando foi morto por um policial em uma perseguição. Por mais irônico que possa parecer, lugares que fizeram parte da sua vida tornaram-se pontos turísticos e seu túmulo recebe milhares de visitantes todos os anos.

Visitar o túmulo do Escobar é apenas uma das centenas de atrações curiosas que existem na Colômbia. Dessa vez entramos nesse país pela cidade de Ipiales, onde existe um cânion que se tornou conhecido quando mãe e filha em 1754 disseram ter avistado a imagem da Nossa Senhora sobre uma rocha. O local logo se tornou sagrado e, para melhor receber os peregrinos, foi construída ali uma linda igreja branca, em estilo neogótico, fazendo parte de uma ponte que atravessa o cânion.

Como era um pouco antes do Natal, decidimos celebrá-lo na cidade de Popayán. Estacionamos o Lobo na frente de um posto policial, ao lado de uma igrejinha e próximo ao centro histórico. Não era o lugar mais atrativo do mundo, mas pelo menos segurança tinha e facilitava o acesso ao centro. Popayán é conhecida como a Cidade Branca por causa das suas casas coloniais caiadas. A cidade é linda, o clima estava agradável e na ocasião muita gente andava pelas ruas. A ceia foi comemorada num restaurante simples, com pizza e vinho. Aproveitamos para matar as saudades dos familiares, ligando para eles via Skype.

De lá, seguimos para o sudoeste no sentido de San Agustín. A estrada nos levou acima dos 3.200 metros. A Colômbia também comporta a Cordilheira dos Andes e pela localização, acima da linha do Equador, há fartura de água e tudo é mais verde. Passamos ao lado do Parque Nacional Pucaré, onde há um vulcão de mesmo nome e, depois, por uma floresta muito alta e densa. No caminho havia placas avisando que por ali circulam antas e ursos da montanha. Com uma curva atrás da outra e a estrada em péssimas condições, o progresso foi lento. A noite chegou antes do esperado e com a luz do carro apresentando problemas, não tivemos como seguir até Isnos, conforme havíamos planejado. Lembrei-me na hora de um mecânico na Bolívia que satirizou a marca Lucas, fabricante da parte elétrica do Land Rover, chamando-a de "a inventora do escuro". Além do problema da luz, livros guias não aconselham dirigir à noite nesse lugar, pois existem guerrilheiros na região. Decidimos parar e pernoitar em um lugarzinho ao lado da ponte sobre o rio Cauca.

A noite foi tranquila, mas no outro dia bastou andar poucos quilômetros para darmos de cara com guerrilheiros. Era nítido que não eram militares, pois apesar das roupas camufladas similares às do exército, usavam botas tipo Sete Léguas, ao invés dos tradicionais coturnos. Vestiam-se com mais desleixo que os militares e estavam bem armados. Um deles usava um lenço vermelho no pescoço. Reparamos que naquela floresta havia muitas trilhas que adentravam na mata. Provavelmente elas levam até os acampamentos das milícias.

Quando chegamos a San Agustín fomos tomar um café. As moças que nos atenderam puxaram conversa para saber de que região do Brasil éramos. Papo vem, papo vai, aproveitamos para perguntar-lhes sobre os tais guerrilheiros. Elas nos falaram que ainda existem, mas em poucas regiões: Cauca, Nariño, Huila e Amazônia. Vivem na mata passando de um acampamento para outro. Lutam por seus ideais e financiam-se do tráfico de drogas. Eu não acredito que nos dias de hoje sejam tão perigosos como foram na década de 90. Segundo as atendentes do café, eles só promovem sequestros quando são muito pressionados pelo governo.

Em outros trechos da Colômbia vimos muitos militares patrulhando as estradas. E o que nos chamou a atenção foi que todos, sem exceção, erguiam os polegares quando passávamos. Se havia três soldados, os três faziam sinal de "legal". Imaginamos que esse gesto pode ser uma maneira de nos dizerem que a segurança voltou ao país.

Arqueologia e natureza

Há cinco mil anos duas culturas viviam nos vales adjacentes aos rios Magdalena e Cauca, próximos a San Agustín. Sobre essas comunidades foram descobertas estátuas cuidadosamente esculpidas em rochas vulcânicas encontradas em uma área coberta por vegetação densa. Sabe-se quase nada sobre estes povos, pois desapareceram muitos séculos antes da chegada dos espanhóis e, pela localização em área úmida, poucos resquícios suportaram o passar do tempo. Suas tumbas eram bem elaboradas: pode-se andar pelos corredores, olhar colunas de pedras, sarcófagos e estátuas – todas representando deuses e seres sobrenaturais. Semelhante ao que acontecia com a civilização moche, do norte do Peru, as pessoas importantes eram enterradas com seus pertences e com muitas oferendas. Ficamos três dias na cidade e mesmo assim não vimos tudo. Chega um momento em que a gente não aguenta mais ver túmulos e estátuas.

Trocamos arqueologia por natureza: embarcamos no Lobo rumo ao deserto de Tatacoa, que, apesar de ser chamado assim, não é um deserto propriamente dito, mas um bosque tropical seco, de solo avermelhado e cinza. A ação do tempo, vento e chuva em solo frágil transformou-o num belíssimo ateliê permanente de esculturas. Nós nos identificamos com lugares áridos. E esse tem uma característica diferenciada: é um grande depósito de fósseis de animais gigantes, como tartarugas, tatus, bichos-preguiça, jacarés e roedores. A presença de fósseis marinhos indica que aquele lugar, em priscas eras, já esteve debaixo do mar.

O clima estava seco e quente. No auge do calor registramos 37ºC à sombra. Quando o sol dava uma trégua, caminhávamos entre as fotogênicas formações de terra vermelha, que contrastavam com cactos de até quatro metros de altura. Alguns cactos menores produziam pequenas frutas vermelhas, comestíveis e deliciosas. De tão bonito que era o lugar, não me contentei em vê-lo só do chão: no dia 31 de dezembro coloquei o paramotor no ar e contemplei toda aquela beleza de cima. Uma bela maneira de se comemorar o trabalhoso ano que findava.

As noites em Tatacoa foram tão espetaculares quanto os dias. O lugar, por apresentar um clima árido, oferece uma ótima visibilidade dos astros, tanto que lá foi construído um observatório astronômico. Na virada do ano, sentamos sob a luz da lua e das estrelas e curtimos a passagem do ano novo com tranquilidade. Lembrei-me de um poema do Ferreira Gullar, quis dizê-lo à Michelle mas só saiu uma parte: "Meia-noite. Fim de um ano, início de outro. Olho para o céu: nenhum indício. O mesmo espantoso silêncio da Via-Láctea feito um ectoplasma sobre minha cabeça: nada ali indica que um ano novo começa. Começa com a esperança de vida melhor...".

Café – a lição colombiana

Em todo mundo a Colômbia é sinônimo de café. É a terceira maior exportadora e a única a produzir somente a espécie arábica. O café entrou no país no início no século 18, quando os padres jesuítas trouxeram da Venezuela sementes e as plantaram onde hoje é a Zona Cafeteira (oeste de Bogotá). As condições climáticas se mostraram excelentes para a produção do café arábica: situa-se próxima da linha do Equador e os terrenos estão em altitudes elevadas. Esta conjugação de fatores propicia maturação mais lenta e o resultado é um grão denso e de sabor consistente após a torra. Além disso, as chuvas frequentes possibilitam floração constante e, como consequência, são feitas duas colheitas ao ano.

Na região, uma planta pode apresentar flores e grãos verdes e maduros ao mesmo tempo, o que cria um inconveniente na hora da colheita. Em épocas passadas, os países concorrentes faziam a colheita de forma manual e a floração constante era um diferencial. Hoje, com a ajuda da tecnologia, os concorrentes colhem com máquinas. Para isso, as plantas têm que ter composição homogênea: tanto as flores como os grãos verdes e os maduros precisam ter seu próprio tempo. Neste local não é possível o café ser colhido por máquina, o que faz com que a bebida colombiana se torne cara em relação aos outros produtores.

Visitamos algumas cidades da Zona Cafeteira: Salento, Filandia, Pereira e Chinchiná. Para agregarem mais valor e melhorarem suas rendas, adotaram o chamado "turismo do café". Na Fazenda Guayabal pudemos conhecer sua história, visitar a plantação e aprender sobre a colheita, seleção e secagem dos grãos. Terminamos o passeio experimentando diferentes tipos e preparos de cafés. Segundo os especialistas que nos serviram, dependendo da temperatura da água na hora da tiragem, as bebidas apresentam sabores diferentes. Aprendemos também que grãos menores apresentam aromas mais agradáveis, porém de sabor mais suave e os maiores têm menos aroma e sabor mais marcante. As cafeterias usam um truque: atraem o cliente com o cheiro do café com mais aroma e na hora de servir preparam o café com mais sabor.

Conhecer a Zona Cafeteira foi incrível para mim, não só pelo café, uma de minhas bebidas preferidas, mas pela maciça presença do Jeep Willys – o veículo mais utilizado pelos fazendeiros locais. Os primeiros chegaram ao país importados dos Estados Unidos em 1950 e eram subsidiados pelo governo. Em pouco tempo esse ícone do 4x4 tornou-se o principal meio de transporte nas zonas rurais, nas montanhas e nos vilarejos. Ainda hoje são usados para transportar de tudo: passageiros, porcos, frutas, verduras, móveis e, é claro, café. Observar os jipes sendo carregados é interessante, pois eles sempre colocam mais e mais coisas. Lotam os veículos até não caber mais um alfinete. Na quadra do Mercado Municipal de Chinchiná contamos mais de 50 jipes estacionados. Servem também de táxi para a população e as crianças costumam brincar com miniaturas desses simpáticos veículos. Como disse no início deste livro, eu ia para a escola e aprendi a dirigir em um Jeep Willys. Realizei inúmeras provas de 4x4 em um jipe e tenho uma cicatriz no braço esquerdo por causa de um jipe.

Hoje o setor conta com a praticidade dos veículos motorizados, mas nem sempre foi assim. O logotipo da marca Café da Colômbia representa bem como o café, durante muito tempo, era transportado: a figura de um homem – o cafeicultor colombiano Juan Valdez – puxa uma mula carregando sacas de café.

Se os jipes chamavam nossa atenção, o Land Rover atraía a curiosidade dos colombianos. Eram muitos os que o rodeavam e tiravam fotos. Nosso veículo, onde quer que parávamos, logo se transformava em um instrumento para fazer amigos. Em um desses encontros conhecemos uma família da cidade de Manizales e poucos minutos de conversa não foram suficientes para saciar todas as dúvidas que eles tinham sobre nossa vida na estrada. Fomos convidados para ir à casa deles e ficamos três dias na companhia de Maria Helena, Jorge, Carlos, Gloria, Juan Esteban, Rafael e Felipe. Foi uma ótima oportunidade para conhecermos melhor as redondezas e aprendermos sobre a cultura colombiana.

Quando o caminhão vira mula e vice-versa

Em Bogotá, outro amigo nos esperava, mas por conta do sobe e desce interminável e das centenas de curvas das estradas andinas, atrasamos um dia. Nessas regiões ninguém fala em quilometragem para medir distâncias – só em horas. É compreensível, pois a primeira estimativa de tempo que fizemos, quando vimos que a distância entre Manizales e Bogotá era de apenas 300 quilômetros, furou total. Encontramos nosso amigo somente noutro dia, perto do horário do almoço.

A viagem é lenta porque há muitas *mulas* circulando nas estradas, conforme disseram nossos amigos de Manizales. "E quando vocês virem mulas paradas em frente a um restaurante, podem parar que a comida ali é boa e barata". Em dado momento, interrompemos: "Mas escutem, diferentemente da Bolívia e do Peru, onde realmente vimos mulas nas estradas, aqui, até agora, não vimos nenhuma". Todos caíram na gargalhada. As mulas, explicaram, são os caminhões. Quando eles chegaram em meados do século 19 e substituíram o transporte que era feito pelas mulas (animais) foram chamados de tracto-mulas. Abreviando: o meio de transporte mudou, mas o nome continuou sendo o mesmo.

Julian Rodriguez é um colombiano que conhecemos no Brasil, quando ele rodava a América do Sul com seu veículo Jeep Willys Militar 1945. Ele é de Chía, cidade satélite de Bogotá, e pelo enorme carinho com que nos recebeu em sua casa, imaginamos que ele também foi muito bem recebido em nosso país. Passamos em Bogotá tempo suficiente para lavar roupa, fazer manutenção do Lobo, passear, dar entrevista em uma rádio, caminhar pelas montanhas, dançar *cumbia*, *vallenato* e *reggeton* e tomar muita cerveja e caipirinha.

Participamos também de um encontro de Land Rovers em Guatavita. Aprendemos que a antiga cidade foi submersa quando fizeram uma represa na região. Uma nova cidade foi construída ao redor. De acordo com os locais, quando a represa baixava, a torre da igreja submersa aparecia fora d'água. Um dia, um piloto de lancha descuidado a quebrou e por isso não voltou mais a aparecer. Guatavita possui mais uma história curiosa: próximo à sua represa existe um profundo lago. Uma lenda indígena conta que um dos chefes tribais tinha o hábito de se cobrir de ouro em pó para se tornar dourado. É mais uma, entre tantas lendas do El Dorado. Dizem também que o fundo desse lago nunca foi alcançado.

A entrevista na rádio local foi cômica. Durante a conversa um ouvinte ligou para o radialista pedindo que ele descrevesse a Michelle. Por ser brasileira, achava que ela tinha o perfil de mulher que eles assistem ao ver nosso carnaval na televisão. Também perguntaram à Michelle se na Copa do Mundo no Brasil o gol de Yepes havia valido ou se havia sido uma injustiça do juiz. Essa do gol anulado eles não esquecem nunca: cada colombiano, ao descobrir que éramos brasileiros, queria tirar satisfação sobre "o gol que não foi gol" e que desclassificou a Colômbia da Copa do Mundo em 2014. Eles acreditam que se o árbitro tivesse validado o gol de Yepes, teriam sido os campeões mundiais.

Uma Via Crúcis dentro de uma montanha de sal

As pequenas férias na casa do amigo Julian foram boas, mas chegara a hora de partir. Ele nos aconselhou conhecer Zipaquirá, uma das cidades mais antigas da Colômbia. Zipaquirá é encantadora e ostenta uma das maravilhas do país: a Catedral de Sal. Ali há uma montanha de sal, explorada desde os tempos pré-colombianos pelos indígenas muiscas, os primeiros a tirar proveito do produto, cuja exploração e troca comercial com outras civilizações tornou-os um dos povos mais prósperos do seu tempo. Nada diferente do que outro povo, muito mais poderoso, fazia: no tempo dos romanos, o pagamento dos soldados também era feito com sal. Daí a palavra salário, do latim *salarium argentum*. Em bom português: pagamento com sal. E esse era trocado por comida, utensílios e outros serviços.

Dentro da montanha foram construídas duas catedrais, sendo a segunda para substituir a primeira, cuja estrutura estava instável. Para chegar lá caminha-se por mais de um quilômetro por dentro de túneis e chega-se a 180 metros abaixo do nível da terra. Ao longo do corredor, foram construídas, em arquitetura espetacular, as 14 Estações da Via Dolorosa ou Via Crúcis – em homenagem ao caminho percorrido por Jesus carregando a cruz. Em cada uma delas, dentro de nichos gigantes, há uma escultura em sal representando as paradas de Cristo rumo ao seu calvário.

Cada uma das quatro colunas da catedral tem 8 metros de diâmetro e o pé direito deve ter entre 15 e 20 metros de altura. Uma cruz gigantesca, iluminada e que também se vê de longe foi esculpida em baixo relevo na parede de sal.

Ao norte de Zipaquirá há mais três cidades coloniais que merecem destaque: Villa de Leyva, Barichara e Guane. O que elas têm e que não se vê em nenhum outro lugar do mundo são os pisos, calçadas e paredes das casas construídos com fósseis de mais de 60 milhões de anos. Dá para imaginar isso? O tipo de solo das montanhas propiciou que fósseis marinhos fossem conservados durante tanto tempo.

Dois deles eram os mais surpreendentes. O primeiro, encontrado por fazendeiros em 1977, é uma espécie de crocodilo gigante. Estima-se sua idade entre 110 a 115 milhões de anos. Possui nadadeiras no lugar das patas e mede sete metros de comprimento, sem contar a cauda. O fóssil está no lugar onde foi encontrado e, para protegê-lo, construiu-se um museu sobre seus restos. O outro vimos numa exposição em Villa de Leyva: é o fóssil de uma serpente gigante chamada Titanoboa, encontrado em uma mina em La Guajira. É a maior serpente já descoberta – pesava 1.100 quilos, tinha 60 centímetros de diâmetro e o comprimento maior que o de um ônibus, 12,8 metros.

Se lá havia tantos fósseis, será que nós não teríamos a chance de encontrar o nosso? A Michelle e eu somos loucos por isso. Ficamos mais instigados ainda quando uns hippies que vendiam bijuterias falaram-nos que entre Barichara e Guane se tropeça nos fósseis. Fomos para lá tentar a sorte em um leito seco de um rio. Logo ao chegar, deparamo-nos com uma pedra de uns 50 centímetros, que se parecia com um casco de tartaruga. Uau! Ficamos tão impressionados com o achado que tiramos fotos para recordação, já que seria impossível carregar uma pedra tão grande. Passamos a fazer um pente fino no leito do rio, cavando-o com as mãos. Felizes, parecíamos dois pintinhos revirando monte de cisto. E, acreditem, encontramos muitos fósseis. Uns eram grandes, outros continham conchas fossilizadas encrustadas nas pedras. Na internet descobrimos que alguns se tratavam de amonoides, um grupo extinto de moluscos que desapareceu no final do período cretáceo, isto é, há 66 milhões de anos. Desenterrá-los foi uma sensação tão boa que nem percebemos que carrapatos estavam grudando em nossas pernas.

Esses fósseis ficavam em um oceano e subiram junto com a Cordilheira dos Andes na época de sua formação. Agora estavam a dois mil metros de altitude. Isso quer dizer que existiram antes da placa tectônica de Nazca penetrar por debaixo da placa Sul-Americana, elevando e formando a Cordilheira dos Andes. Ver isso coloca-nos em nosso devido lugar: a extensão de nossas vidas é ínfima se comparada à de processos naturais do planeta Terra. O melhor que podemos fazer é aproveitar o tempo em que estamos aqui.

Foi com essa consciência que decidimos partir para apreciar mais um acidente geográfico – o Cânion de Chicamocha. Soubemos em San Gil que poderíamos voar de parapente por entre seus paredões, o que nos encheu de ânimo, pois fazia um bom tempo que não o colocávamos para voar. Este cânion está localizado próximo à cidade de Bucaramanga e estende-se por 227 quilômetros. Com um desnível máximo de dois mil metros, ele é o segundo cânion mais profundo do mundo.

Dessa vez, mais escolados do que nunca, fomos nos informar e aprender ainda mais com os outros parapentistas sobre as condições de voo no local. Voei com eles descendo mil metros, tendo ao meu lado os magníficos paredões de rocha. Dá para imaginar o que isso significa? Foi sensacional. A vontade era voar de novo, mas para me resgatar a Michelle teve que fazer uma verdadeira viagem – era muito longe o lugar onde pousei. Não tive muita sorte quanto ao clima, pois estava nublado e não havia muitas térmicas para me manter mais tempo no ar. As poucas que me deram sustentação foram reveladas pelos urubus – os mestres de voo – que voam em círculos quando as encontram.

Numa quinta-feira chegamos em Bucaramanga. Um dos instrutores de parapente nos convidou para fazer mais um voo, mas recebemos uma mensagem de Rosely e Amabry que nos fez colocar o pé na estrada de novo: na terça-feira da semana seguinte um ferryboat cruzaria de Cartagena (Colômbia) a Colón (Panamá). E não queríamos perdê-lo.

Rosely e Amabry, assim como Liene e Dan, eram amigos viajantes que conhecíamos apenas por e-mail. Trocávamos mensagens já fazia algum tempo, pois todos viajavam no mesmo sentido, de carro, e todos estavam na expectativa de cruzar para o Panamá nesse ferry. Seria uma forma muito mais econômica que o navio cargueiro (container) para o carro e ainda duas passagens aéreas para nós. Pelo vai e vem das informações desencontradas da companhia marítima, esse ferry estava mais para ser uma lenda do que uma realidade.

A embarcação estava realmente navegando entre os dois países havia mais ou menos três meses, mas pela dificuldade do atracamento em um porto do Panamá para efetuar o descarregamento de carros, estava operando apenas com passageiros. Ferry Xpress chamava-se esse barco italiano e operava como um teste em águas caribenhas, para verificar se a linha seria ou não rentável. Ao primeiro sinal verde que recebemos, corremos todos para Cartagena.

Em Cartagena, nos dirigimos para o El Laguito, Península Bocagrande, tendo de antemão um ponto de GPS onde *overlanders* (viajantes de carro) acampam. Era um simples estacionamento, mas ficava de frente para um braço de mar. Aparentemente seguro, localiza-se numa zona nobre da cidade, ao lado do Hotel Hilton. Um senhor que alugava pedalinhos logo à frente do estacionamento nos disse que já havia visto oito carros de *overlanders* acampando ali.

Quando chegamos, além de termos conhecido pessoalmente nossos amigos virtuais, fomos apresentados a mais um casal que viajava num furgão tipo Kombi, da Toyota. Candelária e Matias eram *hermanos* argentinos e com eles logo combinamos de fazer um churrasco. À noite daquele mesmo dia da chegada, fomos todos comer uma pizza e colocar os assuntos de viagem em dia.

O dia seguinte era domingo e havia muita gente passeando por ali. Sentamo-nos perto dos carros, talvez uns 70 metros de distância, debaixo de um sombreiro. Enquanto as mulheres faziam a salada com guacamole, batata e cenoura cozida, o Matias e eu assávamos a carne.

O tempo estava quente, mas debaixo da sombra uma leve brisa vinda do mar nos refrescava.

Satisfeitos com o almoço, lá pelas três da tarde resolvi fazer café. A Michelle veio comigo até o carro e, ao abrir a porta do motorhome, estranhei que a nécessaire dela estava no chão, sobre a maleta onde guardamos nosso equipamento fotográfico. Reclamei da bagunça, mas ela logo percebeu: "Roy, fomos roubados!".

O interior do carro estava revirado: armários abertos e pertences esparramados pelo chão. Entramos para ver o que havia acontecido e a cada instante dávamos conta de que algo a mais havia sido levado. Primeiramente sentimos falta da máquina fotográfica, depois vimos que o ladrão havia levado três lentes, em seguida demos falta das minicâmeras, GPS, gravador de áudio, computador, iPad, celular, dois rádios VHF, os filtros das lentes, cartões de crédito e débito e o dinheiro que tínhamos acabado de sacar. Outros objetos roubados fomos descobrindo nas semanas posteriores. Não sabíamos nem o que pensar, muito menos o que fazer. O ladrão havia rompido o miolo da fechadura do lado do motorista, que estava fora do alcance de nossos olhos, entrou e pegou tudo o que queria. Saiu despercebido, com duas mochilas cheias de equipamentos. As nossas mochilas.

Embora o baque tenha sido enorme, tivemos sorte, porque ele não levou os HDs contendo fotos e vídeos já realizados. Acho que ele ficou com pena de nós. Se tivesse levado os HDs, que estavam em cima da mesa, dando sopa, nós teríamos descambado por completo. Equipamentos se consegue de volta e se aquele modelo não existir mais, consegue-se um ainda mais avançado, mas os registros fotográficos, nem que fizéssemos outra viagem, passando pelos mesmo lugares, não seriam os mesmos.

Era comum pararmos o nosso carro e atrairmos a atenção de curiosos. Para o Roy, bastavam poucas palavras com essas pessoas que ele já abria a porta da nossa casa e mostrava todos os detalhes; fazia um tour completo, com direito a tirar fotos, tamanho era o seu entusiasmo com o novo motorhome. Desde que o conheço ele sempre teve a característica de não dizer não para as pessoas. Sente-se mal fazendo isso e quer ser o mais legal e receptível possível. Eu o admiro por essa postura, mas tudo tem limites. Enquanto todos viam o Lobo apenas como um carro, para mim era a minha casa, meu conforto, meu mundo – a minha intimida-

de, meu lugar sagrado. Sou arquiteta, tenho curiosidade em conhecer as diversas arquiteturas do mundo, todavia não saio por aí batendo de porta em porta pedindo para visitar a casa dos outros. Mas os curiosos tinham essa liberdade conosco. Entravam de sapatos sujos, olhavam até sem permissão, como fez um turista coreano nos Estados Unidos, que colocou a cabeça para dentro do carro com a gente lá dentro.

Em El Laguito, Cartagena, não foi diferente. Diversos moradores vieram ver o carro, fazer perguntas, tirar fotos. O Roy relatava e mostrava tudo. O senhor dos pedalinhos havia nos alertado que era seguro acampar ali, mas que não deveríamos "dar papaya" que acredito ser uma expressão colombiana que significa "não se colocar em situação de risco, não ser imprudente ou ingênuo" – o equivalente à nossa gíria "não dar mole". Tenho quase certeza de que os ladrões foram alguns desses curiosos que viram o carro por dentro, como funcionava, o que tinha ali e, assim, planejaram uma ação rápida. Tenho minhas dúvidas também se o senhor do pedalinho não estava envolvido. Vai saber. Depois de um acontecimento como esse, passamos a desconfiar de todos.

Apesar de termos saído de casa com um patrocinador e diversos apoios, os nossos recursos eram escassos e tínhamos o dinheiro contado. Como nosso objetivo era registrar ao máximo a segunda viagem, com muita dor no bolso (sabíamos que esse dinheiro poderia fazer falta mais adiante) investimos bastante em equipamentos de fotografia e filmagem. Até cogitamos em fazer seguro, mas o custo falou mais alto, pois o valor era quase tão alto quanto o dos equipamentos. É claro que, depois desse episódio na Colômbia, veio o arrependimento.

Lembro-me de ter visto, antes de irmos fazer o churrasco, uns caras jovens rondando o nosso carro. Eles chamaram minha atenção. Foi um pressentimento e confesso que quis falar isso para o Roy, mas acabei deixando de lado. E quando vimos a maleta das câmeras fotográficas vazia, foi duro: a cada equipamento que sentíamos falta, um aperto maior no coração. Foi impossível não cair em prantos. Havia uma energia muito ruim dentro do motorhome com todos os nossos pertences revirados. Corremos para lá, para cá, conversamos com alguns locais; a polícia chegou, mas vimos que não estavam preparados ou sequer queriam ajudar. Muitos devem ser corruptos e talvez até façam parte de um esquema com os ladrões. Quanto mais o tempo passava, mais inúteis e impotentes nos sentíamos. Estávamos sozinhos, expostos e longe de casa.

Ser roubado é uma das piores sensações do mundo. Nossa intimidade é violada. Tudo o que batalhamos para conquistar de repente é levado sem dó nem piedade por um desconhecido que invade nossa casa. Os ladrões escolheram muito bem o que levar e somente deixaram para trás, talvez por falta de tempo, os equipamentos de menor valor: óculos de sol, rádio, lanternas, binóculos e os HDs com os quais o Roy estava trabalhando naquela manhã fatídica. O Roy acha que não levaram por pena, mas não creio nisso – bandidos não têm pena de ninguém; não levaram porque já estavam com o dia ganho. Nosso prejuízo ficou em torno de 12 mil dólares, que na época valiam uns 35 mil reais. Para mim, foi um dos piores dias que tivemos nas duas voltas ao mundo.

Fomos dormir naquela noite tristes e desnorteados.

Nós admitimos que houve falta de cuidado de nossa parte. Mas foi um caso isolado, pois a Michelle sempre foi muito rigorosa com a segurança, trancando nossos equipamentos de maior valor numa maleta com cadeado, que ficava acorrentada ao carro. Nosso console também possuía cadeado e sempre era fechado. Mas naquele dia, por estarmos a apenas 70 metros do Lobo, relaxamos e não chaveamos as coisas lá dentro, apenas as portas do carro.

Ficou um amargo em nossa boca e uma dor em nosso peito que é difícil de descrever. Sensação de impotência pura em relação ao que nos pertencia. Eu confesso que me peguei sonhando acordado algumas vezes, sendo o herói da história que teve um desfecho feliz: eu pegando os bandidos e dando uma lição neles. Mas a situação era essa e lamentar só iria piorar as coisas. Tivemos sempre o costume de manter o pensamento positivo, tendo em mente que é nos momentos de crise que as oportunidades aparecem. Fecha-se uma porta, mas abrem-se muitas outras. O senhor que cuidava de um estacionamento no centro de Cartagena, a quem eu havia lamentado o acontecido, falou: "Agradeçam, pois nada aconteceu com vocês. Vocês estão sãos e salvos". Os amigos Lisandro e Joseane Uhlig para nos consolar escreveram em nosso website: "Assim como as montanhas dos Andes, a vida também tem seus altos e baixos".

O susto e o amargor da perda foi passando e as brincadeiras se intensificando entre os amigos *overlanders*. Eu havia ganho do Julian, o amigo colombiano, um livro de autoria de Roberto Escobar Gaviria, irmão de Pablo, chamado Mi Hermano Pablo. A partir daquela ocasião, qualquer coisa que dava errado – a exemplo do ferry, que não iria nos levar na semana que esperávamos, conforme ficamos sabendo naquele dia – falávamos que olharíamos "o manual" para ver como devíamos proceder: “se isso tivesse acontecido com o Pablo, de ter sido roubado ou de o ferry atrasar uma semana, o que ele faria?”.

Todos nós, pacientemente, mas sem deixar de botar pressão na agência que operava o ferry, esperamos por mais uma semana, até que decidiram carregar nossos carros para o Panamá. Na primeira terça-feira do segundo mês de 2015, embarcamos cheios de esperança para desvendar uma região que ainda não conhecíamos. A história do roubo, aos poucos, íamos superando. É muito importante frisar: esse imprevisto não fez com que a imagem deste lindo país ficasse manchada. A Colômbia, que já passou por uma fase de muitas guerras e violência, hoje é segura e é um paraíso que deve ser explorado.

E não foi gol de Yepes! Pelo menos foi isso que o juiz anotou na súmula...

BELIZE
HONDURAS
GUATEMALA
NICARAGUA
COSTA RICA
PANAMÁ

4. América Central

Se a América do Sul é conectada à América Central por uma estreita faixa de terra (istmo), não seria possível ir de carro da Colômbia ao Panamá? Resposta: sim e não. Explico: sim, porque há gente que já fez o percurso; não, porque não existem estradas fazendo esta ligação.

Na década de 30 surgiu a ideia de se construir uma rodovia, a Pan-Americana, ligando a Terra do Fogo, na Argentina, ao Alasca, nos Estados Unidos. O governo americano foi um entusiasta desse projeto, que tinha o propósito de interligar as três Américas. Cada um dos 13 países por onde passaria a estrada ficaria encarregado de fazer as obras em seu território. As construções foram sendo realizadas até meados de 1960. Porém, as discussões diplomáticas entre a Colômbia e Panamá, somadas a impasses orçamentários, fizeram com que um trecho, de apenas 87 quilômetros, não fosse nem começado. Este local chama-se Estreito de Darién. Tentativas posteriores de completar a rodovia voltaram a acontecer, mas todas foram abortadas por vários motivos, como a necessidade de conservação da fauna e flora e a proteção das culturas indígenas locais.

No inicio dos anos 70 houve um surto de febre aftosa na Colômbia, fato que colocou os Estados Unidos em alerta. Os americanos perceberam que a melhor forma de conter o vírus era aproveitar o muro natural formado pela densa floresta local. Então mesmo sendo idealizadores da rodovia, a partir desse episódio eles passaram a incentivar a criação de uma área de conservação justamente onde a estrada deveria passar.

Depois aconteceram as revoluções internas na Colômbia e, por causa delas, foi a vez de o Panamá encontrar argumentos para que a estrada não saísse: a floresta não seria apenas uma zona de conservação e um bloqueio para o vírus bovino, mas uma barreira para que os conflitos do país vizinho não entrassem em território panamenho. Nos dias atuais, os norte-americanos respiram aliviados por não ter sido finalizada a estrada, pois ela facilitaria a passagem do narcotráfico sul-americano e a imigração ilegal. Se depender deles, este trecho nunca será completado.

Entre peixes voadores e atobás

Como a Pan-Americana foi interrompida, quem quiser passar para o outro lado tem que despachar o carro de navio, acondicionado em contêiner. O motorista deve pegar um voo ou um barco de passageiros e encontrar o carro no Panamá.

Nós, porem, tivemos mais sorte: um ferryboat italiano, o Ferry Xpress, operava nesse trecho durante alguns meses com a finalidade de estudar se as águas do Caribe poderiam ser um negócio lucrativo. Ele atuava lá justo quando precisamos cruzar. Embarcamos então o carro no ferry sem a necessidade de um contêiner e pudemos viajar junto. O barco era enorme – tinha lugar para 500 carros e nem sei quantos passageiros. A bordo havia restaurante, bar e até uma discoteca. Essa alternativa de transporte nos fez economizar uma boa grana, mas creio que hoje não exista mais. Não deve ter sido viável economicamente. É uma pena.

O deslocamento aconteceu sobre as águas do Oceano Atlântico, no Mar do Caribe, e durou 18 horas. Do convés ficamos observando os atobás em voos rasantes capturando peixes voadores que decolavam motivados pelas ondas que o ferry fazia. Eu nunca tinha visto um peixe voador antes e fiquei fascinado. Eles não batem asas como os pássaros, mas usam suas barbatanas peitorais que, imensas em relação ao corpo, transformam-se em asas quando abertas e os fazem planar. O voo começa embaixo d'água ainda, quando o peixe nada em alta velocidade antes de realizar um salto para fora, mantendo-se sobre a superfície o maior tempo possível. Como sua cauda continua fazendo um leve contato com a água para manter a propulsão, movimentando-se de um lado para o outro até 50 vezes por segundo, seu corpo literalmente voa, sustentado pelas nadadeiras e por distâncias de até 50 metros. Sua aparência e habilidade evoluíram ao longo do tempo a fim de evitar que fossem capturados por peixes predadores. A evolução só não contou com os perigos que existem também fora d'água.

Atracamos no Porto de Colón no começo da tarde, mas só fomos liberados no outro dia. Como aquela aduana não estava habituada a documentar veículos, acabaram demorando, o que não foi um problema, pois passamos a noite junto aos outros *overlanders* que viajaram no ferry. Alguns deles voltaríamos a ver na sequência da viagem.

A cidade de Colón fica no lado Atlântico do istmo do Panamá e já foi importante no passado, mas caiu no esquecimento porque o centro das atenções econômicas do país migrou para a capital – Cidade do Panamá. Sua arquitetura colonial em estilo francês está se deteriorando por falta de manutenção. Dizem que a cidade é bastante insegura devido à ação de gangues. Em 1948, para reerguer a economia, foi criada a Zona Livre de Colón (zona comercial livre de impostos), a maior das Américas e a segunda do mundo – atrás apenas de Hong Kong em volume de comércio. Mesmo assim, Colón não consegue sair do seu estado de abandono. É curioso, pois percebe-se dois mundos numa mesma cidade: o de dentro e o de fora da área do livre comércio. As lojas do centro comercial funcionam como atacadistas, mas algumas abriram exceção para nós e pudemos comprar um novo computador e um GPS para substituir aqueles que nos foram roubados em Cartagena. Por ser uma zona livre de impostos, nossa compra ficou mais em conta.

Vale registrar que Colón fica na extremidade de uma das mais importantes obras de engenharia do século 20 – o Canal do Panamá. Na outra extremidade fica a Cidade do Panamá. A distância entre uma cidade e outra é de 80 quilômetros por estrada – tão perto que, dizem os surfistas, se as ondas do Atlântico não estiverem boas, pode-se surfar no Pacífico na mesma manhã.

Após cruzarmos de um lado ao outro do país, encontramos um cantinho perfeito para acampar, exatamente na frente de onde o Canal deságua no Pacífico, no extremo oeste da Cidade do Panamá, quase que embaixo da Ponte das Américas. Nesse lugarzinho tranquilo passamos duas semanas nos reorganizado após o roubo. É incrível como uma ação tão rápida de bandidos gera tantos e longos transtornos. Parece que em Cartagena entramos numa maré de azar, pois além do roubo, tivemos problemas mecânicos com o carro e até o nosso precioso fogão deixou de funcionar de uma hora para outra. Porém, nenhum desses atropelos superou os prejuízos trazidos pela alta do dólar. Que hora mais imprópria para isso acontecer: bem quando tínhamos que comprar novos equipamentos para substituir os que foram roubados. Nossos amigos argentinos Candelária e Matias chegaram a nos presentear com um pau-santo, que, segundo eles, precisaria ser queimado dentro e fora do carro para espantar as más energias que teimavam em ficar ao nosso redor.

Voltando à nossa tranquila, segura e gratuita paragem. Ela ficava em frente a um hotel, onde podíamos usar os banheiros e os serviços de wi-fi. E dali também podíamos assistir de camarote aos navios que entravam ou saíam do canal. À noite, os apitos estrondosos embalavam nossos sonhos, mas muitas vezes nos acordavam. O Canal do Panamá tem 77,1 quilômetros desde Colón até a Cidade do Panamá. Foi construído para poupar a perigosa e cara viagem de 20 mil quilômetros entre o Atlântico e o Pacífico pelo Cabo Horn ou pelo Estreito de Magalhães, na extremidade da América do Sul.

Para se ter uma ideia da sua importância no comércio marítimo internacional, os projetos dos navios a serem construídos levam em conta as medidas das eclusas do Canal, pois é certo que se algum navio trafegar em rotas internacionais, em algum momento terá que passar pelo Canal do Panamá. Até 2016 as eclusas mediam 305 metros por 33,5 metros. Eclusas maiores foram construídas com medidas ideais: 427 metros de comprimento, 55 metros de largura e 18,3 metros de profundidade, podendo receber navios com capacidade de até 18 mil contêineres de 20 pés. Em média 15 mil navios atravessam o Canal todos os anos: embarcações para contêineres, petroleiros, graneleiros, frigoríficos, ro-ro (*roll-on/roll-off*) de transporte de carros, navios de cruzeiros, pequenas embarcações e veleiros. Quando visitamos o canal, em 2015, as eclusas maiores ainda não estavam acabadas.

O Canal funciona assim: existem duas eclusas do lado Pacífico, a de Miraflores e Pedro Miguel, e uma do lado do Atlântico, a de Gatún. Um navio que navega no sentido do Pacífico para o Atlântico deve passar pelas seguintes etapas: subir as duas eclusas de Miraflores, cada uma com 8 metros; subir mais 10 metros na eclusa de Pedro Miguel; e dali para frente navegar por um grande lago artificial chamado Gatún. Próximo ao Atlântico, o navio vai descer 26 metros, passando pelas eclusas de Gatún em três etapas. Somente então seguirá seu curso pelo mar aberto. O tempo de travessia fica entre 8 e 10 horas. O custo deste pedágio varia de acordo com o peso do navio. A média é de 30 mil dólares por embarcação. O valor mais alto pago foi de 376 mil dólares em 2010, pelo cruzeiro Norwegian Pearl. E o mais barato de 0,36 dólares, pago em 1928 por Richard Halliburton, que cruzou o canal a nado.

A história do canal é de mais de um século. Foram os franceses que iniciaram em 1881 esta megaobra. Porém, problemas de engenharia, bem como a alta taxa de mortalidade entre os trabalhadores, causada por doenças tropicais como a dengue e a malária, fizeram com que desistissem do empreendimento. Os americanos se interessaram e assumiram a construção em 1904 e, para alcançar seus interesses, incentivaram a independência do Panamá em relação à Colômbia. Como forma de retribuição a esta "ajuda", o novo governo panamenho concedeu-lhes os direitos de controle comercial do Canal desde a sua inauguração, em 15 de agosto de 1914, até 1999, quando passaram ao Panamá. Como já contei, quando o presidente dos Estados Unidos, Theodore Roosevelt, visitou o Panamá para inspecionar as obras em andamento em 1906, usou um daqueles chapéus de palha feito no Equador. A imprensa internacional publicou sua foto e os chapéus ficaram famosos.

Enquanto assistíamos a um navio passando pela eclusa de Miraflores, ouvimos um comentário de que um grupo chinês tinha planos para construir na Nicarágua outro canal onde existe um grande lago. Uma obra ousada, pois a distância chegaria aos 260 quilômetros, com eclusas que comportariam navios ainda maiores que os do Panamá. As tramitações para o início deste projeto ainda estão em banho-maria. O governo nicaraguense é a favor, mas a oposição é contra e argumenta que a obra vai colocar em risco a principal fonte de água potável do país. Sabe-se lá o que há por traz desses interesses.

Do nosso acampamento, eu ficava olhando os navios entrando e saindo do canal e tive a ideia de subir na Ponte das Américas para fazer um *time-lapse* deste entra e sai. Dirigi-me até um mirante do lado oposto da ponte e estacionei. A Michelle ficou esperando no carro porque o lugar não parecia ser muito seguro para deixar o veículo sozinho. A ponte é enorme – 1.654 metros de comprimento. Enquanto eu caminhava para a parte central, ouvia buzinadas dos carros que passavam. Teve um cara que gritou "se joga" – não entendi nada. Cheguei na parte alta da ponte, escondi a minicâmera, que automaticamente bateria fotos a cada 10 segundos, e voltei caminhando, torcendo para que ela flagrasse navios grandes. Mas vi um policial vindo em minha direção. "Ixi!", pensei, "deve ser por minha causa" – pois fora eu e ele não havia mais ninguém a pé por ali.

Dito e feito: quando chegamos perto um do outro, começou o interrogatório. O policial quis saber quem eu era, o que estava fazendo e se eu estava bem, pois recebera ligações telefônicas com a denúncia de que havia um louco que queria se jogar da ponte. Não me contive e dei uma gargalhada. O policial foi bacana, mas disse que aquilo não era brincadeira, pois muita gente já se suicidou ali. A ponte é alta – 61,3 metros, o que corresponde a um prédio de 20 andares. Por isso foi colocada uma tela de arame em toda a extensão da calçada, para dificultar a ação dos suicidas potenciais. Ainda bem que ele me deixou buscar a minicâmara depois das duas horas que a deixei trabalhando.

O paraíso na Terra existe e é em San Blas

Se fosse para me jogar de uma ponte, que fosse em águas cristalinas em alguma ilha do Caribe, como as do arquipélago de San Blas – a prova real de que o paraíso na Terra existe. Este conjunto de 365 ilhas (uma para cada dia do ano) localiza-se na costa do Atlântico e é de direito da Comarca Guna Yala, uma tribo indígena que, embora tenha contato com os brancos desde a época da passagem de Cristóvão Colombo por lá, mantém seus costumes preservados. Seus 32 mil moradores vivem em casas de bambu sobre algumas das ilhas. As outras eles destinam aos turistas por um preço não muito acessível para dois viajantes como nós. Fomos porque valia a pena. Escolhemos a ilha de Perro Chico, que é exatamente como eu desenharia o lugar dos sonhos, se um dia me pedissem que o fizesse. É bem pequena: para atravessá-la leva-se no máximo um minuto ou dois. A areia é branca e macia, os coqueiros são frondosos e a água do mar é tão transparente que se pode ver a vida marinha nos recifes de corais até de fora d'água.

A curiosidade nos fez, depois das ilhas de San Blas, desviar do nosso objetivo principal, a Latitude 70 N, para irmos na direção contrária – queríamos conhecer pelo menos uma das pontas do Estreito de Darién. Cruzá-lo por completo estava longe da realidade, então ver onde a estrada terminava e conhecer um pouco da história de alguns aventureiros que fizeram a travessia já nos deixaria contentes.

Para isso tivemos que dirigir até Yaviza, às margens do Rio Chucunaque, a cidade pacata e quente habitada por descendentes africanos e indígenas das tribos emberá-wounaan. Cruzamos a ponte pênsil, somente para pedestres, sabendo que dali para frente estavam os 87 quilômetros intransponíveis por carro protegidos por ambientalistas e pela força da natureza, por sua grande quantidade de rios, animais peçonhentos, malária, dengue, calor e excessiva umidade.

Segue uma lista de algumas expedições de carros, não todas, que não se abateram com a placa de "fim da estrada":

- A Trans-Darién Expedition foi a primeira que cruzou o estreito em um Land Rover e um Jeep (1959-60). Levou 136 dias com uma média de deslocamento de 201 metros/hora.
- Em 1961, uma equipe com três Chevrolets Corvair e outros veículos de suporte atravessaram, no sentido da Colômbia, em 109 dias. Chegaram ilesos apenas dois Corvairs. Foram os primeiros a cruzar a região em um carro normal de passageiros.
- Integrantes de duas Range Rovers (1972) alegaram terem sido os primeiros a atravessar todas as três Américas de carro, inclusive o Estreito de Darién.
- Outra expedição 4×4 aconteceu em 1978-79. Foram rodados 400 quilômetros em 30 dias por 5 Jeeps CJ-7s.
- A primeira expedição que cruzou cem por cento por terra (as anteriores usaram barcos e balsas em alguns trajetos) aconteceu entre 1985 e 1987, realizada por Loren Upton e Petty Mercier em um Jeep CJ-5. Foram 741 dias para viajar 201 quilômetros. Essa deve ter sido a maior das aventuras.

Os tripulantes dessas expedições foram corajosos e se sujeitaram a cruzar o Estreito de Darién motivados pelo pioneirismo e aventura. Mas nos últimos anos, outras pessoas, milhares delas, não menos corajosas, também cruzaram o estreito, só que a pé – os imigrantes. Muitas vezes sem guias, suprimentos ou calçados adequados, cruzaram não pela emoção, mas por necessidade, para tentar melhorar suas condições de vida. Sua coragem, penso eu, vai muito além, pois geralmente seus caminhos são só de ida e deixam para traz suas famílias. Inúmeras pessoas já perderam a vida nesta selva impiedosa de Darién.

Voando entre os pelicanos

Ajeite a vela, ligue o motor, puxe os tirantes "A" quando o vento bater, eleve a vela até que esteja sobre a cabeça, dê uma segurada com os freios para tirar a inércia da vela, faça meia volta sentido horário e ao mesmo tempo em que acelera, corra. Depois de alguns passos você estará no ar e então é só divertimento. Praias são bons lugares para se voar de paramotor. Se o vento é maral, sentido mar/terra, vem liso, pois no mar não há obstáculos físicos nem térmicas, o que propicia voos suaves e seguros.

Foi assim que nos entretivemos no sudoeste panamenho – lado Pacífico. Voamos na praia Venao, na Península de Azuero, que é uma praia de surfe, destino número um dos californianos setentões e suas *longboards*. O Panamá e a Costa Rica, por terem boa estrutura, clima favorável, praias e montanhas espetaculares, atraem aposentados americanos e europeus, onde levam uma vida com menos regras e controles. Muitos vivem ali de forma definitiva, em casas que, muitas vezes, eles mesmos constroem. A dedicação é ao surfe, passeios e ao *dolce far niente*.

O voo em Venao foi maravilhoso, especialmente quando pude voar entre os pelicanos. Eles sim têm o dom da arte do voo e impressionam pelo quão próximo da água conseguem se manter. Quando veem uma onda, sobem o suficiente para desviá-la e logo baixam. Inclinam o corpo para fazer uma curva e para que não batam a ponta das asas n'água ganham um pouco de altura para logo voltarem ao nível do mar. Para pescar, sobem alguns metros para ter uma visão mais ampla e quando veem os peixes, lançam-se verticalmente com as asas em formato de flecha. Apesar da velocidade, não conseguem afundar. É engraçado, pois parecem uma bola lançada n'água. Se têm sucesso na investida, elevam seus bicos ao alto, a fim de que o peixe desça para a garganta. É um momento tenso, pois gaivotas oportunas tentam roubar-lhes a presa.

Em Las Lajas, a praia mais extensa do Panamá, a Michelle também voou. Como a amplitude das marés no Pacífico é grande, na baixa a faixa de areia é perfeita para decolagem e pouso. À noite acampamos na areia e comemos camarões ao bafo que compramos de vendedores ambulantes. Foi de lamber os beiços.

E voltamos ao Atlântico. Ir de um lado a outro é uma coisa tão banal no Panamá que nem dávamos mais importância. Em poucas horas podíamos estar em dois oceanos distintos. Fomos às ilhas Bocas del Toro, cobertas por densas florestas e manguezais. Bocas del Toro é também o nome da capital do estado, situada na Ilha Colón. É relativamente grande, com hotéis, resorts e bons restaurantes. O boom do desenvolvimento aconteceu quando os estrangeiros, entusiasmados com o seu potencial turístico, passaram a comprar terras para montar negócios. Bocas perdeu um pouco da sua originalidade, mas ainda é um lugar charmoso, especialmente para quem quer passar alguns dias de férias.

Com um barco-táxi fomos à Ilha Bastimentos. No caminho contornamos a Ilha Carenero, cujo nome é derivado de *careening*, um dito náutico que significa atracar ao lado de uma ilha para fazer manutenção de um barco. Cristóvão Colombo fez isso em 1502, mas além das manutenções, segundo fofocas locais, atracou ali para se curar de uma dor de barriga.

Apesar de a Ilha Bastimentos estar a apenas dez minutos de barco de Bocas del Toro, é um mundo completamente diferente. A vila onde desembarcamos chama-se Old Bank e nos surpreendeu que a população se comunicava em uma língua muito parecida com o inglês. Curiosos como sempre, fomos entender do que se tratava. Nos disseram que no passado houve uma imigração de jamaicanos. Mas como isso já faz muito tempo, o inglês deles se misturou com o espanhol e com o falar indígena. O resultado foi o dialeto Guari-Guari, uma espécie de inglês panamenho crioulo.

Apesar de estarmos com um pé atrás com relação à segurança do local – principalmente a Michelle, que havia lido que aquela parte da ilha não é nada segura para turistas –, fomos fazer uma caminhada. Queríamos procurar uma espécie de rã, que dava nome a uma das suas praias. A trilha seguia pelo meio da mata, onde não havia casas por perto, nem pessoas a quem pudéssemos pedir ajuda caso fôssemos abordados por algum assaltante. Nosso receio não era pelo dinheiro, mas pela câmera, que chamava muito a atenção.

O caminho, coberto na sua maior parte por lama, proporcionou muitos deslizes, tombos, suor e risadas. Passamos pela praia Wizard ou Praia Primeira, depois pela Praia Segunda. Enlameados até os cabelos, literalmente, depois de três horas encontramos o que procurávamos: as rãs-morango. São minúsculas – medem apenas dois centímetros. E para sobreviver naquele ambiente selvagem, desenvolveram colorações chamativas, como o vermelho, que servem como alerta aos predadores de que em sua pele há veneno e pode ser letal. A peçonha é proveniente da sua dieta: formigas, cupins e carrapatos. Rãs criadas em cativeiro, alimentando-se de moscas, não desenvolvem a toxina.

Nós vimos uma, duas, três, cinco... muitas. A maior parte carregava nas costas um girino, que seria depositado na água de alguma bromélia. Essa espécie costuma transportar um filhote de cada vez, colocando-os em plantas diferentes. A fêmea alimenta-os todos os dias e o trabalho do macho é levar água até as bromélias quando necessário, para que não sequem.

Continuamos a caminhada, que já durava mais que três horas dentro da mata quando, de repente, nos deparamos com uma praia que mais parecia com Beverly Hills. Havia um restaurante e vários barzinhos na beira da praia com guarda-sóis tomados por estrangeiros. Foi um choque, pois não esperávamos ver aquilo depois do caminho que fizemos. A figura de uma menina indígena, vendedora de empanadas, contrastava entre os turistas. E o mesmo posso dizer de nós dois, pois estávamos enlameados e com as roupas imundas no meio daquele luxo todo. Houve um certo constrangimento, mas não durou muito – afinal, estávamos na praia.

De volta ao continente, conhecemos o sul-africano Clive Hamman. De cabelos compridos, barba grisalha e roupas sociais surradas, era a figura típica de um capitão de barco. Neste caso, o Nuthin Wong, um veleiro de casco de ferro, 46 pés, construído por ele mesmo no Canadá e lançado ao mar para uma volta ao mundo que tinha sido iniciada havia 25 anos e ainda estava fora de casa. Aliás, estar "em casa" para ele é estar em seu próprio barco, como refere-se no título de seu livro No Fixed Address ("Sem Endereço Fixo").

Clive é um figuraço, daqueles tipos inesquecíveis. Conversar com ele é ter assunto para mais de uma semana. Gosta de falar das suas aventuras pelo mundo e dos muitos ataques de piratas que sofreu. E de tanto ser assaltado, já não carrega muitos equipamentos em seu barco. Parou de comprá-los para não ter que repartir com os ladrões do mar (e sabíamos exatamente como é ser assaltado em viagem). Já fazia dois anos que ele estava reformando seu barco no Panamá – reparos necessários depois que batera nos recifes locais. Seu barco é rústico, tem dois mastros, biquilha e cabine contendo uma cozinha pequena e dois quartos: um para ele e outro para tripulantes.

O nome do barco apareceu durante a sua construção, quando muitos vinham dar palpites e procurar defeitos. Sua resposta sempre era: *there is nothing wrong with it* (não tem nada errado com isso). Como o barco é cópia de um antigo modelo de embarcação chinesa, usada há mais de dois mil anos, a repetição da expressão *nothing wrong* acabou recebendo o nome de Nuthin Wong.

Um país que trocou os gastos militares por educação

Um *overlander* europeu que conhecemos no Panamá nos indicou uma praia na Costa Rica que tinha certeza de que iríamos curtir: Puerto Viejo de Talamanca. Assim ele nos descreveu a indicação: inóspita, areia branca, floresta e coqueiros à beira-mar, água cristalina, corais e um riacho de água doce que desce não muito longe do lugar do acampamento.

Pode parecer controverso, mas viajar cansa. Nós, pelo menos, estávamos cansados, precisando de uma parada, dessas de três dias e três noites para não se fazer nada, movendo-se o mínimo necessário para atender às necessidades básicas. Passamos o tempo entre uma rede, um tapete estendido na areia, mergulhos no mar e a mesa posta com refeições prazerosas. Para não dizer que não fizemos nada, estudamos e planejamos a viagem na Costa Rica. Que a verdade seja dita: a Michelle foi quem estudou e planejou essa viagem. Eu? Bem, eu acho que fiquei na rede.

Quando ela me mostrou no mapa a sua sugestão de rota, chamou-nos a atenção o fato de que em quase todos os países da América Central, exceto o Panamá e Belize, o lado mais desenvolvido fica na costa do Pacífico. Isso acontece porque o Atlântico é menos acessível devido às condições geográficas, com florestas densas e rios que dificultam o acesso e desenvolvimento. Imagine o quanto os portugueses sofreram para enfrentar a grande muralha que é a nossa Serra do Mar, coberta pela Mata Atlântica, que se estendia por grande parte da costa brasileira.

A Costa Rica é verde. Um terço de seu território é considerado Área de Proteção Ambiental. A fauna e flora abundam nessas terras, sendo comum o encontro com macacos, quatis, bichos-preguiça, iguanas e aves de todos os tipos. Seu nome já sugere que o país é rico e isso vem desde o século 19, quando foi introduzido o cultivo do café. Depois veio a banana, no século 20, e em 1970, com a baixa do agronegócio, descobriu-se uma riqueza que sempre foi abundante, só precisava ser estruturada: a biodiversidade. Hoje o ecoturismo atrai para a Costa Rica em torno de dois milhões de visitantes ao ano. É conhecida também por sua democracia estável e a boa qualidade de vida. Sua força de trabalho é qualificada e a maioria das pessoas fala inglês. O país gasta 6,9% do seu orçamento na educação, quando a média global é de 4,4%. É possível investir mais na educação quando não se tem custos com as forças armadas – abolidas em 1948. Em 1983 foi promulgada a Lei de Neutralidade, proibindo o país de participar de conflitos armados e, em 2014, a Lei de Proclamação da Paz, reiterando a neutralidade da Costa Rica e obrigando as escolas a promoverem programas que cultivam a paz.

Já que a estrada não margeava o Atlântico, o jeito foi cruzar para o outro lado do país. Subimos a Cordilheira de Talamanca, região dominada por plantações de café, e fomos a Quepos, cidade sede do Parque Nacional Manuel Antônio, uma das joias naturais do país. Ali a floresta verde margeia o mar azul do Pacífico e propicia um contraste encantador ao local. Não éramos os únicos naquele parque: centenas de visitantes entraram conosco às sete da manhã, quando os portões se abriram. Como o parque é grande, conseguimos fugir das massas e caminhamos muitos quilômetros por trilhas que ora nos levavam a praias isoladas, ora a morros, de onde tínhamos vistas magníficas do encontro da floresta com o mar. Nossa atenção voltou-se para os animais que encontrávamos no caminho, como veados, bugios e iguanas. Um fato me marcou muito: uma mãe macaco-prego deslocava-se pelas árvores e seu filhote a seguia. Entre uma árvore e outra, prevendo ser difícil para o pequeno passar, ela se atirou e agarrou um galho distante, sem soltar os pés do galho anterior, fazendo uma ponte para seu filhote passar com segurança. Essa foi uma bela prova de amor e proteção maternal.

Em qualquer parque natural há uma regra clara: não se deve alimentar os animais, pois eles ficam dependentes e desaprendem a procurar alimentos na natureza. Muitos turistas, irresponsáveis, pensam: "mas é tão bonitinho quando os animais vêm comer nas mãozinhas das crianças". Imprudentes, esses pais não medem as consequências dessa ação – os animais passam a se aproximar dos humanos de forma descontrolada, agressiva e perigosa. Nas praias Manuel Antônio e Espadilha Sur, onde há maior concentração de pessoas, existem centenas de animais procurando uma oportunidade para "roubar" os turistas. O que mais gostam é de salgadinhos: ficam atentos quando escutam o barulho do abrir dos pacotes.

Vimos guaxinins afoitos atacando turistas. Nós também passamos por uma experiência dessas. Quando abri um sanduíche que a Michelle preparou para nosso almoço, uma iguana desceu de uma árvore e veio para cima de mim a fim de me roubar o lanche. Por vários segundos encarou-me de forma agressiva e avançou no pão que estava na minha mão. Sentado em um tronco, bloqueei o bicho com os pés para não ficar sem meu almoço.

Uma situação mais trágica, mas ao mesmo tempo hilária, aconteceu quando estávamos sentados debaixo de uma árvore observando uma "quadrilha de guaxinins" rondando o território. Eram cinco – pareciam os irmãos Metralha, com aquelas manchas pretas ao redor dos olhos. Avisamos nosso vizinho para ficar atento aos seus pertences, mas os "meliantes" estavam é de olho em duas mochilas deixadas na areia por turistas que estavam no mar. Um pacote de salgadinhos deixado à mostra de forma irresponsável (e talvez até de propósito) atraía a atenção deles. Fui tentar socorrer os pertences dos banhistas, mas os guaxinins chegaram antes. Tive que lutar contra os animais, protegendo as mochilas, mas meu gesto foi mal interpretado – do mar escutamos gritos: "Pega ladrão! Pega ladrão!" Eram os donos das mochilas, pensando que eu os estava roubando. Eu devia ter deixado os guaxinins levar as mochilas para não pagar aquele mico. Quando saíram do mar e entenderam o que estava acontecendo, ficaram sem jeito e pediram desculpas. Todo mundo caiu na gargalhada – menos os guaxinins.

Mais x Menos, 75 Leste e 25 Norte – vá entender este endereço

O amigo colombiano Julian nos confiou um pacote para entregarmos em mãos à Lorena, sua ex-namorada, que morava na capital costarriquense. O endereço nos soava estranho: San José, Guadalupe,

Mais x Menos, 75 Leste e 25 Norte. Digitamos no GPS e não apareceu nada. Pedimos informação na rua e deciframos uma parte da charada: Guadalupe não era o nome da rua ou avenida, mas de um bairro. E Mais x Menos era o nome de um mercado. Por que Lorena escreveria o nome de um mercado como seu endereço? Ainda não estávamos entendendo e enquanto nos dirigíamos ao bairro, percebemos que não havia placas com o nome das ruas e as casas não tinham números. Chegando no bairro, perguntamos novamente e aí desvendamos o mistério. "Santa Genoveva, Batman! Decifrei a charada" – como diria Robin. O nome do mercado Mais x Menos era a referência para contarmos 75 metros em direção ao Leste e 25 metros ao Norte e lá estaria a Lorena. É assim que funciona o endereçamento na Costa Rica. Mas de que parte do mercado começamos os passos? Eu não tenho certeza se dá para confiar que uma encomenda chegue nas mãos do destinatário nessa cidade. Depois que encontramos Lorena, ela nos falou que os pontos de referência utilizados são aqueles que supostamente todos conhecem, como igrejas, parques, escritórios, restaurantes. No entanto, às vezes as referências são loucas, como o lugar onde duas pessoas se encontraram em um certo dia ou até uma árvore que nem existe mais. São por essas e outras que viajamos.

La Fortuna é uma cidade situada a um pouco mais de 100 quilômetros de San José e a apenas seis quilômetros da base do vulcão Arenal. Até 29 de julho de 1968 era um lugar pacato, dedicado à agricultura. Na manhã deste dia, porém, após despertar de um cochilo de 400 anos, o vulcão entrou em erupção e soterrou as comunidades adjacentes à sua base. A tragédia veio também com uma oportunidade: se a Costa Rica estava, na ocasião, precisando de um impulso para desenvolver o turismo, nada seria mais efetivo do que um vulcão expelindo fogo. Em pouco tempo La Fortuna deixou as atividades agrícolas para explorar o turismo. O negócio foi bem até 2010, quando o vulcão voltou a dormir, deixando a indústria do turismo local a ver navios.

Mas a atividade vulcânica não precisa explodir em lavas e representar perigo para atrair turistas. As termas vulcânicas também são ótimas motivações para que hotéis e resorts se instalem próximos às suas fontes de águas *calientes*. Não fomos aos convidativos resorts, apesar da qualidade das suas águas, pois o alto preço dos ingressos tornou o programa inviável para os nossos bolsos.

Tínhamos que nos contentar com as oportunidades de águas quentes grátis iguais às que encontramos no Equador, Peru e Bolívia. Por sorte, quando já estávamos do outro lado do vulcão, ao cruzarmos uma ponte, vimos muita gente correndo ao lado da estrada em trajes de banho. Ficamos curiosos, pois com o frio que estava, ninguém se atreveria a se jogar num rio congelante. Estacionamos o Lobo e caminhamos até a ponte; descemos por uma pequena trilha até o rio e colocamos nossos pés n'água para sentir a temperatura. Que grata surpresa! Nossos rostos, involuntariamente, abriram-se em sorrisos – a água era muito quente. Se poços, vertentes e piscinas termais já eram incríveis, um rio de água quente à nossa disposição era demais. Ah, não deu outra: vestimos nossas roupas de banho e corremos para o rio, cujas águas límpidas e quentes foram o melhor relaxante e despedida da Costa Rica.

Batemos na porta do inferno, mas não entramos

Está escrito no Apocalipse: "O portão do inferno é um abismo sem fim em chamas cuja fumaça esconde o sol". Quando crianças, aprendemos nas aulas de religião que o inferno se encontra nas profundezas da Terra. Nesse caso, geologicamente falando, existem seis portas que dão acesso ao reino das trevas. Uma delas, com certeza, encontra-se na Nicarágua – e nós chegamos tão perto que pudemos sentir o calor vindo do centro do planeta.

O vulcão Masaya, batizado de Porta do Inferno por ser uma cratera gigantesca em ebulição, é uma estrutura geológica que impõe respeito e essa conclusão não é somente nossa. Os povos pré-hispânicos que viviam na região faziam oferendas à Chaciutique, a deusa do fogo, lançando crianças e jovens ao centro do vulcão a fim de aplacarem a sua ferocidade e abrandar as trepidações e os terremotos. Os espanhóis o conheceram no início do século 16 e enviaram padres ao Masaya para investigar se aquilo seria mesmo a passagem para o centro da Terra e, em consequência, a porta do inferno. Na dúvida, os padres colocaram uma cruz na margem da cratera para exorcizar possíveis demônios que morassem lá e evitar que saíssem.

Para olhar mais de perto a cratera, existe uma estrada que vai até quase a borda. Estacionamos o Lobo próximo ao abismo e fomos caminhar pela crista, andando sempre a centímetros do buraco infernal, com mais de 200 metros de profundidade. Lá embaixo borbulhava a lava quente ocultada pelos gases sulfurosos – aqueles aos quais São João se referiu na Bíblia e que escondiam o sol.

Como chegamos quase ao final do dia, esperamos mais um pouco para ver um fenômeno natural extraordinário: periquitos que voltam aos seus ninhos depois de um dia pelos vales. Os ninhos ficam pendurados nas paredes da cratera, onde as aves criam e alimentam seus filhotes na maior segurança, pois, segundo os pesquisadores, os gases tóxicos não lhes fazem mal, mas intoxicam seus predadores – as aves de rapina. Elas não ousam se aproximar deste inferno "danado de bão" para os psitacídeos.

A Nicarágua é o país dos vulcões. Fora o Masaya, existem mais 18 e se concentram numa faixa de terra com menos de 300 quilômetros de comprimento ao longo da costa oeste. Essa linha, também presente nos países vizinhos, é chamada de Arco Vulcânico Centro-Americano e é onde se encontra a borda da Placa Tectônica do Caribe. É claro que com tanta atividade vulcânica, os abalos sísmicos também são intensos.

Outros dois vulcões que merecem destaque situam-se em uma ilha, dentro do maior lago do país, o Lago Nicarágua. A ilha tem o nome de Ometepe, que no idioma nahuatl significa "duas montanhas", referindo-se aos dois vulcões. Dentro da ilha há poucas ruas e, quando vistas do alto, formam um curioso formato de óculos – o aro é o contorno das estradas em volta dos vulcões e as lentes, suas crateras. Vistas pelo lado de fora do lago as elevações são piramidais e se sobressaem na paisagem. Os vulcões são Concepción (1.610 metros), ativo, e o Maderas (1.394 metros), extinto. O Maderas nós escalamos e não foi brincadeira, pois a inclinação é muito forte e a partir da metade da subida a lama dificulta as passadas. Quase perto do cume o tempo fechou e não pudemos ver quase nada.

Longe do lago e junto à costa do Pacífico localiza-se a praia de Popoyo, mundialmente conhecida pelos praticantes de surfe. Eu até tentei pegar uma marolinha ou outra, mas nossa atenção mesmo estava para o imenso cardume de sardinhas e o estímulo que provocava na cadeia alimentar. Quando o cardume chega na arrebentação, predadores do mar, da terra e do ar juntam-se para a implacável caçada. Os que atacam pelo mar são uma espécie de peixe que não pudemos identificar, mas pareciam da família dos atuns. Atacam as sardinhas nadando na flor d'água. Ao fazerem isso, exibem suas nadadeiras dorsais e enlouquecem os pescadores na praia. Nessa hora, contamos mais de 200 homens correndo com suas linhas de mão e iscas artificiais para não perder a oportunidade. Para nós, um momento mágico; para eles, comida na mesa. A fim de chegar mais perto dos peixes, adentravam no mar até a cintura e de lá lançavam as suas esperanças. Ao mesmo tempo em que as sardinhas eram atacadas pelos atuns, que eram atacados pelos pescadores, pelicanos e gaivotas mergulhavam como mísseis para pegar a sua parte. As gaivotas, para facilitar o trabalho, desenvolveram a técnica do roubo nas alturas: ficam atentas ao que os pelicanos pegam e partem para o roubo em pleno ar – um verdadeiro balé aéreo. Foi bonito ver a natureza exercendo seu papel e perceber que os homens pescavam de forma justa, colocando-se de igual para igual com suas presas. Eles não usavam redes feiticeiras, aquelas que acabam logo com a brincadeira – tanto que dos 200 pescadores, menos de cinco por cento tiveram êxito. Segundo um pescador local com quem conversei, eles já tiveram mais sorte: certa vez pescaram tanto que carregaram seus peixes num trator.

"Por isso cuidado, meu bem – há perigo na esquina..." (Elis Regina/Wagner)

Chegamos a Honduras, país considerado durante muito tempo um dos lugares mais perigosos do mundo. A taxa de homicídios em 2012 foi de 90,2 mortes para cada 100 mil habitantes. Uma das suas cidades, San Pedro Sula, havia recebido o título de a mais perigosa do mundo. De 2012 a 2018 as coisas mudaram um pouco e quem assumiu a lista foi Los Cabos, no México, passando San Pedro Sula a ocupar a 26ª posição, o que continua sendo ruim. O nosso país não está longe nas estatísticas: na verdade, nove cidades brasileiras são mais perigosas do que essa que tanto nos amedrontou em 2015, quando planejamos viajar por Honduras. Entre as 50 cidades mais violentas do mundo, 42 estão na América Latina, sendo 12 delas no México, por causa dos confrontos entre a polícia e os cartéis da droga. O estudo deixa claro que nós, latino-americanos, vivemos na região mais violenta do mundo. A pesquisa não contempla as cidades que estão em conflito bélico aberto, as guerras declaradas. Então fica a pergunta: por que nós, latinos, somos tão violentos? Herança da colonização? Falta de ensino de qualidade? Pobreza? Uma coisa é certa: a violência anda de mãos dadas com as drogas. Deve ser a soma de tudo isso.

Eram os números que tínhamos quando planejávamos entrar nesse país, uma realidade nada inspiradora. Muitos viajantes que pretendem ir em direção à América do Norte e têm que passar por Honduras passam pela mesma preocupação. Alguns nos escreveram depois que passamos por lá pedindo opinião sobre segurança na América Central. É um assunto delicado para se dar palpites. Uns podem ter boas experiências e até sorte e contarão coisas boas sobre o lugar visitado; já outros podem passar por maus bocados e falarão mal. O que podemos dizer é que a prevenção, o cuidado e a não exposição ao azar são sempre recomendados. Em nossa primeira viagem de volta ao mundo nada de ruim nos aconteceu. Passamos por lugares considerados extremamente perigosos, sempre tomando os devidos cuidados, por isso eu creio que a sorte nos acompanhou. Mas na segunda isso já mudou.

Viajar, sair pelo mundo, visitar outros lugares sempre oferecerá certos riscos. É sempre mais seguro ficar em casa. Aquela velha desculpa de que até em casa é perigoso, pois a "hora que tem que ser, será", não seria confirmada por estatísticas. Cair e bater a cabeça no meio fio é um fato muito raro. Se salto de paraquedas, sofro um risco maior do que aquele que anda de skate. Se voo de parapente ou paramotor, meu risco é maior do que daqueles que jogam vôlei de praia. Penso que se o meu desejo de voar é mais forte e mais importante que o risco envolvido, então devo voar e aproveitar a experiência. Se a vontade de cruzar a América Central, incluindo Honduras, for mais forte e valiosa que o risco, então deve-se viajar. Ou teremos que deixar de conhecer Natal, Fortaleza, Belém, Vitória da Conquista, Maceió, Aracaju, Feira de Santana, Recife e Salvador, que são as nove cidades que estavam na frente de San Pedro Sula na lista das mais violentas em 2018? Como a nossa vontade de cruzar a América Central era mais importante que os eventuais riscos, fomos para Honduras. Mas como não se salta de um avião sem o paraquedas reserva, para San Pedro Sula (a campeã da violência em 2012) decidimos não ir.

O território de Honduras é formado por montanhas, planaltos, vales profundos e extensas e férteis planícies – um mix que contribui para a sua rica biodiversidade. Dentre as 700 espécies de aves encontradas no país, selecionamos para conhecer de perto apenas uma – o quetzal, considerada uma das aves mais bonitas do mundo.

Ao chegar no centro de Las Vegas (Las Vegas de Honduras) não tínhamos ideia de como encontrar a ave. Estacionamos perto de uma praça e fomos caminhar um pouco. Como o Lobo sempre atrai curiosos onde estaciona, logo um senhor aproximou-se para conversar. Chamava-se Ilis, radialista da Stereo Canaan 99.9. Aproveitamos para perguntar sobre o quetzal e ele falou que não seria fácil encontrá-lo, mas que procurássemos o Leonel, um conhecido seu, apaixonado por aves e morador nas montanhas. Com sua ajuda teríamos mais chances de encontrar o pássaro.

Dirigimos até El Cedral, uma vila situada nas encostas da segunda maior montanha de Honduras (Santa Bárbara, com 2.744 metros) e encontramos Leonel, que de pronto abriu a porta da sua casa e serviu-nos um café, fruto de uma plantação que cultiva em seu próprio quintal. Enquanto saboreávamos a bebida quente, Leonel nos falou sobre o pássaro e salientou: o elemento essencial para encontrá-lo era a disposição. O quetzal habita a parte mais alta da montanha e o melhor momento para avistá-lo é ao amanhecer. Se quiséssemos mesmo vê-lo, Leonel nos guiaria até lá, mas teríamos que partir cedo.

Saímos às cinco horas da madrugada, percorrendo uma trilha molhada, pois chovera muito naquela noite. Assim que o sol nasceu, seus raios foram revelando a beleza daquele lugar magnífico, coberto por uma exuberante floresta. De repente, um canto maravilhoso. Perguntamos que pássaro era aquele. "É o solitário, um pássaro minúsculo; seu canto é considerado um dos dez mais bonitos do mundo", respondeu. O canto era demorado, harmonioso e afinado – parecia que usava todas as notas de uma escala musical. Fomos hipnotizados por ele, sem ao menos termos visto o tal passarinho.

Aos 2,1 mil metros de altitude começamos a perceber que a busca não seria fácil. Ao entrarmos no Parque Nacional Santa Bárbara começou a chover, esfriar e baixar uma neblina densa. Escutávamos o canto do quetzal com frequência, mas quando nos aproximávamos do local do chamado enxergávamos apenas vultos na névoa voando embora. Nosso empenho durou até à tarde, quando deu uma melhorada no tempo e tivemos a chance de avistar duas fêmeas na copa das árvores. Conforme nos contou Leonel, os quetzals são mais ativos quando o tempo está fechado, pois sua plumagem não fica tão brilhante e assim passam despercebidos pelos seus predadores. O macho de pompa, que queríamos tanto ver, acabamos não encontrando.

Mas o que tinha esse pássaro de tão especial, que nos fez levantar às 4h30 e subir 700 metros de uma montanha enlameada no meio da mata? O quetzal resplandecente, por vezes chamado de serpente de penas, é de uma beleza sem igual. Sua cor predominante é o verde esmeralda, com detalhes de vermelho e branco no peito. O macho possui um rabo de penas compridas e brilhantes. Ele chama a atenção para atrair a fêmea para o acasalamento. Seu habitat é a selva nebulosa e úmida da América Central, principalmente áreas altas das montanhas. Desde o tempo das civilizações pré-hispânicas – maias e astecas – o quetzal era admirado. Sua pluma valia mais do que ouro e quem matasse um pagava com a vida. Hoje, ornitólogos e admiradores de pássaros do mundo inteiro têm o quetzal nas primeiras posições de suas listas de desejos de observação.

Os jogos de "vida ou morte" e a invenção da goma de mascar

Os maias deixaram vestígios do norte de Honduras até o México. Prosperaram na agricultura, conheciam a escrita e a matemática, eram mestres em arquitetura, artes e astronomia. Estabeleceram-se na região por volta de 1800 a.C. e foi entre 250 e 900 d.C. que atingiram o seu maior nível de desenvolvimento. O declínio aconteceu entre os séculos 8 e 9, mas sobreviveram até 1697, quando os últimos dos seus estados foram conquistados pelos espanhóis. Diferentemente dos incas que possuíam só um centro político e administrativo, os maias mantinham vários espalhados por seu enorme território, sistema que dificultou a conquista espanhola. Nunca chegaram a desaparecer completamente: seus descendentes habitam os mesmos lugares do antigo império e mantêm um conjunto distinto de tradições e crenças – inclusive a preservação do idioma, que ao longo do tempo foi se mesclando às expressões espanholas.

A cidade de Copán, norte de Honduras, floresceu entre os séculos cinco e oito e é o maior sitio arqueológico desse período. Vistamos a acrópole, onde existem pirâmides, palácios e a praça principal com as suas famosas 38 estelas – uma espécie de coluna com inscrições nos quatro lados, sendo que o da frente estampa a figura de alguém do alto escalão da época. É cheia de adornos e, nas laterais, hieróglifos contam a história do Império.

Visitamos um estádio onde praticavam o jogo de bola mesoamericano. Não era apenas um simples jogo de bola: tinha relações ritualísticas de grande relevância política e religiosa. Literalmente, eram jogos de "vida ou morte", pois o líder do time perdedor – o dos maus – era sacrificado e seu crânio era usado como uma nova bola, enquanto o time vencedor era coberto de glória e riqueza. Esses jogos representavam a visão maia do mundo – a luta entre o bem e o mal. Sacrificar os "maus" era, segundo eles, a única forma de manter o sol brilhando e o vigor das plantações.

Na maior parte das vezes, disputava-se o jogo com uma bola de borracha endurecida a partir de látex obtido da seringueira, castilla elástica, nativa do sul do México e da América Central. O látex se transformava em borracha após ser misturado com a seiva da dama-da-noite (*ipomoea alba*). Essa mistura permitia dar qualquer forma ao novo produto e fazia com que as bolas saltassem muito alto.

Uma curiosidade: foram os maias que ensinaram o mundo a nova maneira de se "mascar chicletes". Eles extraíam o látex ou seiva (o chicle) de uma árvore chamada sapota zapotilla e a mascavam para estimular a salivação. Em 1872, o general mexicano exilado em Nova York Antonio Lopes de Santa Anna estava pesquisando um material que substituísse a borracha na indústria e procurou o fotógrafo e inventor Thomas Adams Junior para saber se podia usar o chicle como alternativa. Os experimentos do senhor Adams nessa direção foram inúteis, mas ele se interessou em usar o material como goma de mascar que, muito tempo atrás, eram feitas com resinas de outras árvores. Ele melhorou as pastilhas elásticas de chicle adicionando sabores como licor e alcaçuz. Outro inventor, na mesma época, acrescentou xarope de milho, açúcar e menta e os chicletes conquistaram o mundo pelas mãos e bocas dos soldados americanos. As duas grandes guerras mundiais contribuíram para o aumento da sua popularidade, pois mascar chicletes era tido como forma de relaxar contra o estresse das batalhas e também de evitar o congelamento da mandíbula durante as vigílias noturnas.

Por último conhecemos a escalinata – uma espécie de escada larga com 63 degraus e hieróglifos esculpidos formando um longo texto que conta os quatro séculos da história da cidade. Pela qualidade e fineza das esculturas e hieróglifos, desde 1980 Copán é parte do acervo de patrimônios mundiais da Unesco.

Tapetes de serragem coloridos por toda cidade

Não podíamos ter celebrado as festividades de Páscoa em lugar mais apropriado do que em Antígua, na Guatemala. Suspeitávamos que haveria comemorações diferenciadas por causa da religiosidade e do sincretismo do povo guatemalteco. A realidade se mostrou muito mais animada do que pensávamos. Encontramos uma cidade lotada, vibrante, com milhares de visitantes pelas ruas e praças, a maioria oriunda das cidades vizinhas, mas havia aos muitos estrangeiros, como nós.

Os descendentes diretos do povo maia estavam por toda parte: seus traços físicos, costumes e roupas os distinguiam dos outros guatemaltecos, pois eram os únicos que se vestiam de forma tradicional: as mulheres com lindas blusas e saias bordadas e os homens com seus cabelos negros, olhos puxados bem desenhados e pele moderadamente mais escura.

As procissões começam na noite da quinta-feira, mas é na Sexta-feira Santa que a população, a maioria católica, começa a mostrar as suas alfombras, isto é, tapetes feitos de serragem colorida espalhados no leito das ruas em frente às casas. Famílias se juntam e criam belíssimas figuras: flores, Cristos, animais, bolas e efeitos decorativos. Como cada grupo, a cada ano, quer superar em beleza e criatividade o trabalho dos outros, os tapetes ficam cada vez mais bonitos. É comum encontrar em cidades brasileiras este tipo de trabalho.

Milhares de fiéis participam das procissões – alguns vestidos de soldados romanos, outros ostentando paramentos religiosos roxos. A maioria carrega altares esculpidos em madeira maciça com imagens de Jesus carregando a cruz, Maria e outros santos. São altares imensos, que pesam centenas de quilos e necessitam de 180 homens para serem carregados – 90 de cada lado. De tempos em tempos, esses homens são substituídos por outros, descansados, que andam atentos ao lado dos carregadores. Fiz um cálculo rápido: se eles caminham a 60 centímetros de distância um do outro, o altar teria 54 metros de comprimento e uns três de largura. Difícil até para contornar as esquinas. E não acontece apenas uma procissão. São várias ao mesmo tempo, sendo umas só de homens, outras de mulheres ou crianças, partindo de diferentes pontos da cidade. Algumas duram a noite toda, às vezes passando de 18 horas de duração. Os devotos fazem todo esse esforço dizendo que é o mínimo que podem fazer para retribuir o que Jesus fez pela humanidade.

Tuiuiú, símbolo do pantanal brasileiro, Brasil

Projeto do motorhome

Planejamento e pesquisas

Desmontagem da cabine dupla

Montagem do molde em MDF

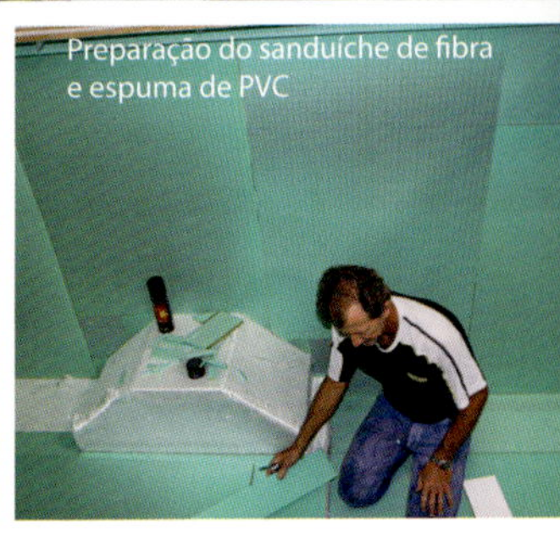
Preparação do sanduíche de fibra e espuma de PVC

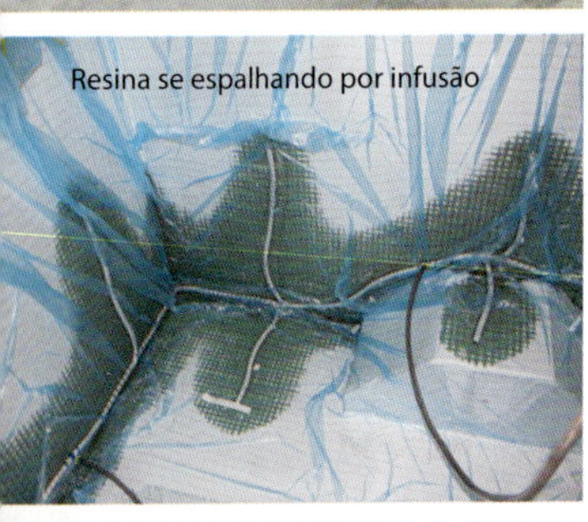
Resina se espalhando por infusão

Fixação da estrutura no chassis

Execução dos móveis

Interior do motorhome

Transpantaneira, Brasil

Martim-pescador, Brasil

Encalhada no Pantanal, Brasil

Capivaras, Brasil

Jacaré, Brasil

Contemplando o Salar de Uyuni, Bolívia

Ilusão de ótica no salar, Bolívia

O anão e o gigante no salar, Bolívia

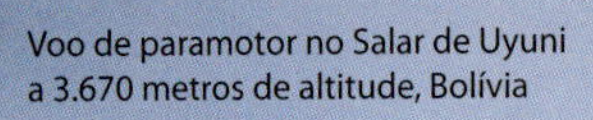
Voo de paramotor no Salar de Uyuni
a 3.670 metros de altitude, Bolívia

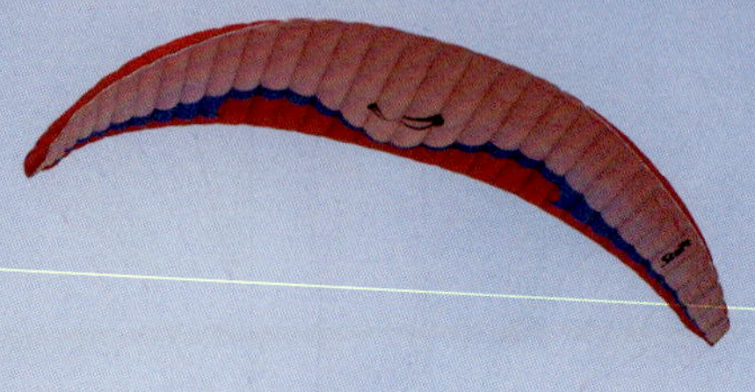

Serpenteando as serras bolivianas

Menonitas, Bolívia

Pegadas de dinossauro, Bolívia

Tentativa de ascensão do Huayna Potosi, Bolívia

Mercado de feitiçaria, Bolívia

Trabalhadores e suas maletas, Bolívia

Amazônia boliviana

Estrada da Morte, Bolívia

Terraços de Moray, Peru

Peruana

Arquitetura Inca, Peru

Patola-de-pés-azuis, Peru

Cordilheira Branca, Peru

Mercado de animais, Equador

Chapéu do Panamá, Equador

Cuy assado, Equador

Floresta de Frailejones, Equador

Avenida dos Vulcões, Equador

Praça de Popayán, Colômbia

À procura de fósseis, Colômbia

Minutos antes de percebermos que tínhamos sido roubados, Colômbia

Deserto de Tatacoa, Colômbia

Jeep Willys na Zona Cafeteira, Colômbia

Ponte das Américas, Panamá

Arquipélago de San Blas, Panamá

Puerto Viejo de Talamanca, Costa Rica

PN Manuel Antonio, Costa Rica

Voo de paramotor nas praias do Panamá

Indígena panamenho de Dárien

Vulcões da ilha Ometepe, Nicarágua

Vulcão Masaya, Nicarágua

Procissão de Páscoa em Antigua, Guatemala

Descendentes maias, Guatemala

Em busca do quetzal, Honduras

Tikal, Guatemala

Lago de Atitlán, Guatemala

Barreira de Corais de Belize

Ruínas maias de Palenque, México

Cratera El Elegante vista do paramotor, México

De paramotor sobre a Pirâmide de Teotihuacán, México

Reserva da Biosfera El Pinacate, México

Árvore gigante de Tule, México

Cenote X'kekén, México

Comida mexicana

Sincretismo religioso na igreja de San Juan Chamula, México

Cidade amarela de Izamal, México

Clima de faroeste na cidade de Jeréz, México

Monte Denali, Estados Unidos

Grand Prismatic, Estados Unidos

O espetacular Grand Canyon, Estados Unidos

Vale dos Monumentos, Estados Unidos

Arco Delicado, Estados Unidos

Acampamento com fogueira para nos aquecermos, Canadá

Urso cinzento, Alasca (EUA)

Alces, Alasca (EUA)

Águia americana, Alasca (EUA)

Canoa ao mar, Alasca (EUA)

Baleias em Homer, Alasca (EUA)

Aurora boreal, Alasca (EUA)

Primeira Latitude 70, Alasca (EUA)

Magic Bus, Alasca (EUA)

Glaciar Salmão, Alasca (EUA)

Sequoias gigantes, Estados Unidos

Interior de nossa casa sobre rodas

Reparos no diferencial, Estados Unidos

Monte Rainier, Estados Unidos com nossa família

Nosso carro sendo carregado em contêiner, Estados Unidos

Quanto às alfombras, não sobra nada para contar história, pois são pisoteadas pelas pessoas da procissão. Aqueles desenhos minuciosos feitos com paciência em serragem colorida e com tanta dedicação e amor, duram apenas alguns minutos. Eu não sei se nossa opinião seria a mesma caso tivéssemos visitado Antígua em um dia que não fosse festivo, mas achamos que essa foi uma das cidades coloniais mais encantadoras das Américas Central e do Sul, devido à somatória da cultura com a arquitetura local.

Mas antes de partirmos, um fato fez com que todo aquele encanto ficasse um pouco manchado. Enquanto esperava a Michelle, que havia ido a um banheiro público, fiquei sentado num muro. Eu vestia uma pochete onde carregava a câmera fotográfica. Num dado momento, um menino de cerca de oito anos, fingindo estar brincando, passou por trás de mim e chutou a pochete, com a intenção de afastá-la para ser mais fácil apanhá-la. O que ele não esperava era que a pochete estivesse presa na minha cintura. Eu senti o chute e olhei para trás, momento em que vi o menino correndo e um pai, mais ao longe, procurando disfarçar. Uma tristeza bateu no meu peito. Que pai desnaturado ensinaria uma criança, que mal sabe diferenciar o certo do errado, a roubar? Será que vai sentir prazer ao visitar seu filho na prisão algum dia?

Quando vimos o lago pela primeira vez, piramos de tão lindo. É assim que está escrito em nosso diário. O comentário refere-se ao Lago de Atitlán, que se localiza a meros 50 quilômetros em linha reta de Antígua. Do alto da montanha enxergamos aquela água azul, cercada de altas montanhas, sendo que três são vulcões: Tolimán, Atitlán e San Pedro. Às margens do lago, que é considerado um dos mais belos do mundo, vivem diversos povoados maias.

De origem vulcânica, ele tem 340 metros de profundidade e 126 quilômetros quadrados de área. Do mirante que o avistamos, o lago estava a mil metros abaixo de nossos pés. Descemos até a margem por uma estrada com declive de 10% e conhecemos alguns povoados costeiros.

Sololá, também de frente para o lago, situa-se no alto da montanha e foi a cidade que mais nos encantou. Dormimos lá uma noite, mas por estarmos exaustos, no domingo de Páscoa saímos da cama perto das oito horas e, quando chegamos na praça ao lado da catedral, vimos as alfombras pisoteadas e nos demos conta de que a procissão já havia passado. Bateu um arrependimento enorme de termos levantado tarde, pois devia ter sido lindo, já que a cidade é ainda mais tradicional que Antígua. Ali os homens também se trajam com calças e paletós bordados. Entramos na catedral e participamos da missa que havia recém começado. "Serviu para acalmar a minha angustia", disse para a Michelle, referindo-me à procissão que havíamos perdido. A igreja estava lotada e praticamente todos, exceto nós, estavam trajados tradicionalmente. Foi lindo.

É estranho ver os povos indígenas celebrando passagens cristãs. Os maias não tiveram outra opção, já que o catolicismo foi a única religião reconhecida na era pós-colombiana. Mas como viviam separados dos colonizadores, mantiveram algumas crenças às escondidas, que se fundiram ao cristianismo. A igreja mística de Santo Tomás em Chichicastenango é a prova desse sincretismo. Foi construída há 400 anos sobre um antigo templo maia. Suas celebrações envolvem queima de incensos e velas, mas em ocasiões especiais levam animais para dentro do templo como oferenda aos seus deuses. Na escada, xamãs queimam incensos e invocam espíritos da antiga América Central e por entre eles mulheres ornamentam os degraus vendendo flores das mais variadas cores.

Um viaduto de rios

Vou me esforçar para descrever o que conhecemos na sequência da viagem: Semuc Champey. Entre as duas montanhas corre um rio chamado Cahabón. Até aí tudo normal, certo? Mas veja como o trabalho da natureza é mesmo excepcional: em um determinado ponto entre as montanhas, o rio submerge numa espécie de túnel e desaparece por cerca de 300 metros. Ali descem afluentes: águas de outros riachos passam por cima do túnel do rio submerso, formando uma sequência de piscinas de pedra caliça, cor verde turquesa. É um fenômeno único – um viaduto de rios. Somente após os 300 metros de túnel, em cima do qual estão as piscinas, que as águas dos afluentes se unem com as do rio Cahabón, numa grande queda d'água.

Quimicamente falando, é fácil explicar a formação desse túnel, mas fisicamente é difícil entender. A água de Semuc Champey é rica em bicarbonato de cálcio. Quando esquenta, produz carbonato de cálcio, cujos cristais se aderem aos microrganismos da água e se precipitam, consolidando, assim, os terraços, que são as chamadas piscinas.

Subimos na montanha para termos uma visão panorâmica das piscinas e depois fomos conhecer o sumidouro, que é onde o rio submerge para o túnel. A força da água é tamanha que há uma proteção para que pessoas não se aproximem. Quem cair ali ficará os 300 metros sem ver a luz do sol ou não a verá nunca mais. A melhor parte do passeio foi quando nos banhamos nas diferentes piscinas esverdeadas de águas cristalinas.

Ainda nos faltava conhecer um lugar na Guatemala e ele estava em nosso caminho para Belize: o Parque Nacional Tikal, um complexo de ruínas maia de tamanha beleza e magnitude que nós a equiparamos a Machu Picchu e até às Pirâmides do Egito. Tikal foi um importante centro político, econômico e militar pré-colombiano. As primeiras construções iniciaram-se no século 6 a.C., mas o que se vê hoje foi construído entre os séculos 3 e 9 d.C. Estudiosos acreditam que Tikal – que na língua maia significa "lugar de vozes" ou "lugar de línguas" – teria alcançado uma população de entre 100 mil e 200 mil habitantes. Há centenas de ruínas, mas apenas um pequeno percentual foi escavado e estudado, o que já rendeu décadas de trabalho.

Nós caminhamos por esse sítio histórico por quase dois dias e não conseguimos ver tudo. Visitamos as seis grandes pirâmides, sendo a maior com quase 70 metros de altura, palácios, cidadelas, pirâmides menores, estelas e campos para jogos de pelota, tudo com muita riqueza de detalhes. Alguns lugares tiveram que ser restaurados, pois já se passou mais de um milênio desde sua construção. Um dos filmes da série Star Wars aproveitou-se da paisagem diferenciada de Tikal para gravar algumas cenas.

Em Belize se fala inglês, senhor

– Buenas tardes señor.

– Hello sir.

– ¿Dónde puedo registrar nuestros pasaportes?

– First door to the right, sir.

– Gracias. Pero ¿por qué me responde en inglés, siempre que le hago una pregunta en español?

– Because the official language in Belize is English, sir!

Vivendo e aprendendo. Pensávamos que em Belize, um país da América Central, também se falava espanhol. Ledo engano. Belize tem uma história diferente: os espanhóis chegaram a declará-la como parte de sua colônia, mas perderam o interesse por não terem encontrado muitos recursos naturais e pelo fato de os indígenas terem oferecido muita resistência à colonização.

No século 17 os ingleses e escoceses chegaram para comercializar madeira de mogno e escravos. Em 1836, após a independência dos outros países centro-americanos, os britânicos ganharam o direito de administrar a região e em 1862 a Coroa Britânica declarou formalmente essas terras como parte de sua colônia. Passaram a ser subordinadas à Jamaica e a se chamarem Honduras Britânicas. Em 1973 o país passou a se chamar Belize e em 1981 tornou-se independente, mantendo-se como parte dos países do Commonwhealth, tendo a Rainha Elizabeth II como sua monarca simbólica. Essa mudança de nome do país em 1973 explica por que as pessoas mais velhas que frequentaram os bancos escolares antes dessa data nunca ouviram falar do nome Belize. O mesmo acontece com muitos países africanos que mudaram de nome nas últimas décadas.

Ali sim nós encontramos o povo centro-americano que imaginávamos: descolado, tranquilo, de pele escura e que escuta música alta – mais especificamente, o reggae. Mas essa diferença é fácil de entender, este é o único país com herança britânica que na época da colônia importou negros africanos para trabalhar na indústria florestal. Nos outros países da América Central predominavam os povos indígenas e os descendentes dos europeus.

Dirigimos até a Cidade de Belize, a antiga capital, e de lá tomamos um *speedboat* para a ilha Caye Caulker, pois queríamos verificar se Darwin tinha mesmo razão quando considerou os corais de Belize como os mais notáveis ao oeste das Índias. A barreira de corais de Belize, com seus 300 quilômetros de extensão, é a segunda maior massa de corais vivos do mundo, perdendo apenas para a grande barreira de corais da Austrália.

A ilha encantou por ser pequena, pacata e por estar cercada por um mar azul cristalino. Nela vivem pessoas cuja renda, no passado, vinha da pesca, mas atualmente decorre do turismo.

Nós fretamos um barco, alugamos equipamentos e fomos mergulhar em três pontos distintos dos corais: Shark Ray Alley (o beco dos tubarões e arraias), Reserva Marinha de Hol Chan e Jardim dos Corais. Lembro-me de que na primeira parada, ainda do barco, avistamos dezenas de tubarões-lixa, também chamados de tubarão enfermeira ou tubarão preguiçoso. Podem ser pacatos, mas não são pequenos. Eu fiquei tão excitado em cair n'água para mergulhar com eles, que mal passei protetor solar – descuido pelo qual fui castigado depois. Que sensação maravilhosa foi nadar e mergulhar com os tubarões. Havia muitos e de diferentes tamanhos, sendo os maiores quase da minha altura. Eu nem pensava: ia atrás deles para me aproximar e até mesmo tocá-los, uma vez que essa espécie não oferece perigo. Nesse local mergulhamos também com arraias, que de tão majestosas, mais pareciam voar dentro d'água. Nós já havíamos visto arraias no Egito, na primeira viagem, mas nunca tínhamos nadado com elas. Foi uma experiência inesquecível.

A segunda parada foi num lugar diferenciado, pois na reserva Hol Chan, de oito quilômetros quadrados de águas rasas, há um canal cruzando o seu meio, onde a lagoa protegida se conecta com o mar aberto. Hol Chan significa "pequeno canal". Essa passagem é habitada por uma infinidade de peixes grandes e pequenos que, ao perceber nossa presença, escondiam-se em cavernas profundas. Vimos uma grande garoupa e algumas barracudas, além de outros tubarões e arraias. O canal era profundo e quando o enxergávamos de cima, parecia ser um abismo dentro d'água. A terceira e última parada foi no Jardim de Corais. Como o nome já diz, corais de diversas formas e cores embelezam o fundo do mar naquele local. Um verdadeiro jardim embaixo d'água.

Nós tivemos um dia encantador mergulhando na barreira de corais de Belize, mas aquelas cinco horas debaixo de um sol escaldante nos deixou vermelhos como tomates. Mal conseguíamos sentar no carro para viajar. Mas isso foi só um pequeno detalhe, uma ação proposital, eu diria, para que não esquecêssemos tão cedo das experiências maravilhosas que tivemos na América Central.

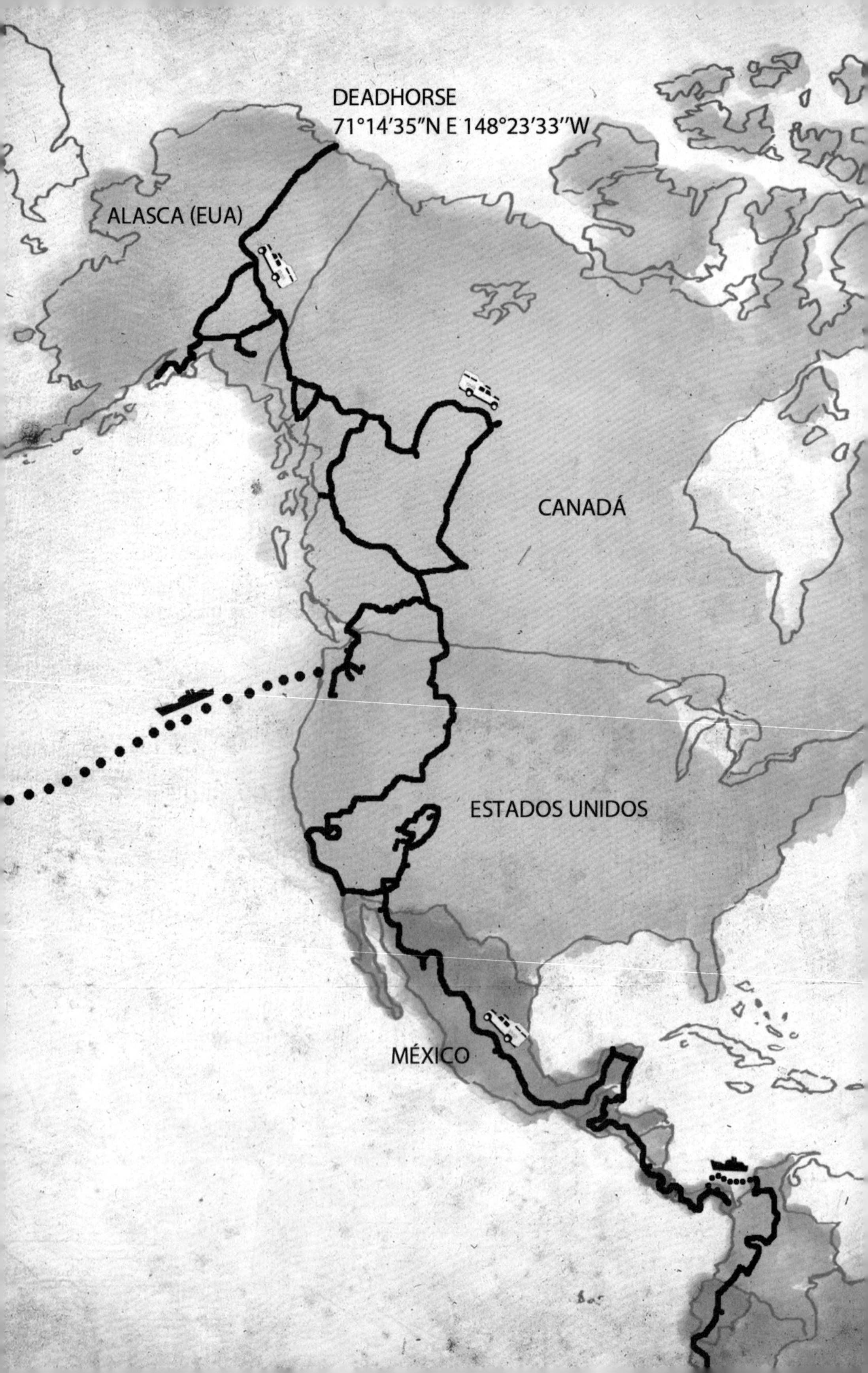
DEADHORSE
71°14’35”N E 148°23’33”W
ALASCA (EUA)
CANADÁ
ESTADOS UNIDOS
MÉXICO

5.
América do Norte

Estávamos na Península de Iucatã, próximo a Mérida, onde o calor inclemente destruía-nos pouco a pouco. Mesmo tarde da noite, a temperatura estava acima dos 30 graus e como o carro havia ficado exposto ao sol escaldante do dia, o mormaço na cabine custava a baixar. Eu olhava o termômetro a cada instante com a esperança de que amenizasse um pouco, mas nada acontecia.

Para passar a noite escolhemos a segurança de um posto Pemex, onde estavam estacionados alguns caminhões. Enquanto procurava um lugar plano para parar, vi duas mulheres vendendo tacos. Sugeri que comprássemos tacos para o jantar para evitar ligar o fogão, o que aqueceria ainda mais o ambiente. Então caminhei até as senhoras – mãe e filha –, perguntei quais sabores vendiam, mas como não entendi a resposta, comprei dois de cada, para que pudéssemos experimentar ambos.

"*¿Pero lo que fue eso, cabrón?*" – um mexicano certamente exclamaria caso estivesse em nossa pele. O que foi aquilo? Já comemos muita comida apimentada na vida, mas aquele taco de miúdos de boi, temperado com pimenta habanero, nem eu nem a Michelle conseguimos comer – e olha que gostamos de pimenta. Um ditado popular diz: "Se não aguenta, bebe leite!". Foi o que fizemos e não tenho vergonha de contar.

Sempre achei curioso que nos lugares mais quentes do mundo, o México entre eles, se consome mais pimenta do que nos lugares frios, mas nunca havia entendido o porquê. Depois de pesquisar, encontrei a resposta: a pimenta exerce um efeito químico em nosso corpo. Uma substância chamada capsaicina, encontrada na placenta e nas sementes do fruto do pimenteiro, ativa as células do nosso sistema nervoso, que as percebe como sensações de perigo. São os nociceptores polimodais, que estão por todo o corpo, inclusive na boca e nariz. Eles enviam informação ao cérebro quando percebem que algo anormal está ocorrendo.

Ao ingerirmos pimenta, nossos nociceptores são enganados pelo efeito que a capsaicina causa nas papilas gustativas – como se a boca estivesse em chamas. Esta falsa mensagem enviada ao cérebro faz com que ele tente combater a situação e, por causa disso, começamos a suar e a bater o coração com mais rapidez. Como o suor age para resfriar o corpo, este acaba combatendo o calor que sentimos. É por isso que em lugares mais quentes se consome mais pimenta – ao menos essa é a teoria.

O assunto me interessou e fui estudá-lo um pouco mais. Descobri que por volta de 1912 o farmacêutico Wilbur Scoville criou uma escala para medir o grau de ardência de plantas Capsicum – as pimentas. Sua ideia foi pedir a alguns provadores corajosos que as experimentassem em estado puro. A escala foi medida pela quantidade de água que cada um precisava tomar até que não ficasse mais com nenhuma sensação de ardência na boca. O método mais tarde foi aprimorado e ganhou uma unidade de medida – SHU – Unidade de calor Scoville.

Na escala Scoville, a pimenta Habanero, a dos tacos que comprei, enquadra-se entre 100.000 e 577.000 SHU, dependendo da espécie. Para efeito de comparação cito outras pimentas conhecidas:

- Biquinho – 1.000 SHU;
- Jalapenho – 2.500/8.000 SHU;
- Dedo de moça – 5.000/15.000 SHU;
- Malagueta – 50.000/100.000 SHU;
- Trinidad Scorpion e Carolina Reaper superam 1.400.000 SHU;
- Ardência dos sprays de pimenta utilizados pela polícia americana – entre 2.000.000 e 5.300.000 SHU.

O povo mexicano consome muita pimenta, até nas frutas e sorvetes. Em Izamal, para nos refrescar, compramos em uma praça duas laranjas descascadas e qual a nossa surpresa quando vieram servidas com pimenta em pó. Por incrível que pareça, isso as deixou mais refrescantes.

À medida que atravessávamos o México, íamos experimentando diferentes tipos de tacos, uma tortilha mexicana recheada e apimentada. Cada região tem o seu modo de preparo e as diferenças estão no molho, tamanho, sabor e tipo de apresentação. Eles podem ser servidos abertos, fechados, acompanhados de guacamole ou de outros temperos. No litoral experimentamos tacos com frutos do mar – os mais gostosos, em nossa opinião. Como o México preza muito as suas cozinhas regionais, fizemos uma verdadeira turnê culinária pelo país. Além dos tacos, experimentamos, entre as centenas de tipos de comidas, o *poc chuc*, *queso relleno*, burritos, *molotes* e *pozoles*.

Entramos em território mexicano por Belize, direto na península de Iucatã, uma das alças do Golfo do México. Curiosamente, esse território é a única parte mexicana inserida na América Central. O restante faz parte da América do Norte.

As águas cristalinas do Mar do Caribe, o clima quente e as praias paradisíacas atraíram investidores internacionais que construíram ao longo da costa centenas de resorts. Um deles é o complexo de Cancun, ao Norte – destino preferido dos brasileiros. Mas como viajávamos de carro, as praias de Iucatã não foram proveitosas: são bloqueadas por propriedades privadas e por isso nem tínhamos acesso a elas. Dificilmente víamos o mar sem pagar por um desses resorts.

A maneira que encontramos para nos refrescar foi mergulhando nos cenotes. Como o solo da região é calcário, os desmoronamentos causados pelos rios subterrâneos criam cavidades formando cavernas alagadas. As cavidades aumentam com o passar do tempo e acabam criando salões, ou melhor, grandes piscinas naturais cobertas. Muitas, pelo contínuo desmoronamento, ficam a céu aberto. Os maias acreditavam que os cenotes davam acesso a Xibalbá, o mundo subterrâneo governado pelos deuses da doença e da morte – mito parecido com o de Hades, uma espécie de inferno na mitologia grega, também alimentado por rios.

Conhecemos cinco cenotes dos quase 10 mil que existem no país: X'kekén, Yokdzonot, Dzakapal, Gruta de Santa Cruz e Chelentún. Cada um com sua característica, o mais bonito era enfeitado por raízes de uma árvore que descem pelo vão aberto à procura de água. Entramos por passagens estreitas em alguns salões subterrâneos onde estalactites e estalagmites dificultavam nossa locomoção.

"Es mejor pedir perdón que permiso"

Cidades coloniais, ruínas maias e de outras civilizações pré-hispânicas, desertos, montanhas, vulcões, museus, festivais, somados a uma culinária típica e variada fazem do México um dos dez países mais visitados do mundo. É o país que possui a maior quantidade de Patrimônios Mundiais da Unesco nas Américas. No mundo detém o quinto lugar.

Ao percorrermos a Península de Iucatã, fomos intercalando cenotes com cidades: passamos por Valladolid, Izamal, Mérida, Campeche e Palenque. Em muitas pernoitamos no centro histórico, ao lado da praça principal. Seguimos o conselho do nosso amigo argentino Matias: "es mejor pedir perdón, que permiso" – se um policial no outro dia nos dissesse que não podíamos ter pernoitado ali, já teríamos pernoitado; pediríamos "perdón" e seguiríamos viagem. Em Valladolid chegamos à praça principal no domingo à tarde. O local estava lotado de famílias curtindo o fim de semana. A exemplo de outros carros, estacionamos ali mesmo e dormimos. Na segunda-feira, ao acordar e olhar pela janela do motorhome, percebemos que éramos os únicos ainda por lá e por termos estacionado o carro na diagonal estávamos atrapalhando o trânsito. Saímos de fininho para não chamar a atenção. O incômodo de se pernoitar ao lado das praças mexicanas é o barulho dos pássaros. Existe uma espécie de chupim que ao final da tarde pousa em bando nas árvores e faz uma algazarra infernal por horas. No início do dia, lá pelas cinco da manhã, o barulho recomeça.

Em Izamal também acampamos na praça. Essa cidade nos fascinou por sua arquitetura monocolor – tudo é amarelo, mas tudo mesmo. Foi lá que comemos a laranja apimentada. A parte antiga da cidade de Campeche parece cenário de cinema, com seu casario colorido impecavelmente restaurado. Já a cidade de Mérida se diferencia por ostentar belos casarões e plantações de agave – planta base da produção da tequila e do mezcal. A última bebida, por ser destilada apenas uma vez, contra duas ou três da tequila, é mais rústica. Do agave também se extrai o sisal.

Em Oaxaca toma-se o mezcal de forma curiosa: em algumas garrafas colocam-se larvas de mariposas que se desenvolvem no meio das folhas do próprio agave – o gusano. Quando não há larvas na garrafa, ela pode ser consumida separadamente, seca, inteira ou em pó com pimenta: ingere-se a larva seca primeiro e em seguida toma-se um gole da bebida. Nós provamos e aprovamos.

No estacionamento em Palenque, enquanto tomávamos café da manhã dentro do carro, ouvimos algumas pessoas falando português. Abrimos a porta para ver quem eram e, para a nossa surpresa, eram três brasileiros com os quais já havíamos trocado e-mails. Pudemos então conhecer pessoalmente o Wilson Ramos Filho e seus filhos Francisco e Bárbara, que viajavam em um Land Rover para o Alasca. Todos estávamos lá para conhecer mais esse sítio arqueológico maia.

Palenque não é tão grande quanto Copán e Tikal, mas é tão bonito quanto. Foi importante entre os séculos 5 e 6, período em que presenciou glórias, catástrofes, alianças e guerras. Possui muitas esculturas e as construções mais imponentes ainda estão bem preservadas. Chegamos a ver como eram os banheiros e as elaboradas tubulações subterrâneas para sua descarga.

Quando cansávamos de caminhar sentávamos no alto de alguma ruína e conversávamos sobre como teria sido a vida desse povo naquela época, há 1500 anos. Tentávamos imaginar aquele lugar sendo ocupado e visualizar o cotidiano das pessoas. Será que eram felizes? Difícil de dizer... Devem ter sido, mas da maneira deles. Uma coisa é certa: eles adoravam escadas.

Serra acima, no estado Chiapas, próximo a San Cristóbal de las Casas, fora da rodovia principal, fomos visitar uma daquelas igrejas onde as crenças católica e maia se fundem. O resultado é surreal. Eu não sei onde a Michelle encontrava esse tipo de informação. A igreja e o povoado têm o mesmo nome: San Juan Chamula. Ali vive parte da etnia tsotsil, cuja braveza preservou sua cultura, resistindo a entrada de outras religiões e costumes em seu território. Conhecer esse templo foi uma sensação à parte. Por fora, uma linda igreja católica colonial; por dentro outra atmosfera. A primeira ação que os tsotsis fizeram foi retirar os bancos e altares. Os móveis que sobraram, tipo expositores de madeira, foram encostados nas paredes. Há santos por todos os lados, com espelhos pendurados no pescoço: servem para espantar o diabo, segundo a crença. Dizem que o demônio não pode olhar-se no espelho, pois se assusta com a sua própria imagem.

O piso é forrado com folhas de pinho e o espaço onde estariam os bancos é onde os fiéis se ajoelham frente aos santos para fazer orações. Acendem velas coloridas de diversos tamanhos e levam animais como galinhas e porcos para oferendas. Os diferentes tamanhos e cores das velas, bem como os tipos de animais e de plantas, são prescritos pelo curandeiro local. Quanto mais próximo ao altar mais escuro fica o ambiente. A penumbra é ocasionada pela enorme quantidade de incensos e velas acesas. A fumaça emitida ao longo do tempo deixou as paredes e o teto escuros e fizeram desaparecer algumas pinturas originais. Estimamos que havia mais de mil velas acesas ao mesmo tempo. Também havia vasos com flores naturais. Foi uma pena não poder fotografar ou filmar.

O cemitério dessa comunidade também chama a atenção: suas cruzes são pintadas nas cores preta, azul ou branca. A cor preta significa que a pessoa morreu em idade avançada; a branca, que morreu jovem; e a azul, por outros contextos e motivos.

Em linha reta, a quatro quilômetros dali, encontrava-se San Lorenzo Zinacantán, outra cidade tsotsil. Apesar de pertencerem à mesma etnia e muito próximas, os costumes não são os mesmos. Identificamos essa diferença pela vestimenta: homens e mulheres trajavam lindas roupas com bordados coloridos, com predominância do roxo. Na rua o visual é lindo. Outra diferença foi a receptividade do povo, pois enquanto Chamula deixava claro que não éramos bem-vindos e éramos tratados com grosseria, Zinacantán nos recebeu de braços abertos.

Tocamos em frente, mas não por muito tempo. Santa Maria del Tule pedia uma nova parada e dessa vez foi por causa de uma árvore – a maior do mundo. Alguns podem questionar a informação, pois acreditam que as maiores árvores do planeta são as sequoias dos Estados Unidos. Vamos aos cálculos. O tamanho de uma árvore pode ser medido por diferentes parâmetros: altura, volume ou diâmetro do tronco. A árvore de Tule é a maior do mundo no quesito diâmetro do tronco: de tão espesso, para abraçá-lo são necessárias 40 pessoas adultas. Uma placa informa os números: 58 metros de circunferência, 14 metros de diâmetro, 42 metros de altura, 817 metros cúbicos de madeira e 636 toneladas de peso. Essa gigante, também conhecida como Ahuehuete, Árbol del Tule, El Sabino del Tule ou El Gigante, é uma conífera do gênero *taxodium*, da família *taxodiácea*, ou cipreste mexicano.

Em seus dois mil anos de existência deve ter presenciado muitos acontecimentos históricos. Com certeza ela já existia na ascensão e no declínio dos povos maia e asteca, na chegada dos espanhóis, nas batalhas pela independência, na guerra contra os Estados Unidos, na intervenção francesa, nos períodos de ditadura, na revolução mexicana, na estabilização dos dias atuais e, possivelmente, viverá mais um tanto para melhorar seu currículo. Não é permitido tocá-la. Uma cerca de proteção impossibilita que se tire fotos ao lado da árvore, o que serviria como referência do seu tamanho.

Quando topamos com maravilhas deste tipo é que sentimos a magia de viajar. Como disse Santo Agostinho, "O mundo é um livro e aquele que não viaja lê apenas uma página". As oportunidades estão fora de casa e é por isso que precisamos botar o pé na estrada.

Voando entre pirâmides

Teotihuacán, localizada nos arredores da Cidade do México, distingue-se das ruínas que tínhamos visitado por não ser maia. Pouco se sabe sobre o povo que a construiu, mas evidências mostram que era multiétnica: maias, mixtecas e zapotecas conviveram ali. Para alguns historiadores, o mistério não está em quem a construiu (por volta do ano 100 a.C.), mas nos motivos do seu sucesso e nas práticas sociais, políticas e religiosas que lhe permitiu tal estabilidade e longa existência. Foi a maior cidade do México antigo, capital do Império Pré-Hispânico. Tida como modelo de urbanização em grande escala, Teotihuacán influenciou as culturas subsequentes e até mesmo a cultura contemporânea.

Seu eixo principal é demarcado por uma avenida com 45 metros de largura por quatro quilômetros de comprimento, formando o que se chama a Calçada dos Mortos. Ela faz a ligação entre a Pirâmide da Lua e o Templo de Quetzalcóatl, ou da Serpente Emplumada, com sua fachada decorada com belas esculturas. Os espanhóis o renomearam com o nome de Cidadela.

Ao redor dessa avenida estão os principais edifícios – templos, palácios e moradias. As Pirâmides do Sol e da Lua dominam a paisagem. A Pirâmide do Sol é a terceira maior do mundo, atrás da Pirâmide Quéops (Egito) e da Pirâmide de Cholula, também no México. Cada lado de sua base tem 222 metros e sua altura chega a 70 metros. Estima-se que tenham sido usadas três milhões de toneladas de pedra e que foi construída sem o uso de ferramentas metálicas, tração animal ou rodas.

A Pirâmide da Lua é menor, mas do ponto de vista estético se sobressai à do Sol.

Enquanto contemplávamos a vista de cima da Pirâmide do Sol, vimos que algumas pessoas apreciavam aquele lindo amanhecer de alguns balões e de um ultraleve *trike*. "Olha só, Michelle, toda essa turma voando. Será que nós não poderíamos voar também com nosso paramotor?" Normalmente, parques nacionais e sítios históricos proíbem atividades aéreas tripuladas, mas pelo visto ali não havia restrições. "Vamos procurar o aeroclube de onde eles decolam?", propus, eufórico.

Ficamos de olho para descobrir de onde o *trike* decolava e pousava e mais tarde seguimos naquela direção. Depois de algumas tentativas e erros, entrando em ruelas sem saída, encontramos o aeroclube. Conversamos com o Francisco e o piloto do *trike* David, que nos receberam muito bem e nos autorizaram utilizar a pista. Naquele dia não daria mais tempo, pois já estava perto do escurecer.

Então acampamos ali mesmo e, na manhã seguinte, já nos primeiros raios do sol, David preparava sua aeronave e eu ajustava a nossa. Mesmo ciente de que as condições não estavam favoráveis ainda, eu trabalhava entusiasmado. Na pressa, deixei a vela aberta no gramado por cinco minutos e ela umedeceu com o orvalho. Se levantar uma vela seca, sem vento, naquela altitude de 2,2 mil metros já é difícil, molhada foi impraticável. Eu gostaria de ter decolado mais cedo para poder fotografar as pirâmides na luz suave do amanhecer e, ao mesmo tempo, compartilhar o voo com os balões, mas tive que esperar o sol esquentar para secar a vela.

Enquanto lidava com o velame úmido, a Michelle foi convidada pelo David para voar com ele no *trike*. Fiquei feliz, pois ela teria também a oportunidade de voar sobre as pirâmides e não perderia a luz mágica para fotografar. Ela contou, empolgada, que foi maravilhoso.

Eu consegui alçar voo somente na quarta tentativa, o que aconteceu perto das 9 horas da manhã. Cruzei o aeródromo correndo o mais rapidamente que conseguia e assim que tirei os pés do chão tive que rezar para que o motor não me deixasse na mão. Tão logo terminou a pista, sobrevoei uma plantação de cactos e não seria nada conveniente fazer ali um pouso de emergência. Cheguei a aliviar o gatilho do acelerador, pois naquele momento não podia nem pensar em quebrá-lo.

Parti da zona sul da cidade voando alguns quilômetros e sempre atento ao local da pista para saber o caminho de volta – é fácil se perder em espaço aéreo que não conhecemos. De longe avistei aquele sólido geométrico poligonal se sobressaindo e tive que concordar com a Michelle: é magnifica a pirâmide vista do alto. Cheguei tão perto do seu vértice desgastado pelo tempo, que pude ver a expressão na face das pessoas que me olhavam admiradas. Se alguma delas também voasse de paramotor, certamente pensaria: "Se esse cara pode voar aqui, eu também posso; vou já procurar o aeroclube de onde ele decolou".

Antes de seguir viagem, nossos amigos nos serviram o tradicional café da manhã mexicano: tortilhas ao molho de *nopales* – a folha dos cactos da plantação que sobrevoei – e, para variar, muita pimenta.

San Miguel de Allende, em nossa opinião, é a cidade com as construções coloniais mais bonitas de todo o país, mas tem aquele estilo turístico que tira um pouco do encanto. Já Jeréz de Francisco García Salinas é diferente, parece um cenário de filmes de faroeste. A cidade modernizou-se, mas as suas construções em linhas simples e retas, com logomarcas dos estabelecimentos pintados na própria fachada, se preservaram. Gostamos muito de Jeréz e de seu clima de cidade do interior, onde homens desfilam em caminhonetes antigas de cabine simples, calçam botas bicudas e usam chapéu de palha. Como os mexicanos adoram sapatos brilhando, quem deve ganhar muito dinheiro ali são os engraxates – botas para lustrar não faltam.

O estado de Durango, ao Norte, foi e ainda é a locação preferida para filmes de faroeste: seus desertos, montanhas, vales, cânions, cactos e poeira formam cenários ideais para as ações dos mocinhos solitários, xerifes implacáveis, bandoleiros desalmados e, de forma depreciativa, alguns mexicanos como figurantes. Os filmes de faroeste reinaram quase soberanos nas décadas de 40 a 90. Passaram um bom tempo nesse belo e árido local Clint Eastwood, Paul Newman, Steve McQueen, Yul Brynner, Charles Bronson e o maior de todos os caubóis, aquele que criou o maneirismo e o modo de falar dos heróis – John Wayne.

Na vida real, um dos protagonistas principais da história mexicana (início do século 20) foi Pancho Villa, que de fora-da-lei virou revolucionário e lutou contra os desmandos despóticos de Porfirio Díaz. Lutava em favor dos pobres e era vingativo com *los gringos*, isto é, com os americanos. Sua astúcia e a rápida movimentação do seu bando no deserto tornou-o conhecido como *un hombre* que ninguém conseguia prender. Outro revolucionário, cuja história foi contada magistralmente no cinema por Elia Kazan, com roteiro de John Steinbeck, foi Emiliano Zapata, interpretado por Marlon Brando em um filme que teve participação de Anthony Quinn – este sim um mexicano legítimo.

Atualmente, a região que compreende o sul do estado de Chihuahua, o noroeste de Durango e o nordeste de Sinaloa forma o Triângulo do Ouro. Não pela riqueza mineral, mas porque ali se produz ilegalmente maconha e ópio. Ao passar por lá fomos alertados para ficar atentos: não transitar à noite nem dormir em lugares remotos, principalmente nas rodovias MEX 45 e 49. Os traficantes, segundo os locais, operam à noite e, como Pancho Villa, não têm piedade de *los gringos*.

Invasores da privacidade alheia

Situados no noroeste do México, no estado Chihuahua, os Cânions das Barrancas de Cobre são formados por um grupo de seis cânions, escavados por seis rios diferentes que descem por uma parte da Sierra Madre Ocidental e desaguam no Rio Fuerte que, por sua vez, desemboca no Golfo da Califórnia. O nome, Barrancas de Cobre, deve-se ao fato de terem paredes verdes.

A região é habitada pela tribo Tarahumara ou Rarámuri. Nosso primeiro encontro com esse povo foi por acaso, quando avistamos dois homens sentados na praça da cidade de Creel. Com traços marcantes, pele morena escura, vestiam tangas, camisas largas e coloridas, lenços no pescoço e sandálias. Queríamos fotografá-los, mas dessa vez não o fizemos. Muitas vezes nos sentíamos culpados por invadir a privacidade das pessoas anônimas que encontrávamos pelo caminho. Alguns povos – os maias, por exemplo – acreditam que ao serem fotografados suas almas ou suas forças vitais são levadas com a fotografia. Algumas culturas indígenas norte-americanas e os aborígenes australianos também pensam assim. Por isso que não se permite fotografar aquela igreja mística de San Juan Chamula. O aviso dizia que o fotógrafo infrator seria severamente punido. Por outro lado, também não gostamos quando fomos constantemente fotografados na China e na Índia, onde pelo fato de sermos diferentes, as pessoas apontavam suas máquinas em nossa direção e clicavam, sem pedir permissão.

Mas isso não quer dizer que não cometemos esse tipo de erro: já nos sentimos invasores da privacidade alheia. Em certa ocasião vimos parados na beira da estrada, num lugar ermo nas montanhas do Afeganistão, uma menina de uns sete anos e um menino mais novo. Ela era linda: vestia roupas coloridas e um lenço escondia o seu cabelo. Paramos o carro e, pela janela, a Michelle a fotografou. Eu não vi nada de desrespeito nessa atitude, mas a Michelle, logo depois, começou a chorar. Perguntei o que havia acontecido e ela respondeu: "Roubei a imagem da pobre menina apontando essa câmera gigante, que mais parece uma arma, em sua direção. E nem desci para perguntar seu nome ou se eles precisavam de alguma coisa". Conversamos sobre este episódio e chegamos à conclusão de que existem fatos em nossas vidas que a melhor forma de os guardar é no coração – não em um cartão de memória de uma câmera fotográfica ou celular.

O final da tarde se aproximava. Tínhamos pressa: precisávamos chegar a Sarhad antes do anoitecer. Foi quando avistamos duas crianças no acostamento direito da estrada – uma menina e um menino, talvez irmãos, imóveis, nos olhando passar. Não resistimos àquela composição bucólica e profundamente humana. A luz estava perfeita. Paramos para fotografá-los. Eles nem se mexeram. Como um ato de defesa no meio selvagem – de que se correr, o bicho pega – permaneceram nos olhando com uma expressão que misturava curiosidade em ver um carro e pessoas tão diferentes em suas terras. O medo do desconhecido fazia com que o menino mal levantasse a cabeça, tamanha a sua apreensão. Abri a janela e sem dizer uma palavra coloquei a câmera a disparar. Nossa parada não durou nem um minuto. O suficiente para garantir algumas fotos e não perdermos tempo. Alguns metros adiante, me dei conta do quão egoísta havia sido. A imagem daquela menina me olhando com seu olhar penetrante à espera de um singelo gesto meu, permanecia na minha mente. Com o zoom da lente, não vi apenas o seu olhar, vi a sua alma. Alma de uma menina pura, inocente, ingênua. Sem maldade alguma. Eu não tinha o direito de invadir a sua vida, a sua privacidade daquela forma. Aquelas crianças provavelmente tiveram uma sensação parecida com a que nós tivemos quando fomos roubados na Colômbia. Quando me dei conta disso, não me contive e me pus a chorar. Senti-me a pior pessoa do mundo, envergonhada por ter tantos privilégios. Condições que eles provavelmente nunca terão. Abrimos mão de tudo para fazer uma volta ao mundo e viajávamos com pouco, mas, comparado com outras realidades, o pouco que tínhamos em nosso carro ainda era muito. Fico até hoje pensando que impressão essa menina teve de mim: de uma estrangeira arrogante, que passa com seu carrão, nada fala e ainda leva uma foto. E isso me dói. Revendo as fotos, os sentimentos daquele dia voltam a aflorar. Deixei uma má impressão quando podia ter estendido a minha mão. Essa passagem me marcou muito e aquele ser indefeso ficará eternamente na minha memória como "a menina que me fez chorar".

Já que não trouxemos fotos dos Tarahumara, o que aprendemos sobre eles foi nosso melhor registro. Vivem em cavernas ou em pequenas casas de pedra ou madeira. No verão habitam as frescas montanhas e no inverno migram para as partes baixas dos cânions, onde as temperaturas são mais amenas. As mulheres costumam usar saias longas e blusas coloridas e vão às cidades para vender cestos de palha e bonecas de pano. Os homens se autointitulam *rarámuri*, que quer dizer "aqueles que correm rápido". Eles correm longas distâncias ininterruptamente, às vezes ultrapassam 20 horas ou 160 quilômetros em um mesmo dia. Habilidade que desenvolveram pela necessidade de se locomover com rapidez para caçar veados e perus selvagens. As corridas longas, sempre realizadas calçando sandálias, também estão relacionadas a aspectos competitivos e cerimoniais. Um jogo popular praticado por eles se chama *rarájipari* – consiste em um time deslocar-se por caminhos íngremes nos cânions chutando uma bola. Essa competição pode levar desde algumas horas até vários dias.

Em suas pesquisas, a Michelle encontrou informações sobre uma reserva natural chamada El Pinacate y Gran Desierto de Altar. Ao me mostrar as fotos do lugar, não precisou falar mais nada para me convencer de que precisávamos ir até lá, não importava o quão distante fosse.

Perto não era. El Pinacate situa-se no Deserto de Sonora, um dos quatro grandes desertos da América do Norte. Faz divisa com o Arizona nos Estados Unidos. De onde estávamos, Creel, teríamos mil quilômetros a percorrer. Mas valeu a pena: o deserto do Atacama, considerado um dos lugares mais bonitos das Américas, arrumou para si um forte concorrente. El Pinacate tem uma beleza desolada incrível. Abriga a maior concentração de crateras do tipo *maar* do mundo. *Maar* é uma espécie de cratera pouco profunda, criada quando a água subterrânea se encontra com a lava quente e causa grandes explosões de vapor. Em seu escudo existem mais de 500 cones vulcânicos que, ao causarem grandes derrames de lava, pintaram o deserto com tons escuros e avermelhados. O deserto é o habitat de 540 espécies de plantas, 40 espécies de mamíferos, 200 aves, 40 répteis, além dos anfíbios e peixes de água doce, sendo muitas dessas espécies endêmicas. Com esses números, o Deserto de Sonora é o mais biodiversificado do mundo.

Para conhecermos um pouco desse cenário árido e ao mesmo tempo paradisíaco, passamos três dias na reserva. No seu interior rodamos 80 quilômetros pela única estrada aberta ao público. Enquanto dirigíamos, observamos que a paisagem ia mudando, devido às diferentes camadas de lava vulcânica, com cores e formatos variados. Tudo muito exuberante. Havia pouquíssimas pessoas durante a visitação, realidade oposta do que seriam as visitas aos parques nacionais do país vizinho. Talvez por isso gostamos tanto daquele lugar.

O parque é habitado por predadores como pumas, linces e lobos, mas em nossa visita só avistamos esquilos de cauda redonda, esquilos de antílope branco-atados, grandes lebres americanas e coiotes. Também tivemos a oportunidade de ver antilocapras, um animal nativo da América do Norte, considerado o mais rápido do continente. Corre a uma velocidade que pode chegar a 98 quilômetros por hora, perdendo apenas para o guepardo africano. Com uma diferença: enquanto o guepardo só consegue dar um pique por algumas dezenas de metros e tem que parar para recuperar o fôlego, o antilocapra corre por longos trechos sem necessidade de parar. Por isso, este animal só possui predadores na idade juvenil. Depois, ninguém mais consegue o pegar.

De todas as crateras existentes, nos aproximamos de quatro, sendo que duas impunham respeito. Uma delas é a El Elegante, que forma um círculo quase perfeito, com 1,6 quilômetros de diâmetro e 244 metros de profundidade. Estima-se sua formação em 32 mil anos. A outra, o Cerro Colorado, tem 750 metros de diâmetro e 100 metros de profundidade. Seu diferencial em beleza é que suas paredes avermelhadas se salientam para fora da terra, cheias de sulcos esculpidos pela chuva. As de El Tecolote e Cono Mayo também são interessantes e foi ao lado delas que armamos nosso acampamento.

Tínhamos o desejo de fotografá-las do alto. Como ninguém ainda havia pedido permissão para voar sobre o parque anteriormente, os guardas-parques ficaram sem saber o que responder. Nossa estratégia, que os fez considerar a permissão, foi oferecer-lhes as imagens aéreas para que pudessem usar para divulgação. Eles toparam.

Fiz dois voos, um em cada manhã. No primeiro dia a decolagem foi sinistra: havia cactos por todos os lados e a única área limpa era em cima da estrada. Tentei uma vez e não consegui. Na segunda saí do chão, mas voei ao encontro de um cacto e, se não fosse rápido ao desviá-lo, não sei o que me aconteceria. Voei por cerca de uma hora num percurso de 10 quilômetros, entre ida e volta. Como foi um voo lento, aproveitei para contemplar os derramamentos de lava que de cima pareciam uma pintura. Cheguei à cratera El Elegante e fiquei ainda mais impressionado. Não voei exatamente sobre ela, pois fiquei com medo da turbulência. Se estava quente na superfície fora da cratera, imagine sobre um buraco com mais de duzentos metros de profundidade. Deviam estar desprendendo muitas térmicas lá do fundo.

Escrevi em nosso diário sobre a experiência deste dia: "lindo, lindo, lindo x 1000". Para se ter mais noção sobre o lugar que sobrevoei é só buscar pelas coordenadas no Google Maps e afastar o zoom: 31.846711, -113.391213. A partir da imagem aérea dá para ter uma noção do quão esse lugar um dia fervilhou. Ao pousar, estava com menos de meio litro de gasolina no tanque – uma situação não muito segura, especialmente quando se voa sobre tantas plantas espinhosas.

A decolagem sobre o Cerro Colorado foi mais tranquila, pois havia uma área livre de obstáculos para a corrida inicial. Durante o voo é que a complicação começou, pois tive que enfrentar forte vento de frente e demorei 20 minutos para percorrer 2 quilômetros. Agradeço as pessoas que participaram da construção desse sonho de poder observar o mundo de cima. Do chão, jamais poderia contemplar essa cratera em sua totalidade e ver sua parede avermelhada esculpida pela chuva de uma maneira tão extraordinária. As coordenadas para vê-la no Google Maps são: 31.9163298, -113.3004042.

Uma boa notícia chega pelo computador

Em nosso último dia no México fomos presenteados com uma boa notícia: havíamos superado a nossa meta na campanha de financiamento coletivo que fizemos com o intuito de reinvestir nos equipamentos de fotografia e filmagem que foram roubados em Cartagena. Amigos, reais ou virtuais, são para esses momentos difíceis. Faltou alguém para filmar nossa emoção quando conectamos a plataforma Catarse. Faltavam ainda dois dias para o término da campanha, mas naquele momento já havíamos atingido 101% da meta.

A regra dessa forma de arrecadação financeira é: caso não se tenha atingido o valor total até o término da campanha, os colaboradores que haviam feito suas contribuições receberiam os valores de volta e não captaríamos nada. Mas chegamos lá e nosso êxito foi fruto de um trabalho planejado e de muito esforço. O nome da campanha iniciada quando estávamos na Nicarágua foi "O Mundo por Terra teve equipamentos roubados". A duração foi de 60 dias. Estávamos confiantes, mas ao mesmo tempo preocupados. Campanhas de arrecadação de fundos normalmente são feitas quando se quer lançar um produto e nosso objetivo fugia desse padrão. Oferecemos contrapartidas para cada apoio recebido: enviaríamos nosso livro, fotos, cartões postais e presentes exclusivos de algum lugar do mundo. O maior trabalho foi a divulgação dessa iniciativa enquanto viajávamos. Começamos com posts em nosso site e nas mídias sociais e enviamos e-mails a alguns contatos, mas logo vimos que isso não seria suficiente. Lá pelas tantas, recebemos a dica preciosa de um casal que havia feito uma campanha dessas. Mariana Beluco e Plácido Salles contaram que seu sucesso foi resultado das mensagens pessoais enviadas a todos os amigos das mídias sociais, um por um.

Foi isso que fizemos. Nós mandávamos várias mensagens por dia, para pessoas que conhecíamos ou não. Sempre que nos dedicávamos a isso, percebíamos que o gráfico dos investimentos respondia positivamente. De acordo com estatísticas fornecidas pelo Catarse, o começo e o final de um projeto são os momentos de maior concentração dos apoios. Mas para nós foi um pouco diferente: conseguimos manter um crescimento linear do começo ao fim. Seja a amigos ou a desconhecidos, não é fácil pedir. Por isso, esse processo acabou sendo um grande aprendizado, pois tivemos a oportunidade de desenvolver ainda mais nossa "cara-de-pau", no bom sentido.

Como em qualquer coisa que fazemos e que envolve outras pessoas, recebemos vários tipos de respostas. Houve os que nos apoiaram, deram força e ajudaram na divulgação, os que não se mobilizaram e os que criticaram. Felizmente, aqueles que nos deram apoio foram a maioria. Um apoiador chamado Diogo Gonçalves, de Sombrio (SC), ajudou-nos três ou quatro vezes. No final, ele contribuiu com um valor alto para que alcançássemos logo a meta e enviou um comentário contando que aquela campanha estava deixando-o ansioso e que acessava todos os dias para ver se o valor havia aumentado. Mas não foi só ele –

391 pessoas do Brasil e do exterior destinaram tempo para se cadastrar no site do Catarse para depois efetuar suas contribuições por meio de um cartão de crédito.

Como diz o ditado popular, "há males que vêm para o bem" – e essa situação foi a prova disso. Por meio da campanha, divulgamos melhor nosso projeto, convidamos mais pessoas a nos acompanhar durante a viagem e fizemos muitas amizades. Após nosso retorno, fomos conhecer o Diogo pessoalmente e nos tornamos bons amigos. Se aquele roubo não tivesse acontecido, todo esse movimento também não teria existido.

Sou partidário de que alguns erros, enganos, faltas ou problemas, quando tratados de forma positiva, revertem-se para o bem. Para ilustrar isso, costumo desenhar no ar o gráfico da satisfação, começando com uma linha horizontal, da indiferença. O campo acima dela representa satisfação e, abaixo, insatisfação. Bem, somos escritores e vendemos livros, certo? Nas primeiras impressões de nosso livro anterior, houve problemas em alguns livros como a falta de um capítulo, páginas duplicadas, de ponta-cabeça, folhas soltas e grudadas. Na época, quem estava no embalo da leitura deve ter ficado chateado por não poder continuá-la, pois talvez faltasse uma página ou até um capítulo inteiro. Em nosso gráfico virtual, desenharíamos uma linha para baixo, mostrando a insatisfação desse leitor.

Se essa pessoa fizesse contato conosco e solicitasse uma solução para o problema, teríamos aí uma grande oportunidade. Dependendo de nossa atitude, o cliente reagiria de tal forma que aquela linha desceria mais ainda para o lado da insatisfação, ou, caso resolvêssemos o seu problema de forma eficiente, a linha subiria para cima da linha da indiferença, aquela em que o cliente se encontrava antes do problema acontecer. No caso da campanha de captação, considero que tivemos dois ganhos: o pecuniário e o da aproximação com nossos seguidores. Eles saíram da indiferença de antes do roubo e passaram a nos acompanhar com mais assiduidade, pois com o envio das recompensas, tivemos a oportunidade de causar um impacto positivo em cada um.

Dentre as recompensas – livros, fotos, presentes exclusivos, divulgação do nome no website – houve uma que, apesar de simples, nos deu muito trabalho, mas também fez com que de tempos em tempos fôssemos lembrados: o velho cartão postal. Dependendo do valor que a pessoa investiu, ela recebeu de algum lugar do mundo por onde passamos um, dois ou três cartões postais – o Diogo recebeu pelo menos cinco. Enviamos, no total, 524 cartões, cuidadosamente escolhidos, comprados, escritos, selados e postados.

Aparte da campanha do Catarse, com a finança baixa após o roubo, nossos amigos argentinos Matias e Candelaria sugeriram que vendêssemos fotos para levantar dinheiro. Os argentinos em geral são experts neste assunto. Nossos amigos vendiam de tudo – de fotos a pulseiras e bijuterias. Achamos a ideia ótima. Selecionamos uma porção das melhores fotos de nossa primeira viagem de volta ao mundo, imprimimos, colamos num papelão kraft e passamos a vendê-las pelos lugares onde passávamos. Um adesivo nas laterais do carro fazia a propaganda. Como nosso carro era chamativo, diversas pessoas vinham conversar conosco e perguntar de onde éramos e a oportunidade da venda vinha à tona. Mas os nossos clientes mais importantes eram os frentistas dos postos de combustível. Enquanto abasteciam nosso tanque, ficavam de frente com o adesivo e logo pediam para ver as fotos. Muitos deles compraram. Um frentista na Costa Rica não tinha dinheiro para comprar uma foto, mas queria participar de nossa viagem de alguma forma, então presenteou-nos com um copo azul de plástico, com desenhos de bonecos de neve. Ele usava-o para tomar água no posto onde trabalhava. O copo deu a volta ao mundo e está até hoje na gaveta do Lobo.

Nas terras do Tio Sam

Foi diferente cruzar a fronteira dos Estados Unidos dessa vez. Até então, nossas entradas se deram em algum aeroporto. Agora, na pequena fronteira terrestre de Lukeville, no Arizona, eu previa certo aborrecimento, com rigorosas inspeções, cadastros e interrogatórios. Afinal, os agentes de fronteira geralmente não facilitam as coisas para os latinos. Mas foi mais fácil do que a tabuada de dois. Sequer anotaram a placa do carro e não nos deram nenhum documento de importação temporária do veículo, como acontece em outros países. Apenas recebemos um documento relativo aos nossos passaportes. Mas na conversa com o oficial da imigração, percebi que ele era muito bem treinado. Com um jeito simpático e descontraído, em cada pergunta tentava arrancar algo sobre as nossas intenções no país. Se tivéssemos alguma pretensão a mais do que o turismo, provavelmente teríamos escorregado com a língua.

Liberados para seis meses nos Estados Unidos, seguimos logo a Flagstaff, Arizona, pois tínhamos um compromisso marcado numa feira de veículos de viagem e off-road chamada Overland Expo 2015. Ficamos sabendo desse evento quando estávamos na América do Sul e, como o plano contemplava chegar nessa época nos EUA, decidimos participar. No caminho, imprevistos aconteceram, fazendo com que parte do tempo no México, país onde gostaríamos de ter ficado um pouco mais, fosse sacrificada. Fazer o quê? Não dá para estar em dois lugares ao mesmo tempo. A feira nos parecia interessante, pois nesse estágio da viagem, entre os EUA e o Canadá, prepararíamos o carro para a fase mais complexa do projeto – o Extremo Oriente Russo. Imaginávamos que seria uma boa oportunidade para fazer contatos e conhecer equipamentos específicos para o frio, algo que o Brasil não oferece.

Era uma quinta-feira quando chegamos à Overland Expo e logo encontramos os amigos viajantes brasileiros que havíamos conhecido no caminho: Liene, Dan, Paula, Renan, Rosely, Amabry, Wilson, Francisco e Bárbara. Aliás, Paula e Renan eram os únicos que ainda não tínhamos visto. Acampamos todos juntos. Tantos brasileiros em terra estrangeira é sinal de boa festa. Mas o que ninguém previu foi que em maio no Arizona pudesse fazer tanto frio – a ponto de nevar. O parque de exposições virou um lamaçal e mal conseguíamos caminhar. Eu vi pessoas com barro até nas orelhas por terem escorregado e caído – certo Rosely?

Encaramos o mau tempo e fomos conhecer a feira, mas tivemos que correr de tenda em tenda para nos proteger da chuva. O tempo estava tão sombrio que os expositores não conseguiam nem colocar seus produtos à mostra. Amabry e Rosely decidiram ir embora, então ficamos em nove no acampamento. Ao entardecer o frio pegou tão forte que convidamos todos a entrarem em nosso motorhome, já que os demais viajavam com barraca de teto e não tinham outro lugar para se abrigar. Como conseguimos, não sei, mas achamos lugar para nove brasileiros jantarem macarronada à bolonhesa preparada pelo Wilson. Parecíamos nove sardinhas dentro de uma lata, pelo menos estávamos todos quentinhos e nos divertimos à beça.

No sábado, o caos intensificou-se a ponto de banheiros e chuveiros ficarem inutilizáveis. Muita gente debandou e mesmo sendo a maioria dos carros 4x4, muitos encalharam no estacionamento. Nossos amigos brasileiros, exceto Renan e Paula, partiram também. Mudamos nosso acampamento para a estrada de acesso ao parque, para sair do barro. O tempo melhorou um pouco e a feira passou a ser mais produtiva.

Encontramos outros viajantes, participamos de palestras, buscamos informações, conhecemos equipamentos e fizemos contatos com fornecedores e algumas revistas, o que mais tarde acabou rendendo reportagens sobre a nossa viagem. Em matéria de equipamentos, brincamos que os americanos são os maiores inventores do mundo. Onde quer que você vá, encontrará soluções para todas as suas necessidades. E mais: descobrirá novas necessidades, para as soluções que eles já inventaram. Consumismo puro.

Nós aguardávamos a chegada de Felipe Schultz, sua esposa Viviane e seus filhos Ivy e Lucca, amigos de Curitiba. Eles foram passar férias nos EUA, então a ideia era nos reunirmos na feira, para depois viajarmos juntos por alguns dias. Quando nos encontramos era tarde da noite e, enquanto celebrávamos o início de nossa viagem juntos com uma garrafa de uísque aberta sobre a mesa, Felipe entregou-me algumas coisas enviadas pela minha mãe. Numa caixa de chocolate havia um bilhete escrito por ela ao Felipe, dizendo que se a caixa fosse muito grande para levar, ele poderia "ficar com o chocolate". A caixa chegou intacta.

Domingo de sol, caminhamos mais um pouco na feira com os Schultz para tirar algumas fotos dos motorhomes 4x4 – carros luxuosos que chegavam a custar até 500 mil dólares. Não nos sentimos motivados a comprar um desses caminhões Earth Roamers porque mesmo com o alto preço e sofisticação, também encalharam no pátio do evento.

Naquele dia, antes de a feira acabar, tocamos viagem até o Vale dos Monumentos (Monument Valley) ou Parque Tribal Navajo, o símbolo do sudoeste americano, caracterizado pelas formações avermelhadas de arenito, pináculos estreitos e montes maciços que brotam em até 300 metros de altura na paisagem desértica da fronteira dos estados do Arizona e Utah – um dos cartões postais mais conhecidos dos Estados Unidos.

Há uma estrada de quase 30 quilômetros que dá acesso ao coração do vale, de onde, por cerca de uma dúzia de saídas, pode-se ter vistas deslumbrantes dos monumentos naturais, que são chamados por nomes adequados como o "monte elefante" e "poste totem". Mas quando desembarcamos pela primeira vez para explorar a beleza incontestável do local, sentimos saudades dos parques "sem regras" dos países de terceiro mundo, já que no Vale dos Monumentos é proibido até mesmo caminhar fora das trilhas demarcadas no deserto.

John Ford's Point é uma das paradas mais populares. Recebeu o nome do diretor John Ford por ele ter utilizado o vale em filmes de faroeste, como o No Tempo das Diligências (Stagecoach), filme que tornou John Wayne um astro internacional. A imagem que ficou mundialmente conhecida é a de um caubói montado em seu cavalo no topo de um maciço de arenito, tendo ao fundo as formações avermelhadas do Vale dos Monumentos. Hoje em dia é possível o visitante reproduzir a imagem de John Wayne pagando uma bagatela aos índios Navajos, os donos dessas terras. Eles vendem artesanatos também, como o filtro dos sonhos, objeto que simboliza a proteção e separa os sonhos bons dos ruins – item indispensável para um sonâmbulo como eu.

Depois de três dias na companhia dos amigos curitibanos, nos despedimos após o café da manhã. Eles seguiram para o oeste do país e nós para o norte. Fomos em direção a um dos estados americanos que mais nos encantou, Utah. Isso porque adoramos desertos e há um imenso naquela região. Lá tudo é grande, perde-se o horizonte de vista. E quando se desloca alguns quilômetros em qualquer direção a natureza muda drasticamente.

Por ser início da temporada de férias, as estradas estavam movimentadas. Passavam por nós dezenas de carros e motos. Um grupo de motoqueiros, daqueles barbudos, tatuados, com roupas de couro como em filmes dos Anjos da Estrada, para não terem que tirar a mão do guidão, cumprimentavam-nos com o pé ao nos ultrapassarem. Achei o máximo.

Moab é uma cidade bem estruturada para o turismo de aventura e de esportes ao ar livre. O centro de informações é um espetáculo, com mapas, folders, folhetos e atendentes muito bem preparados. A papelada que eles produzem é um pouco exagerada, já que se trata de algo que é utilizado uma vez e descartado. Quer dizer, não na mão da Michelle, que devolvia os folders quando não precisava mais. Com as informações em mãos, ela fez uma lista do que achava interessante para conhecermos.

No primeiro local, dos muitos que iríamos visitar, entramos em uma enorme fila de carros. Todos aguardando para entrar no parque. Que diferença entre os Andes Bolivianos e outros lugares inóspitos da América do Sul e Central. Tínhamos que nos acostumar, pois seria assim dali para frente, pelo menos enquanto estivéssemos em meio às férias de verão norte-americanas. Percebemos que os chineses eram a maioria dos visitantes. Passaram a viajar muito com o aumento do poder aquisitivo em seu país.

Esse é o Parque Nacional dos Arcos (Arches National Park), que como o próprio nome diz, caracteriza-se por uma grande quantidade de arcos que foram esculpidos nas rochas de arenito pelo vento e chuva. A água molda esse ambiente mais do que qualquer outra força natural, pois causa erosão e depois transporta os sedimentos pedra abaixo. No inverno, essa mesma água, em forma de neve, derrete e preenche fissuras e outras cavidades e quando congela, expande, quebrando pedaços da rocha. Pouco a pouco, as fissuras se transformam em aletas, que podem virar grandes arcos. O parque abriga mais cavidades naturais feitas na rocha do que qualquer outro lugar do planeta. Ao todo, somam quase duas mil, sem contar os pináculos e as outras formas estranhas resultantes do trabalho das águas e do tempo. O Arco Delicado é o mais conhecido e para chegar a ele é preciso dar uma boa pernada. O Arco da Paisagem, localizado no Jardim do Diabo, tem mais de 90 metros de comprimento, sendo um dos maiores arcos naturais da América do Norte. Imagine um arco suspenso em um vão de 90 metros de comprimento. Até a engenharia moderna de treliças metálicas tem dificuldade para cobrir um vão desse tamanho. Num determinado lugar, a natureza esculpiu um arco duplo, ou seja, em uma rocha se formaram dois arcos imensos.

Ao seguir para o segundo parque da lista da Michelle, recebemos uma boa dica – dirigir pela estrada The Shafer Trail, que adentra o Canyonlands pela porta dos fundos. Num percurso magnífico, margeamos os paredões escavados pelo rio Colorado, para então subir nas mesas por uma serra muito íngreme, que no passado foi utilizada por caminhões que transportavam urânio de uma mina próxima ao rio. O Parque Nacional da Terra dos Cânions (Canyonlands National Park) possui basicamente três patamares de altura, com montanhas tipo mesas, que são as mais altas. A base das mesas forma o nível médio e os cânions construídos pelos rios Colorado e Verde, o nível mais profundo. Em cima das mesas é que estão as vistas mais bonitas, de onde se enxerga centenas de quilômetros de rochas esculpidas. Ao lado do Canyonlands fica o Parque Estadual Dead Horse, onde o cânion faz uma curva tão acentuada, que o rio parece voltar para o lugar de onde veio. Muitos norte-americanos que olhavam para a capa do nosso primeiro livro nos perguntavam se a foto havia sido tirada no Dead Horse Point.

Explicávamos que não, pois ali jamais poderíamos chegar com o carro tão próximo ao penhasco – como chegamos no Cânion do Rio do Peixe, na Namíbia –, pois nos EUA as proteções não nos permitem. Mas se olharmos atentamente os dois lugares, veremos que possuem grande similaridade. As duas curvas de rio são muito parecidas.

A natureza à nossa frente nos fazia pensar: quantos milhões de anos foram necessários para essa paisagem se formar? Divagando nas imagens que fizemos do local, pensei: "e quem disse que a paisagem já se formou?". Ela continua em transformação, dia após dia. Os rios Colorado e Verde continuam fluindo, levando consigo mais partículas de terra e areia. Por mais minúscula que seja a diferença, cada vez que o Canyonlands recebe um visitante, a paisagem que ele vê é um pouco diferente. O planeta Terra, pelo movimento das suas placas tectônicas, movendo montanhas, despertando vulcões, com seus rios cavando cânions, está em constante mutação. Pode ser muito devagar, quase imperceptível ao olhar humano, mas tudo está se movendo. Engana-se quem pensa que uma pedra gigante pendurada num paredão nunca vai cair. Pode levar milhões de anos, mas ela um dia cai.

"A era geológica envolve o agora". Depois que li essa frase no livro de Aron Ralston, 127 Horas, por ele reescrita do livro Mandamentos Clássicos do Montanhismo, de Gerry Roach, passei a enxergar os acidentes geográficos de outra forma. Aron, um alpinista americano, sentiu na pele que as coisas se transformam de forma constante. Ele foi protagonista de uma incrível história de sobrevivência que aconteceu ali mesmo, no parque Canyonlands. Seu livro deu origem a um filme de mesmo nome, indicado a seis Oscars, incluindo o de melhor filme e melhor ator.

Num fim de semana qualquer, quando caminhava despretensiosamente pelo Blue John Canyon, um local distinto do Canyonlands, ele caiu numa armadilha da natureza quando uma imensa pedra rolou por cima dele, esmagando sua mão direita contra a parede do cânion. Com provisões para apenas uma tarde, iniciou um martírio que duraria cinco dias e sete horas, ou melhor, 127 horas. Quando sua vida passou a estar em jogo, Aron chegou ao ponto de ter o sangue frio de cortar seu próprio braço para se salvar. "A era geológica envolve o agora", descreve Aron em seu livro, "é uma elegante forma de se dizer: cuidado com as rochas, elas podem cair".

Para se chegar ao "pouso dos anjos"

Há 59 áreas de proteção ambiental reconhecidas como parques nacionais nos EUA. Como nós permaneceríamos no país por cerca de seis meses, tempo suficiente para visitar muitos deles, compramos um ticket anual por 80 dólares, que nos deu o direito a entrar em qualquer parque nacional quantas vezes quiséssemos, por tempo ilimitado, sem pagar nada a mais por isso. Se necessitássemos de um camping para pernoite, teríamos que pagar separadamente. O passe valia para o carro e seus ocupantes, portanto se estivéssemos em duas ou cinco pessoas, todos estaríamos cobertos. Para nós foi uma maravilha, pois economizamos muito. E uma coisa é certa: a natureza dos Estados Unidos, ao menos nos lugares protegidos por esses parques, é deslumbrante. O país dá um show no quesito belezas naturais. Podemos até dizer que é o que ele tem de melhor a oferecer.

Os parques seguintes, ainda em Utah, foram o Bryce Canyon e o Zion. O Bryce, apesar de ter cânion em seu nome, eu descreveria como uma série de anfiteatros naturais erodidos irregularmente na encosta de um planalto. A rocha é calcária, frágil e as chuvas criaram um verdadeiro labirinto, onde pudemos fazer longas caminhadas por entre torres e paredes de rocha avermelhada. Imagine um formigueiro de um nível só e sem teto – talvez isso chegue mais próximo de uma definição. Em cima do platô de diferentes mirantes há uma vista melhor do que a outra.

O Zion National Park é uma junção em "T" de dois cânions profundos. Logo na entrada topamos com um bando de cabras selvagens que possuem chifres em formato espiral. São lindas, grandes e fortes. No primeiro dia, por estarmos bastante cansados, não planejávamos ir longe, até porque estava fazendo um calor de 34ºC. Queríamos apenas desfrutar das belezas da parte baixa do cânion e por isso nos preparamos com água e comida somente para uma caminhada curta. Mas ao avistar de longe uma trilha em zig-zag que já havíamos visto em fotos, ouço a Michelle falar: "Ah, vamos só até aquele zig-zag dar uma olhada e tirar uma foto, não precisamos subir além". Assim iniciamos a caminhada naquela direção. Chegando lá, ouço: "Vamos só mais um pouquinho"; depois: "a gente raciona a água"; "falta só mais um pouquinho"... E foi assim até chegarmos ao Angels Landing Point (Local de Pouso dos Anjos), uma das caminhadas mais famosas do Zion e talvez até do mundo. Pela beleza e dificuldade, dá para entender a fama do local e a origem do nome. Foi uma das caminhadas mais alucinantes que fizemos na vida. Primeiro passamos por aquele zig-zag escavado no paredão, depois entramos por uns bons quilômetros numa fenda sinistra entre duas montanhas. O que não contávamos era que do fundo da fenda iniciaria a real subida em zig-zag. Subimos, dando irrisórias bicadas em nosso cantil de água e chegamos na parte alta e aberta, que nos mostrou que ainda tínhamos muita subida pela frente. O trajeto, técnico e perigoso, não é nada aconselhado a quem sofre de vertigem.

Chegamos a um ponto em que a trilha tem menos de um metro de largura e abismos dos dois lados, onde pedras soltas despencam 400 metros precipício abaixo: uma loucura. Chegar ao ponto final da caminhada foi uma vitória e ali deu para entender por que um americano que encontramos no caminho nos disse que quem chega lá em cima vira anjo. O vale a 500 metros abaixo de nossos pés deu asas à imaginação, que não parava de sonhar: "água, água, água".

No caminho de volta, exaustos, não víamos a hora de chegar ao início da descida em zig-zag para tomar pelo menos um fôlego, já que água não havia mais. Chegando lá, uma americana tirou de sua mochila uma maçã suculenta e mordeu-a em nossa frente, fazendo ecoar o *crunch* nas paredes da rocha, torturando-nos ainda mais. Estávamos como cachorrinhos sedentos, com feições de coitados, babando pela maçã. Eu fico imaginando o que passou na cabeça de Aron, tendo que lutar 127 horas para poder primeiramente sair do cânion, para então poder saciar sua sede. Em seu livro, ele conta que bebeu sua própria urina para poder se hidratar nesse período.

O Antelope Canyon pertence à tribo Navajo e é um cânion diferente, tipo ranhura, estreito e profundo (a parte mais profunda tem 37 metros e em largura, em alguns pontos, não chega a um metro). Foi escavado, não pela ação de um rio, mas pela chuva. Na época das monções – tempestades – a quantidade de água que é coletada pela bacia hidrográfica adentra pelo cânion e por esse possuir passagens estreitas, a água acelera de tal forma que lambe as paredes de arenito, erodindo e levando consigo muita areia. Com o tempo, a rapidez da água, ao passar pela garganta, alisa as saliências da rocha e escava seus corredores, tornando-os cada vez mais profundos. As paredes adquirem uma suave imagem de fluidez, assemelhando-se ao movimento de ondas. Aparecem também as diferentes camadas coloridas de areia ali depositadas durante milhões de anos.

As águas provenientes das grandes tempestades criam o que no Brasil chamamos de "trombas d'água" e podem ser perigosas para quem está caminhando no local. Uma vez pego lá dentro, normalmente não dá tempo de escapar. Em 1997, onze pessoas morreram.

O Grand Canyon é o resultado de uma combinação de eventos geológicos somados ao longo do tempo. Há dois bilhões de anos, quando se formaram as rochas ígneas (resultantes da consolidação do resfriamento do magma) e as metamórficas (resultados da transformação química e física da rocha por temperatura e pressão), foi criada a base do desfiladeiro interno. Em cima dessas rochas foram sendo depositadas diversas outras camadas, as rochas sedimentares. Entre 70 e 30 milhões de anos, ações de placas tectônicas levantaram a região, criando o Platô do Colorado. E, finalmente, há apenas seis ou cinco milhões de anos, praticamente ontem na história da Terra, o rio Colorado começou a abrir caminho entre as camadas de rochas, formando uma abertura de dimensões extravagantes: 446 quilômetros de comprimento, entre 16 e 29 quilômetros de largura e 1,6 quilômetro de profundidade. É, sem sombra de dúvida, um dos maiores espetáculos geológicos da Terra.

Pode-se conhecer o Grand Canyon pelo lado sul ou pelo norte. Por indicação de americanos que conhecemos nas visitas a outros parques, fomos pelo norte. Eles nos informaram que o sul recebe 90% dos 4,5 milhões de visitantes ao ano. Essa informação foi decisiva para nossa escolha.

Ao chegar à borda dessa imensa cicatriz geológica, não conseguimos esconder a emoção. "Mein Gott!", devo ter dito em alemão. Ficamos literalmente estarrecidos. O rio Colorado e seus afluentes realizaram um verdadeiro trabalho de artistas. Até parece que as rochas foram esculpidas por grandes formões e martelos. Diz o ditado: "água mole em pedra dura, tanto bate até que fura". Furou e furou valendo.

Nesse gigantesco espetáculo cênico formaram-se nas encostas morros, torres, platôs e catedrais que mais se parecem com montanhas que ficam abaixo da visão do observador. As linhas horizontais coloridas das rochas sedimentares representam quatro eras geológicas. Cada um dos mirantes, distantes entre si devido ao parque ser imenso, tem um panorama totalmente diferente. O Grand Canyon retrata exatamente a impressão que temos dos Estados Unidos – gigantesco, com paisagens grandiosas a perder de vista. Tivemos a felicidade de enxergá-lo também à noite em plena lua cheia.

Our first book in English

Ter nosso primeiro livro traduzido para o inglês nunca foi nosso objetivo. Houve conversas sobre o assunto, mas sempre defendemos a ideia de que o mercado brasileiro já era grande o suficiente e seria loucura investir para que o livro pudesse ser vendido em outros idiomas. Traduzir custa caro e é trabalhoso. Além disso, seria preciso considerar algo muito importante: se já é difícil distribuir livros no Brasil, como seria no exterior? A forma de pensar não mudou, mas ao deixarmos o Brasil e passarmos a encontrar pessoas que não falavam português, fomos persuadidos a encarar o desafio. Se a venda era nossa maior preocupação, argumentavam eles, então esse seria o momento certo, já que planejávamos passar oito meses em países que falam inglês. O empurrão para nossa decisão aconteceu quando calculamos que não seriam tantos livros assim que teríamos que vender para pagar o investimento. Outra coisa: o mercado de livros digitais, que se arrastava no Brasil, estava em alta nos EUA.

William Daniel Piazzetta e Neil Dallas foram os profissionais que nos auxiliaram com os trabalhos de tradução e revisão. Mas mesmo que ambos tenham realizado seu trabalho com qualidade, nós também tivemos uma boa fatia dessa responsabilidade, pois foi preciso ter certeza de que as ideias e conceitos se mantivessem. As estradas longas e monótonas do México e do sul dos EUA foram benéficas para este trabalho; enquanto um dirigia o outro revisava. Ler e reler o livro em inglês foi uma boa forma de praticar o idioma.

Em Phoenix, capital do Arizona, negociamos com duas empresas para cuidar desse assunto. Uma ficaria com a parte gráfica, empacotaria e postaria os livros vendidos, mantendo sempre um pequeno estoque; a outra ficaria encarregada das vendas, cobrança e pagamentos pela internet. Mas, é claro, "o grosso" das vendas ficou conosco. Como não existia uma prateleira física para a exposição, fizemos algumas ações: colamos adesivos nas laterais do Lobo com a foto do livro, o site e um código QR para acesso rápido de celulares. Também criamos um marcador de página que acabou virando um misto de cartão de visitas e material de divulgação. Onde íamos fazíamos a panfletagem. Amigos nos deram uma dica valiosa – colocar esses marcadores dentro dos livros de viagens e aventura que estavam nas prateleiras de livrarias, como a Barnes&Noble. Quando o comprador daquele livro eventualmente o lesse, toparia com nosso marcador em algum momento e isso poderia despertar-lhe interesse. Como desde a nossa entrada no país tomávamos nota dos e-mails de todas as pessoas que conhecíamos, assim que o livro ficou pronto pudemos avisar a todos.

Uma dificuldade, porém, se apresentou logo de início – o custo do serviço de postagem nos EUA é muito alto para despachos internacionais, até mesmo para o país vizinho, Canadá. Outro ponto negativo foi transportar o estoque dos livros impressos que decidimos manter conosco no carro. Chegamos a levar cinco caixas (120 cópias), o que fez um grande volume. O lugar que achamos para eles foi sob a mesa, onde antes colocávamos nossos pés de forma confortável. Assim, fomos viajando e vendendo livros. Ficávamos alegres quando efetivávamos uma venda e recebíamos em dólares. Um dia, enquanto tomávamos café e usávamos o wi-fi da Barnes&Noble, uma senhora que viu nosso carro e o adesivo na lateral nos procurou para comprar um livro. Quando saíamos da loja, outro casal veio também comprar, motivado pela propaganda que aquela senhora empolgada havia feito no estacionamento. Foi ótimo.

Passamos alguns dias em Phoenix com o propósito de resolver questões com a gráfica e fazer alguns reparos no carro, sendo que os mais importantes não deram certo. Lá ficamos acampados no pátio da casa de um amigo que conhecemos na Overland Expo, o Chad Manz. É um tipo muito bacana, amante de Land Rovers. Mas que a verdade seja dita: não foi uma boa ideia ter ficado na sua casa. Primeiro porque os cães do Chad gostavam de lamber óleo escorrido dos motores e o nosso carro apresentava muitos vazamentos (a boca pequena diz que um Land Rover só para de vazar óleo quando não há mais óleo para ser vazado). Segundo, porque fazia calor de 42ºC e era insuportável ficar dentro de um carro exposto ao sol, especialmente quando não há um centímetro quadrado de sombra ou vento para refrescar um pouco. As dependências da casa do Chad só nos foram oferecidas em alguns momentos especiais. Ficou nítido que a mulher dele não estava feliz com a nossa presença no seu quintal. Ela só falou conosco no dia da partida.

Preferia ter acampado na rua, pois a situação que geramos para o casal foi desagradável. Os americanos são diferentes de nós, brasileiros, no quesito hospitalidade. Numa das noites, o Chad nos levou a um jantar oferecido por um dos integrantes do clube Arizona Land Rover Owners - AZLRO. Depois de ter-nos apresentado a um ou dois, abandonou-nos, largados à própria sorte, em ambiente totalmente estranho.

Somente com alguns membros houve reciprocidade de aperto de mão. A Michelle ficava no ar quando partia para os tradicionais beijinhos no rosto, inclusive com as mulheres. Talvez nós, brasileiros, é que sejamos muito extrovertidos e achamos que o mundo todo deveria ser assim. Não é. Percebemos também que a relação pais e filhos nos EUA é carente de afeto. Muitas vezes nem se cumprimentam. A festa acabou cedo e, para variar, fomos os últimos a sair. Tomei várias cervejas, pois assim a conversa fluía melhor.

Essa história de cumprimentar nos rendeu alguns constrangimentos. Cada país tem a sua característica quanto à forma e o procedimento. Como agir nessa hora é sempre uma incógnita. Primeiro é preciso saber se é permitido o contato físico. Em alguns lugares da Ásia, como na Tailândia e Coréia do Sul, ele não acontece. E, pelo que nos parece, os americanos não gostam muito. Oh, dúvida cruel! E se houver contato físico? Devemos apertar a mão, abraçar ou beijar? O aperto de mão deve ser forte ou fraco? Demorado ou curto? O Roy usa a estratégia de retribuir com a mesma intensidade.

Muitas vezes, um aperto de mão pode soar como impessoal. Então, dependendo do caso, partíamos para o abraço e, se houver maior abertura, para os beijinhos. Mas quantos? Um, dois ou três? Por qual lado começar? Se errássemos o lado, corríamos o risco de beijar a boca de alguém – e aí o constrangimento seria maior. Isso aconteceu comigo. Não beijei a boca de uma mulher, mas passei de raspão.

Cumprimentar errado alguém do sexo oposto é vexame na certa. Nos países muçulmanos, mais ainda. Cometemos algumas gafes quando cruzamos o Oriente Médio na primeira volta ao mundo: o Roy estendeu a mão para cumprimentar uma muçulmana e ela o rejeitou e ficou toda sem jeito. Lá, o cumprimento não é apenas um sinal de boa educação e amabilidade, mas de abertura ao outro e pode soar como um flerte. Contato físico entre homens e mulheres desconhecidos no mundo muçulmano, jamais.

Na Rússia, os homens me abraçavam e me beijavam. No começo, eu ficava incomodada, mas depois percebi que para eles é normal e não há malícia nisso. Já no Paquistão eu nem mesmo era cumprimentada pelos homens, o que foi desagradável. Em outros países muçulmanos, eu nem cumprimentava e já era dissecada. Imagina se eu cumprimentasse... Pensariam que eu estava disponível para casamento.

Homens trocando beijinhos ao se cumprimentar soa estranho até para nós. Mas na Turquia é normal e o Roy não fugiu dessa experiência. Nesses locais é costume os homens andarem pelas ruas de mãos dadas. Não só o sexo das pessoas envolvidas e o grau de intimidade entre elas que interferem nas saudações. Cumprimentar demonstra respeito ao próximo. Na Índia, a pessoa deve curvar-se e tocar o pé dos mais velhos em reverência ao caminho que eles já percorreram. No Afeganistão, os quirguizes da região da Pequena Pamir diziam "Salaam Aleikum" (que a paz esteja com você) com a mão no coração.

No início da viagem, destreinados, nos portávamos como se estivéssemos ainda no Brasil. Demos muitas "bolas fora" e nessas horas tínhamos que ter jogo de cintura. A mão que ia cumprimentar e não encontrava a outra dançava pelo ar, passava pela cabeça e voltava para o bolso de onde não deveria ter saído; o beijo que saiu a mais no ar era seguido por um sorriso amarelo e logo iniciávamos um assunto para esquecer o mal-entendido. O difícil era puxar assunto quando não falávamos a mesma língua. No final, por sermos estrangeiros, éramos na maioria das vezes perdoados. Passamos a esperar primeiro a reação da outra pessoa, mas como bons brasileiros que gostam de um cumprimento caloroso, preferimos abraçar e beijar. Só não perguntem quantos beijos. Com o passar de tantos anos na estrada, nos adaptando a todos os tipos de cumprimentos, hoje sinto que nos tornamos um pouco mais frios.

Ao voltar da festa para o local onde estávamos acampados, fizemos uma parada na Universidade do Estado do Arizona a fim de visitar o Rob Woodward, amigo de Chad que havia nos ajudado com alguns contatos, informações e na mecânica do nosso carro. Rob é engenheiro e estava em seu turno monitorando o teste de um robô que seria lançado ao espaço para a coleta de amostras. Os testes eram em ambiente de temperatura negativa extrema e visavam saber se os equipamentos aguentariam. Bem que poderíamos ter falado ao Rob que levaríamos os equipamentos conosco para o Extremo Oriente Russo – assim os testes seriam mais baratos...

Destino Manifesto – para quem cara pálida?

Aqui vai um rápido apanhado de alguns acontecimentos dos séculos 18 e 19 nos EUA:

Em 1783, a Inglaterra reconheceu as treze colônias – os Estados Unidos da América – como independentes. Após a posse de George Washington, o primeiro presidente do país, os americanos voltaram a sonhar com o tão desejado oeste, que até então não lhes pertencia.

Em 1862, a Lei do Povoamento Americana – não indígena, nem mexicana – promoveu uma forte migração de colonos ao oeste do país, com a promessa de uma vida mais próspera. A política de governo para essa ocupação almejava o desenvolvimento da economia, o fortalecimento das indústrias, a expansão do mercado consumidor e a consequente efetivação do capitalismo. Na mesma época criou-se a política conhecida como Destino Manifesto – despertando um sentimento que influenciou a ideologia imperialista do país até os dias de hoje. Era uma doutrina que pregava ser o povo norte-americano predestinado a se impor sobre outros povos: indígenas, hispânicos e negros. Concretizava-se o sentimento de superioridade racial que permeia a filosofia dos Estados Unidos desde os seus primórdios e "legitimou" a invasão a terras mexicanas e indígenas. Segundo eles, dessa forma o expansionismo geopolítico norte-americano nada mais seria do que uma expressão da realização da vontade divina. Boa desculpa para apossar-se da terra dos outros. Isso se parece com uma história que já ouvi no Brasil e em outros países latinos – em nome de Deus não seria pecado matar, expropriar, tomar a terra e escravizar índios.

Em 1840, a relação dos EUA com o país vizinho, o México, já não era das mais cordiais, por causa da Revolução Texana. O Texas, até então território mexicano, foi ocupado "legalmente" por colonos americanos e, mais tarde, esses ocupantes se rebelaram e tornaram o Texas independente. Após essa libertação, o território foi incorporado aos EUA.

Em 1845, o então presidente James Knox Polk, motivado pelo Destino Manifesto, interessou-se pela Alta Califórnia e ofereceu ao seu proprietário, o México, 25 milhões de dólares. A oferta foi recusada e em 1846 o México, temendo uma invasão americana, declarou guerra defensiva aos EUA e as hostilidades duraram até 1848. Com as tropas americanas chegando à capital mexicana, o governo deste país reconheceu a derrota e assinou o Tratado Guadalupe-Hidalgo, cedendo quase 40% do seu território aos EUA. Faziam parte do México os seguintes atuais estados americanos: Califórnia, Nevada e Utah e parte dos estados do Arizona, Novo México, Colorado e Wyoming. Na verdade, o México, por um longo período, foi vítima do interesse estadunidense de expansão. Lázaro Cárdenas del Río, presidente mexicano entre 1934 e 1940, tem uma frase que resume a "sorte" de seu país: "Pobre México, tão longe de Deus, tão próximo dos Estados Unidos".

Conta Andrea Wulf, no livro A Invenção da Natureza – a vida e as Descobertas de Alexander von Humboldt, uma curiosidade sobre esse episódio da história: quando esteve no Estados Unidos (1804), sem querer e por acreditar na generosidade científica e na livre troca de informações entre os pesquisadores, o sábio prussiano Alexander von Humboldt, que tivera permissão do governo espanhol para andar e fazer suas pesquisas em território mexicano, contou ao presidente americano Thomas Jefferson tudo o que sabia sobre a região – que era inacessível para os estrategistas políticos e militares dos Estados Unidos. Além de relatar ingenuamente o que sabia sobre a geologia, geografia, posição dos rios, das montanhas, dos povoados, mapas, estatísticas e até sobre a economia do México, deu a Thomas Jefferson uma cópia das suas detalhadas anotações. Este presente valioso e inusitado permitiu que os Estados Unidos se preparassem melhor para avançar em suas intenções sobre o território mexicano.

Hoje em dia é nítido o contraste entre os chamados países desenvolvidos e países em desenvolvimento na fronteira dos EUA e México. Para quem mora no lado mais pobre, a mais remota possibilidade de uma vida melhor do outro lado faz com que muitos se aventurem a atravessar essa linha divisória e, mesmo com patrulhamento extensivo e cercas, tentam essa travessia diariamente. Proteger uma fronteira com 3.145 quilômetros não é fácil, mesmo para um país como os EUA.

O problema da imigração não fica restrito só aos EUA: o México também passa por uma explosão demográfica, principalmente nos estados do norte do país. Emigrantes que saem de Honduras, Guatemala e Nicarágua com a intenção de entrar nos EUA, se não conseguem, aglomeram-se na região criando bolsões de pobreza e abandono, que crescem exponencialmente.

Essas pessoas, acampadas na região, supostamente estariam sem emprego e trabalhariam a qualquer custo, certo? Com essa questão em mente e aproveitando-se da situação, empresas estrangeiras, especialmente americanas, as chamadas maquiladoras, instalam suas unidades no lado mexicano das cidades fronteiriças. As empresas podem atravessar a fronteira, já os trabalhadores não. Para elas, é uma forma de importar mão de obra, mas não o próprio trabalhador. Muitos poderão alegar: "mas essas empresas estão gerando empregos". Sim, mas não o fazem pelo papel social com vistas a reduzir o desemprego. Estão é a procura de mão de obra barata, pois os salários pagos no México são irrisórios se comparados com os dos EUA. Também ficam livres da forte pressão dos sindicatos americanos e evitam as exigências severas sobre a proteção ao meio ambiente. No programa de maquiladores, as empresas não pagam taxas alfandegárias nem quando enviam insumos e peças semiacabadas, nem quando recebem o produto acabado. Este é só mais um exemplo do que acontece no mundo em relação à lei do mais forte.

Quando o desespero bateu em nossa porta

Sentimos no coração o drama dos imigrantes ilegais quando em um domingo, acampados na beira da estrada em terras indígenas no estado do Arizona, lá pelas 5h30 da madrugada, alguém bateu em nossa porta. Meio dormindo, espiei pela janela para ver quem era, pensando que poderia ser um indígena para dizer-nos que não podíamos acampar ali. Mas escutei em um inglês péssimo: "water, water" (água, água). Levantei num pulo e coloquei canecas para encher em nosso filtro de água. A Michelle ainda chamou minha atenção para eu pegar água da torneira normal, a qual encheria mais rápido, pois os dois cidadãos estavam nitidamente aflitos. Abri a porta, dei-lhes as canecas, beberam num instante e pediram mais.

Sem pensar muito, respondi-os em espanhol. Foi quando nossa comunicação melhorou. Pedi que trouxessem suas garrafas para que eu pudesse enchê-las e enquanto um foi buscar o outro nos explicou que estavam perdidos. Ao mencionar serem da Guatemala, confirmaram nossa suspeita – eram imigrantes ilegais. "Tuvimos miedo de que fuera un vehículo de la policía", ele falou em referência ao nosso carro, mas sua sede devia ser tanta, que arriscou bater em nossa porta. Estavam em cinco, mas apenas dois vieram conversar conosco. Esses pobres rapazes levaram 16 dias tentando cruzar a fronteira pelo Deserto de Sonora e já se passavam quatro dias que não comiam ou bebiam nada. "Los coyotes nos abandonaron". Detalhe: nos últimos dias, a temperatura no deserto passou de 42ºC. Aparentavam ter 20 anos e o desespero era evidente em seus rostos. Pediram por um telefone para chamar alguém em Phoenix, mas infelizmente nós não tínhamos o aparelho. Um deles me perguntou se Nova York estava longe. Puxa, que despreparo. Perguntaram então a direção de Phoenix e, por último, pediram-nos para levá-los até lá. Os coiotes, que os abandonaram, são os guias que trabalham para empresas ilegais americanas e mexicanas, que levam os imigrantes através do Deserto de Sonora. Seu preço é alto, em torno de cinco mil dólares, e na maioria das vezes, depois da linha da fronteira, ainda no deserto, abandonam seus clientes. É por isso que muitos imigrantes morrem antes mesmo de chegar a alguma cidade americana.

Os rapazes foram embora e a alegria do nosso domingo acabou naquele instante. Sentimos muito não poder ajudá-los mais e ter que deixá-los no meio do deserto. Fornecemos água, comida e até dinheiro, mas não os levamos a Phoenix, pois estaríamos cometendo um crime passível de prisão e deportação. Foi uma decisão difícil, mas depois na próxima cidade – Gila Bend –, onde fomos para nos abastecer de água, estacionou ao nosso lado uma viatura da patrulha de fronteira. Só fiquei imaginando se tivéssemos trazido os meninos conosco.

Com o tanque cheio d'água e obedientes à nossa consciência, voltamos os 19 quilômetros até o local onde estávamos acampados para ver se podíamos ajudá-los com mais água e comida, mas não os encontramos mais. Buzinamos, dirigimos por mais 15 quilômetros em direção a Phoenix, mas nada. Evidente que não os veríamos, pois eles estavam fugindo dos carros, com medo até da sombra. Percebemos que os rapazes eram pessoas do bem, que só queriam a oportunidade de trabalho, ganhar dinheiro, conquistar uma vida melhor, mas como quase todos os "ilegais", estavam despreparados. Nova York estava a quase quatro mil quilômetros do local onde os encontramos.

Razão versus emoção: ao negar transportá-los, agimos com a razão, mas que doeu, doeu; choramos e ficamos tristes o domingo inteiro. Mas voltamos à realidade logo depois ao andar pela estrada e ver que todo o território estava fortemente patrulhado. Vimos um casal ser pego pela polícia e num posto de controle nosso carro foi exaustivamente revistado. Acalmamos as nossas almas pois havíamos tomado a decisão certa.

Garota eu vou pra Califórnia, vou ser artista de cinema

A palavra Califórnia, segundo alguns historiadores, significa em espanhol "calor dos fornos", pois foi com essa sensação térmica que os primeiros exploradores foram recebidos quando chegaram à região. O estado ainda guarda fortes resquícios da influência hispânica, o que aparece de forma nítida nos nomes das cidades, nas comidas, nos costumes e no próprio idioma. O estado é mundialmente reconhecido pelo Vale do Silício, região nos arredores de San Francisco, de onde surgiram as grandes inovações tecnológicas atuais. A região também é centro difusor de vários esportes modernos e base de uma forte indústria aeronáutica. A partir da década de 1930, por seu clima ensolarado durante quase todo o ano e seus vastos cenários naturais, passou a disputar com Nova York a nascente indústria do cinema e, com o tempo, muitos produtores se transferiram para lá. Hollywood, um bairro de Los Angeles, começou a abrigar grandes estúdios e a difundir a cultura americana para o resto do mundo. Todos passaram a sonhar em ir para a Califórnia e ser artista de cinema, como diz a música do Lulu Santos.

O almejado estilo de vida californiano não condiz com a nossa vida de viajantes. Mas como passamos por lá, aproveitamos para visitar alguns amigos: a Suellen Silva Valente e Bruno Valente, em Chula Vista, ao sul de San Diego e o Avi Mizrahi e família, em Los Angeles. Nesta cidade deixamos nossos passaportes na embaixada do Canadá para tirar o visto necessário para entrar naquele país e, por 20 dias, corremos o risco de sermos pegos circulando sem documentos.

Há muita coisa para se ver em Los Angeles, mas algumas que visitamos eu gostaria de registrar: a primeira loja da rede McDonald's, que criou o sistema *fast-food* e mudou de forma radical a alimentação dos americanos e de quase todo o mundo; e a famosa placa de Hollywood, que por mais simples que seja, é símbolo marcante na vida de todos nós. Quem nunca assistiu a um filme feito em Hollywood que atire a primeira pedra. Também passeamos pelos bairros dos artistas e dos milionários, principalmente o de Beverly Hills.

Embevecidos, não prestamos atenção no marcador de combustível e quando nos aproximávamos do litoral nordeste de Los Angeles o carro parou – bem no meio do autopista, sem acostamento. Como havia combustível no tanque reserva, transferi-o rapidamente para o principal, mas precisei abrir o capô para sangrar o diesel. Nisso parou um carro da polícia para saber o que havia acontecido (lembrando que estávamos sem nossos passaportes). A nossa sorte foi que o Lobo chamou mais a atenção dos policiais do que nós. Eles ficaram tão fascinados com o carro que nem pediram os nossos documentos.

Passamos por Santa Bárbara, com sua arquitetura espanhola bem preservada, por Santa Maria, San Luis Obispo (reparem nos nomes espanhóis), mas foi após Morro Bay que surgiu a paisagem costeira mais charmosa da costa oeste – o Big Sur, que se situa nas Montanhas de Santa Lucia e se estende por 145 quilômetros até a cidade Carmel – que já teve um prefeito ilustre: o Clint Eastwood.

Por causa das inúmeras paradas que fizemos para apreciar a paisagem, levamos dois dias para percorrer esse curto percurso. Uma das atrações que mais nos fascinou foi no Parque Estadual Julia Pfeiffer Burns, onde está a cachoeira McWay Falls, com quase 25 metros de altura, que deságua diretamente na praia. Com a maré alta, a água doce cai diretamente no mar. Não há muitos lugares no mundo onde um rio encontra o mar dessa forma tão majestosa.

Pela longa estrada da vida

Os EUA é o país dos veículos RV's – Recreational Vehicle: motorhomes, campervans, trailers ou outros que incluem em si um lugar para se viver. Existem lojas especializadas nestes tipos de veículos por todo o país, com modelos de todos os tamanhos e para todos os gostos e orçamentos, assim como variados tipos de acessórios e equipamentos.

Mesmo com tanta oferta de veículos desse tipo, o nosso Lobo chamava a atenção dos americanos. Alguns chegavam a nos parar na estrada para ver o carro de perto e ficavam fascinados. Creio que seja porque quase não existem carros da marca Land Rover nos EUA e a maioria dos motorhomes de lá não possuem a característica off-road.

Uma percepção de nossas andanças pelo mundo é que as pessoas sonham com aquilo o que está ao seu alcance e que, com um pouco de coragem, podem tornar realidade. Isto é, o sonho costuma estar ao alcance do bolso. Por exemplo, ninguém da Etiópia ou do Congo nos parava para ver nosso carro. Nesses lugares, ele passava despercebido. Nos EUA e em países europeus, como Alemanha, Holanda e Inglaterra, onde viajar em motorhome faz parte da cultura e um carro como o nosso caberia no bolso de muitos, o impacto que ele deixava era muito maior.

É ótimo viajar pelos EUA em um motorhome, pois da forma tradicional teríamos despesas altas com acomodações e alimentação. O problema é que naquele país, normalmente, não se pode parar em qualquer lugar para pernoitar: é preciso ficar em campings. Mas se tivéssemos que gastar entre 25 e 40 dólares todas as noites, durante os oito meses em que ficamos lá, nossas economias acabariam. Anos de estrada nos ensinaram como nos esquivar desse custo: estacionávamos nos pátios dos supermercados Walmart e cassinos e, nesses lugares, além de estarmos de forma legal, podíamos utilizar os banheiros, wi-fi gratuito, segurança e, se precisássemos comprar algo, na loja havia de tudo.

Levávamos uma vida na estrada e as mesmas necessidades que tínhamos em casa tínhamos viajando. A vantagem de se viajar com o próprio carro é que ao invés de alugar um em cada país ou de se hospedar em pousadas ou hotéis, temos o nosso cantinho, com as coisas organizadas do nosso jeito onde quer que estejamos. Tudo muito prático. A diferença é que o entorno muda a cada instante. Para nós a padaria nunca ficava na mesma esquina e cada vez que cruzávamos uma fronteira tínhamos que aprender tudo de novo: idioma, moeda, preços, comidas e costumes. Quando nos acostumávamos com um país, logo chegava a hora de partir e assim a vida, durante esses anos, foi um constante aprendizado. Quando cansávamos e queríamos privacidade, voltávamos para o Lobo da Estrada, que estava estacionado em algum lugar nos esperando, transportando dentro dele o nosso mundo.

A bancada da cozinha fica logo atrás do banco do motorista. Nela temos uma pia e duas torneiras – uma com água que vinha direto do reservatório e uma para a água potável, filtrada por um sistema de filtros Acqualive de quatro estágios, que além de reter as impurezas, como sedimentos, substâncias químicas, orgânicas, bactérias e cloro, deixa a água antioxidante, ionizada e rica em magnésio e outros minerais.

Todos os dias usávamos muita água. Precisávamos dela para beber, cozinhar, lavar louça, roupa, fazer a higiene pessoal e para a limpeza geral do carro. Como não tínhamos água encanada, de três em três dias precisávamos abastecer as duas caixas d'água de inox, que juntas comportam 80 litros. Na maior parte das vezes fazíamos isso em torneiras de postos de combustível, mas também abastecíamos em rios, lagos, poços comunitários ou na casa de locais. Ter duas caixas d'água separadas foi uma boa ideia, pois quando uma esgotava soava uma espécie de alerta para economizar e reabastecer na primeira oportunidade. A água era bombeada das caixas até as torneiras por uma bomba 12V.

Ter água saindo das torneiras não significava que podíamos esbanjar. Tínhamos que ser econômicos. Chegamos a desenvolver técnicas para economizá-la. Lembro-me de um dia quando um amigo que nos visitava se ofereceu para lavar a louça e deixei. Que arrependimento. Eu estava tendo um treco vendo ele lavando a louça com a torneira aberta o tempo todo. Não falei nada, pois não quis desmerecer a sua iniciativa e porque sabia que estávamos próximos a um local com infraestrutura.

O chuveiro fica logo na porta de entrada. Penduramos ali uma cortina de plástico, dessas normais de box, para evitar espirrar água no resto da casa. A água é aquecida por uma serpentina conectada ao sistema de arrefecimento do motor – equipamento adquirido na Austrália em nossa primeira volta ao mundo. O Roy nunca foi muito fã desse chuveiro. Achava que ele não era econômico, já que tínhamos que despender muita água para acertar a temperatura da água. Quando a serpentina quebrou, por termos esquecido de esgotar a água antes de enfrentar o rigoroso inverno russo, passamos a tomar banho de caneca. Foi uma solução muito econômica: nossos banhos gastavam apenas 2,5 litros por pessoa, aquecidos em uma panela. Dessa forma também aquecíamos um pouco o interior do carro nos dias frios. No Brasil, uma pessoa gasta em média até 135 litros de água para tomar um único banho de chuveiro, segundo dados da Sabesp.

Um jogava água no outro. Geralmente, o Roy era o primeiro e eu ia depois (mulheres gastam mais tempo para se arrumar pós-banho). Com essa pequena quantidade de água eu lavava também o cabelo, com direito a xampu e condicionador. Para isso havia uma sequência certa para se lavar: começava pelo cabelo e a água que escorria já servia para molhar o corpo. Não podíamos nos distrair. Às vezes conversávamos durante o banho e aí era fatal: faltava água para o enxágue. O aquecedor interno se tornou o meu secador de cabelos no inverno. Eu me agachava na frente da saída de ar próxima ao chão e aproveitava o ar quente que aquecia o ambiente.

Embaixo da pia fica a geladeira Waeco de 50 litros, companheira desde a primeira expedição. Ela foi um dos melhores itens que adquirimos e apesar de já estar desgastada após quase dez anos de uso – tampa quebrada e borrachas que não vedam mais com eficiência –, ainda funciona razoavelmente bem. Na extremidade esquerda da bancada apoiamos um fogão Coleman de duas bocas que funciona a gasolina. Gostamos dele pela praticidade do combustível e por ser móvel, pois podíamos levá-lo para cozinhar fora do carro. Usamos o mesmo modelo de fogão nas duas voltas ao mundo. O primeiro, depois de três anos de uso, foi para o lixo – não por ser ruim, mas por ser um fogão de camping, ideal para uso esporádico, e nós o usamos todos os dias, três vezes ao dia ou mais, por mais de mil dias. Nenhum fogão de camping aguentaria melhor esse tranco.

Uma exigência de segurança da empresa desse fogão é não o usar em ambientes internos, mas nós o fazíamos, deixando sempre a janela aberta para não termos risco de respirar o monóxido de carbono (CO). Para maior segurança, fomos presenteados por um americano com um alarme que apita estridentemente quando os níveis desse gás ficam elevados.

Quando o fogão estava guardado, tínhamos uma bancada ampla. Nas duas gavetas abaixo ficam os talheres, copos, canecas, temperos, panelas e todos os demais utensílios de cozinha – tudo bem organizado por se-

paradores, para que não ficassem batendo ou trocassem de lugar com o movimento do carro.

No armário do lado oposto da pia, guardamos, no lado esquerdo, os utensílios de cama, higiene pessoal e o banheiro portátil; no lado direito armazenamos grande parte da comida, o fogão, o forno de camping e o ventilador, além de uma pequena biblioteca e outros equipamentos.

O banheiro portátil era usado somente para número um. Essa foi uma escolha para evitar mau cheiro dentro do carro. Quando precisávamos fazer xixi, tirávamos o banheiro do armário e o colocávamos no corredor sobre um plástico para ele não ter contato direto com o tapete.

Ele possui um reservatório de água limpa para descarga na parte superior e um reservatório de dejetos na parte inferior que, quando cheio, pode ser desconectado para despejar o conteúdo num vaso sanitário normal ou em um lugar próprio para tal. Durante a viagem, aprendemos com outros viajantes que ao invés de usar água com produtos químicos na descarga, deveríamos borrifar apenas vinagre no vaso para matar os germes e não deixar cheiro. E o mais prático: podíamos despejar na natureza, já que era apenas água, xixi e vinagre, sem nenhum poluente químico. Isso foi uma mão na roda nos lugares inóspitos, onde jamais encontraríamos infraestrutura para esvaziá-lo.

O número dois era mais complicado e tínhamos que usar a infraestrutura externa ou da natureza mesmo. Tivemos muitos momentos de aperto. A primeira vez que isso me aconteceu foi em Sucre, na Bolívia. Estávamos acampados numa praça da cidade e usávamos todos os dias de manhã o banheiro de um shopping center nas proximidades. O que não contávamos é que no domingo de eleições presidenciais todos os estabelecimentos comerciais estariam fechados, incluindo o shopping. E para piorar, os carros eram proibidos de circular pela cidade. Na hora do sufoco, sem saber para onde correr, apelei para uma sacolinha. Pedi para o Roy sair de casa, forrei o banheiro portátil com uma sacola plástica e usei o banheiro como de costume. Fechei a sacola e a despejei no lixo. Essa solução de emergência foi adotada algumas vezes durante a viagem, por mim e pelo Roy. Ela nos deu uma lição de como as necessidades básicas são importantes e o que nos sujeitamos para supri-las. Um exemplo disso testemunhamos no Uzbequistão, quando vimos um senhor fazendo suas necessidades numa calçada no centro da cidade e em plena luz do dia. Ele deve ter passado um apuro e, sem ter para onde ir, abaixou as calças e mandou ver ali mesmo. Ficamos chocados com a cena, mas acabamos compreendendo, pois já tínhamos passado por apuros desse tipo.

Enfrentamos todos os tipos imagináveis e inimagináveis de banheiros.

Os banheiros públicos em muitas cidades do terceiro mundo são quase inexistentes e, quando existem, muitas vezes estão fechados. Domingo, dia de maior movimento nas praças, é certo que o banheiro não está funcionando. Achei o máximo quando vi uma mulher indiana ter se recusado a usar um banheiro público num parque nacional dos Estados Unidos por tê-lo achado sujo. Eu tinha achado aquele banheiro bem aceitável. Se ela lembrasse como costumam ser os banheiros da Índia, mudaria rapidamente de opinião. Minha preferência sempre foi a natureza: limpa e, como dizia um alemão que conhecemos, às vezes com uma vista espetacular.

Na parte de trás do motorhome fica a cama e a mesa de refeições, mas não podemos usá-las simultaneamente, ou seja, ora é cama, ora é mesa. Para montar a cama, temos que tirar o tampo da mesa de um pé metálico e apoiá-lo sobre o vão entre os bancos. Os colchões de encosto passam a ficar entre os colchões de assento e, assim, quando colocamos o lençol, travesseiros e a coberta, temos uma cama confortável de 1,91 metro comprimento por 1,40 metro de largura.

Para evitar brigas, havia algumas regras a serem seguidas como a de que cada um tinha que montar a cama num dia. O problema é que essa regra não evitava totalmente as discussões, pois às vezes esquecíamos quem tinha montado a última vez. Sempre ficávamos nos enrolando para esperar o outro tomar a iniciativa. Organizar a cama de manhã geralmente era a função de quem levantava por último (ou seja, minha). Normalmente estávamos somente nós dois, mas no banco ao redor da mesa montada tínhamos lugar para cinco pessoas sentarem confortavelmente. Ali ficava também o nosso escritório e sala de estar, onde podíamos tirar um cochilo no banco depois do almoço, um de cada lado. Ou melhor, cada um no seu lado. O meu era o da janela.

Embaixo dos bancos, em baús, guardávamos as coisas mais pesadas e volumosas: ferramentas e peças sobressalentes para a manutenção do carro (que também podiam ser acessadas diretamente de fora por uma portinhola), barraca, sacos de dormir, mochilas para caminhadas, baldes e utensílios de lavanderia, estoque extra de comida, sapatos e equipamentos de voo (parapentes, seletes, kit reparos, etc.).

O teto do motorhome pode ser elevado em ângulo com a abertura para a frente. Geralmente o abríamos para refrescarmo-nos em dias de muito calor. Como o ar quente sobe, era perceptível o quanto o interior do carro arejava quando abrimos o teto. Ao redor dele, por dentro, fizemos armários de tecido para serem mais leves. Ali guardávamos as roupas e, em cima da bancada da cozinha, as comidas mais leves. Para seguir viagem tínhamos que fechar o teto.

Os espaços internos são multifuncionais. A cama dá lugar à mesa de refeições, que também funciona como escritório ou sala de jogos. O corredor era onde o Roy fazia exercícios; a área de entrada é também o box do chuveiro. Não tínhamos a mordomia de deixar o carro desorganizado. Em um espaço multifuncional, tudo precisa estar em seu devido lugar e para isso uma boa organização é imprescindível.

Outra regra: cozinhou, lavou. Não tínhamos o luxo de deixar a louça para ser lavada depois, mesmo quando estávamos parados por dias num mesmo lugar. O difícil era à noite, quando estávamos cansados.

Uma das maiores virtudes de um viajante é carregar pouco material. Apesar do nosso desapego, infelizmente ainda não conseguimos nos tornar experts em não acumular objetos, especialmente em uma viagem tão longa e com tanta coisa para levar como recordação. Além disso, nesta segunda viagem precisamos carregar equipamentos específicos para enfrentar o inverno russo e depois de usados foram carregados pelo resto da viagem. Alguns, bastante volumosos, não cabiam nos armários, ficando sobre a cama enquanto dirigíamos. Ao pararmos à noite, iam para os bancos da cabine. Só nos dávamos conta do tanto que carregávamos nos dias de faxina geral.

O Lobo é branco e quando o lavávamos chamava muito a atenção, por isso preferíamos deixá-lo sujo; assim passávamos mais despercebidos. É o tal do mimetismo – confundir-se com o meio ambiente. Porém, por dentro, espaço da minha responsabilidade, eu fazia questão de tirar a poeira dos móveis e varrer o chão todos os dias. Uma passagem para cabos do interior para o exterior não ficou bem vedada e por ela entrava muita poeira. Ganhou o apelido de "buraco negro", pois era um canto de difícil acesso e quase impossível de ser limpo.

A limpeza pesada acontecia em dias de sol, quando podíamos levar tudo para fora e estender o varal. Lavar roupa, somente quando tínhamos água disponível fora do carro – e isso acontecia em campings, casa de amigos, lavanderias ou até em rios. Por diversas vezes, as roupas não secaram no tempo que estávamos parados, então tínhamos que estendê-las dentro do carro. Trabalho que nos lembrava da música: "Lava roupa todo dia, que agonia. Na quebrada da soleira, que chovia. Até sonhar de madrugada, uma moça sem mancada. Uma mulher não deve vacilar".

Outra regra, essa bem rígida, foi de não entrarmos em casa de sapatos. Até o tapete de entrada, que ficava sobre o deck do chuveiro, era permitido; mas dali em diante, somente de meias ou descalços. Na maioria das culturas asiáticas esse costume é sagrado, pois os sapatos, vindos da rua, são considerados sujos e trazem as impurezas e más energias.

Prezar pela limpeza de um espaço pequeno o torna mais habitável.

Porém nem todos os visitantes respeitavam. Para algumas pessoas, especialmente as mais velhas, ficávamos sem jeito de pedir para tirar os sapatos; já com outros falávamos "na cara dura"; e para os mais cerimoniosos dávamos o exemplo, entrando no carro primeiro e tirando os nossos sapatos para eles perceberem. Isso também fazíamos com os oficiais de aduana quando vinham inspecionar nosso carro. Muitos tinham coturnos pesados, aqueles amarrados com longos cadarços. Alguns não davam bola e entravam com seus sapatos sobre o tapete; outros respeitavam a regra.

Se nossa casa sobre rodas era pequena, não podemos falar o mesmo do nosso jardim. Na lateral do carro tínhamos um toldo da marca Sumatra para nos proteger da chuva e do sol forte e embaixo dele montávamos uma mesa com duas cadeiras. Ali podíamos também cozinhar e fazer as refeições, apreciando a natureza. Outras vezes levamos para fora somente o tapete de retalhos adquirido no Egito, onde fazíamos piqueniques, tirávamos sonecas ou apreciávamos as estrelas. Tínhamos o mundo como quintal.

E assim de quilômetro em quilômetro nossa casinha rodou o planeta e dentro dela, nós.

Certa manhã, quente e seca, em um deserto no estado de Nevada, saí apurado, só de cueca e chinelos, à procura de uma touceira que me servisse de banheiro. Agachei-me e, naquela situação difícil de reagir, fiquei frente a frente com uma enorme cascavel. Eu não a tinha visto num primeiro momento, pois sua cor marrom deixou-a camuflada. Ela me olhava e eu a olhava; eu arrepiado até a espinha. Possivelmente era do gênero cascavel ocidental de Diamondbacks. Tomado de pânico ouvi seu guiso estridente e depois ela rastejou devagar para o lado, sem perder o contato visual comigo. Creio que se assustou ao me ver só de cueca no meio do deserto. Essa é uma das cobras mais perigosas dos EUA. Seu veneno é letal caso a vítima não seja atendida rapidamente. Se eu fosse picado, com certeza iria dar muito trabalho para a Michelle.

Em um Walmart em Whitehorse, no Canadá, esqueci de puxar o freio de mão e engatar a marcha. Enquanto a Michelle cozinhava no motorhome, o carro começou a andar sozinho pelo estacionamento. Muitas vezes na viagem eu sonhei que o carro estava descendo por uma ladeira ou barranco: meio sonâmbulo, eu pulava da cama para a cabine, tirava os isolantes da janela e puxava o freio de mão mais forte do que já estava puxado. Dessa vez a cena foi real. Corri para frente (não em estado de sonambulismo) tirei os isolantes e puxei os freios antes de batermos em outro carro. Ufa, foi por pouco!

Mudança de planos

Nosso plano de viagem estava soando meio esquisito: tínhamos idealizado ir rumo ao norte até San Francisco e depois desceríamos para os parques nacionais Sequoia e Yosemite. De lá seguiríamos mais ao sul até o Vale da Morte e Las Vegas e, então, subiríamos para Salt Lake City. Mas pelo nosso planejamento inicial nós já deveríamos estar entrando no Alasca. Era muita quilometragem para tão pouco tempo. Cortes deveriam ser feitos. Critério: afinidades.

– Cidades ou natureza, Michelle?

– Well, deixe-me pensar – natureza.

– Resolvido. Bora ver as sequoias.

Tocamos direto para o parque das sequoias e depois para o Yosemite – dois parques nacionais onde a natureza exagerou na exuberância. As sequoias encontram-se ao oeste das montanhas da Serra Nevada, a cerca de dois mil metros de altitude. Quando entramos no território, lentamente, mas de forma bem visível, elas foram aparecendo por todos os lados. Logo estávamos cercados dessas gigantes. Descemos do carro e começamos a correr como crianças na hora do recreio, pois queríamos tocá-las, senti-las e abraçá-las. Nem uma multidão conseguiria abraçar todas as árvores do parque, tal a quantidade de sequoias. Isso me faz lembrar de certas histórias das serrarias em nossa região – norte de Santa Catarina e sul do Paraná –, que no início do século passado o dono dava a seguinte instrução aos seus serradores: "Não me tragam pinheiro com menos de cinco braçadas. Cinco braçadas para mim é palito".

No início desse capítulo escrevemos sobre a Árvore de Tule, localizada no México, considerada a maior árvore do mundo em se tratando da espessura do tronco. Também na Califórnia existem as árvores mais antigas (pinheiros com 4,7 mil anos); e as mais altas, como as redwoods, que chegam aos 112 metros. Mas as maiores em volume são as sequoias. A maior de todas, chamada carinhosamente de General Sherman, tem 1.470 metros cúbicos de volume e pesa 1,4 mil toneladas. Isso corresponde a 233 elefantes da savana adultos. Se estendida em um campo de futebol, sua altura, que chega a 94 metros, estender-se-ia de trave a trave.

É uma árvore linda, de casca avermelhada, e quando a tocávamos sentíamos que era porosa. Aprendemos que essa característica as protege das queimadas, pois a casca age como isolante térmico natural. Ouvimos dizer também que o fogo é um aliado desta espécie, ajudando na renovação da floresta e na sobrevivência das árvores. O fogo abre espaço para o sol penetrar na floresta, mata insetos e fungos, quebra a dormência de algumas sementes e aduba o solo com os minerais presentes nas cinzas. Por mais que isso possa parecer um ato ignorante, os guarda-parques, quando um incêndio não ocorre de forma natural, ateiam fogo de forma controlada a fim de energizar a floresta. Felizmente o governo americano enxergou a possibilidade da extinção da sequoia em tempo e em 1890 foi criado este parque nacional para protegê-las.

"Por que as pessoas escalam paredes? ". "Porque somos insanos. Não pode haver outra razão". Com esse diálogo inicia-se o longa-metragem Valley Uprising, de Sender Films. Então o outro diz: "a beleza da escalada para mim é você não precisar justificar por que escala. Não é necessário que seja algo útil". Um terceiro comenta: "Se você é um escalador e dedica sua vida a buscar a gravidade, deve ir até o Yosemite." Uma só pergunta e diferentes formas de dar a mesma resposta: assim que o documentário conta a história das escaladas no Parque Nacional Yosemite. Escaladores ilustres, como Royal Robbins, Lynn Hill, John Bachar, Tommy Caldwell e Alex Honnold, contam as mudanças das técnicas e os melhoramentos dos equipamentos entre as décadas de 50 e os dias atuais.

O filme mostra as disputas pessoais, a onda da contracultura americana que abandonava o materialismo e saía em busca do perigo e da adrenalina, o avanço das técnicas de escalada e as diferentes maneiras usadas para fugir das regras e dos guardas-parque. Regras e controles de visitação a cada ano iam ficando cada vez mais rígidos, pois a popularização do turismo no Yosemite passou a tornar a presença humana cada vez mais intensa. A arte da escalada foi ultrapassando os limites da imaginação, da adrenalina e dos perigos, até que, como forma de descerem dos abismos escalados, muitos passaram a saltar de *basejump*.

O filme é ótimo e foi pena não termos assistido antes da visita ao Yosemite. Se tivéssemos, com certeza teríamos ficado mais impressionados ao saber que aqueles paredões já haviam sido vencidos pelo homem. Nosso contato com a escalada foi irrisório: nos quatro dias que estivemos no parque, em duas manhãs vimos escaladores feito aranhas na parede vertical do El Capitan – a montanha lendária que consagrou o Yosemite como a "meca da escalada" no mundo. De tão grande e alta que é a parede, só podíamos vê-los com binóculos.

O Yosemite localiza-se da Serra Nevada e protege mais de três mil quilômetros quadrados de natureza. Para se ter uma ideia do quão acidentado é o território, sua elevação varia entre 600 e 4 mil metros de altitude. O processo da criação do cânion ali existente aconteceu há 10 milhões de anos, quando a região sofreu movimentações tectônicas. Posteriormente, há um milhão de anos, um glaciar esculpiu o vale em forma de "U", formando uma paisagem vista por mais de três milhões de pessoas todos os anos.

Como a Michelle e eu adoramos caminhar, a quantidade e a qualidade das trilhas fizeram desse parque um dos nossos preferidos. Como nem todos turistas têm disposição para o esforço físico, conseguíamos fugir das massas fazendo caminhadas mais longas. Ao lado do paredão El Capitan despenca a cachoeira mais alta da América do Norte, com 739 metros de altura. Por uma trilha íngreme, nós a subimos, chegando ao Yosemite Point, de onde pudemos ver o vale a 926 metros abaixo. Fomos a outros mirantes, como o Glaciar Point, e chegamos perto das cachoeiras Vernal e Nevada.

Erguendo-se a 1.444 metros acima do vale do Yosemite e a 2.695 metros acima do nível do mar, o Half Dome é o ícone do parque. Destaca-se pela beleza e por elevar-se acima das outras montanhas. Em uma de suas faces o granito se quebrou criando uma parede vertical – o que explica seu nome, que quer dizer "meia cúpula". É o lugar mais fotografado do parque e um desafio para quem quer alcançar seu cume. Foi considerado por décadas como impossível de se escalar: "nunca foi e nunca será pisada por pé humano", chegou a afirmar o geólogo Josiah Whitney. O declive quase vertical da vertente noroeste e o declive de 45º da face oriental dificultavam a façanha. Mas bastou Whitney expressar que a montanha jamais seria escalada, que um ferreiro chamado George G. Anderson a escalou em 12 de outubro de 1875. Ele foi instalando grampos de metal nas fendas das rochas e, com o auxílio de cordas, alcançou o topo.

Por ser o lugar mais incrível de todos, para subi-lo pelo caminho menos difícil – a rota do cabo – havia uma concorrência acirrada. Era preciso se inscrever numa espécie de loteria e torcer para ser sorteado. Nem nos candidatamos. Desejávamos muito fazer o percurso, mas achamos justo o controle, pois sem ele seria difícil preservar a montanha. As multas para quem tenta escalar sem permissão chegam aos cinco mil dólares ou prisão de seis meses. De uma forma ou de outra, o Parque Nacional Yosemite nos instigou um novo sonho – quem sabe um dia experimentamos o esporte da escalada.

A ida até Salt Lake City foi pela rodovia 50, mais conhecida como The Loneliest Road (estrada mais solitária). Ela cruza o estado de Nevada de oeste a leste. O nome decorre das grandes áreas desoladas a serem atravessadas na rota e, portanto, com poucos sinais de civilização. As remotas cidades que se encontram pelo caminho são do tempo da mineração e se destacam pelas construções em estilo faroeste. Cassinos e casas noturnas são atividades legais nesse estado.

Fogo! Fogo! Fogo!

Passava do meio dia quando a Michelle pediu para pararmos e prepararmos algo para comer. Como estávamos numa subida, falei que pararia assim que chegasse no topo, para que o Lobo não perdesse o embalo. Fazia um calor forte e a temperatura do motor insistia em se manter elevada. E no meio dessa subida, um susto enorme: de repente um cheiro de plástico queimado invadiu a cabine. Nos entreolhamos e em um segundo já estávamos estacionados. Saímos do carro rapidamente e quando abri o capô vimos levantar fortes labaredas. "Só faltava essa!", pensei e gritei para a Michelle pegar o extintor. E a gente acredita que nunca vai precisar dele. Bendita hora que resolvemos colocá-lo em lugar estratégico, acessível tanto pela cabine, quanto pelo motorhome, o que facilitou na hora de apanhá-lo. Dei uma esguichada, creio que de meia carga, e o fogo apagou na hora, deixando o motor coberto pelo branco do pó químico. Corri e desliguei a chave geral a fim de interromper qualquer curto-circuito.

Uau! Que susto! Fogo em nosso carro era uma coisa que jamais pensei que aconteceria. Foi um alívio verificar que nada de importante havia queimado: apenas as mangueiras e os cabos elétricos. O incêndio se originou no cabo do alternador que, ao passar próximo ao bloco do motor, roçou e desgastou sua capa protetora. Isto é, o cabo positivo encostou-se no bloco do motor – o terra –, criando um curto-circuito que, ao encontrar o óleo esparramado pelo motor, iniciou o fogo. No momento em que abri o capô dei espaço para mais oxigênio adentrar, o que enriqueceu a propagação das chamas.

Mais calmos, consideramos que o melhor a fazer seria ficar por ali mesmo e preparar uma gostosa salada de macarrão. Enquanto a Michelle foi cuidar disso, eu tratei de consertar o carro: fazer uma ligação direta na bomba injetora e remendar a mangueira do LDA, aquela que traz a pressão vinda do turbo para a bomba. Para esse conserto usei uma fita chamada *extreme tape*, que ganhei do Rob, o engenheiro de Phoenix. Ele me falou que aquela fita poderia salvar nossa pele – e salvou mesmo. É uma fita emborrachada e elástica, 100% impermeável e foi capaz de conter a pressão que passava pela mangueira. Até brinquei com a Michelle: "esse remendo deve aguentar até o Brasil".

Essa não foi a única vez que tivemos um curto-circuito no carro. Um ano mais tarde, quando acampávamos nas estepes da Mongólia, tomamos mais um susto. O acidente aconteceu porque as peças de borracha e plástico haviam ressecado após o rigoroso inverno russo e se quebravam com facilidade. Na caixa onde fica a bateria há um anel de borracha que protege o cabo de força, amortecendo e isolando-o onde atravessa a lataria. Esse anel partiu e fez com que aquele mesmo cabo, que um dia encostou no bloco do motor, também encostasse na lataria, causando outro início de fogo. O curioso foi que estávamos caminhando longe do carro por um bom tempo e só no momento em que entramos na cabine e ascendemos a luz é que começamos a sentir o cheiro de queimado e perceber a fumaça.

Já estava na hora de parar para fazer uma manutenção geral no Lobo, afinal de contas era com essa máquina que iríamos viajar por mais dois anos e de forma ininterrupta. Antes do acidente com o fogo já haviam acontecido muitos outros imprevistos, sendo que alguns iniciaram no Brasil, com o superaquecimento do motor, quando tivemos que trocar a bomba d'água em Campo Grande. Depois, quando cruzamos as áreas alagadas do Pantanal, veio aquele ruído que poderia ser oriundo da caixa de transferência ou do diferencial traseiro – não tínhamos certeza. Na Bolívia começou um barulho estranho no motor, e esse soava como um trator Tobata de um cilindro. Diagnosticamos em Santa Cruz de la Sierra que o eixo do balanceiro havia quebrado: os prisioneiros (parafusos com roscas dos dois lados) haviam se desprendido do cabeçote. O conserto foi simples, mas a solução durou pouco. Os prisioneiros haviam se soltado pela primeira vez porque as roscas no cabeçote (de alumínio) espanaram. Os mecânicos de Santa Cruz ignoraram a causa e apenas aparafusaram um novo eixo nas roscas espanadas. Dias mais tarde, não deu outra: o eixo voltou a quebrar no pior lugar para acontecer isso – nas montanhas do altiplano boliviano, longe da civilização e de qualquer infraestrutura mínima para o conserto. Quanto àquele ruído na caixa ou no diferencial, o assunto voltou à tona em Santa Cruz de la Sierra. O mecânico, depois de testar o carro, disse que se seguíssemos em frente o risco seria grande. Então, para encurtar o relato dos cinco dias em que passamos acampados na mecânica, trocamos todos os rolamentos do diferencial traseiro e todos os rolamentos da caixa de transferência, mas o problema persistiu. Em Cochabamba (Bolívia) fizemos mais uma manutenção nos prisioneiros, aprofundando o furo no cabeçote.

No Peru, a caixa de transferência, da qual trocamos os rolamentos em Santa Cruz de la Sierra, encavalou, ou melhor, travou e não conseguíamos mais engatar a reduzida. E para piorar a situação, não existiam mecânicas, nem peças sobressalentes Land Rovers no país. A marca não é popular por lá. Tivemos a sorte de encontrar um mecânico experiente com a marca Toyota, que abriu a caixa e detectou o encavalamento – o anel separador de uma das engrenagens se desgastou e fez uma se encostar na outra. O estrago aconteceu porque o mecânico de Santa Cruz fez um aperto com torque além da conta. A solução encontrada foi inverter a engrenagem que possuía os anéis separadores dos dois lados e, dessa forma, a caixa de transferência aguentou até o Brasil.

Na Colômbia, consertamos o freio, uma folga na direção, o sensor de nível do tanque, a chave de luz e outras *cositas más*. No Panamá foi a mangueira da direção hidráulica que partiu. No México, os prisioneiros do eixo balanceiro se soltaram novamente. Dessa vez nem recorremos a uma mecânica, fomos direto a um torneiro, que perfurou o cabeçote para a colocação de buchas de ferro com roscas para os prisioneiros. A tornearia ficava exatamente entre duas casas noturnas: a Bad Girls e a Pecados. Como o carro não ficou pronto no mesmo dia, passamos a noite por lá mesmo. E, por último, o motor pegou fogo nos EUA. A Michelle me olhava cada vez que um barulho diferente aparecia – estava ficando traumatizada. Estávamos fazendo um tour pelas mecânicas dos países e quando um ruído surgia ela se arrepiava.

Fizemos a manutenção geral na oficina Great Basin, de Bill Davis, em Salt Lake City, indicada por americanos proprietários de Land Rovers. A intenção era resolver de uma vez por todas o ruído no diferencial, pois àquela altura estava difícil até de conversarmos com o carro em movimento. Durante 17 dias foi um arruma isso, faz aquilo, conserta este, instala aquele e encomenda peças. Toda essa trabalheira acontecia na calçada em frente à oficina, pois não havia lugar para nosso carro no pátio, que estava tomado por outros Land Rovers.

Nossa lista de afazeres:

- ✓ Reconstrução do diferencial traseiro, colocando rolamentos e engrenagens novas;
- ✓ Instalação de um blocante no diferencial traseiro ARB. A empresa Tecmin nos ajudou na compra deste equipamento a preço de custo nos EUA;
- ✓ Instalação do compressor ARB para ativação do blocante, que serviria também para encher os pneus;
- ✓ Averiguação das cruzetas dos cardãs dianteiro e traseiro;
- ✓ Troca das flanges das pontas de eixo traseiras;
- ✓ Manutenção da boia do tanque de combustível;
- ✓ Soldagem do tanque reserva de combustível, que estava com vazamento;
- ✓ Varetagem do radiador de arrefecimento, que estava com obstruções e causava superaquecimento;
- ✓ Manutenção na fiação elétrica que pegou fogo;
- ✓ Troca da mangueira do LDA que pegou fogo;
- ✓ Manutenção na mangueira de retorno de diesel, que estava com vazamentos;
- ✓ Detecção e manutenção de alguns vazamentos de óleo;
- ✓ Troca dos amortecedores – com apoio da FOX dos EUA;
- ✓ Troca do amortecedor de direção;
- ✓ Troca da chave de luz principal;
- ✓ Troca das pastilhas de freio;
- ✓ Troca do óleo da caixa de marchas e do motor;
- ✓ Troca da bomba de vácuo;
- ✓ E troca de dois pneus traseiros – desde o Brasil, tínhamos o apoio da empresa americana Atturo Tires.

Combinei com o Bill que eu mesmo faria os trabalhos que estivessem ao meu alcance e conhecimento técnico. Levaria para ele executar, já desmontados do carro, aqueles que eu não soubesse fazer ou que necessitassem de ferramentas apropriadas, que eu não tinha: reparação do diferencial, varetagem do radiador e a soldagem do tanque. Assim economizaria muito – a mão de obra dele era de 95 dólares por hora, o que na época valia quase 400 reais. Apesar do árduo trabalho realizado na calçada sob um calor intenso, foi uma oportunidade para aprender mais sobre mecânica, pois o Bill foi muito prestativo em nos passar as informações necessárias. A Michelle, sempre quando eu fazia qualquer trabalho no carro, comentava que não entendia por que eu me sujava tanto de graxa enquanto os outros mecânicos estavam sempre limpos. Um dos mistérios da vida.

Como o carro permaneceu o tempo todo embaixo de uma árvore para nos proteger do sol, a recarga das baterias alimentadas pelos painéis solares ficou comprometida. Este é mais um item para pensar em um projeto futuro de motorhome. Em dias quentes, a melhor opção é estacionar embaixo de sombras, mas o calor implica em maior consumo de energia da geladeira, o que demanda mais carga das baterias. Então o ideal era que os painéis ficassem expostos ao sol. Já em dias frios, as baterias não dispersam tanta carga, pois a geladeira consome menos e nós ainda buscamos o sol para nos aquecermos. Um painel removível solucionaria, mas creio que esse trabalho de tirar e colocar o painel sob a luz solar seria estafante e demorado. Creio que o viajante nem o utilizaria, mas vamos pensar no assunto.

Ao mesmo tempo em que dávamos a revisão geral no Lobo, encontramos duas alemãs, a Eva Sturm e a Mechthild. Elas viajavam pelos EUA em uma Land Rover 110 cujo motor havia fundido. O carro delas demorou mais de um mês para ficar pronto. O dano no bloco foi tamanho que ficou mais fácil e barato mandar vir da Alemanha um motor retificado do que fazer o conserto nos EUA. Acho que tanto para nós como para elas foi confortável saber que não éramos os únicos que estavam estaqueados naquela oficina por tanto tempo.

Um momento de serendipity – o inesperado bom

Goethe, o escritor alemão, disse: "Quando alguém desperta para um grande sonho e sobre ele lança toda a força da sua alma, o universo conspira a seu favor". Com o carro arrumado já podíamos partir para o Norte, mas algo nos fez ficar um pouco mais na região. Se foi coincidência ou conspiração, não sei; só sei que valeu a pena não ter saído imediatamente.

Uma linha de nosso parapente estava estourada e por indicação do Ary Pradi, nosso apoiador da empresa Sol Paragliders, fomos a um de seus revendedores em Salt Lake City para consertá-la. Conversa vai, conversa vem, Steve Mayer, proprietário da Cloud 9 Paragliding, informou que na próxima semana aconteceria uma importante feira do setor de esporte de aventura. Ele disse que se estávamos procurando parceiros para nos apoiarem com equipamentos, não existiria lugar melhor no mundo que a Outdoor Retailer. A feira é exclusiva para varejistas, mas Steve, muito prestativo, deu um jeito e conseguiu credenciais para nós. Por casualidade, o Ary estava vindo para a feira também e seria uma boa oportunidade de reencontrar este amigo e apoiador.

Nossa ideia era apresentar o projeto Latitude 70 e contar um pouco da nossa história. Buscávamos parcerias com empresas de equipamentos para frio intenso. Geralmente são produtos especializados e muito caros. E esse "inesperado bom" trouxe, num só lugar, praticamente tudo o que precisávamos. Até as conversas que tivemos com os empresários fizeram bem para nosso ego, pois de tão inseridos que estávamos na nossa própria história, não enxergávamos todo o seu potencial. Ao apresentarmos aos responsáveis de marketing das empresas o nosso projeto, bem como o nosso livro Mundo por Terra, já traduzido para o inglês, os olhos deles brilhavam. Recebemos vários apoios: roupas para o frio – Bergans of Norway; Calçados para o frio – Hanwag; Telefone satelital e localizador pessoal – Spot; Óculos de sol para neve – Julbo; Fogão de camping – Primus.

Mas o melhor da feira aconteceu no stand da Bergans of Norway, cuja marca não conhecíamos, e sim um de seus produtos – uma canoa. A história dessa canoa iniciou mesmo antes da viagem, quando a Michelle procurava informações na internet. Ela se encantou com uma expedição (brazil9000.com) de um americano e um inglês que viajavam do extremo norte ao extremo sul do Brasil, dividindo o percurso em três etapas: uma de canoa, outra a pé e a última de bicicleta. Por ser uma canoa desmontável, a Michelle endoidou com a ideia de ter uma em nossa viagem. Imaginava como seria remar nos lagos do Alasca, Canadá, Mongólia e tantos outros. Começamos a busca com a intenção de enviar nosso projeto aos fabricantes. O nome da canoa era Ally. E sempre que pesquisávamos este nome no Google, abria uma página de pornografia. O tempo foi passando, a correria aumentando e acabamos deixando o sonho da canoa de lado, pois já tínhamos muita coisa para nos preocupar antes da partida. Mas o mundo dá voltas e voltas e após um ano de viagem, naquela feira, ao passarmos em frente ao stand da Bergans, lá estava a sonhada canoa, quase que sorrindo para nós e nos convidando para entrar.

Empolgados, pedimos para a recepcionista marcar uma reunião com o gerente de marketing, Keith Patterson. Conseguimos um horário para aquele mesmo dia. Mas logo que nos viu, foi falando que não teria tempo para nós, pois tinha outro compromisso em seguida. Nós entendemos. Afinal, a feira era para os fabricantes negociarem com lojistas e ele viu que não éramos comerciantes. Fomos relutantes e pedimos apenas cinco minutos do seu tempo, que logo viraram 30. À medida que contávamos nossa história, seu interesse ia aumentando. Ao conhecer o projeto completo, Patterson se apaixonou pela aventura e, a partir daí, a Bergans of Norway passou a nos apoiar em toda a viagem. E não ficou somente com a canoa: eles nos forneceram toda a vestimenta especializada para frio. A partir daquele momento, nossa aventura, que já tinha se estendido para o ar, com o paramotor, foi para a água também. A canoa é de lona e tem a estrutura de tubos de alumínio, como se fosse uma barraca. Montada, tem cinco metros de comprimento e lugar para duas pessoas. Pesa menos de 20 quilos e desmontada cabe numa mochila.

Parados havia muito tempo, desacostumados a viajar, sentimos certa estranheza ao colocar de novo o pé na estrada. Mas foi por pouco tempo. Logo estávamos no norte da cidade, no Grande Lago Salgado, lugar que dá nome a Salt Lake City. O lago é lindo e ali pudemos conhecer a ilha Antílope – abrigo para centenas de pássaros que vêm ao lago salgado chocar e criar os seus filhotes longe dos predadores. A ilha é habitada por bisontes, cabras, veados e antílopes.

Existem coisas na natureza que são óbvias, mas nem sempre nos damos conta de como ocorrem porque não paramos para pensar, pesquisar ou perguntar. Você sabe por que existem lagos doces e salgados? Ou por que o mar é salgado? Os lagos salgados diferem dos de água doce porque não possuem uma saída d'água, como um riacho. Sua alimentação se dá pela água da chuva e de rios que por aluvião transportam os minerais (e sal) das montanhas que estão em volta. O nivelamento das águas se dá por evaporação, e os minérios não sobem, então a água depositada fica cada vez mais salgada. Os oceanos, basicamente, são grandes lagos salgados, porque também não têm para onde escoar suas águas. São alimentados pelos rios de todo o mundo e o nível das águas é controlado pela evaporação – daí o motivo do mar ser salgado.

O Grande Lago Salgado possui 4,4 mil quilômetros quadrados de área para evaporação. Os quatro rios que o alimentam trazem toneladas de minerais todos os anos. E por falar em sal, você já assistiu ao filme The World's Fastest Indian? No Brasil recebeu o nome de Desafiando os Limites, com Anthony Hopkins como ator principal. A história é baseada na vida do neozelandês Burt Munro, que passou anos construindo uma moto Indian 1920 para quebrar o recorde de velocidade na pista de Bonneville International Speedway. O Salar de Bonneville, ou Bonneville Salt Flats, localiza-se um pouco ao sul de Salt Lake City. Ao passarmos por lá, paramos para pisar naquele manto de sal, onde foram quebrados os maiores recordes de velocidade do mundo. Ali já foi superada a marca dos mil quilômetros por hora.

Ao Norte passamos por Roy City – sim, a cidade do Roy – onde havia um pórtico no qual eu me diverti fazendo um ensaio de fotos. Saímos de Utah, passamos de raspão por Idaho e entramos no Wyoming, onde existem dois parques nacionais incríveis: o Grand Teton e o Yellowstone.

Com a paisagem do Grand Teton, já estávamos tendo contato pelo caminho. Dentro dele, no lado oeste, existe uma cadeia de montanhas magnífica. O pico da mais alta ultrapassa os 4 mil metros. Fizemos caminhadas, tomamos banho em águas termais e acampamos em lugares incríveis, não longe de uapitis (*cervus canadensis*), alces e bisontes. Alguns quilômetros antes passamos por Jackson, uma vila turística, portão de entrada do parque. Ao chegarmos na praça, levamos um susto: deparamo-nos com um pórtico feito somente com chifres de uapiti, um dos maiores veados do mundo. "Deve ter havido uma matança e tanto por aqui no passado", comentei com a Michelle. Mas que nada: descobrimos que esses animais, assim como os alces, perdem suas galhadas todos os anos e o arco do pórtico foi feito com chifres encontrados no chão. Apenas os uapitis machos têm chifres. São ossos que começam a crescer na primavera e aumentam até 2,5 centímetros por dia, podendo atingir 1,2 metro de comprimento antes de cair, no inverno. De agosto até o começo do inverno, quando os chifres estão no ápice do poderio de combate, os machos lutam na defesa dos seus haréns, travando constantes e violentos confrontos. A queda deles decorre pela diminuição da testosterona dos animais, após o período de acasalamento, isto é, no começo do inverno.

Na terra do Zé Colmeia

É difícil descrever o Parque Nacional Yellowstone e creio que por melhor que seja, minha descrição não fará jus à sua beleza e magnitude. Criado em 1872, acabou ficando conhecido como A Terra do Zé Colmeia, por ser cenário do famoso desenho animado. É o primeiro parque dos EUA e possivelmente um dos primeiros do mundo. Sua rica paisagem, com montanhas, rios, cânions, termas e gêiseres, é formada por forças geotérmicas existentes abaixo da superfície. O que os três milhões de turistas que o visitam todos os anos não se dão conta é que estão no centro do maior vulcão ativo da Terra – um supervulcão –, um caldeirão de água fervente de nove mil quilômetros quadrados. Abaixo da superfície existe uma câmara de magma de 72 quilômetros de diâmetro e 13 quilômetros de profundidade. Segundo o professor Bill McGuire, do Colégio Universitário de Londres, "não seria possível permanecer nem a mil quilômetros daquilo" caso uma erupção viesse a acontecer (trecho extraído do livro de Bill Bryson, Breve História de Quase Tudo). Desde sua primeira erupção, há 16,5 milhões de anos, o Yellowstone explodiu mais 100 vezes. Segundo os geólogos do parque, o ciclo de erupções seria de uma explosão gigantesca a cada 600 mil anos. Mas a última ocorreu há 630 mil anos. Segundo Bill Bryson, "Yellowstone, ao que parece, está com o prazo vencido".

Já foram identificados mais de 1,2 mil gêiseres, sendo 500 ativos. Se contados outros elementos de características geotermais, a soma chega a dez mil. Alguns gêiseres possuem um ciclo de atividade regular, a ponto de ser possível se programar para assistir sua ebulição. O gêiser Old Faithful, um dos mais potentes do parque, entra em atividade de 90 em 90 minutos, aproximadamente. Existe até arquibancada para as pessoas o assistirem jorrar entre 14 mil e 31 mil litros de água fervente em jatos que atingem até 55 metros de altura, por períodos que variam de 90 segundos a 5 minutos.

As fontes não jorram como os gêiseres, mas são coloridas. No centro, a água é azulada e cristalina, e nas bordas, onde a temperatura é um pouco mais baixa devido ao contato com a pedra, bactérias resistentes ao calor e diversos tipos de minerais dão um belo colorido às piscinas.

A fonte Grand Prismatic é um espetáculo único. Tem 110 metros de diâmetro por 50 metros de profundidade e dela brotam cerca de dois mil litros de água quente (70°C) por minuto. Caminhamos próximos à sua borda por passarelas e, depois, do alto de um morro, identificamos cada uma de suas lindas cores.

O parque também é repleto de amimais. Na tentativa de ver uma alcateia, levantamos às 4h30 da madrugada para chegar em tempo no lugar onde os lobos normalmente aparecem ao nascer do sol. Havia muitos americanos postados com suas potentes lunetas e equipamentos de última geração para ver e fotografar animais silvestres. Ao melhor estilo, vestiam roupas caqui e botas de aventureiro. Fiquei sabendo que somente os mais equipados conseguiram avistar, longe nas montanhas, alguns animais. A direção que indicaram para observar os lobos ficava a uns três quilômetros; nós, com nossos binóculos amadores, nem em sonho os avistamos. Nosso consolo foi que embarcaríamos, para seguir viagem, em nosso próprio Lobo.

Deixamos o parque pelo lado norte e no Paradise Valley, Montana, fomos até a casa de Josie Tidwell para uma visita. Ela é mãe de um amigo de São Bento do Sul, o Manolo Del Olmo. Josie é casada com o americano Marvin Tidwell e eles moram, como o nome do vale sugere, num paraíso. Era o aniversário da Michelle e a Josie preparou uma deliciosa torta alemã, uma das suas especialidades. Passar o aniversário da Michelle na casa de uma brasileira nos deu a sensação de estarmos mais próximos de casa. Foi bom para matar um pouco a saudade.

Ao norte do estado de Montana, indo em direção ao Canadá, encontramos mais um dentre as dezenas de belos parques americanos – o Parque Nacional dos Glaciares. Além dos acidentes geográficos, como glaciares, montanhas, lagos e densas florestas, o parque é habitat de ursos, alces, cabras montesas e algumas espécies raras, como os linces e glutões (*wolverines*). Quando chegamos próximo ao parque fomos ao encontro de uma densa nuvem de fumaça. Um fogaréu incontrolável tomava conta das florestas adjacentes e algumas estradas estavam interditadas.

Já que estávamos a caminho do Norte, continuamos adentrando o parque. Foi um interminável sobe e desce montanhas e com quase zero de visibilidade; o tempo fechou, choveu e, por fim, esfriou – quase não vimos nada. No finalzinho do dia, fora do parque, tristes e cabisbaixos, procuramos por um espaço público para acampar e o encontramos ao lado de um lago. Paramos para pernoitar. Como diz a música, "nuns dias chove, noutros dias bate sol". Se aquele tinha sido ruim, o seguinte foi compensador.

Passamos a noite escutando chuva. De manhã, ao sair do carro, dei de cara com um amanhecer límpido, claro, sem nenhuma nuvem e sem fumaça, pois a chuva havia amenizado o incêndio. Não perdemos tempo: voltamos à rota do Parque dos Glaciares para fazer lindas caminhadas e observar de perto as cabras montesas com suas belíssimas pelagens brancas. O dia foi delicioso e não poderia ter terminado melhor: lá pela meia-noite, quando acampávamos no mesmo lugar onde havíamos ficado na noite anterior, saí da cama para fazer xixi e me deparei com uma luz verde no horizonte – a Aurora Boreal. Pela baixa latitude, ela apresentava uma luz fraca, pálida, mas foi a primeira das muitas que ainda iríamos encontrar na viagem. A bela luz vinda do Norte indicava o caminho aos dois jovens viajantes em busca do frio.

Vá entender os americanos

Polegada, pé, jarda, libra, onça, tonelada curta, galão e Fahrenheit são as unidades de medida que os americanos usam para tamanho, peso, volume e temperatura. Um amigo do Colorado, o Scott W. Poindexter, ironizou que as medidas utilizadas nos EUA se correspondem perfeitamente, assim como as do sistema métrico (internacional), em que um quilômetro, por exemplo, é composto por mil metros, dez mil decímetros, cem mil centímetros e um milhão de milímetros. Ele se lembrava que nos tempos de escola sua professora tinha que incutir na cabecinha das crianças que uma milha era composta por 1.760 jardas. Uma jarda possuía três pés e um pé doze polegadas. "Tudo muito lógico", debochava Scott.

Para dividir a polegada, os americanos usam frações: 1/2, 1/4, 3/8, 9/16, etc. Para pesos, uma tonelada curta representa 2 mil libras e uma libra é igual a 16 onças. Essa tal de tonelada curta corresponde a 0,9071847399 da tonelada do sistema métrico internacional. Os ingleses, para piorar, complicam um pouco mais: usam a tonelada longa, que representa 1,016046909 da tonelada métrica. Simples, não?

Para nós a temperatura da água doce congela a 0°Celsius e tudo que é mais frio do que o ponto de congelamento ficará negativo. Toda medida acima será positiva. A água ao nível do mar ferve – ponto de ebulição – exatamente a 100°C, ou seja, existem 100 unidades de valor entre o ponto de congelamento e o de ebulição. Antes de 1948 o grau Celsius era chamado de Centígrado, por representar 100 (centi) partes (grado) entre o congelamento e a ebulição. Nos Estados Unidos, a temperatura é medida em Fahrenheit. A água congela em 32°F e ferve em 212°F. Zero grau Fahrenheit equivale a menos (-) 17,77777778°C. As escalas de Celsius e Fahrenheit se encontrarão apenas em 40° negativos; ou melhor: -40°C corresponde à mesma temperatura que -40°F. Para quem é acostumado com o nosso sistema e viaja por essas bandas é muito confuso. Com as seguintes fórmulas chegamos perto de convertermos Celsius em Fahrenheit ou vice-versa, mas de cabeça não era muito fácil calcular: °C= (°F-32)/1,8 e °F=(°Cx1,8)+32.

Outra coisa: nos EUA, nos números acima de mil, a vírgula e o ponto são invertidos. Mil trezentos e quarenta vírgula doze se escreve assim: 1,340.12.

No Canadá, logo que entramos no país a equação ficou mais esquisita ainda. Por influência europeia e americana, utilizam-se os dois sistemas combinados: cinco polegadas e sete milímetros, por exemplo. Para distância, usa-se o sistema métrico, mas para altura, usa-se pés. Uma pausa para refletir. Como foi que no curso da história se chegou a essas formas de medidas tão dispares? Querer ser diferente do resto do mundo, para mim, é a resposta mais provável.

Estávamos ansiosos para percorrer o Canadá e os seus 9,98 milhões de quilômetros quadrados que fazem do país o segundo maior do mundo. Somando suas linhas costeiras Pacífico a Oeste, Atlântico a Leste e Ártico ao Norte, o país possui tanta quilometragem litorânea que se estendida em linha reta, ultrapassaria a metade do caminho até a Lua. O que mais nos agradou foi a informação de que lá existem cerca de 31.750 grandes lagos (contando somente os que ultrapassam três quilômetros quadrados). Isso significa que 9% da área do país é coberta por água doce. Ali vivem 37,3 milhões de pessoas – uma das menores densidades demográficas do planeta, com menos de quatro habitantes por quilômetro quadrado.

O que não contávamos era que as queimadas nos EUA pudessem atrapalhar nossa viagem até por lá. A fumaça, dessa vez decorrente de incêndios florestais no estado americano de Washington, havia percorrido mais de mil quilômetros. As montanhas canadenses ficaram tão cobertas que mal conseguíamos distinguir suas silhuetas. Essa é uma das regiões mais bonitas do país. Nosso consolo foi que teríamos a oportunidade de visitá-la novamente na viagem de retorno.

A grande corrida dos salmões – em português/tupi: piracema

O jeito foi tocarmos em frente, pois num país grande como esse, tínhamos muito chão para rodar. Pela rodovia Yellowhead adentramos no estado da Colúmbia Britânica e, por centenas de quilômetros, fomos seguindo rumo ao Norte. Paralelamente ao nosso trecho milhares de salmões Chinook – a maior espécie do Pacífico – nadavam rio acima enfrentando uma distância de mais de mil quilômetros. Iam céleres contra a correnteza, cachoeiras e predadores. Tivemos o privilégio de chegar na época certa e assistir a esta subida pelo rio Fraser. Este é um dos eventos mais extraordinários da natureza.

Para entender o ciclo de vida de um salmão: ele nasce em algum rio do Hemisfério Norte (América, Europa ou Ásia), permanece na água doce nos seus dois ou três primeiros anos de vida; no início da fase adulta, desce para o mar para amadurecimento, o que pode durar até cinco anos, dependendo da espécie; e quando chega a maturidade sexual, conduzido por seu olfato apurado, volta ao rio (geralmente onde nasceu) para se acasalar e morrer.

Os salmões desempenham um papel importante no ecossistema onde vivem, pois transferem para as florestas nutrientes do oceano, ricos em nitrogênio, enxofre, carbono e fósforo. Ao migrarem rio acima, atraem predadores como ursos, lontras, lobos e águias, que os carregam por até 500 metros mata adentro. O urso, por exemplo, não come o peixe por completo: escolhe as ovas, olhos e pele por causa da maior concentração de proteína. As carcaças são deixadas no solo e irão fertilizá-lo. A imagem de centenas de peixes mortos nas encostas dos rios, ao primeiro olhar, é chocante. Parece que foram vítimas de uma grande contaminação. Mas trata-se de um fenômeno natural: eles subiram para desovar e os que não foram pescados ou capturados pelo caminho, após a desova começam a se deteriorar de exaustão e morrem. Apenas algumas espécies de salmão do Atlântico conseguem fazer a segunda reprodução.

No rio Fraser, próximo à maior montanha do país, o Monte Robson, observamos salmões saltando as Quedas da Retaguarda, uma etapa da viagem que só os peixes mais fortes conseguem transpor. Até esse obstáculo, os peixes subiram 1,3 mil quilômetros. Em Idaho, para se ter uma ideia do que um salmão enfrenta, em 1,4 mil quilômetros rio acima, eles sobem um desnível de 2,1 mil metros. Registros mostram que os saltos para fora d'água chegam a 3,5 metros. Mesmo sendo bons saltadores, dificilmente conseguem superar os maiores obstáculos na primeira tentativa. Vão saltando, machucando-se nas pedras e, persistentes, voltam para novas tentativas. Esses peixes são verdadeiros guerreiros. Triste é saber que apesar da grande quantidade de peixes algumas espécies estão ameaçadas pela destruição do seu habitat, com a construção de hidroelétricas e a pesca excessiva.

O território hoje ocupado pelo Canadá foi habitado durante milhares de anos por diferentes tribos. Como aconteceu com a maioria dos países colonizados, os povos autóctones foram praticamente dizimados pelos europeus, seja por enfrentamento (com armas), transmissão de doenças (a maior parte dos casos) ou pela imposição de costumes e religião. Infelizmente, grande parte da riqueza social e cultural desses povos se perdeu.

Quem diria que o Canadá, hoje tido como um dos países com índices mais elevados de educação, durante 150 anos forçaram mais de 150 mil crianças a se separar dos pais para serem enviadas às escolas residenciais controladas pela igreja. O objetivo era reeducá-las e transformá-las em "europeus de pele escura", pois os governantes da época queriam que as crianças nativas desaprendessem por completo a sua cultura de origem – um verdadeiro genocídio cultural. Essas escolas tentaram extinguir a população aborígene como entidade legal, social, cultural, racial e religiosa. Quem pensa que isso foi há muito tempo se engana: até os anos 90 crimes dessa natureza ainda eram cometidos. Esse comportamento mudou e houve até reconhecimento de culpa e compensação financeira por parte do governo, mas, infelizmente, muitos desses povos nativos encontram-se na linha da pobreza, mesmo vivendo em um país hoje tão rico.

Apesar da imposição cultural europeia, sobram histórias a serem contadas. Nas vilas Hazelton e Kitwanga, próximas ao rio Skeena, encontramos os famosos totens esculpidos pelo povo Gitxsan. São mastros de madeira, geralmente em cedro vermelho, onde são esculpidas imagens de animais e símbolos da natureza. Na mitologia, o totem é um símbolo sagrado; representa o reservatório da energia de um povo, onde suas raízes mais profundas são destacadas de forma marcante. Eles servem como motivos decorativos, marcos arquitetônicos para dar boas-vindas nas entradas das vilas e casas, para marcar um local funerário ou até ridicularizar em público alguém que fez algo errado ou tem dívida na praça.

Até o início de 1900 eram pouco produzidos, pois não havia ferramentas eficientes para se fazer as esculturas. A partir da introdução do ferro e do aço na cultura indígena, os cortes foram facilitados e foi possível a realização de trabalhos mais complexos e o aumento na produção. E no momento em que veio a modernização também vieram as intervenções políticas e religiosas desencorajando os costumes tradicionais. Os missionários fizeram muito esforço para tentar extinguir esta arte milenar e ela praticamente deixou de existir.

Recentemente, houve uma tentativa de resgatar esta atividade, motivada, é claro, pelo turismo. Em lojas nos centros turísticos é possível encontrar totens em miniatura, em tamanho real e alguns com até 40 metros de altura. Para comprar um, basta esperar um ano e pagar cerca de 10 mil dólares ao escultor – valor irrisório se comparado à perda da rica mitologia nativa.

Em busca de ouro e de ursos

Seguimos pela rodovia Cassiar, porém a informação de que podíamos ver ursos pescando salmão nos fez sair da rota principal e dirigir até Stewart e Hyder. As cidades são vizinhas, com a diferença de que a primeira é canadense e a segunda pertence ao Alasca, sendo, portanto, americana. Vale reparar no mapa que o noroeste do Canadá não se conecta com o Pacífico. Há uma faixa estreita vertical de terra, pertencente aos Estados Unidos, conectada à costa. Hyder possui 70 habitantes e recebe 40 mil visitantes no verão. E como hospeda tanta gente? Os visitantes pernoitam nos próprios navios de cruzeiros que os trazem até lá.

Não são somente os ursos que atraem a multidão, mas o Canal de Portland – o quarto mais longo fiorde do mundo – e o imponente Glaciar Salmão. Chegamos no final do verão, quando já não havia tantos turistas, mas mesmo com pouca perturbação, os ursos não apareceram. O tempo estava frio e chuvoso. Se fôssemos ursos, também ficaríamos em casa em dias como aqueles. Nossa sorte foi ter conhecido um casal de alemães que nos deu outra dica: se quiséssemos ver ursos teríamos que voltar ao Canadá até a rodovia Cassiar, subi-la rumo Norte até Whitehorse, descer para Skagway no Alasca e tomarmos uma balsa para Haines. Fizemos isso. No trajeto, ao cruzarmos a latitude 60, entramos no território de Yukon e também na famosa Alaska Highway (Rodovia do Alasca). Setembro estava iniciando, momento do ano em que as folhas coloridas de outono já se faziam presentes na extensa floresta boreal com seus plátanos e aspens. Que cores. Amarelo, laranja e vermelho contrastando com o verde escuro dos pinheiros. Mais bonito ainda foi ver essa paisagem espelhada nas águas serenas e cristalinas dos lagos canadenses.

O porto de Skagway também é parada dos grandes navios de cruzeiros que percorrem a costa sul do Alasca. Grandes companhias marítimas dominam a cidade, controlando inclusive o comércio – formado especialmente por lojas de joias e artesanatos. Essa intensa atividade faz os olhos dos turistas brilharem e seus bolsos esvaziarem.

Skagway, que hoje é um ponto turístico, no passado teve sua história de glória e infâmia. Em 1896 foi encontrado ouro na região de Klondike, no Canadá. A notícia se espalhou rapidamente e milhares de aventureiros se deslocaram para a região em busca da fortuna. Skagway, que pertence aos EUA, entrou nessa história como o porto estratégico para acessar o interior do Canadá. Lá as caravanas tinham que se preparar para a longa jornada – de mais de 800 quilômetros sem estradas – até Klondike. Para acessá-la havia duas rotas: uma subia o Passe Branco até o lago Bennett; a segunda, que chegava ao mesmo lago, partia de Dyea, localidade próxima de Skagway e percorria a trilha Chilkoot, usada havia muitos anos pelos indígenas. Deste ponto, quando as águas descongelavam, navegava-se até o rio Yukon e subia-o até os campos de ouro de Klondike.

Pelas condições de terreno e clima extremos, levava-se quase um ano para chegar ao destino final. Uma vez lá, as dificuldades ainda não cessavam, nem a fortuna estava garantida, pois o ouro encontrava-se em solo congelado. Das 100 mil pessoas que investiram suas vidas nesta insana "corrida do ouro", só 30 mil chegaram a Klondike, das quais quatro mil encontraram o metal. Um número ainda menor conseguiu fazer fortuna e, na maioria das vezes, o dinheiro era gasto em bares, jogos e mulheres.

Skagway, o portão de entrada de Klondike, em quatro meses transformou-se de algumas barracas improvisadas em uma cidade com dezenas de casas, *saloons* (bares), lojas e escritórios. Possuía energia elétrica e telefone, mas era uma cidade sem lei, governada por bandidos. Em 1900 foi concluída uma ferrovia que facilitou o acesso ao interior do Canadá, mas logo o ouro acabou e a cidade entrou em declínio. Hoje, os prédios antigos estão preservados e é gostoso caminhar pelas suas ruas, imaginando como foi a vida na época de grandes aventuras. Charlie Chaplin foi um dos que imortalizaram essa história com o clássico Em Busca do Ouro.

No porto de Skagway embarcamos o Lobo num ferry para uma viagem de apenas uma hora até Haines, através do Canal Lynn, o fiorde mais profundo da América do Norte. Desembarcamos e fomos direto para o rio Chilkoot e, bem no momento da chegada, para nossa alegria, vimos o que fomos em busca: uma ursa nadando na parte funda do rio acompanhada de dois filhotes. Foi emocionante.

Há dois tipos de ursos na América do Norte: o urso-negro americano e o urso-pardo, que também é conhecido por cinza ou grisalho. A partir da nossa passagem pelo Parque Nacional das Sequoias começamos a vê-los com mais frequência. O urso-negro é menor e existe em maior proporção. O pardo é uma espécie que ocorre na Rússia, Ásia Central, China, Canadá e EUA, porém a subespécie que vive no Alasca – urso-pardo kodiak (*grizzly*) – tem tamanho mais avantajado devido à fartura de alimentos no seu território. Ele pode atingir três metros em pé e é considerado o maior carnívoro da terra, rivalizando com o urso-polar. É um animal que impõe respeito. Eram dessa espécie os três que nadavam em nossa direção no rio Chilkoot.

Nós passamos dois dias às margens desse rio, só observando os ursos. Durante o dia, de vez em quando aparecia um, mas era no final da tarde que a atividade era maior – chegamos a ver dez ursos ao mesmo tempo garantindo seu jantar. Era maravilhoso observar quando entravam na água, causando alvoroço entre os salmões. Para se ter uma ideia da quantidade de peixes que subiam o rio nesta época, um pescador nos contou que só podia levar os peixes fisgados pela boca. Se o anzol fisgasse em qualquer outra parte do corpo, o que acontecia quase sempre que içava a linha, ele tinha que jogá-lo de volta ao rio.

Os ursos parecem desengonçados para pescar, mas possuem uma habilidade invejável quando estão concentrados na captura. Pegam com suas imensas garras e os trazem para uma pedra que serve de apoio para devorá-los. Como estávamos a 15 metros da margem, muitas vezes escutávamos o barulho da espinha de um peixe sendo quebrada ou da pele sendo arrancada. Essas criaturas são inteligentes: primeiro esmagam o salmão para ver se sai ova, sua parte preferida; depois comem a pele e os olhos, onde há maior concentração de proteína. Como a quantidade de peixes é imensa, os ursos abandonam suas presas pela metade e os outros animais se banqueteiam com as sobras. Adorávamos ver as fêmeas ensinando os filhotes a pescar. Quando os pequenos têm êxito, vêm para perto da mãe com o peixe na boca para se exibir, mas logo o largam, pois não sabem o que fazer com ele. Pobre salmão...

A utilização do rio pelos ursos exige uma hierarquia: se um mais novo estiver na água quando o dominante chega, o jovem deixa o local imediatamente. O mesmo acontece com as fêmeas e os filhotes. Ursos machos são uma ameaça para os menores, pois os matam só para ter de volta a atenção das fêmeas para acasalamento.

No segundo dia em Haines um urso jovem amanheceu morto numa pequena ilha no centro do rio. Autoridades locais o recolheram para investigar a causa da morte. Pelos comentários foi morto por não ter respeitado as regras da natureza. Lembrou-nos na hora que apesar das cenas dos ursos pescando parecerem lindas e divertidas, estávamos em ambiente selvagem, onde a lei do mais forte impera. Um americano comentou, enquanto admirávamos o trabalho dos ursos: "às vezes ficamos atentos aos ursos que estão à nossa frente e esquecemos que outros podem estar chegando por trás".

Conselho sábio e quase tardio. Em um momento em que fotografávamos a ursa mãe e seus filhotes, eles começaram a descer calmamente o rio para nosso lado direito. Outro urso, posicionado rio acima, também deixou o local. "Bom, já que eles foram embora, vamos dar uma volta de carro", sugeri e, ao me virar, dei de cara com o urso alfa a menos de quatro metros aguardando pacientemente a minha saída para que ele pudesse entrar no rio. É evidente que foi por causa desse urso que os outros debandaram; só eu que não tinha percebido sua presença. Ainda bem que ele foi paciente e que, provavelmente, preferia peixe a carne humana. Não fosse pela fartura de salmões, creio que eu teria virado jantar. Imagina quanto deve ser forte uma patada de um brutamonte desses, se eles podem chegar aos 700 quilos. Fugir correndo? Nem pensar. Mesmo que fôssemos rápidos como o Usain Bolt, que nos Jogos Olímpicos de Pequim alcançou 43,9 quilômetros por hora, não conseguiríamos fugir das suas garras. Apesar de todo o peso, eles podem correr até 50 quilômetros por hora. Ursos ainda sobem em árvores e nadam. A única chance de um humano escapar é fingindo-se de morto.

Não estou brincando: fingir-se de morto é uma estratégia recomendada, mas não garantida. Caso não dê certo, é aconselhável revidar com socos e chutes. Não que um soco humano irá ferir o animal, mas talvez a reação faça com que mude de ideia e te deixe em paz. O difícil numa situação dessas é se manter calmo o suficiente para tomar a decisão correta. Em décimos de segundo, tomado pelo medo, eu precisava perceber o pânico e tentar controlar o impulso para agir de forma correta.

Mantive a calma. Dei dois passos à frente, aproximando-me ainda mais do urso, que me encarava sem muita pretensão, e caminhei para o lado esquerdo para entrar no carro. Abri a porta sem fazer alarde e quando dirigi em marcha ré o urso se levantou da sua posição, cruzou a estrada e foi para o rio se alimentar. Oh *my bear*! – Essa foi por pouco.

É muito comum americanos levarem consigo apitos ou sinos quando caminham em florestas habitadas por ursos, com a intenção de fazer barulho e espantá-los ou, ao menos, alertá-los de que algo diferente se aproxima. Evitar o encontro é a melhor solução. O perigo está numa trombada de surpresa com um urso, que pode atacar por instinto, para proteger os filhotes ou mesmo por autodefesa. Outra tática utilizada nos EUA (no Canadá é proibida) são os sprays de pimenta – aqueles ainda mais fortes que um taco com pimenta Habanero – que desarmam o animal pela ardência nos olhos, boca e nariz. Eles custam em torno de 35 dólares cada. Eu brincava com a Michelle que ao invés de comprar um spray deveríamos andar com esse dinheiro no bolso e, caso houvesse um encontro, entregaríamos a quantia para que ele pudesse comprar mel ou caviar de salmão.

Bem perto dali, em outro rio, o Chilkat, no inverno, em um trecho que por razões geodésicas não congela, entre três e quatro mil águias-americanas – o pássaro símbolo dos EUA – migram de distâncias de até 1.500 quilômetros e vão até lá se alimentar dos restos dos salmões. Ouvimos dizer que é um espetáculo único, mas nós vimos apenas algumas dessas aves de rapina.

Viajar em território habitado por animais faz-nos estar mais de olho nas matas e descampados do que na estrada propriamente dita. Saber que poderiam estar por perto, para mim, era quase tão emocionante quanto vê-los. Quando víamos pegadas, especialmente as de ursos e lobos, tínhamos a sensação maravilhosa de estar em território selvagem. Mas nada se compara aos encontros com os animais, especialmente se aquela espécie ainda não havia sido avistada por nós. No noroeste do Canadá, no estado de Yukon, a Michelle gritou: "Um lobo no acostamento, veja!" E era um lobo mesmo. Um lobo cinzento grande caminhava em trote leve e ligeiro. Foi o único que vimos em toda a viagem. Por isso o encontro foi especial. Esse animal, assim como o urso, encontra-se no topo da cadeia alimentar onde habita. Tem olfato, audição e visão apuradíssimos, mas o que torna o lobo tão efetivo nas caçadas é a sua inteligência – superior à de um cachorro – e a sua capacidade de atuar em equipe, respeitando de forma surpreendente a hierarquia da alcateia.

Noutra oportunidade, um gato grande, de rabo curto, patas traseiras maiores que as dianteiras e um tufo de pelo na ponta das orelhas, cruzou a nossa frente. Tratava-se de um lince, o felino que habita o Hemisfério Norte e se alimenta de coelhos e pequenos animais.

Apenas 7,2 milhões de dólares

E pensar que todo esse rico território foi comprado do Império Russo por apenas 7,2 milhões de dólares. Na época (1867) o secretário de estado dos EUA, William Henry Seward, que intermediou as negociações do Alasca, foi severamente criticado pelos políticos e ridicularizado pela imprensa e população. As pessoas imaginavam que naquelas terras não havia nada além de gelo. Mais tarde, as descobertas das grandes reservas de recursos naturais – minerais preciosos, petróleo, gás e madeira –, fizeram com que os críticos calassem a boca. Além das riquezas, o Alasca, pela sua beleza cênica, aos poucos desenvolveu forte vocação para o turismo. Florestas exuberantes, picos elevados, águas cristalinas, tundras e grande variedade de mamíferos, peixes e aves compõem atrações para passeios, caminhadas, caça e pesca esportiva.

É claro que fomos atraídos por tudo isso também, mas chegamos quase atrasados – o frio já começava a mostrar a sua cara. Enquanto subíamos rumo ao Norte, íamos apreciando as paisagens outonais, uma das estações mais bonitas do ano em qualquer lugar. Em sentido contrário ao nosso vários motorhomes voltavam para casa, o que deixou a natureza mais quieta para nossa apreciação. Estávamos, como turistas, quase sozinhos na imensidão do Alasca.

O nome Alasca deriva de *alyeska*, que significa, na língua esquimó-aleutiano, "terra grande". É o maior dos 50 estados americanos, com território maior que a soma das áreas do Texas, Califórnia e Montana – os outros três maiores estados daquele país. É o maior em extensão, mas menor em densidade populacional. O Alasca é, para os EUA, como uma ilha continental, isolando-se no extremo noroeste das Américas, separado do restante do país pelas terras vastas do Canadá. Está tão perto da Rússia pelo Estreito de Bering (82 quilômetros), que duas de suas ilhas, pertencentes ao Arquipélago das Aleutas, já fazem parte do Hemisfério Oriental; estão além do antemeridiano.

Ao cruzarmos a "última fronteira", como a região foi batizada pelos americanos, tratamos de ir sem tardar para Fairbanks – uma das últimas cidades ao Norte com boa infraestrutura (localiza-se a 64°30'N). De lá partiríamos rumo à nossa primeira conquista da Latitude 70.

Ficamos surpresos com suas largas avenidas, pois imaginávamos um lugar mais inóspito. O brasileiro Claudio Gomes, sua esposa Theresa e os filhos Lucas e Jadyn nos receberam em sua casa. Conhecemos Claudio pela internet e ele morava em Fairbanks havia mais de 15 anos. Quem diria que num lugar tão distante do Brasil comeríamos pão de queijo no café da manhã. Theresa é americana e pegou bem o jeitinho mineiro do pão de queijo.

Os 800 quilômetros que teríamos que fazer ainda rumo ao Norte seriam pela Rodovia Dalton, aquela que aparece no programa "Ice Road Truckers" (Caminhoneiros do Gelo), do Canal History. Além de dar acesso às bases petrolíferas localizadas na costa do Oceano Ártico, é um importante apoio para a manutenção de um dos maiores oleodutos do mundo – o Trans-Alasca, com seus quase 1.300 quilômetros de extensão. O óleo cru é transportado por tubos de 122 centímetros de diâmetro de Prudhoe Bay até o porto de Valdez, de onde segue por navios petroleiros para diversas refinarias. Para fazer essa megaconstrução, levantada entre 1974 e 1977, os engenheiros tiveram que enfrentar diversos obstáculos. O primeiro foi o fato de que o óleo endurece com o frio, o que dificulta a fluidez. Para que o líquido transite sem entupimentos, existem 14 estações de bombeamento com tanques de aquecimento. Outros problemas foram relativos a vazamentos, causados tanto por fadiga dos materiais quanto por sabotagem ou vandalismo: é comum a tubulação amanhecer com furos de bala.

Nos primeiros quilômetros da rodovia de chão batido conhecemos o casal de viajantes Luca e Marquita – ele italiano, ela espanhola. Topamos com eles quando os vimos no acostamento da estrada com um pneu furado e resolvemos ajudar. Como viajavam no mesmo sentido que o nosso em uma Toyota Land Cruiser, acabamos seguindo juntos por seis dias. Foi bom para quebrar a rotina. Em nosso carro ou no deles, preparávamos as refeições em conjunto.

Um dia fizemos macarronada à moda brasileira. Apesar dos italianos serem reticentes a qualquer mudança no jeito de preparar um *piatto tradizionale dall'italia*, Luca lambeu os beiços. E não tinha como não: nossa macarronada de *blue cheese*, com pera e creme de leite, estava uma delicia. À noite geralmente íamos no carro deles para jantar, pois fazia muito frio e eles possuíam um aquecedor a diesel, o que deixava o ambiente mais aconchegante.

A paisagem, inicialmente nos mostrando altas montanhas, vai mudando e logo estávamos na famosa tundra glacial, onde as baixas temperaturas dificultam o crescimento de árvores. Nessa vegetação, composta por arbustos, gramíneas e musgos, a precipitação é baixa, pois quase não há evaporação da água, já que o solo fica congelado nas quatro estações do ano. De tão exótica que é aquela natureza, levamos seis dias para ir e voltar, quando poderíamos ter cumprido o percurso em apenas dois. Isso porque, claro, fotografamos tudo. O tempo todo estávamos à procura de animais, como ursos, lobos, renas, alces e bois-almiscarados (*muskox*), mas não tivemos sorte. E não foi por não existirem animais ali. De acordo com um caçador com quem conversamos semanas depois, se tivéssemos passado alguns dias mais tarde por aquelas bandas não teríamos como não ver as renas, que cruzaram a estrada migrando para o Leste em um bando que ultrapassava quatro mil animais. Disse o cidadão que elas ficaram às margens da rodovia por dias. Os bois-almiscarados são mais difíceis de serem encontrados. São bovinos parecidos com os bisontes, só que menores, com chifres pequenos e curvados e cuja pelagem vai quase até o chão. Podem ser agressivos. Tivemos a oportunidade de vê-los mais tarde em uma fazenda de criação.

Se não tivemos sorte com os animais, tivemos na hora do meu tradicional xixi noturno. Fui para fora do carro às 23h30 e vi uma gigantesca Aurora Boreal. Chamei a Michelle, peguei mais uma jaqueta e ficamos fora do carro contemplando aquela maravilha durante uma hora. Foi uma das mais fortes que vimos. Começou com um verde leitoso, depois se intensificou numa linha que cruzou o céu sobre nossas cabeças. Desapareceu em seguida, mas voltou por detrás de umas montanhas e ficou mais forte ainda, deixando a noite clara. As luzes da Aurora Boreal dançavam no céu de um lado para o outro, colorindo-se até com um pouco de violeta. Foi lindo demais, tanto que até esquecemos que o frio congelava nossos pés e mãos.

Nós estivemos no Alasca exatamente na temporada de caça, que dura normalmente três semanas, dependendo da localidade. Vimos pelo caminho muitos caçadores que, assim como pescadores quando pescam um peixe grande, gostam de se exibir com seus "troféus", desfilando nas caçambas das suas caminhonetes os animais mortos como se fossem enfeites. Apesar de ser uma imagem exagerada e forte – renas e alces mortos –, a caça é bem controlada na América do Norte, portanto não coloca essas espécies em risco de extinção. O lobby da caça se defende justificando que é por causa dessa liberação que muitas espécies não estão mais em perigo, por intensificar-se o controle.

Cruzamos a linha do Círculo Polar Ártico – 66°33'44" N –, que define a fronteira imaginária no planeta onde tudo o que está ao Norte passa pelo menos um dia de escuridão total (noite absoluta) no inverno e um dia de claridade total (sol da meia-noite) no verão. O mesmo acontece no Hemisfério Sul, onde a linha chama-se Círculo Polar Antártico.

Ao chegarmos próximo à Latitude 70°N tivemos que parar porque a estrada estava em obras. "Putz, logo agora! Quer ver que a Latitude 70 vai estar bem no meio da obra?", falei para a Michelle. E não deu outra: planejávamos parar o carro, fazer aquela festa, fotografar e filmar, mas tivemos que seguir, em fila indiana, o que eles chamam de *pilot car*, um carro que conduz a caravana para manter a segurança nas obras. Mas quando cruzamos a Latitude 70, mesmo no meio das obras, paramos brevemente para comemorar. Afinal de contas, esse era o nosso primeiro grande objetivo e acabávamos de completá-lo. Identificamos o lugar pelo nosso GPS. Não havia absolutamente nada de especial nele – apenas estava lá, na imaginação dos homens e nos seus códigos.

Nesse dia escrevemos no nosso website: "Não foi aquele ponto exato onde cruzamos a Latitude 70 que realmente importou, mas o cumprimento do objetivo de chegar lá. Foi ele que nos guiou e deu forças para que pudéssemos ter vivido tantas histórias nesses 393 dias desde a nossa partida". Dirigimos mais de 50 mil quilômetros até ali, fizemos dezenas de amizades, encalhamos o carro diversas vezes, tivemos várias paradas para consertos em oficinas mecânicas (alguns consertos na beira da estrada), fizemos decolagens, voos e pousos, percorremos praias desertas, subimos montanhas, vimos animais exóticos, experimentamos comidas típicas em diversos países, sofremos fortes dores de estômago, escutamos diferentes idiomas, alguns indígenas, passamos por aumentos do dólar, acampamos no meio de florestas e desertos, em praças de cidadezinhas de nove países e vivemos a emoção de milhares de histórias. E tudo isso podemos contar agora graças à paciência da Michelle, que anotava tudo em nosso diário manuscrito. Se não fosse seu trabalho, jamais teríamos como lembrar de tudo que vivemos até ali.

Naquele momento atingimos a primeira Latitude 70, a da América. Em breve partiríamos em busca das outras e viveríamos mais histórias, afinal, objetivos bem definidos possuem a magia de não nos deixar desistir de nossos sonhos.

Deadhorse situava-se ainda mais ao Norte. A primeira coisa que procuramos fazer quando chegamos lá foi ver quão ao Norte conseguíamos ainda dirigir. Fomos até o portão de entrada da companhia petrolífera BP - British Petroleum, mas despertamos inquietação nos seguranças da empresa que, armados, mandaram-nos cair fora. Obedecemos, mas somente depois de marcar em nosso GPS 71°14'35" N e 148°23'33" W – o ponto mais ao Norte em que já estivemos em nossas vidas. Se tivéssemos chegado na alta estação, poderíamos ter ido (sem nosso carro) além dos portões do território de concessão da BP até o Mar do Ártico, mas esse foi mais um inconveniente do nosso atraso, mais um sinal de que a temporada havia acabado. Quando ligamos para reservar o tour que nos levaria até lá, disseram que a temporada de passeios naquele ano havia sido encerrada havia dois dias.

Quanto à Deadhorse eu a chamaria de uma estação petrolífera, ao invés de cidade, devido a suas construções itinerantes. Ela é toda quadrada, sem cor, mas interessante. Provavelmente quando o petróleo acabar tudo irá se mover para a próxima reserva. Na cidade há apenas uma loja, onde se vende de tudo. Apesar do campo petrolífero, o combustível é caro. Ainda bem que enchemos os tanques em Fairbanks para vir e voltar sem ter que bancar esse alto custo. O frio e a chuva fazem com que poucas pessoas caminhem pelas ruas. Vê-se muitas caminhonetes e caminhões, todos equipados para o trabalho.

Passamos apenas uma noite acima da Latitude 70 e com a nossa missão cumprida iniciamos o caminho de volta a Fairbanks. Embora a estrada fosse a mesma, aparentava ser outro lugar: um manto de neve transformou-a radicalmente. A temperatura baixou e chegou a -6°C à noite e trouxe à tona um problema que já prevíamos: nossas caixas d'água começaram a congelar.

Na natureza selvagem

De Fairbanks partimos sentido Anchorage – no sul da península do Alasca – tendo coisas interessantes para ver no caminho. Chegamos a Nenana, uma cidade pequena, onde acontece anualmente uma loteria baseada na natureza. Aposta-se no dia, hora e minuto em que o gelo do rio irá se quebrar, findo o inverno. Tudo começou como uma brincadeira, em 1917, quando os trabalhadores da linha férrea do Alasca eram forçados a esperar por esse momento, pois só então receberiam as provisões que viriam em barcos pelo rio. Desde aquela época, todos os anos, um grande tripé de madeira é montado sobre o gelo, que fica interligado por uma corda a um relógio. Quando o tripé se move, indicando o desprendimento do gelo, o relógio registra o horário e o vencedor é quem estimou com mais precisão o momento. Não é bizarro? Rola muito dinheiro nessas apostas.

Mais ao Sul dirigimos até o início da Trilha Stampede. Suponho que muitos devem ter assistido ao filme Na Natureza Selvagem. É um ótimo filme, com uma trilha sonora melhor ainda. Foi baseado no livro de mesmo nome de Jon Krakauer. A história é real e narra a vida do jovem Christopher McCandless, que resolveu largar tudo e imergir na natureza como forma de repudiar o mundo capitalista em que vivia. Fugiu de casa, vagou pelos EUA durante um tempo e, por fim, foi ao Alasca, onde pretendia ter contato com a essência da vida na natureza selvagem.

Adentrou a pé a Trilha Stampede por dezenas de quilômetros e em boa parte dos quatro meses que ali viveu, fez de seu abrigo um ônibus abandonado. Ele entrou na trilha no começo do verão de 1992, quando os rios ainda estavam baixos, pois a neve nas montanhas ainda não tinha derretido após o inverno. No mês de agosto, ao pretender voltar, encontrou os rios cheios, com fortes correntezas. Doente e fraco, não conseguiu cruzar o rio para retornar à civilização e acabou morrendo dentro do ônibus. Pelo desprendimento das questões materiais da vida

Christopher virou herói para uns e, para outros, um tremendo imaturo, pelo modo pouco prático de lidar com as suas ideias. O livro é muito melhor do que o filme. Nele o autor coloca seu ponto de vista sobre essa questão de desprendimento e faz o leitor refletir sobre o recado que Christopher deixou ao mundo. É difícil não formar uma opinião própria, seja ela contra ou a favor do personagem.

Aproximamo-nos dessa história acampando onde a Trilha Stampede começa e ao conhecer a réplica do ônibus utilizado no filme – o Magic Bus (assim o ônibus original foi batizado). Teria sido possível caminhar até o ônibus original, distante a 32 quilômetros de onde acampamos, mas estávamos em setembro, um mês depois das águas de agosto que aprisionaram Chris, por isso acabamos não indo. E também porque, até aquele momento, ainda não tínhamos botas apropriadas para neve.

Com os olhos abstraídos pela estrada que nos levava ao Sul, seguimos pensativos. As mensagens que lemos em cópias de postais enviados por Chris, que estavam no ônibus réplica, nos marcaram: "O segredo da paz interior é manter a conexão com a natureza. Esquece a mente, ela mente. Se der esse passo e deixar esse espaço, será iluminado". A assinatura era de Alexander Supertramp, apelido dado a Christopher McCandless por ele mesmo, quando partiu para sua aventura.

Nossa próxima visita estava planejada para ser no Parque Nacional Denali, mas adivinhem: estava fechado e a temporada de visitas, encerrada. Esse parque nós lamentamos, pois é considerado um dos mais bonitos dos EUA. É lá que se encontra a maior montanha da América do Norte – o Monte Denali ou McKinley. Além das suas paisagens deslumbrantes, poderíamos ter visto uma quantidade enorme de animais.

Ao menos o Monte Denali foi possível de ver ao longe. Olha que isso não é comum: os moradores da região dizem que a montanha parece magnetizar constante mau tempo ao seu redor. Aquela manhã em Talkeetna o céu estava tão límpido que além do Monte Denali, que resplandecia com os seus 6.168 metros de altitude, não havia mais nada no céu, nem uma nuvem sequer.

Nós já estivemos de frente com outras grandes montanhas do mundo, inclusive no Himalaia, mas como o Denali não existe. Ela se diferencia de todas, pois enxergamos quase a sua altitude total, já que a base está a meros 150 metros ao nível do mar. Talkeetna situa-se a uma altitude similar, mas a 90 quilômetros de distância do Denali e nós víamos a montanha tão grande como se pudéssemos tocá-la.

Um casal de americanos, Walter e Susie, comentou: "Moramos em Palmer, aqui perto, há 15 anos e nunca havíamos visto o Denali tão lindo como hoje. Está simplesmente maravilhoso. Vamos agora sobrevoar a montanha porque sempre que o desejávamos fazer o tempo não permitia. Vocês estão com sorte, aproveitem bem esse dia". O poeta romano Horácio, no Livro 1 de Odes, complementaria: "*Carpe diem, quam minimum credula póstero*". Uma tradução possível à frase em latim seria: "Colha o dia de hoje e confie o mínimo possível no amanhã".

Abastecemos em Anchorage, a maior cidade do Alasca, e dirigimos ao longo da Península de Kenai até Homer. Por sugestão dos moradores, prestamos atenção ao passar pela Baía de Turnagain e pudemos observar as baleias-beluga ou baleias-branca ao saírem d'água para respirar. Mais adiante, em um lago de águas cristalinas, fizemos um passeio em nossa nova canoa desmontável. De longe avistamos uma ursa *grizzly* e seu filhote perto da margem. Deviam estar caçando salmões, pois havia muitos ali.

Em Homer pude ver o maior peixe da minha vida. A cidade situa-se na entrada da Baía de Kachemak e no final do povoado existe um cais comprido, onde os barcos ficam atracados. Há vários bares e restaurantes no local, mas por ser baixa temporada não estavam em funcionamento. Estacionamos no final do cais e fomos caminhar na praia, quando, de repente, eu me assustei e gritei: "Caramba, Michelle! Olha que peixão". Emergiu fora d'água a uns dez metros à nossa frente. Ao me recuperar do susto, caí na gargalhada: não era um peixe, mas uma baleia-jubarte. Olhamos atentos para a baía e começamos a ver outras emergirem. Algumas subiam só o suficiente para respirar, lançando jatos d'água, mas uma chegou a saltar e veio-me uma ideia: "Vamos colocar nossa canoa na água para nos aproximar desses gigantes?" A canoa já estava montada e amarrada no teto do carro. A Michelle relutou um pouco, pois achou que uma baleia poderia facilmente virar a canoa, mas acabei convencendo-a de que o mar era grande e tinha espaço suficiente para todos. Preparei um café para tomarmos lá no meio da baía.

Aos poucos começamos a perceber que o movimento das baleias seguia um ritmo: quando uma saía d'água pela primeira vez, era só contar que voltaria entre três e quatro vezes e, na última, ergueria a cauda para o alto e desceria rumo às profundezas para procurar alimento. Esta última ação é muito parecida com os procedimentos de um mergulhador de apneia, quando se impulsiona para ir ao fundo. Perceber esse comportamento nos deu a oportunidade de observá-las mais de perto, pois ao ver a primeira respirada, remávamos forte naquela direção. O espetáculo é sensacional. Se estivéssemos ali na alta temporada, tenho certeza de que algum fiscal impediria essa aproximação, mas como éramos só nós e as baleias, ficamos à vontade para essas loucuras.

Com a pulga atrás da orelha

Nossa última experiência no Alasca foi na pequena cidade de veraneio McCarthy, que por se situar dentro dos Parques Nacional Wrangell e St. Elias, recebe anualmente milhares de turistas. Como a temporada ali também já havia acabado, a única pessoa que vimos e com quem conversamos foi com o dono do posto de combustível, que logo nos alertou quanto a um urso cinzento que ainda não havia hibernado. O homem mostrou seu revólver para sua proteção e disse que na época que antecede a hibernação os ursos transformam-se em caçadores vorazes, pois necessitam se empanturrar acumulando gordura para um cochilo que dura até meio ano.

Queríamos conhecer uma mina de cobre abandonada, mas a estrada terminava num rio e com uma ponte só para pedestres. Como não havia mais transporte público noutro lado da ponte para os 14 quilômetros de ida e volta, teríamos que ir a pé e a história do urso faminto nos deixou com uma pulga atrás da orelha.

À noite o céu ficou limpo e às 3h30 da madrugada pudemos ver uma intensa aurora boreal esverdeada. Tiramos os equipamentos às pressas para fotografá-la e, enquanto aguardávamos a longa exposição do obturador da máquina – cada foto podia levar 30 segundos –, a uns 15 metros de nós um barulho ecoou na mata. Algum animal cavava a terra furiosamente. Sabíamos que o único animal no Alasca que cava a terra para se alimentar de esquilos terrestres (eles habitam tocas) é o urso. “Ops! Já chega de fotos, Michelle.” Catamos nossas coisas e corremos para dentro do carro. Nós, viajantes experientes, com medo de um ursinho de três metros de altura? Bem, eu poderia dizer que era tarde e o sono bateu de repente... Além do mais, já tínhamos as fotos que queríamos. Acho que nem olhamos para trás para ver se havíamos esquecido alguma coisa no chão.

No outro dia caminhamos sozinhos até a mina e ao longo da trilha encontramos muitas pegadas de ursos. Ali sim utilizamos a técnica de fazer barulho para espantá-los. Fomos cantando e assobiando na ida e na volta. O risco valeu – e como. A mina, construída em 1903 e abandonada em 1938, ostenta belas construções antigas em cor terracota, que se situam ao lado de um glaciar. Hoje é um vilarejo fantasma. Nossa volta foi debaixo de uma nevasca e felizmente (ou infelizmente) nenhum urso ousou cruzar o nosso caminho.

Em meados de outubro começamos nossa volta ao Canadá. O frio cada vez mais mostrava sua força: rios e lagos começavam a congelar, a estrada a ficar branca, os pássaros migravam para o Sul, os ursos desapareceram e os moradores iniciavam a descida para as regiões mais quentes. Onde quer que íamos, havia placas avisando: "fechado para o inverno". As estradas mais ao Norte já estavam interditadas, inclusive a que liga a Dawson ou Klondike – região que ficou famosa pela Corrida do Ouro e que gostaríamos muito de conhecer, mas não foi possível, pois o inverno chegou antes.

Percorremos na maior parte do tempo a lendária Rodovia do Alasca – ALCAN –, construída pelos americanos durante a Segunda Guerra Mundial em território canadense. O objetivo deles foi conectar o Alasca ao restante dos Estados Unidos. Os americanos tinham pretensão de construir esta conexão desde o início do século 20, mas com o ataque japonês a Pearl Harbor os trabalhos se iniciaram de modo urgente, pois temia-se uma invasão japonesa pelo Alasca. Em 1942, em apenas nove meses, mais de 16 mil soldados e civis completaram os 2,7 mil quilômetros propostos. Posteriormente a estrada foi encurtada para 2.232 quilômetros. Um coronel da época declarou que essa foi a maior e a mais difícil obra americana depois do Canal do Panamá.

Durante a construção da estrada, o Exército instalou placas informativas nos seus acampamentos indicando a direção e a distância de determinados locais do Canadá e Estados Unidos. Um dia o soldado Carl Lindley ficou encarregado de arrumar a placa que estava na esquina da rodovia onde hoje se localiza Watson Lake. Com saudades de casa, adicionou a indicação de sua cidade natal: Danville, Illinois. Esse simples ato se transformou em tradição e a partir de então viajantes de todo o mundo passaram a imitar o Carl e a marcar também as direções e quilometragens das suas cidades.

Quando estivemos lá, naquela esquina havia em torno de 72 mil placas. Passamos um bom tempo observando a criatividade empregada em cada uma. A mais antiga que vimos datava de 1976. Não perdemos tempo: deixamos a nossa também, apesar da dificuldade em se encontrar um espaço. Realizamos até uma cerimônia ao Carl Lindley e registramos nossa saudade da terra natal.

Próximo a Fort Nelson deixamos a ALCAN e nos dirigimos para uma das regiões mais remotas do Canadá: os Territórios do Noroeste (Northwest Territories), uma terra vasta, habitada por comunidades indígenas Nahanni. Contornamos o Circuito Deh Cho, onde pudemos apreciar lindas cachoeiras. Todas as noites levantávamos para ver se a aurora boreal aparecia, mas só tivemos noites nubladas. De animais, só vimos rastros na neve.

Percorrer esses lugares frios serviu para testar o carro. O isolamento (15 milímetros de espuma de PVC do divinycell e 15 milímetros de isopor) mantinha a temperatura interna em torno de 10°C acima da externa. Isso quando nossos corpos trocavam calor com o ambiente. À noite, quando entrávamos debaixo das cobertas, inibíamos essa troca e reduzíamos a diferença. Houve manhãs em que a temperatura interna estava abaixo dos 0°C. O jeito era pular da cama e logo esquentar água para ajudar a aquecer o ambiente. A Michelle, esperta, inventou a regra que só sairia da cama quando a temperatura interna chegasse a 10°C positivos.

Tive que me habituar a limpar a neve sobre o carro, especialmente no painel solar, para que ela não impedisse o carregamento das baterias. Se a deixasse acumular por alguns dias, ela acabaria virando gelo e aí sim seria difícil removê-la. Os banhos passaram a ficar cada vez mais espaçados. As fechaduras das portas começaram a congelar. Dentro do carro, devido à condensação, a umidade escolhia os lugares mais inapropriados para se instalar: dentro dos armários e embaixo da cama.

Mais tarde, em uma loja especializada para barcos, encontramos a solução para o colchão – costuramos uma manta que se parece com um emaranhado de fios de plástico de dois centímetros de espessura, com resistência para manter um espaçamento entre o colchão e a cama, mesmo conosco sobre ele, o que mantinha uma certa circulação de ar. Lavar louça começou a ser uma tarefa difícil, pois a caixa d'água congelava à noite. Antes de dormir, tínhamos que encher uma panela de água, caso contrário não tínhamos água para o café da manhã do outro dia.

Viver assim foi possível por algumas semanas, mas não seria nada agradável ter que passar meses desse jeito. E esta era a nossa sina até maio do ano seguinte. Então, para nos preparar melhor para o clima extremo siberiano, fomos a Edmonton trabalhar em nosso carro. Poderia ter sido qualquer outra cidade do Canadá ou dos EUA, mas quando visitamos Moab e conhecemos o canadense Trevor Myler, também proprietário de um Land Rover, ele se prontificou a ajudar no que fosse preciso quando dissemos que passaríamos pelo Canadá. E era lá que ele morava. Logo cedeu-nos sua garagem e um quarto de sua casa pelo tempo que precisássemos. Trevor era integrante do Clube Alberta Land Rover Enthusiasts e nos apresentou pessoas que também nos ajudaram: sua namorada Downa, Bill Inch, Bert van Riel, Jason e Kellie Porter, Kevin e Jennifer Buerfeind.

Enquanto estivemos na sua casa preparando o Lobo, o tempo mudou várias vezes: fez sol, choveu, nevou, fez sol de novo, choveu e nevou. Indiferentemente às mudanças de clima, passei dias com a mão na graxa. A garagem aquecida de Trevor infelizmente não serviu para o Lobo, que era muito alto, fazendo-me ter que trabalhar na calçada externa com temperatura que chegava a -9°C. Além de consertar alguns vazamentos – coisas de Land Rover –, troquei o óleo dos diferenciais e da caixa de transferência para óleos 100% sintéticos e instalei dois aquecedores movidos a diesel (um para o motor e outro para o ambiente interno), ambos de um fabricante alemão chamado Eberspächer.

O aquecedor do motor seria usado quando a temperatura ficasse abaixo dos -20°C. Sua função era pré-aquecer o motor antes de ser dada a partida. Funciona assim: a água de arrefecimento é aquecida em uma serpentina e ao mesmo tempo bombeada pelo bloco do motor. Já o aquecedor de ambiente fornece calor para o interior do motorhome. Funciona a diesel igual ao aquecedor do motor, independentemente se o carro está ligado e uma ventoinha sopra ar quente para dentro do veículo.

Uma coisa que fiz e que talvez precisasse de uma solução melhor foi interligar os dois aquecedores ao tanque principal de diesel, que ficava fora do carro; ou seja, o diesel ficava sujeito às baixas temperaturas. Em lugares muito frios, dependendo da qualidade do combustível, ele podia congelar e interromper o funcionamento dos aquecedores. Isso aconteceu logo na nossa chegada à Rússia e, mais tarde, no Cazaquistão, onde a temperatura nem estava tão baixa, apenas -10°C. O diesel lá não devia ser apropriado para aquele frio ou devia ser de baixa qualidade, podendo haver água em sua mistura. Um amigo russo transportava o combustível de seu aquecedor dentro do carro, o que o mantinha aquecido. Mas isso não é recomendado pelo fabricante por questões de segurança.

Velhos amigos no caminho

Eu ainda trabalhava no carro, com as mãos cheias de óleo, quando repórteres de dois canais de televisão chegaram para nos entrevistar. Trevor foi quem organizou a vinda deles. Como vendíamos livros em inglês, essa divulgação foi bem-vinda. As matérias repercutiram muito, a ponto de o gerente de marketing da Bergans of Norway, nosso patrocinador das roupas para o frio e da canoa, ler sobre nós num jornal impresso. E a bolsa de lona que acomodava a canoa apareceu na foto em destaque, com o logotipo da empresa em evidência. Ganhamos mais "uns pontinhos" com ele.

Mas não foi o único fruto gerado pelas entrevistas. Em nosso primeiro livro citamos uma passagem engraçada em que houve uma coincidência muito grande com o casal Justyna e Milan (ela polonesa, ele tcheco). Conhecemo-nos na Austrália e um ano e meio depois nos reencontramos, por acaso, dentro de uma mesquita no Irã.

Manter contato com eles era sempre difícil, pois na época mal tinham uma conta de e-mail. Por isso quando tentamos contatá-los para confirmar como se escrevia seus nomes, não conseguimos, então Justyna ficou com seu nome escrito errado em nosso primeiro livro (capítulo 6). Sete anos mais tarde, uma terceira coincidência impressionante envolveu o casal.

Enquanto zapeava pelos canais de televisão, Milan assistiu de relance à nossa entrevista. Gritou para a Justyna vir ver e, como não tinham internet em casa, ligaram para um amigo, que nos enviou um e-mail dizendo para ligarmos com urgência para eles. E não é que estavam morando em Edmonton? Queriam nos ver. Ficamos surpresos e felizes com o e-mail e, é claro, fomos visitá-los.

Outras coincidências aconteceram na América do Norte. Próximo a Moab, enquanto aguardávamos na fila para entrar no Parque Nacional dos Arcos, alguém bateu em minha janela. Tomei o maior susto. "João Vitor! O que você está fazendo aqui cara? ", perguntei, saindo do carro para dar-lhe um abraço. Ele respondeu que estava trabalhando com paraquedismo naquela cidade. João é um amigo brasileiro que havíamos conhecido na Bahia alguns anos antes. Ele sabia de nossa viagem, mas não que estávamos ali, tão perto. Quando viu o Lobo largou o seu carro no acostamento e veio nos cumprimentar.

Mais um encontro inesperado ocorreu quando paramos na costa do Big Sur, na Califórnia, onde havia dezenas de elefantes marinhos tomando sol. Depois de ver aqueles gigantes preguiçosos na areia, fomos almoçar dentro do carro e, de repente, ouvimos vozes familiares nos chamando pela janela. Abrimos a porta e demos de cara com os conterrâneos Josiane, Lisandro e Laura Uhlig, que na época moravam na Pensilvânia. Eles acompanhavam regularmente nossa viagem pelo website. Nas férias, cruzaram os EUA até a costa oeste, sem imaginar que um encontro pudesse acontecer. Foi engraçado, pois a Josi deu um grito de emoção, deixando os americanos que estavam próximos a nós sem entender o que estava acontecendo. Nós os recebemos dentro do carro para um café e para colocar a conversa em dia.

A caminho de Vancouver passamos pelos Parques Nacionais Jasper e Banff, nas Montanhas Rochosas. Na ida estavam tomados pela fumaça. Agora, uma espessa camada de neve deixava-os monocolores. As estradas cobertas de neve serviram como um *test-drive* para a Rússia e a temperatura, que chegou a -15°C, deu-nos a oportunidade de usufruir do calor gerado pelos equipamentos recém-instalados. Saber se eram realmente eficientes, somente quando as temperaturas baixassem ainda mais. Mas a Michelle estava feliz. Ela costumava dizer que existia uma vida antes e outra depois da instalação do aquecedor interno.

Do estacionamento da cachoeira Athabasca, no Parque Jasper, presenciamos um dos amanheceres mais lindos de nossas vidas – e olha que já vimos centenas deles em lugares diferentes do mundo. Os raios do sol começaram a surgir por detrás da imensidão branca e se movimentavam bruxuleantes conforme iam encontrando caminho por entre as árvores. Ao mesmo tempo, junto ao solo, a evaporação do sereno criava efeitos no ar, produzidos por uma luz dançante que somada às sombras espalhadas formava uma espécie de aurora boreal, só que diurna.

Descemos um trecho do Cânion do Rio Fraser e continuamos pela rodovia Pavilion-Clinton (99). Depois de Whistler, cidade que sediou as Olimpíadas de Inverno de 2010, chegamos em Squamish, onde, a convite de um conhecido do Trevor, Andrew Goh, participamos de um encontro de Land Rovers. Eu adorava isso, pois uma amizade leva à outra, dando-nos a chance de conhecer muita gente com interesses comuns. Andrew nos apresentou a Chris, que morava em Vancouver, e não poderíamos ter tido um melhor convite para acampar: no quintal de sua casa. Chris era o responsável pelo parque municipal Kitsilano, sediado no centro da cidade. O local cedido para nosso acampamento foi ao lado de sua casa, no centro da enorme área verde do parque e com vista para o mar.

Vancouver é uma cidade encantadora. É grande, porém com ar de cidade pequena. Existem áreas verdes por todos os lados e a orla marítima foi conservada para uso público. A influência asiática é percebida pelo tipo físico de muitas pessoas e nas dezenas de restaurantes. Brasileiros também deixaram suas marcas por lá: os Gêmeos, grafiteiros renomados com obras de rua em murais do mundo inteiro, pintaram em antigos silos no centro da cidade. Aproveitamos a existência de um Consulado Brasileiro para renovar os nossos passaportes, pois quase não havia mais folhas para carimbar e a data de vencimento estava próxima. Antes de partir de volta para os EUA, passamos um dia agradável na companhia do brasileiro Ronaldo e sua esposa dinamarquesa Janni.

De volta aos EUA

Voltar aos Estados Unidos fazia parte de nossos planos, pois Seattle foi a cidade escolhida para despacharmos o carro para a Ásia. O que fugiu um pouco do plano inicial foi a data de chegada – quatro meses atrasados. Na verdade, não consideramos isso como atraso, mas replanejamento. Em nossa primeira viagem também foi assim. É por isso que dizemos que planejamento deve ser constante e não acaba quando a viagem começa.

Um dos pontos positivos dessa mudança foi que conseguimos sincronizar nossas agendas com a dos nossos familiares a fim de passar o Natal e o Ano Novo juntos. Mas até a chegada deles, que seria na metade dezembro, muita água ainda iria rolar.

Dirigimos da fronteira canadense até Seattle passando por uma região de montanhas e fazendas e assim que chegamos montamos o nosso quartel general no estacionamento de um Walmart. A necessidade agora era resolver assuntos do dia a dia e preparar a próxima etapa da viagem: organizar o despacho do carro, comprar passagens aéreas (nessa época ainda não sabíamos se iríamos direto para a Rússia ou primeiro para a Coréia do Sul), receber os equipamentos comprados, procurar por outros, dar uma limpeza geral no carro, lavar roupa, estocar mantimentos, colocar pneus especiais para inverno, trocar as baterias, fazer mais pesquisas sobre a Rússia, cortar o cabelo e muitas outras coisas.

No final de semana, para darmos uma trégua no trabalho, fomos a Portland, no estado vizinho de Oregon. É uma cidade bem charmosa, conhecida como a cidade das pontes, pois há 11 que cruzam o rio Columbia. Seu centro histórico está repleto de prédios antigos, de tijolos à vista. Diferentemente de outras cidades americanas que havíamos visitado até então, praticamente todos os prédios tinham aquelas escadas antigas de ferro para saída de emergência que aparecem nos filmes americanos policiais. Portland é verde, tem um sistema elaborado de ciclovias e possui muitas cervejarias. A maior livraria independente do mundo está lá, a Powell. Conhecê-la foi uma ótima pedida para fugirmos do tempo chuvoso. Dizem que ela tem dois milhões de títulos novos e usados nas prateleiras. Para se localizar lá dentro foi elaborado até um mapa. Um ponto negativo da cidade foi que vimos muitos desabrigados.

No domingo a chuva cessou, então nos dirigimos a uma estrada cênica e histórica que margeia o rio Columbia, onde há vistas panorâmicas do rio, pontes, florestas e muitas cachoeiras. É um lugar encantador. Como tínhamos o dia inteiro, fomos parando para contemplar e fotografar a paisagem. Passamos por Vista House e as cachoeiras Latourell, Shepperd's Dell, Bridal Veil, Wahkeena e Multnomah.

O que nós não suspeitávamos, porém, era que alguém percebeu essa nossa prática de fazer tantas paradas e passou a nos seguir, certeiramente para tramar um roubo. No retorno da última cachoeira, a Michelle deu de cara com a janela e o trinco da porta do lado do passageiro em pedaços. "Roy! Nos roubaram novamente!", gritou. Corri em volta do carro para ver o que havia acontecido e ao perceber com meus próprios olhos o estrago, meu sangue ferveu.

"Desgraçados! Foram aqueles caras que vieram conversar conosco na segunda cachoeira", desvendou a Michelle de pronto. Ela tinha razão. Era para ter acontecido isso naquela parada, mas como estávamos voltando da cachoeira, eles não tiveram tempo para nos roubar. Explico melhor: quando voltávamos da segunda cachoeira deparamo-nos com um cara que, ao nos ver, deu uma disfarçada e assobiou alto. A Michelle foi ao banheiro público e eu para o carro. Dei de cara com outro cidadão (depois tive certeza de que o assobio foi para alertá-lo de que retornávamos ao carro) e ambos, que tinham seu carro estacionado ao lado do nosso, começaram a puxar papo: De onde éramos? O que estávamos fazendo? Para onde estávamos indo? Que tal visitarmos a última cachoeira, pois lá, disse um deles, "a experiência seria inesquecível". Eu percebi que um estava bêbado ou drogado, mas não me dei conta da possibilidade de eles estarem planejando alguma maldade. Minha inocência foi tamanha que ofertei nosso livro a eles. A Michelle até hoje debocha de mim por causa disso. Mas nem ela, que é mais astuta com essas coisas, percebeu na hora a intenção da dupla.

Na terceira cachoeira, quando subíamos a trilha de acesso, a Michelle me perguntou se os cadeados da maleta das câmeras e do console estavam fechados. Eu não tinha certeza, então voltamos para conferir. Na volta eu vi um dos caras ao lado de nosso carro, mas logo ele desapareceu. Foi mais um sinal de que algo estranho estava acontecendo, mas não nos ligamos no momento, somente depois do ocorrido.

Fomos na quarta cachoeira e nada aconteceu. Na última, a mais bonita (sobre a qual os caras falaram que não esqueceríamos jamais), havia muitos carros estacionados – mais de 50. Achamos um canto para o nosso, fechamos os cadeados internos, as portas e fomos caminhar. Devemos ter ficado em torno de meia hora e, quando voltamos, vimos aquela cena horrível.

Foi engraçado, pois os malditos abriram só os compartimentos cadeados. Imagino que se estavam protegidos, os ladrões suspeitaram que ali deveria haver coisas de valor. Dito e feito. Levaram tudo: passaportes, documento do carro, cartões de crédito e débito, carteiras de habilitação, outros documentos e como já havia acontecido no primeiro roubo na Colômbia, os equipamentos fotográficos que ficaram no carro.

É difícil expressar a angústia que passamos. Caramba, mais uma vez isso acontecia. Quando começamos a montar o quebra-cabeças dos fatos e nos demos conta de tudo o que haviam levado, a raiva ficou maior ainda. Tínhamos vontade de ir atrás deles.

Mais tarde, quando pesquisamos na internet sobre essa rota turística, descobrimos que esses roubos são comuns – acontece uma média de um por dia. Fomos os escolhidos daquele domingo. E nos pareceu que ninguém estava nem aí para isso. Nem os moradores locais, nem a polícia e nem as autoridades, pois nada foi feito para alertar os milhares de visitantes. Nenhuma câmera, nenhuma ronda policial, nada. Vimos apenas uma placa, em toda a rodovia, para que as pessoas ficassem de olho em seus pertences.

A polícia americana foi uma grande decepção. Imaginávamos que seria como nos filmes: com policiais tipo o Jack Bauer, o protagonista da série americana 24 Horas, que não dá mole aos bandidos. Mas que nada... Além da demora para chegar no local, levaram quatro dias para nos entregar o laudo, imprescindível para que pudéssemos solicitar novos documentos.

Cabisbaixos, naquele mesmo dia retornamos mais de 200 quilômetros até o Walmart de Seattle, usando plástico na janela quebrada para proteger-nos do frio e da chuva. Como se já não tivéssemos trabalho de preparação suficiente para a próxima fase da viagem, agora tínhamos um novo infortúnio para resolver: bloquear os cartões e pedir outros, solicitar novas carteiras de motorista e documento do carro para que nossos familiares pudessem trazê-los em sua vinda, fazer novos passaportes – que tínhamos recém-renovado –, arrumar o trinco e o vidro lateral, etc.

Mas dos males, o menor – novamente. Saímos com os corpos ilesos, tendo somente prejuízos materiais. Com um pouco de esforço para superar mais essa crise financeira e psicológica, daríamos um jeito de seguir viagem.

No final, só alegria

Logo chegaram a Natascha, a Leones e o Leomar (minha irmã e meus pais) e uma semana depois a Daniela e o Cleiton (irmã e cunhado da Michelle); e foi só alegria. Estávamos com muita saudade, afinal fazia um ano e quatro meses que não os víamos. Alugamos uma casa por três semanas e de lá, com um carro alugado para sete pessoas, partíamos diariamente para algum evento ou passeio nas redondezas.

O Lobo foi carregado num contêiner e partiu do porto de Tacoma, em Seattle, para o porto de Vladivostok, na Rússia, com previsão de um transbordo no porto de Busan, Coréia do Sul, um dos portos mais movimentados da Ásia. Nós até cogitamos uma opção mais barata, que seria despachar o carro para Busan e de lá embarcá-lo em um ferry para Vladivostok, mas descobrimos em tempo que o Brasil não assinou o acordo de Genebra que estabelece leis de trânsito internacionais e, portanto, não poderíamos dirigir na Coreia do Sul.

Seattle é uma cidade com cerca de 600 mil habitantes, mas se considerada a região metropolitana, chega a 4 milhões. Grandes nomes e empresas fizeram parte de sua história, como Ray Charles, Jimi Hendrix, Nirvana, Pearl Jam, Soundgarden, Alice in Chains, Boeing, Microsoft, Amazon e Starbucks. Também foi ali que residiu o lendário Bruce Lee.

Nós visitamos importantes marcos da arquitetura, comércio e artes plásticas da cidade, como a Space Needle, o Mercado Público e o museu de Chihuly. O Mercado Público (Pike Place Market) é um barato: como forma de atrair a atenção dos transeuntes, os vendedores das peixarias encenavam uma comédia a cada venda, arremessando peixes entre os colegas de trabalho. Os espetáculos aconteciam no embalo de uma cantoria e por vezes assustavam os fregueses desavisados. Passamos depois na primeira loja das cafeterias Starbucks, mas tomar um café ali foi impossível, a fila saía calçada afora.

Visitamos ainda o Museu da Boeing e a Biblioteca Central, construída no formato de uma pilha de livros. Dividimos o grupo por interesses e enquanto alguns visitaram o Museu da Música, outros foram aos túneis subterrâneos da cidade histórica; fomos a concertos, compras nos *outlets* e conhecemos Leavenworth, uma cidade colonizada por alemães que promove anualmente uma bela festa natalina; dirigimos ao longo da Ilha Whidbey com a esperança de avistar baleias, mas não tivemos sorte; tiramos um dia para patinação no gelo e o show foi proporcionado pelas mulheres, pois os homens só saiam do chão para voltar a ele com mais força.

Há uma montanha que se sobressai e faz parte dos cartões postais de Seattle. É o Monte Rainier, com 4.392 metros de altitude. Em nossas fotos, o enquadramos de diferentes pontos da cidade. Um deles foi o mirante Kerry Park, de onde é possível ver a Space Needle e os demais prédios da cidade com o Monte Rainier ao fundo. E do septuagésimo terceiro andar do Columbia Center, o prédio mais alto da cidade, pode-se avistá-lo mais do alto. Quando visitamos a montanha pessoalmente para nos divertirmos na neve, a temperatura marcava -8°C.

Em 1980, a menos de 80 quilômetros ao sul do Monte Rainier, o vulcão Saint Helens explodiu, lançando uma avalanche de terra e rocha que destruíram 250 casas, 47 pontes, 24 quilômetros de estradas de ferro e 298 quilômetros de rodovias. Em uma manhã de domingo, em 18 de maio, às 8h32 o seu lado norte explodiu. Nos tempos modernos foi o evento vulcânico mais destrutivo do país e, segundo Bill Bryson, em seu livro Breve História de Quase Tudo, o maior deslizamento de terra na história. Ele escreveu: “Um minuto depois, com seu flanco tremendamente enfraquecido, o Saint Helens explodiu com a força de quinhentas bombas de Hiroshima, projetando uma nuvem quente assassina que chegava a 1050 quilômetros por hora – rápido demais para que as pessoas nas imediações conseguissem fugir”. Algumas das 57 pessoas que morreram estavam tão longe que nem sequer podiam ver o vulcão. Quem visitou a região antes de 1980 ainda teve a chance de ver o Saint Helens com 2950 metros de altitude. Hoje ele tem 2549 metros, pois 401 metros do antigo pico desceram com a avalanche.

Nossos familiares e nós passeamos muito por Seattle e redondezas e, o mais importante, tivemos tempo para matar a saudade. A ideia de alugar uma casa foi perfeita, ali estivemos sempre juntos, interagindo dia e noite. No Natal saboreamos um salmão comprado dos vendedores atores no Pike Place Market. Venderam-nos um salmão “selvagem” do Pacífico, não de cativeiro. Acho que era verdade, pois estava delicioso.

Quanto à passagem do ano, esperávamos um pouco mais de agito, emoção e fogos de artifício. Fomos esperá-lo nas redondezas do Space Needle – ponto principal de Seattle e a celebração foi, na ótica de um brasileiro, acostumado com festas barulhentas, muito “mixuruca”. Para mim e para a Michelle, o que importava era que este novo ano marcava o começo de uma aventura emocionante que estava por acontecer do outro lado do mundo.

Dia 05 de janeiro de 2016 levantamos de madrugada para irmos juntos ao aeroporto. Natascha, Leones, Leomar, Daniela e Cleiton voaram de volta ao Brasil; nós, no sentido Seul, Coreia do Sul, com uma longa escala em Shanghai, na China.

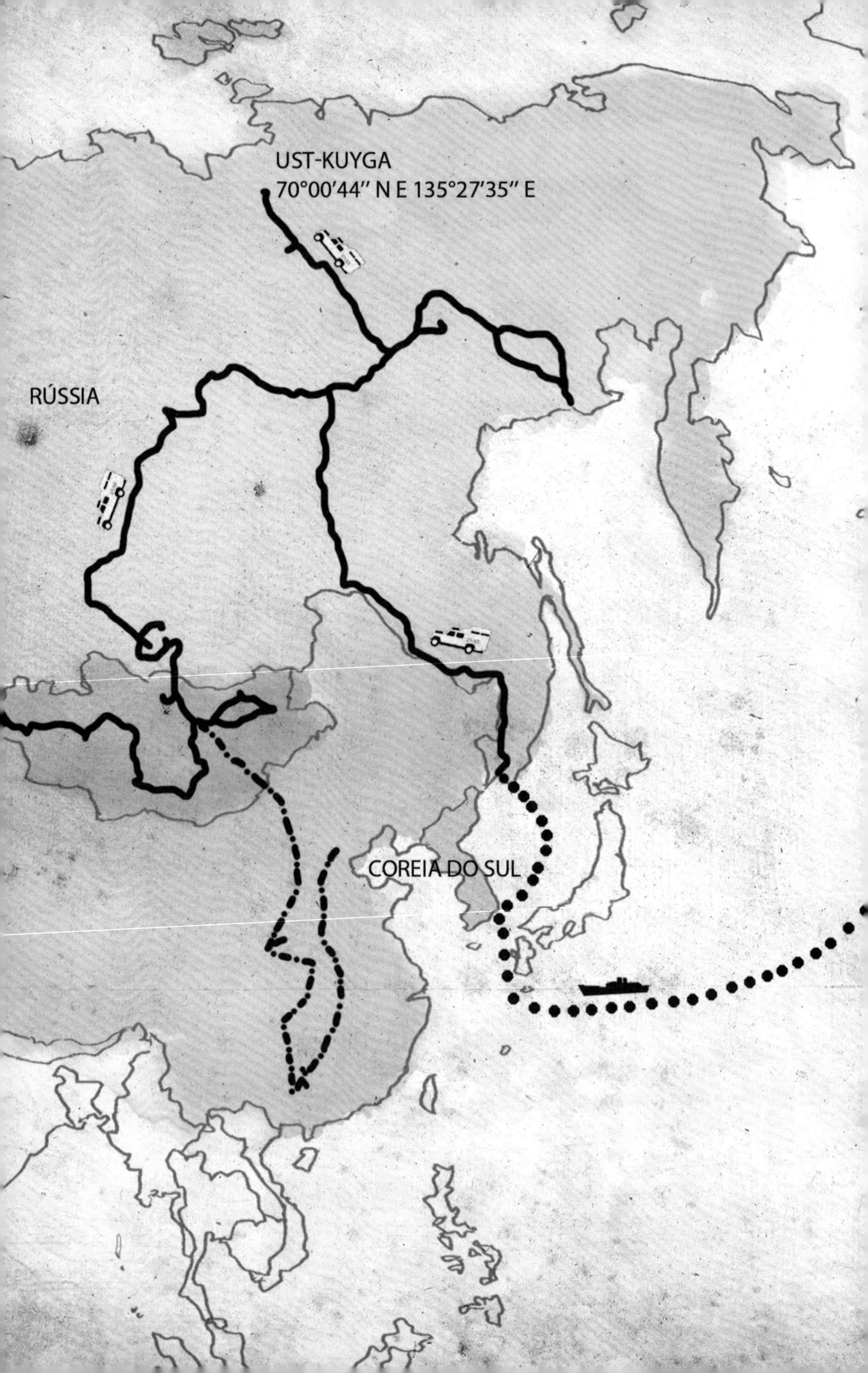
UST-KUYGA
70°00'44'' N E 135°27'35'' E
RÚSSIA
COREIA DO SUL

6.
Coreia do Sul e Rússia

A Coreia do Sul serviu-nos como uma pausa no meio do caminho. Viajamos por lá enquanto nosso carro cruzava o Oceano Pacífico em um navio cargueiro em direção a Vladivostok (Rússia). Seul estaria em nossa rota de qualquer maneira, pois seu aeroporto, assim como o porto, é um dos mais movimentados da Ásia, ponto de conexão de quase todos os voos que se dirigem para o Leste Russo.

A viagem foi longa e cansativa. Somando o tempo de voo, conexões e esperas, viajamos 38 horas, que acrescentadas à diferença de fuso horário – 16 horas – fez a noite virar dia e vice-versa. Desembarcamos como dois zumbis, mas apesar da canseira, pisamos em Seul mais leves, pois longe do carro, só com as mochilas nas costas, ganhamos em mobilidade. Tomamos um metrô e nos deslocamos até o distrito Mapo-gu – um bairro universitário, lotado de albergues, onde ficamos por dez dias.

Usufruindo do sistema do metrô mais avançado do planeta, pudemos ir e vir de qualquer lugar daquela metrópole. Ali sim, sentimos os benefícios de um transporte público eficiente. Diferentemente das grandes cidades brasileiras, quase não vimos congestionamentos, mesmo sendo Seul a segunda maior metrópole do mundo, com 24 milhões de habitantes.

Não possuir carro é algo normal para um coreano; alguns com quem conversamos nem sabiam dirigir. E eles não precisam, pois o país todo é acessível por estradas de ferro. Com isso, reduzem consideravelmente a produção de gás carbônico, emitido pelos escapamentos. Porém, ao mesmo tempo em que evitam a produção dos gases, sofrem com os que vêm da vizinha China: em determinada época do ano os ventos sopram daquela direção e trazem parte da poluição para cima deles. Ter um vizinho grande incomoda.

A Coreia do Sul, oficialmente República da Coreia, é desenvolvida tecnologicamente em outros aspectos também: seu aeroporto internacional Incheon foi considerado o melhor do mundo por anos consecutivos e na Coreia a conexão de internet é a mais rápida e com o maior número de usuários de banda larga. Não é para menos que no metrô ninguém mais se olha ou conversa, todos passam o tempo em seus celulares, teclando, jogando e tirando *selfies*. Cada um dentro do seu mundinho.

Ao observar este comportamento lembrei-me, por um instante, de um trecho que a Michelle leu no livro Nascemos para Caminhar, de Dan Rubinstein: "Hoje em dia, nos Estados Unidos, as crianças passam em média vinte minutos por dia brincando ao ar livre e quase oito horas usando um computador, tablet ou smartphone. Se não estão conectados a estes dispositivos estão assistindo à TV ou mesmo grudadas em mais de um desses aparelhos ao mesmo tempo". E mais conectados ainda estamos nós, brasileiros, que de acordo com dados divulgados pela revista Ler & Cia (Você está viciado em internet?), passamos nove horas por dia navegando na internet. Um comportamento preocupante, mas parece que não tem mais volta, o ser humano está, definitivamente, trocando o contato com a natureza pela fria tecnologia.

Lembram-se do Gangnam Style – aquela música do cantor coreano Psy, que conquistou o mundo através de um videoclipe na internet? Gangnam é o nome de um distrito de Seul, o centro econômico da cidade, onde se encontram as grandes companhias coreanas, como Samsung, LG, Hyundai-Kia, entre outras. O país só chegou a esse patamar de desenvolvimento depois que o governo adotou a educação como peça-chave para seu crescimento. A impressão que tivemos foi de que os coreanos são criativos, têm bom gosto e são altamente qualificados – talvez o estilo Gangnam de ser que Psy expressava em sua música.

Os jovens comandam a moda. Se vestem com roupas estilizadas, supermodernas e adoram dançar. No bairro universitário onde ficamos, principalmente nos fins de semana, grupos de dançarinos se apresentam no calçadão fazendo coreografias difíceis, rápidas e sincronizadas. E a população adora prestigiá-los.

Ouvimos falar que há discotecas onde não existe restrição de idade mínima para entrar, só idade máxima (algo em torno de 20 anos). Acima de 21 anos, para eles, o cara já está meio passado, portanto, não entra. A verdade é que o coreano é muito vaidoso. Na loja Samsung D'light, a principal dessa companhia, onde são lançados os produtos e se pode testá-los, tirei uma foto minha e, para minha surpresa, automaticamente ela se autocorrigiu, tirando rugas e imperfeições do meu rosto. Mas eu fiquei mais chocado ainda quando vi ao meu lado, no metrô, uma coreana linda que aparentemente não estava feliz com sua aparência. Ela fez uma *selfie* e rapidamente estreitou o rosto, encompridou a boca e o pescoço, ajeitou os olhos, depois postou a foto nas mídias sociais.

Creio que a tecnologia está indo longe demais nesses aspectos. Estamos entrando na era da falsidade fotográfica. É possível conhecermos uma pessoa pela internet e na hora do primeiro encontro nos deparamos com alguém completamente diferente. Algo semelhante aconteceu conosco ao alugarmos um quarto de hotel em uma escala que fizemos em Shanghai, na China. Ficamos encantados com a foto do hotel, pagamos antecipadamente e o quarto não tinha nada a ver com a foto exibida.

Eu achava engraçado quando meu concunhado Cleiton falava às pessoas, quando não gostavam de si em uma foto: "é o que é, não tem como mudar". Com base nessa fala, ao iniciarmos a viagem, resolvemos criar a rotina do "é o que é". Consistia em todas as sextas-feiras tirarmos um autorretrato de nós mesmos e do jeito que estivéssemos: sujos, descabelados, sonolentos, arrumados, desarrumados, não importava – a foto tinha que ser tirada. Nossa intenção foi de poder observar as mudanças que iam acontecendo conosco ao longo desses quase três anos e meio de viagem. Não foi permitido qualquer autocorreção – era o que era. Mais tarde criamos uma sequência desses retratos e pudemos perceber o quanto mudamos. Foi uma experiência muito legal e comprovou que o tempo passa, quer a gente queira ou não.

Uma mistura de arquiteturas

O centro de Seul é formado por uma mescla de estilos arquitetônicos: existe a arquitetura antiga, bem preservada, com palácios da Dinastia Joseon e a arquitetura moderna. Dois edifícios modernos nos fascinaram: o Dongdaemun Design Plaza & Park e o prédio da nova prefeitura. O primeiro foi projetado pela renomada arquiteta Zaha Hadid, que propôs uma cobertura em forma ondulada, meio ovalada, revestida por 40 mil placas de alumínio, sendo uma diferente da outra. Para completar a beleza da área externa há um jardim de flores artificiais, todas com luzes no seu interior. São milhares e não havia sequer uma flor com a lâmpada queimada. O segundo é um projeto do arquiteto coreano Yoo Kerl, impressionante por sua enorme parede interna, toda verde, dentro do hall principal. É a maior parede verde do mundo. O prédio tem uma vasta área de interação destinada aos cidadãos. Nunca vimos uma prefeitura tão legal e tão acessível.

Seul é tomada por restaurantes e cafés. Nossa vontade era de ficar o dia inteiro experimentando os diferentes pratos que passavam diante de nossos olhos, mas haja estômago. Uma das dificuldades que tínhamos era entender os cardápios: além do idioma diferente, traziam muitas opções. Geralmente escolhíamos pela foto, mas mesmo assim alguns ingredientes nos surpreendiam.

Acabou-se o pão, a manteiga, a geleia e o queijo nos cafés da manhã e estes foram substituídos por um simples Miojo. Para os almoços e jantares, nossos pratos preferidos eram o Bibimbap (arroz com vegetais, cogumelos e ovos servidos numa panela de barro) e o Gimbap (algo parecido com o sashimi, feito na hora). Experimentamos também o churrasco coreano, que apesar de não chegar aos pés do brasileiro, é interessante, servido numa mesa que possui uma grelha, onde o próprio cliente assa a carne. O curioso foi que ao invés de cortarem a carne com faca, utilizam tesouras.

No movimentadíssimo mercado municipal provamos o prato tradicional Sannakji (polvo vivo). Demoramos um pouco até decidirmos encará-lo e quando fizemos o pedido, a dona do restaurante, sem hesitar, tirou um polvo vivo do aquário, cortou seus oito tentáculos em pedaços de três ou quatro centímetros, colocou tudo num prato e nos serviu com shoyo, pimenta e wasabi. Os pedaços de tentáculos se mexiam incessantemente no prato e grudavam na louça por meio das suas potentes ventosas, ficando até difícil pegá-los com os hashi (palitinhos asiáticos). Aliás, disseram-nos que os tentáculos já mataram quem não os mastigou direito: as ventosas grudam na garganta e matam por asfixia. Tomamos o cuidado de mastigar bem antes de engolir, o que não foi tarefa difícil, pois o sabor era delicioso e refrescante. O difícil foi lidar com a consciência ao comer algo meio vivo, meio morto. Mas comemos, pois como já dissemos, nessa viagem nos propusemos a ir para a chuva e nos molhar.

Uma história de guerras e ameaças

A história recente das Coreias – do Norte e do Sul – é turbulenta e envolve algumas guerras. A península coreana como um todo estava ocupada pelo Japão desde o final da Primeira Guerra Sino-Japonesa (guerra entre a China e o Japão ocorrida entre 1894 e 1895). Mas em 1945, derrotado na Segunda Guerra Mundial, o Japão teve que abrir mão desse território, o qual foi tomado ao Norte pelas forças soviéticas e ao Sul pelas americanas. A divisão foi um acordo temporário entre os aliados, que acabou estendendo-se com o aumento da tensão entre EUA e URSS, resultando na instalação, em 1948, de dois governos: um socialista ao Norte e um capitalista ao Sul. Em 1950 teve início uma guerra entre os dois lados (Guerra da Coreia), cada um apoiado por uma das superpotências. Esse evento ficou marcado por ter sido um dos primeiros conflitos indiretos da Guerra Fria.

Em 1953, uma trégua demarcou de vez uma fronteira próxima ao paralelo 38, resultando no que hoje é a Coreia do Norte (República Popular Democrática da Coreia) e a Coreia do Sul (República da Coreia). A faixa neutra de aproximadamente 250 quilômetros de extensão por 4 quilômetros de largura é chamada DMZ – Korean Demilitarized Zone (Zona Desmilitarizada da Coreia). Apesar do nome, é considerada a fronteira mais fortemente militarizada do mundo. Quando estivemos em Seul, a notícia que circulava era que a Coreia do Norte estaria testando bombas nucleares. Perguntamos a alguns locais o que pensavam daquilo, se tinham medo... Mas nos responderam que não, pois estavam tão acostumados com as ameaças dos vizinhos do Norte, que não se abalavam mais.

Os dois países possuem significativas diferenças socioeconômicas, uma vez que as políticas econômicas adotadas por cada um refletiram diretamente no seu desenvolvimento. A Coreia do Norte necessita de auxílio humanitário de outros países, ao passo que a Coreia do Sul é um dos países mais desenvolvidos da atualidade. Apesar de terem vivido em guerra desde 1950, recentemente retomaram o diálogo diplomático, a ponto de formar uma única delegação, unidas por uma só bandeira, nos Jogos Olímpicos de Inverno de 2018, sediados na Coreia do Sul.

Nossa última experiência em Seul foi uma caminhada de 13 quilômetros na companhia do coreano Jaemin e do japonês Hiro, amigos que fizemos no albergue. Saímos pela manhã, quando o termômetro marcava -9ºC, pegamos o metrô e fomos até o início da trilha que acompanhava a antiga muralha da cidade. Subimos e descemos dois morros altos, de onde pudemos ver quão grande é Seul. Em alguns lugares era proibido fotografar, pois a trilha passava pelos fundos da residência do presidente coreano e ela não podia aparecer em fotos.

Finalizamos o dia em um restaurante tradicional que Jaemin costumava frequentar nas proximidades da sua universidade. Lá matamos a sede com um copo de cerveja e provamos algumas iguarias que ainda não conhecíamos, como o refogado de pulmão de porco. Jaemin nos contou uma curiosidade: os coreanos contam a idade de forma diferente. Quando nascem, já possuem um ano de idade e, a cada ano novo chinês, que acontece geralmente no dia 4 de fevereiro, celebram mais um ano de vida. Se uma criança nasce dia 5 de dezembro, por exemplo, só por ter nascido já possui um ano e em dois meses, dia 4 de fevereiro, celebra o seu segundo aniversário. O ano novo coreano provém da influência chinesa que existia antes da invasão japonesa.

Nossos 10 dias na capital coreana passaram rápido e era hora de embarcarmos para as terras onde tentaríamos alcançar a segunda e mais desafiadora Latitude 70.

Os desafios em território russo

Havia caído uma nevasca em Vladivostok, onde há tempos isso não acontecia – ao menos não com tal intensidade. Na semana anterior, no avião que voamos de Seul para lá, dois russos nos alertaram para ficarmos espertos com a tempestade. Se até eles estavam preocupados, imagine nós, dois brasileiros acostumados com clima tropical, inexperientes com o frio intenso, desembarcando no Extremo Oriente Russo em pleno inverno para retirar um veículo com placas brasileiras do porto a fim de dirigir para um dos lugares mais frios do mundo.

Ali nem fazia tanto frio: -16°C. A temperatura nas cidades litorâneas não baixa tanto quanto nas do interior do continente. As águas do mar fazem o controle, pois não esfriam ou esquentam nas mesmas proporções que a superfície da terra. Por isso as cidades próximas ao mar não esfriam tanto no inverno e não esquentam tanto no verão.

Mas -16°C foi suficiente para criar uma cena da qual tivemos que dar boas risadas: em um varal, as roupas estavam congeladas, duras e inclinadas na direção do vento que soprou na hora em que foram penduradas. Um verdadeiro desafio à lei da gravidade. Lembrei-me daquela brincadeira infantil em que uma criança grita a palavra "estátua!" de repente, para que outra pare onde está e fique imóvel.

Da noite para o dia a neve soterrou carros, o comércio ficou interditado e as calçadas e estradas intransponíveis. Por isso demoramos para pegar o nosso carro. O navio não tinha como atracar no porto e, quando conseguiu, o caminhão que transportaria o contêiner até o local onde descarregaríamos o carro não tinha como transitar pelas ruas.

Mas o tempo de espera não foi perdido. Ficamos em uma pousada aconchegante e nas horas vagas caminhávamos por ruas escorregadias, experimentávamos a comida local e íamos nos habituando ao clima e ao novo idioma. O russo soava exageradamente diferente. Só para aprender a pronunciar *zdrástvuytye*, que é o básico para cumprimentar uma pessoa, demoramos dias. Imagine então ter que ler isso no alfabeto cirílico: здравствуйте!

Quando fomos conhecer a praia, surpreendemo-nos com um mar branco (Mar do Japão) e com pessoas caminhando sobre ele. Algumas estavam tão longe que pareciam pontinhos sobre aquela brancura. Quando iríamos imaginar que veríamos um mar congelado sobre o qual poderíamos andar? Ao longo da caminhada nos aproximamos de pescadores para ver de perto aquilo o que até então só tínhamos visto em desenho animado ou em documentários: a pesca no gelo.

Para esse tipo de pesca é preciso de uma broca manual ou com motor de até um metro de comprimento. Ela serve para perfurar o gelo e dar acesso à água, onde estão os peixes. As varas de pesca são pequenas, pois não há necessidade de lançar o anzol – basta soltá-lo pelo buraco e aguardar o peixe beliscar. A luz do dia ao refletir pelo buraco atrai o cardume. De vez em quando é preciso reabrir o furo, pois com o passar do tempo a água da superfície congela novamente. Se o pescador tiver sorte e fisgar algum peixe, não precisa se preocupar em como conservá-lo: basta deixá-lo fora d'água e ele congela instantaneamente. Vimos nas ruas da cidade comerciantes vendendo peixes expostos sobre uma mesa, sem qualquer risco de estragar. O ambiente externo é um freezer natural.

Por aqueles dias estava para acontecer um evento religioso na cidade e desejávamos assisti-lo. Fiéis mergulhariam nas águas congelantes do mar em buracos feitos no gelo a fim de se purificar. Como a data do evento coincidiu com o dia da forte nevasca, imaginamos que seria cancelado – afinal quem, em sã consciência, entraria no mar com aquele tempo? Subestimamos os russos: mais tarde, soubemos que o evento aconteceu. Bobeamos... Mas chegamos a ver pessoas se banhando no mar em outros dias. A nós, parece insanidade, mas é um costume deles.

Quando finalmente o carro ficou liberado, fomos ao porto retirá-lo do contêiner. A pousada quentinha e aconchegante viraria passado: dali para frente nossa casa voltaria a ser o carro, mesmo com a incerteza de que iríamos aguentar aquele frio. No momento em que as portas do contêiner se abriram, o coração bateu mais forte: percebemos o quanto é triste a viagem sem o Lobo. Ele é nossa condução e abrigo, um espaço privado em qualquer canto do mundo. Por isso sentimos sua falta nas travessias dos oceanos. Ao mesmo tempo em que estávamos felizes com o reencontro, a apreensão nos atormentava. Muitas dúvidas pairavam em nossas cabeças: O carro iria funcionar? O aquecedor iria dar conta do recado? Como seriam as estradas na Rússia? Qual seria a temperatura mais baixa que teríamos que enfrentar? O carro iria aguentar? E, principalmente, nós iríamos suportar?

O que nos incomodava eram algumas informações deturpadas que recebemos antes de nossa ida para lá. Muitos nos disseram que o povo russo era rude, as cidades decadentes, as estradas ruins e a polícia corrupta. Aldous Huxley um dia escreveu: "viajar é descobrir que todo mundo está errado sobre os outros países". Hoje, depois de termos vivido essa experiência, podemos dizer que de todos os lugares que já visitamos a Rússia foi um dos que mais nos cativou. Fizemos amigos e a polícia só nos surpreendeu positivamente. Talvez pelo frio e pelo regime socialista que o povo experimentou durante tantos anos, eles não são tão abertos e calorosos e não respondem a um aceno de imediato. Mas uma vez que você precise de ajuda, dificilmente receberá um não. Em lugares de clima extremo, as pessoas aprendem a se ajudar porque sabem que podem precisar um do outro na próxima esquina.

Para chegar até ali o Lobo saiu de Seattle, Estados Unidos, e durante 35 dias cruzou o Oceano Pacífico, fez transbordo em Busan, Coreia do Sul e chegou aparentemente intacto. Certa vez, ao despacharmos o carro da Austrália para a Malásia, ele foi mal acondicionado e, com o balanço do mar, bateu a traseira no fundo da parede do contêiner, quebrando todas as lanternas.

Tive que me espremer para passar no estreito espaço que havia entre o carro e a parede do contêiner para entrar na cabine. A porta do motorista estava destrancada e a chave na ignição. Esse é um procedimento que normalmente nos é solicitado pelos agentes de carga para uma eventual emergência. O que se resolveria com a chave estando lá eu não sei, mas tudo bem, seguimos a recomendação. Liguei a chave geral, girei parcialmente a ignição para que a vela de pré-aquecimento do motor fosse acionada e quando dei a partida, nada. Girei novamente e obtive a mesma resposta do motor: nem um sinal.

Droga. Já estava escurecendo e eu não queria pedir ajuda para o Yuri, que já estava de mau humor devido a um mal-entendido entre nós quando estávamos a caminho do porto. Eu havia lhe perguntado por e-mail o valor do seu serviço para poder pagá-lo em dinheiro vivo, mas, para mim, não ficou claro que deveria ser parte em dólares e parte em rublos. Eu tinha somente dólares e os caixas eletrônicos já estavam fechados. Isso o deixou enfurecido.

Foi um erro meu, claro, ou melhor, dois erros meus, pois se tivesse sacado rublos com antecedência, teria conseguido uma cotação melhor. Um dólar estava cotado em mais de 80 rublos, mas esse valor começou a despencar dia após dia. Sempre tentei transferir o controle do dinheiro para a Michelle, pois ela é mais organizada, mas essa tarefa acabou ficando sob minha responsabilidade.

A Michelle a essa altura chorava de dor nas mãos. Ela tirou algumas fotos e fez alguns vídeos com a câmera que, por ter partes em metal, fez sua mão congelar. E entrar no carro para se proteger não adiantaria nada, pois dentro a temperatura estava a mesma de fora.

Enquanto ela sofria de dor, fui agilizar as coisas. Pedi ao Yuri para rebocar o carro a fim de fazê-lo pegar no tranco. Ele dirigia um Subaru, mas mesmo sendo 4x4, o carro dele teve dificuldades para nos puxar. Naquela altura, o óleo dos diferenciais e caixas, que ficaram expostos ao frio por tanto tempo dentro do contêiner, haviam endurecido, algo que ocorrera também com o motor, deixando tudo muito pesado para girar. A estrada estava lisa com o gelo formado sobre ela, fazendo com que os pneus patinassem.

Se o aquecedor de motor que instalamos no Canadá estivesse funcionado, teria sido mais fácil fazer o motor pegar. Mas para dificultar mais as coisas na sucessão de crises que nessas situações nos perseguem, o diesel do aquecedor, como não era de inverno, congelou. A última vez que havíamos abastecido o carro tinha sido em Seattle a uma temperatura de +4°C. O diesel não é um bom combustível para o frio, pois a parafina que compõe sua mistura fica pastosa, provocando entupimento nos pequenos orifícios de passagem. Gasolina funciona melhor nessas condições, tanto que é o combustível usado pela maioria dos carros e caminhões dessa região.

Foi interessante também ver que em Vladivostok a maioria dos carros são de direção no lado direito, como o do Yuri, apesar de na Rússia se dirigir em mão francesa. Pela proximidade com o Japão, carros de segunda mão são importados de lá a um preço bem competitivo. Os russos do extremo Leste adoram carros japoneses pela qualidade, muito longe da realidade dos carros nacionais. Lembram-se dos Ladas da era Collor?

Saímos rebocados pelo terminal de contêineres para fazer o carro pegar no tranco. Foram necessárias algumas tentativas, mas conseguimos. Um alívio. Mais tarde aprendemos que a sensação de paz no Extremo Oriente Russo não é motivada pelo silêncio, mas sim pelo ronco dos motores. Paz é quando o motor está fazendo barulho, isto é, funcionando.

A maior surpresa nós tivemos quando entramos no motorhome. Lá dentro tudo, mas tudo mesmo, estava congelado – da água ao travesseiro de espuma Nasa (visco elástico). Quando deitamos a garrafa de azeite de oliva entendemos o que aconteceu com os diferenciais e com o motor, pois o óleo estava uma pedra. Uma garrafa de vinho que ganhamos de um amigo nos EUA, que havíamos reservado para celebrar o início de nossa viagem pela Rússia, havia estourado. Estavam congelados também os enlatados de atum, sardinha, milho, ervilha e todo o resto do estoque de comida. Ah: os lenços umedecidos e o vinagre também.

Nós nos entreolhamos com aquela cara de pavor e a Michelle perguntou, ainda com dor nas mãos: "se todas essas coisas aconteceram a uma temperatura de -16°C, como sobreviveremos em -50°C ou -60°C?". O Yuri nos falou de cara que não estava confiante em nossa viagem por aquelas bandas no inverno. Ele sim sabia o quanto ainda iria esfriar. Em Khabarovsk, a próxima cidade com maior infraestrutura que estava em nosso caminho para o Norte, os termômetros já marcavam -25°C.

Eu acredito que as trapalhadas que aconteceram durante a retirada do carro do contêiner, somadas à nossa ansiedade e ao lance do pagamento, fez com que o Yuri pensasse que nós éramos viajantes amadores e inexperientes e que não tínhamos ideia da roubada em que estávamos nos metendo. Imagina se tivéssemos contado a ele sobre nossos planos de ir até a Latitude 70°N naquela parte do mundo.

Extremo Oriente Russo, aqui vamos nós – santa ingenuidade

O Extremo Oriente Russo, embora tradicionalmente conhecido como sendo parte da Sibéria, na verdade começa onde ela termina – isto é, nas imediações da longitude do lago Baikal – e vai até o Oceano Pacífico. Ele é tão distante de tudo, que até o começo do século 20 não havia conexão por terra unindo Moscou a este lado menos desenvolvido do país. Apenas em 1916, depois de 25 anos de trabalho, foi terminada a gigantesca ferrovia Transiberiana, que se estende de Oeste a Leste em incríveis 9.289 quilômetros, abrangendo oito fusos horários. Anos mais tarde foi construída também a linha férrea Baikal-Amur (BAM), outra obra faraônica com 4.324 quilômetros, que corre em paralelo ao norte da Transiberiana. Essa segunda ferrovia foi construída para deixar a conexão férrea no Extremo Leste menos vulnerável, já que a Transiberiana ali possui partes que passam muito perto da fronteira chinesa. Foi uma obra de difícil execução por ter sido construída ao longo de um solo congelado e instável. Para os russos, o esforço valeu a pena, pois o percurso é rico em minérios – tão rico que lá dizem haver todos os elementos da tabela periódica, que, por sinal, foi inventada por um russo, o químico Dimitri Mendeleev.

Nós demos início à viagem e o ponto zero foi ao lado da extremidade leste da Ferrovia Transiberiana, em Vladivostok, onde começa a rodovia que tem o mesmo nome. A cada quilômetro rumo ao noroeste do país, o frio aumentava; o Yuri tinha certa razão em se preocupar conosco. Para pernoitar costumávamos estacionar nos postos de combustível ou no centro das cidades – assim tínhamos maior segurança para testar até qual temperatura seria possível manter o motor do carro desligado durante a noite. Se ele não pegasse noutro dia, pelo menos teríamos a quem recorrer para um reboque. Quase não víamos caminhões por aquelas estradas, pois os trens fazem praticamente todo o transporte.

As baterias podem perder potência com o frio, mas não são as únicas responsáveis pelo fato de o motor não pegar pela manhã. Um grande culpado é o óleo, que endurece e deixa o motor pesado e difícil de girar. A situação pode ser representada por uma fórmula matemática: problema = temperatura x tempo. Desligar o motor no frio intenso não é tão problemático, desde que você não o deixe sem funcionar por muito tempo. Uma noite inteira sem ligá-lo pode ser o tempo suficiente para o óleo endurecer e travar. Isso acontece mesmo que o óleo seja para baixas temperaturas, como o que utilizamos: 5W40 100% sintético.

Uma vez entendida essa equação, quando a temperatura chegava na casa dos -30°C, para que o motor não precisasse ficar ligado a noite toda, eu o ligava e desligava de forma intermitente. Com isso economizávamos combustível e não tínhamos o ruído do motor para nos atormentar o sono o tempo todo. Eu desligava às oito da noite e às dez voltava a ligar por uma hora; às duas da madrugava ligava novamente, por mais uma hora; repetia essa operação às cinco horas e às oito da manhã ligava para viajar. A estratégia funcionou, mas às vezes eu não acordava para fazer uma das operações e bagunçava tudo.

Quando a temperatura baixou dos -35°C, eu não desligava mais o motor, a não ser em paradas de pouco tempo para um almoço ou abastecimento. Abaixo de -40°C foi melhor esquecer que existia uma chave de ignição; durante aproximadamente 40 dias nós deixamos o motor ligado por 24 horas. Pela estimativa que fizemos, o carro ligado na marcha lenta mais o aquecedor interno consumia cerca de

1,2 litros/hora, ou seja, queimávamos quase 30 litros de diesel por dia, mesmo que não nos movêssemos. Por isso tínhamos que ficar espertos quanto ao abastecimento, pois combustível não podia faltar.

Nosso carro, nosso iglu

Internamente, por incrível que pareça, o motorhome se comportou bem. Com o aquecedor ligado mantínhamos uma bolha de calor agradável, não obstante lá fora a temperatura baixasse dos -50°C. Porém, próximo das paredes e no chão o frio se intensificava. Por sorte, ao projetarmos o piso para ter melhor aproveitamento de altura na parte da casa, seguimos o desenho do chassi e isso fez com que criássemos um degrau interno. Sem querer, construímos algo similar aos iglus dos esquimós, que projetam um desnível interior para que o frio possa escoar para lá, já que é mais pesado que o calor.

O degrau mais baixo fica na frente do motorhome, onde estão a geladeira e a porta. Se deixássemos qualquer coisa no degrau baixo, como uma garrafa de cinco litros d'água, ela amanheceria congelada, pois a temperatura ali estava sempre negativa. No período do frio intenso (três meses) nossa geladeira ficou desligada, o que nos poupou energia. O *reck* externo funcionou como freezer e deixávamos nele, envolvidas em sacolas plásticas, as comidas que precisavam ficar congeladas: peixes, carnes e *pelmeni* (uma comida russa parecida com ravióli: recheio de carne envolvido por massa de macarrão). Comprávamos pacotes de *pelmeni* nos mercados, mas tínhamos que mantê-los congelados, caso contrário grudariam uns nos outros, o que tornaria difícil prepará-los.

As torneiras e o chuveiro ficaram inutilizados durante todo esse tempo, pois o reservatório de água era externo e congelaria num instante se fosse abastecido com água. Até tentei improvisar um sistema interno, colocando um galão plástico por detrás do banco do motorista com a água sendo bombeada dele para as torneiras, mas como o lugar ficava no degrau mais baixo, a água do galão congelava mesmo estando dentro do carro.

Passamos a carregar água em garrafas de cinco litros estocadas no degrau superior. Para lavar louça, cozinhar ou escovar os dentes, passávamos a água dos garrafões para um copo – o que ganhamos de um frentista de um posto de combustível na Costa Rica, todo desenhado com bonecos de neve – com o qual despejávamos no que fosse preciso. Para enxaguar a louça, um precisava ajudar o outro. Como o ralo da pia também congelava, tínhamos que esvaziá-la após o uso, jogando a água da limpeza pela janela de copo em copo. Evitávamos sujar louça: pela dificuldade em lavá-la, utilizávamos somente o que era essencial.

Os baús que ficam debaixo da cama nós batizamos de *permafrost*. A umidade gerada dentro deles congelava e foi assim o inverno todo; a impressão era de que havia nevado lá dentro. Pelo menos isso não nos incomodava, pois o congelamento tem suas vantagens: não cria fungos, nem mofos e nem mau cheiro. Por trás do sofá, que vira cama à noite, também formava condensação de gelo e quando o encosto era posto para formar a cama, as paredes revelavam uma espessa camada de gelo que ficava justamente aos nossos pés e cabeças quando deitávamos. Se encostássemos na parede enquanto dormíamos, tocávamos em puro gelo. Debaixo do tapete havia um isolamento de EVA (espuma vinílica acetinada), mas mesmo assim, para ficarmos de pé sobre o piso, usávamos meias e sapatilhas de neoprene ou a parte interna de uma bota especial para o extremo frio – e ainda assim congelávamos os pés nos piores dias.

Uma roupa de cama especial de velo (*fleece*) foi feita para essa fase da viagem – um presente da Arlette, mãe da Michelle –, pois a de algodão congelava nossas mãos na hora de arrumar a cama. Pendurávamos também um pequeno cobertor entre a cabine e o motorhome, para evitar que o frio da frente viesse em nossa direção. Colocamos outro na parede traseira que ficava encostada na cama, deixando o ambiente um pouco mais aconchegante.

Ir ao banheiro nessa fase da viagem era um sofrimento; para o número um, nem tanto, pois tínhamos um banheiro portátil dentro do carro; mas o número dois tinha que ser fora, independentemente da temperatura. A maioria das vezes era feito no mato, com neve afundando acima do joelho. Outras vezes usávamos banheiros de estrada – em postos de combustível ou restaurantes – e no leste da Rússia eles são daquelas casinhas de madeira com um buraco na terra que ficam fora das habitações. Eram frios de doer e a aparência de chorar. Dejetos humanos também congelam, amontoando-se na forma de estalagmites, assim como numa caverna, chegando ao ponto de nem podermos nos agachar em algumas situações. O lado positivo disso é que congelamento diminui o mau cheiro, tornando a situação mais suportável até a chegada da primavera, quando tudo começa a derreter.

Assim fomos viajando e aprendendo a conviver com as adversidades. Passamos por cidades interessantes, como Arseniev, onde há uma fábrica de helicópteros, Khabarovsk, Birobidjan e Blagoveschensk. Todas localizam-se próximo à fronteira com a China. Blagoveschensk fica em frente ao rio Amur, que demarca essa fronteira. Na outra margem podíamos enxergar os chineses.

Ao longo do trajeto, longe das cidades principais, as casas são antigas e de madeira, com esquadrias coloridas e ornamentadas que contrastam com os prédios soviéticos, quadrados e sem manutenção, parecendo abandonados. Por fora transmitem uma certa frieza, sensação que muda quando entramos neles. Nessa época do ano, em praticamente todas as praças das cidades há esculturas de gelo, onde as crianças e adultos se divertem em dias de sol.

A primeira encruzilhada que separa os "homens dos meninos"

Próximo a Never chegamos a uma bifurcação que literalmente "separa os homens dos meninos", como diriam amigos de minha cidade natal. Foi ali que saímos da Transiberiana e rumamos ao Norte pela M56, a rodovia que nos levaria para a República de Sakha ou Iacútia, o maior estado do mundo (abrange três fusos horários e é maior que a Argentina), onde vivenciaríamos as aventuras que estávamos procurando. As estradas deixaram de ser asfaltadas e o branco tomou conta da paisagem. Nas curvas eu sentia que os pneus de inverno com travões metálicos estavam fazendo diferença. Eles são feitos com borracha mais macia para não endurecerem com o frio e os travões são tipo pregos no meio da borracha, que cravam no gelo para aderir melhor ao chão. Ali sim começou a fazer frio de verdade, pois entramos na região do *permafrost* – palavra que une o prefixo *perm* (permanente) e *frost* (congelado, em inglês).

Também conhecido como pergelissolo, em português, é um tipo de solo composto de terra, gelo e rochas que fica permanentemente congelado. É característico das regiões polares e das grandes altitudes, onde a temperatura anual média é igual ou inferior a 0°C. Aproximadamente 20% da superfície terrestre se enquadra nesta classificação de solo. No verão só a camada superficial derrete, formando um pântano – pois a água não é absorvida pela camada inferior que está sempre congelada. Em áreas onde o inverno é rigoroso, o *permafrost* pode atingir centenas de metros de profundidade ou, como no caso do Extremo Oriente Russo, até ultrapassar os mil metros. Até cem metros ele se forma relativamente rápido, mas em extensões maiores pode levar milhares de anos para congelar.

A alternância entre congelamento e descongelamento das camadas superficiais, faz do *permafrost* um solo instável – característica que afeta a construção de edifícios, estradas e outras obras de infraestrutura. Na capital do estado da Iacútia, Iakutsk, os edifícios são todos construídos sobre palafitas.

De acordo com cientistas, o *permafrost* é importante para o planeta, pois ao se manter congelado por milhares de anos, preserva restos de plantas e animais que habitaram a Terra em passados distantes. Já foram encontrados muitos fósseis perfeitos de mamutes que viveram nesta região há mais de dez mil anos. Por outro lado, com o aquecimento global, seu derretimento poderá causar um sério problema ambiental: a sua decomposição criará uma enorme emissão de gás metano e dióxido de carbono para a atmosfera, agravando ainda mais o efeito estufa. A quantidade desses gases pode ser quatro vezes maior do que a emitida pelas atividades humanas na era moderna.

Passamos por Tynda, Neryungri, Aldan e depois de alguns dias avistamos o rio Lena, o primeiro de muitos sobre cujos leitos congelados teríamos que dirigir. Muito mais do que eu, a Michelle havia se envolvido emocionalmente com a região de tanto pesquisar sobre ela. "Há quase três anos eu li pela primeira vez o nome desse rio. Passei a sonhar com ele. E agora nós estamos aqui, vendo-o de frente, dirigindo sobre ele", comentou, chorando de emoção. Sua sensibilidade me comoveu. E aqui ela conta sua experiência ao chegar ao rio Lena:

> *Foram anos falando dessa tal Latitude 70 na Rússia e, não posso negar, esse assunto sempre me deixava apreensiva; as incertezas eram muitas e os desafios enormes. Tudo desconhecido. Na minha cabeça, e creio que também na do Roy, o Extremo Oriente Russo parecia ser outro planeta de tão distante e misterioso. Mais longe do nosso conforto e da nossa pequena São Bento do Sul, impossível.*
>
> *Na época em que eu me dedicava às pesquisas e à preparação logística da viagem acabei me envolvendo emocionalmente com vários lugares. Minha imaginação viajava antes do Lobo se lançar na estrada.*

Quando li o nome do rio Lena pela primeira vez – uma das referências principais para se chegar à cidade de Iakustsk e ao Paralelo 70 –, fui atraída pelo nome e pelo desafio. Apesar de passar por milhares de rios antes de chegar lá, este nome não me saia da cabeça.

Naquele dia, assim que o avistamos, paramos no acostamento e fomos admirá-lo. Nossas expressões eram de euforia: e não é que chegamos até ele? Foram tantos os obstáculos e dificuldades que na hora não tive como conter as lágrimas, que instantaneamente congelaram na minha face.

No meio do branco daquele rio congelado, pontinhos minúsculos se movimentavam: carros cruzando-o! Era a primeira prova concreta de que as estradas de inverno existem de verdade. O que parecia distante e impossível, de repente estava à nossa frente e – o melhor – ainda estávamos vivos. Vamos nessa, Roy, o rio Lena é nosso.

Iakutsk serviu de base para os últimos preparativos para enfrentarmos o nosso grande objetivo – chegar à Latitude 70 russa, no inverno. Mecânicos russos com muita experiência com o frio extremo nos ajudaram a fazer melhorias no carro, principalmente para garantir a conservação do calor: vidros duplos, para que a temperatura externa não tivesse contato com a interna, criando condensação e congelamento; cobertor em cima do motor, para reter o pouco calor gerado; manta debaixo do motor, para o proteger do frio das estradas congeladas; desconexão do *snorkel* (entrada de ar do motor), para que o motor pudesse utilizar na sua combustão o ar aquecido próximo do motor. A capa de isolamento do radiador nós já havíamos instalado com a ajuda de Jason Porter, amigo do Canadá que ficou preocupado quando falamos sobre nosso projeto na Rússia. Ele ainda nos presenteou com sacos de dormir de segunda mão do Exército Canadense.

Os russos chamam essa preparação de "invernização" e foi ótimo fazer isso na Rússia. Se tivéssemos feito essas melhorias nos EUA ou Canadá, teríamos gasto dez vezes mais. Em Iakutsk tudo era feito de forma descomplicada: para resolver o problema dos vidros duplos, os mecânicos simplesmente cortaram um vidro comum de 2,5 milímetros e o apoiaram sobre a borracha onde se encaixa o para-brisas principal, depois o colaram com uma fita preta larga tipo *silver tape*. O vidro estando sobre essa borracha criava um espaçamento mínimo necessário, uma camada de ar entre ele e o para-brisas para que o frio não transpassasse. Nos vidros laterais, para gerarmos esse espaçamento, foi fixado, também com fita preta, um pedaço de vidro cortado sobre uma espuma de meio centímetro. Deixamos um espaço sem vidro duplo na parte de baixo dos vidros laterais, para que pudéssemos baixá-los o suficiente para passarmos com a câmera fotográfica. Não existe a história contando que os americanos investiram milhões em uma caneta que funcionasse em gravidade zero para que pudessem escrever no espaço enquanto os russos, para solucionarem o mesmo problema, levaram um lápis?

Nas primeiras duas noites em que passamos em Iakutsk, quando ainda não conhecíamos ninguém na cidade, dormimos ao lado da praça principal, em frente ao que imaginamos ser um centro comercial. A temperatura variava na casa dos -40°C. Então conhecemos um russo, que nos apresentou a outro e, por fim, fizemos muitos amigos na cidade: Elena, Sasha, Ruslan, Dimitri, Bolot, Micha, Natalya, Gregory, Eugene, Timote e outros. Quando souberam do local de nossas primeiras pernoites, a história se transformou em piada e se espalhou na cidade, pois aquele prédio que para nós parecia um centro comercial era o Palácio do Governo. Até o assessor do governador, que acabamos conhecendo mais tarde, nos perguntou o que estaríamos fazendo lá durante aquelas noites.

Com que roupa eu vou?

Um item importante a ser levado em consideração para se enfrentar o extremo frio siberiano é a escolha das vestimentas. Sempre considerei que as roupas seriam uma espécie de "backup" caso algo acontecesse com o carro e ficássemos expostos em uma estrada isolada a -50°C. Roupas apropriadas garantiriam a nossa sobrevivência até resolvermos o problema ou pedir ajuda.

A técnica que usamos para nos vestir foi a chamada "efeito cebola", isto é, por camadas. Consiste em manter o ar quente gerado pelo próprio corpo o mais próximo da pele e minimizar sua perda. O mesmo cuidado que tivemos com o isolamento térmico do Lobo tivemos com os nossos corpos.

Vamos às explicações de como se vestir de dentro para fora: a primeira camada deve isolar e possibilitar nossa transpiração. Ela é responsável por cinquenta por cento do efeito da sensação térmica. Usávamos blusa e calça de lã merino – a melhor lã do mundo. Ela provém de uma espécie peculiar de carneiro e se destaca por absorver o suor do corpo e transportá-lo para a parte externa do tecido. Com fibras de alta resistência e durabilidade, ela não provoca coceira, como as outras lãs, quando em contato direto com a pele. Além disso, tem a capacidade natural de controlar as bactérias, o que evita odores, quando fica muito tempo sem ser lavada. A segunda camada faz o isolamento que mantém o calor do corpo. É composta por uma blusa de lã ou pluma de ganso leve e uma calça de lã ou normal. Por final, na terceira camada, vestíamos uma jaqueta e jardineira espessa feita de pluma de ganso. Nessa camada é muito importante o uso do capuz e punhos para não deixar o frio entrar, nem o calor sair.

Por cima ainda tínhamos a opção de usar mais uma camada fina à prova d'água para enfrentar nevascas e, ao mesmo tempo, cortar a inclemência do vento – quase constante em algumas regiões. Com vento, a sensação térmica cai de forma drástica. Confesso que usamos muito pouco esta alternativa. Vale ressaltar que a terceira e quarta camadas eram vestimentas específicas para expedições polares, portanto estávamos bem providos. Quem nos apoiou nisso foi a empresa Bergans of Norway.

Usávamos botas de cano alto para evitar a entrada de neve nos pés. Elas eram formadas de duas partes: a interna era similar a uma bota de boxeador, com diversas camadas de materiais isolantes (lã e alumínio); a externa de lona impermeável. O solado é espesso e com palmilhas de isolamento. Eram tão grandes que eu, vestida, parecia um patagão – o famoso pé grande da Patagônia.

Para proteger os pés preferimos usar meias de lã, pois as de algodão retêm o suor e os pés molhados potencializam a sensação de frio. A vantagem de se viajar em lugares com neve é que os nossos calçados sempre estavam limpos; mesmo assim, ao entrarmos no carro deixávamos as botas externas na porta, no tapete sobre o deck e, quando íamos vesti-las na manhã seguinte, estavam tão geladas que imediatamente congelavam nossos pés.

As luvas seguem o mesmo princípio das camadas: a externa, – mittens, em inglês – é sem a separação dos dedos. Esse tipo de luva tende a ser mais quente que as luvas de dedos porque os dedos geram mais calor quando não estão separados um do outro por um tecido. Elas não são práticas para o manuseio como as luvas normais, mas as tínhamos para os momentos extremos, principalmente eu que sou sensível ao frio.

Muitas vezes, empolgados para conversar com alguém ou para tirar uma foto, saíamos do carro sem touca e prontamente éramos repreendidos: ver-nos com a cabeça exposta ao frio era um choque para os locais no leste russo.

Para proteger a cabeça usávamos uma touca de lã e às vezes complementávamos com o capuz da jaqueta. É importante proteger as orelhas e o nariz, pois são as primeiras partes que congelam, por serem as extremidades mais salientes do corpo e por serem compostas de cartilagem, ou seja, sem muitos vasos sanguíneos. Como essas partes não são vistas por nós próprios, um deveria cuidar do outro. O Roy teve um princípio de congelamento no nariz na Latitude 70 na Rússia e nem tinha percebido; ficou ciente apenas quando eu o avisei.

Também levamos uma balaclava – ou touca ninja – que cobre a cabeça até o pescoço, deixando apenas a região dos olhos exposta. Ela é muito boa para proteger do vento, mas nunca sentimos necessidade de usá-la.

Os óculos de sol são indispensáveis e quanto maior a taxa de proteção dos raios UV, melhor. A neve potencializa o efeito dos raios solares, refletindo quase 80% deles. Expor a retina à brancura da neve por muito tempo pode causar graves queimaduras na córnea e até cegueira. Em uma caminhada no Afeganistão, onde fomos pegos de surpresa por neve e havíamos esquecido os óculos de sol no carro, tivemos uma dificuldade enorme para enxergar o caminho de volta. Nossos olhos doíam muito.

Depois de invernar na Rússia, cheguei a uma conclusão: não existe melhor isolante térmico que a pele animal. Os antigos sabiam muito bem disso; nenhum tecido sintético mantém o calor do corpo e é tão resistente à umidade como a pele animal. Não é para menos, pois essa é a sua função natural. Em muitos lugares, usar casaco e outros acessórios de pele se tornou modismo esnobe e é até combatido por ativistas, mas nas regiões de frio extremo é uma questão de sobrevivência. Há quem diga que uma das razões para Amundsen ter sido mais bem-sucedido na disputa pelo Polo Sul, enquanto Scott faleceu na Antártica, é que ele usou pele animal como vestimenta.

Na temível Estrada dos Ossos

Depois de tudo arrumado, embarcamos no Lobo e começamos nossa jornada rumo ao Leste, na famosa Estrada dos Ossos, que termina 2,2 mil quilômetros depois na cidade de Magadan. A rodovia ganhou fama por causa da sua história horripilante – foi construída pelos inimigos políticos do governo Stalin. Diversas prisões (gulags) foram criadas ao longo do seu trajeto e os presos eram forçados a trabalhar como escravos tanto na construção da estrada quanto na mineração e na extração de madeira.

O nome Estrada dos Ossos vem dos esqueletos que formam a base da rodovia. Segundo a lenda, cada metro construído custou a vida de um prisioneiro: morriam de frio, calor, fome, doenças e trabalho forçado. Quem morria era enterrado ali mesmo. Ao percorrê-la, passamos, literalmente, por cima dos mortos.

O livro The Long Walk (A Longa Caminhada), de Slawomir Rawicz, conta sobre uma fuga de um gulag. Os fugitivos caminharam da Rússia até a Índia, atravessando parte da Sibéria, o Deserto de Gobi e o Himalaia, num percurso total de 6,5 mil quilômetros. O filme The Way Back (Caminho da Liberdade) foi baseado nesse livro. Logo no começo da história, ao chegar uma leva de prisioneiros a um gulag, o carcereiro falou que ali o que os aprisionava não eram os cercados e portões, mas a natureza, que era inóspita e impiedosa.

No quilômetro 737, no povoado Kyubeme, saímos da estrada principal para irmos a Oymyakon – o Polo do Frio. Foi lá que ocorreu a passagem narrada no capítulo inicial deste livro. Aquele é considerado o lugar habitado mais frio do planeta. Em 1924 registrou a marca -71,2°C – foi lá que nosso termômetro "deu *tilt*" ao chegar ao seu limite de -49,9°C. Enfrentamos ali o frio mais intenso de nossas vidas, quando à noite, enquanto dormíamos dentro do carro, a temperatura baixou para -55°C, segundo a estação meteorológica local. Foi quando o diesel congelou e tivemos que deixar o carro em uma garagem aquecida por 24 horas. Acabou sendo uma grande lição e de lá seguimos mais experientes e confiantes para o que iria acontecer mais adiante.

Depois subimos montanhas, cruzamos mais rios congelados, passamos por Ust-Nera e, 80 quilômetros à frente, quando já havia escurecido, alcançamos uma encruzilhada ainda mais perturbadora que aquela que deixava a Transiberiana: saindo da principal rota, à esquerda, teríamos acesso a Pevek, a cidade que desde o Brasil planejávamos atingir a Latitude 70°N.

A aventura pode ser louca, mas o aventureiro tem que estar consciente

A distância até Pevek era de 2,1 mil quilômetros e seria percorrida por uma estrada que os russos chamam de *zimnik*. Elas só existem no inverno e se formam sobre rios, lagos e superfícies pantanosas congeladas. Somando-se ida e volta, teríamos 4,2 mil quilômetros e, pelos cálculos da média horária neste trecho, necessitaríamos de 40 dias para fazer o percurso.

Os russos com quem compartilhamos nosso projeto não queriam nos deixar ir. Não que pudessem interferir em nossos planos, mas seus conselhos entoaram como uma ordem. Preocupados conosco, falaram que para chegarmos à Latitude 70 seria preciso viajar em comboio de no mínimo três carros (os caminhoneiros que já conhecem a estrada jamais viajam sozinhos); nosso carro teria que estar mais bem preparado para enfrentar a neve espessa, pois se nevasse teríamos que enfrentar valetas altas deixadas pelos caminhões 6x6 e seus pneus altos. Nosso carro com certeza iria encavalar.

"Não se brinca com o inverno russo" diziam eles, "especialmente nas estradas de inverno". Dimitri, um jipeiro experiente do Clube Mamute 4x4 que conhecemos em Iakutsk, foi à oficina mecânica onde preparávamos nosso carro com o único intuito de nos convencer de desistir daquela loucura. Disse-nos para ir à Magadan, que fica no final da Estrada dos Ossos, o que já seria uma grande aventura. Slava, outro contato que tínhamos em Bilibino (localidade próxima de Pevek), enviou-nos pelo Dimitri uma carta escrita em russo que deveria ser apresentada a qualquer pessoa em nosso caminho caso precisássemos de ajuda. Não sabíamos exatamente o teor da escrita, mas imaginamos algo assim: éramos pobres brasileiros, sem noção alguma do que estávamos fazendo e que, por favor, nos ajudassem, como pudessem, a nos livrar do perigo ao qual estávamos nos submetendo.

Dobramos à esquerda saindo da estrada principal e estacionamos logo nos primeiros metros sobre um rio congelado. Havia três caminhoneiros parados, com quem fui tentar me comunicar, mas pelo que entendi nenhum seguiria tão ao Norte quanto pretendíamos. Referente à estrada, falaram-me que ela "não estava boa". Lembro até hoje como se diz estrada ruim em russo: плохая дорога. Se lê: plokhaya doroga.

Os caminhoneiros seguiram viagem rumo Norte e nós pernoitamos no local. Fora do carro o termômetro marcava -41,2°C. Precisávamos pensar melhor no assunto, pois por mais importante que essa Latitude 70 fosse para nós, não podíamos colocar em risco nossas vidas. Fizemos um estudo detalhado dos prós que a viagem nos traria, pois dos contras tínhamos uma lista completa preenchida por nossos amigos.

Prós: fazer algo extremamente diferenciado; aventura dos sonhos; atingir nossa grande meta; histórias para contar para os netos.

Contras: uma enorme quilometragem a ser percorrida: 4,2 mil quilômetros entre ida e volta; velocidade de deslocamento lenta; FRIO; amortecedores em condições precárias; risco de o carro quebrar; pouco estoque de peças sobressalentes; FRIO; incerteza se conseguiríamos diesel no caminho; risco de morte (e de não poder contar a história para os netos); ter que ficar, na maior parte do tempo, dentro do carro, por conta do FRIO; impossibilidade de manter o motor do carro aquecido; incerteza de que teríamos ajuda dos caminhoneiros caso precisássemos; custo alto de resgate; prejuízo à continuidade da viagem; falta de outros carros para nos apoiar no trajeto; FRIO; impossibilidade de fazer uma revisão no carro; risco de nevasca. Em suma: tudo poderia estar a mil maravilhas em um segundo e se transformar num inferno em outro.

Um anjinho dizia-nos "fiquem", mas o capeta não parava de nos provocar para seguirmos em frente. Naquela noite deitamos nossas cabeças nos travesseiros endurecidos pelo frio e demorou para pegarmos no sono – só pensávamos naquela estrada e nos seus desafios horripilantes.

No outro dia, enquanto tomávamos um café quentinho, apáticos, olhávamos um para o outro. A decisão, sem que precisássemos discuti-la, parecia já ter sido tomada. A vulnerabilidade e o perigo de entrarmos nesse lugar sozinhos representava ser enorme. Escutamos o anjinho. Por mais que isso tenha doído em nossos corações, resolvemos dar mais um tempo indo para Magadan primeiro para então, na volta, darmos a sentença final.

Postergar a decisão fez com que nossa consciência não pesasse tanto, pois nós ainda não estávamos declarando a desistência. Mas lá no fundo ambos sabíamos que a Latitude 70 na Rússia era um passo maior que as nossas pernas poderiam dar. Era melhor irmos nos acostumando com a ideia de que muito provavelmente nós não a atingiríamos.

O frio não sobe montanha, desce

Em toda minha vida eu relacionei frio com altitude. Quanto mais alto, mais frio. Onde moramos, em Santa Catarina, quando saímos da praia, ao nível do mar e subimos a serra para São Bento do Sul, que está a 850 metros, presenciamos uma queda entre 6°C e 7°C de temperatura. Normalmente, um avião, ao subir, a cada 300 metros registra uma queda média de 2°C – aprendi isso no paraquedismo. Como explicar, então, por que o frentista do posto de combustível de Ust-Nera, quando lhe solicitei um espaço para pernoitar no estacionamento do posto, sugeriu que subisse a próxima montanha, pois lá seria menos frio.

De acordo com a lei da física, ele estava certo, nós, no Brasil, país tropical, é que não. Se o frio é mais pesado que o calor ele teria que descer e o calor subir. É claro que há outras questões relacionadas às temperaturas em cada altitude, mas essa foi uma diferença no mínimo interessante entre essa localidade na Rússia e onde moramos no Brasil. É a resposta do porquê a região de Oymyakon, que nem está numa latitude tão extrema ao Norte, esfria tanto no inverno. É que ela se situa em uma depressão, uma espécie de panelão, onde o frio que desce pelas encostas das montanhas nevadas fica estancado, pois não tem para onde escoar. Ao subir a montanha recomendada pelo frentista – cerca de 500 metros – a temperatura elevou-se 10 graus, ou seja, nosso termômetro lá embaixo marcava -45°C e, depois, -35°C.

A viagem até Magadan foi interessante. Completar os 2,2 mil quilômetros da Estrada dos Ossos no inverno, assim como disse Dimitri em Iakutsk, já podia ser considerada uma grande conquista. A estrada estava congelada e, por isso, muito lisa. Ao longo do trajeto cruzamos com vários caminhões pesados.

Apesar de Magadan não ser antiga (foi fundada em 1930), ela dá um banho de história. O local foi um importante ponto de triagem de prisioneiros durante o regime Stalinista. Entre 1932 e 1953 (ano em que Stalin morreu) foi o centro administrativo da organização Dalstroy, que gerenciava uma vasta e brutal operação de mineração de ouro e construção das estradas siberianas. A cidade viveu uma época marcada pela repressão e terror. Hoje, na parte alta de uma colina, próximo à cidade, existe um monumento erguido em 1990 e dedicado às vítimas dos 80 gulags administrados pela Dalstroy. A escultura em concreto tem 15 metros de altura e recebeu o nome de Máscara da Tristeza, pois retrata lágrimas escorrendo nos rostos chorosos dos prisioneiros.

Perguntamos aos amigos que fizemos na cidade se alguém tinha parentes entre aqueles que foram prisioneiros durante o regime – disseram que sim, praticamente todos. Afinal, não havia motivos para alguém querer morar, de livre espontânea vontade, em um lugar tão isolado e frio. Magadan dista dez mil quilômetros da capital. Apesar de ter sido um campo de prisioneiros, a cidade possui uma bela arquitetura e um grande teatro. Disse-nos um russo, ao nos mostrar a cidade, que os atores das peças eram os próprios prisioneiros e que após a libertação alguns se transformaram em grandes nomes da televisão russa.

Montamos nossa base em uma praça e à noite alguém nos chamou falando português. Era o russo Pavel, que tinha estudado um ano no Brasil por intermédio do Rotary Clube – por isso falava português. Ele foi muito prestativo: cedeu-nos um apartamento para ficarmos naqueles dias e levou-nos a lugares interessantes. Ainda convidou-me para uma sessão de sauna com seus amigos no clube. Essa a Michelle não podia participar. Não malicie, por favor. A sauna na Rússia é tão importante como uma churrasqueira no Brasil. O grupo de amigos do Pavel socializa-se na sauna todos os sábados, onde, além do ritual dos banhos, há uma farta mesa de frios: peixes defumados, secos e crus, salames, linguiças, pães, salgadinhos e muita bebida. Foi uma noite agradável.

Como estávamos na extremidade do continente e Magadan é uma cidade litorânea, tivemos a oportunidade de dirigir o Lobo sobre o Oceano Pacífico congelado – o Mar de Okhotsk. Foi num domingo e aquele pedaço de mar parecia um parque com tantos carros estacionados e pessoas caminhando ou pescando no gelo. É divertido dirigir sobre um mar congelado, especialmente quando se pode ir até as ilhas mais próximas, mas é preciso tomar cuidado, pois muitos já perderam seus carros e até a vida por terem ido além do limite de segurança. Paramos para ver se os pescadores estavam com sorte e observamos que alguns pescavam com puçás retráteis, para passar pelo buraco no gelo. Eles haviam capturado caranguejos enormes, daqueles que no Brasil a gente só vê em fotos.

No caminho de volta pela Estrada dos Ossos fizemos uma parada em Susuman, depois em Kadykchan. A primeira é uma cidade típica soviética – construções quadradas e sem graça. A frieza e a falta de pessoas nas ruas nos assustaram. Creio que por causa do frio extremo as cidades da Sibéria, no inverno, dão a impressão de que tudo está fechado. Tínhamos dificuldade em encontrar restaurantes, padarias ou mercados, pois tudo parecia vazio e abandonado. Mas quando dedicávamos um pouco mais de tempo para conhecê-las, abrindo as suas portas, encontrávamos pessoas e descobríamos que ali, apesar de não parecer, também havia vida. Para nós, sob o ponto de vista da nossa estética ocidental, as decorações dos ambientes internos, principalmente a dos restaurantes, parecem cafonas. Um restaurante em Magadan, onde almoçamos, parecia uma boate: cortinas roxas, marrons e pouca luz. Em Susuman, para efeito de decoração externa, foi anexado na parede de um prédio a metade da fuselagem de um avião de verdade – o IL 18, ou Ilyushin IL 18, um dos melhores aviões soviéticos de todos os tempos. O efeito não ficou lá essas coisas...

Já Kadykchan, que chegou a abrigar 10 mil moradores, hoje é uma cidade fantasma. Ela foi construída por prisioneiros que trabalhavam nas minas de carvão. Com a dissolução da União Soviética em 1991 a extração do mineral, devido às dificuldades do clima e da logística, ficou inviável. As minas foram fechadas e o aquecimento da cidade que funcionava por meio da queima do minério parou de funcionar. Para os moradores não houve outra opção a não ser pegar suas trouxas e ir embora. Hoje praticamente todas as cidades russas por onde passamos dependem do carvão para se manterem aquecidas no inverno. Na estrada, de longe, vê-se subindo a fumaça dos queimadores formando uma grande nuvem preta. Chaminés ao alto são uma espécie de marcos na arquitetura das cidades russas.

À noite, estacionados em um posto de combustível, em Susuman, enquanto jantávamos, alguém bateu na janela. Um russo, tentando se fazer entender na sua língua, queria nos oferecer um presente. Enfiou para dentro do carro uma caixa contendo um kit de sobrevivência do exército. Desci para cumprimentá-lo e agradecer pela cortesia. Apesar do frio intenso fora do carro, trocamos algumas palavras em inglês e russo.

Kostantin Petrov é o nome desse russo simpático que acabou se tornando um grande amigo e, mais tarde, deu-nos outros presentes: chocolates, blocos, canetas, vários penduricalhos e, o mais valioso, o prefácio para este livro. Ele é viajante também e fazia uma viagem solo em seu Land Cruiser desde a sua cidade natal, Briansk, que fica no outro lado do país. Ao ouvir nosso desejo de atingir a Latitude 70 ele falou que também tinha o sonho de viajar para o Norte afim de conhecer os tipos de estradas que existem por lá e ressaltou que talvez pudéssemos viajar juntos. Em dois carros, a segurança de ambos aumentaria exponencialmente. Mas a sua proposta era de seguirmos sentido Tiksi por outra estrada de inverno, ao invés daquela que nós almejávamos percorrer – a que ia até Pevek. Esta nem existia em nosso mapa, mas que levava inclusive mais ao Norte do que Pevek. Olhei atentamente ao GPS e me entusiasmei ao descobrir que Ust-Kuyga, uma pequena cidade localizada a uns 100 quilômetros ao Sul do Mar do Ártico, estava acima da Latitude 70. Nesse caso, ao invés de seguir como via principal o rio Kolima, teríamos que seguir os rios Delinne, Nel'gese e por fim o Yana.

O único inconveniente era que teríamos que esperar por cinco dias pelo Konstantin. Assim como nós, ele pretendia dirigir primeiro até Magadan e somente no seu retorno é que poderíamos juntos iniciar a investida ao Norte. Aceitamos a condição. Para conseguirmos alcançar nosso grande objetivo, cinco dias de espera não representavam nada. Nesse tempo retornamos lentamente pela Rodovia dos Ossos e conhecemos Khandyga, a cidade que entre 1951 e 1954 serviu de base para um dos tantos campos de trabalho forçado (gulag) que existiam na região. Na noite anterior ao dia marcado, lá estava Konstantin, pronto para a aventura.

Agora sim, lá vamos nós rumo à segunda Latitude 70

Nossa viagem ao Norte russo começou em Tyoply Klyuch, onde abastecemos o máximo de diesel que podíamos. Havia vilas ao Norte para reabastecimento, mas o inconveniente de se viajar no inverno extremo é que as baixas médias horárias aumentam o consumo e nem o motor do carro nem o aquecimento interno podem ser desligados em nenhum momento.

As quilometragens a seguir demonstram o tamanho da aventura: a partir da Estrada dos Ossos, entre ida e volta, dirigiríamos 2,4 mil, dos quais apenas 380 quilômetros eram estradas abertas o ano todo – mas nem por isso fáceis. Os outros 2.020 quilômetros seriam percorridos por estradas de inverno, portanto, era bom agilizarmos, pois na primavera elas iriam derreter. Mas fomos sem muita sede ao pote. Por segurança, combinamos retornar se as condições das estradas ou do clima ficassem perigosas. Nós já tínhamos alcançado na Estrada dos Ossos a Latitude 64°37' N, então cada grau a mais ao Norte já seria uma grande vitória. Dividimos a empreitada em pequenos passos: Topolinoye (km 189, 64°04' N, onde começavam as estradas de inverno); a linha do Círculo Polar Ártico (km 460, 66°33' N); Batagay (km 791, 67°39' N); e por fim, Ust-Kuyga, (km 1.200, 70°00' N).

E lá fomos nós com o nosso novo amigo Konstantin enfrentando a primeira parte do trajeto até Topolinoye. O percurso é transitável durante o ano todo, mas no inverno fica liso, estreito e perigoso – repleto de precipícios. Se alguém quiser ultrapassar um caminhão terá que ser pelo lado do abismo, independentemente de estar na mão ou na contramão, pois os caminhões não arriscam ficar próximos a ele para dar espaço de ultrapassagem. Terceira via, nem pensar.

Em Topolinoye, enquanto abastecíamos os carros, congelando nos bigodes por causa da umidade da expiração, um senhor nativo, da etnia Even, chegou até nós para perguntar se estávamos indo para o Norte. Ele pegou uma carona até seu acampamento, que ficava a 30 quilômetros dali. Como forma de agradecimento, ao descer do carro do Konstantin em frente à sua morada, convidou-nos para um chá. Vladimir, como se chama, é pastor de renas e além de tirar o seu sustento com essa criação, vive da caça e pesca em total sinergia com a natureza.

Enquanto fechávamos nossos carros que ficaram estacionados em cima do rio Delinne, ele catou um bloco de gelo e o levou para derreter para fazer chá. Ao chegarmos à sua barraca ela já estava aquecida por um fogão a lenha que ele se antecipara em acender. Sentamos no chão sobre couros de rena e ficamos admirando suas roupas, gorro, botas, luvas e outros itens que estavam pendurados e que também eram feitos de couro – um isolante natural que o protege de temperaturas de até -60°C. O gorro que usava, mostrou-nos orgulhoso, era uma herança de seu pai. Tomamos chá e ouvimos suas histórias, traduzidas precariamente pelo Konstantin, que também não falava bem o inglês.

Foi maravilhoso perceber as diferenças existentes entre o nosso mundo e o de Vladimir. Para nós, naquele momento, o objetivo era chegar ao Paralelo 70; para ele era simplesmente lutar por mais um dia de sua existência e cuidar da sua casa – uma barraca de lona simples, aquecida por um fogão a lenha, que devia ser constantemente alimentado para preservar o calor.

Do lado de fora ele possuía um pequeno cercado e por debaixo da neve havia dois veados congelados que caçara no inverno. A neve era o seu freezer natural. Aliás, o povo da Iacútia se alimenta de carne crua congelada – seja de rena, cavalo ou peixe – cortada em fatias finas, assim como se corta queijo, temperada com sal e pimenta preta. Nós experimentamos todas as versões, inclusive fígado de cavalo cru congelado. Platão um dia disse: "A necessidade é a mãe da invenção". Existiria forma mais efetiva, para esse povo, de consumir proteínas, especialmente em situação de escassez de lenha para cozinhar alimentos? O fato da carne ser congelada elimina também grande parte das bactérias.

Havia ali trenós para serem puxados por renas, tudo feito com muito zelo e cuidado. Vladimir não pode mostrar-nos as suas renas naquele dia, pois estavam soltas, longe nas montanhas. Elas são animais migratórios, portanto vão andando e pastando. O trabalho do Vladimir como pastor é mantê-las perto dele: assim que elas se espalham para mais longe, vai buscá-las. Uma técnica que usa para atraí-las é oferecer sal.

A visita ao nosso novo amigo foi rápida, pois tínhamos centenas de quilômetros pela frente, mas nos comprometemos a tomar um chá com ele ao retornar – afinal uma viagem por essas terras frias, sem ver as renas, não seria completa. Seria como ir a Roma e não ver o Papa.

Dirigir 1.500 quilômetros a 15 km/h, haja paciência

As estradas de inverno estavam piores do que imaginávamos. Boa parte do trajeto – mais de 1,5 mil quilômetros – foi feita em cima de florestas de taiga e tundra e os buracos e valetas profundos impuseram uma velocidade média de 10 a 15 quilômetros por hora. A primeira e a segunda marcha eram utilizadas com frequência – isso quando não éramos forçados a engatar a reduzida para preservar a embreagem. Partíamos sempre pelas oito horas da manhã. Nas primeiras centenas de metros, em marcha reduzida e sem acelerar, deixávamos o carro rolar lentamente para que o óleo dos amortecedores, caixas de marcha e transferência e diferenciais voltasse ao estado líquido e assim lubrificasse melhor as peças para que não se danificassem. Em alguns dias, quando paramos pelo meio-dia para descansar um pouco e comer, o odômetro mal havia marcado um percurso de 50 quilômetros rodados, o que me fazia querer morder o volante de tanta aflição. Sentíamos que o carro se retorcia ao passar por aqueles buracos profundos. Dá-lhe Lobo das estepes. Dá-lhe!

Em contrapartida fomos agraciados com rios e lagos congelados, que somados chegaram a 874 quilômetros. O gelo não fica sempre como um espelho como imaginamos ser uma estrada congelada; a força da água que flui por debaixo, somada ao próprio gelo que se expande e cria rachaduras, lombas e buracos, mais a neve compactada, faz com que tudo fique de maneira desuniforme.

Em trechos melhores a velocidade aumentava para 50 ou 60 quilômetros por hora. Era prazeroso dirigir sobre o rio acompanhando suas curvas e tendo ao lado os paredões da sua encosta delimitando a estrada. Era como navegar em um barco, mas tendo o volante, pedais de freio, embreagem e acelerador ao seu comando – e ainda sem ficar mareado.

Aos trancos e barrancos fomos progredindo. Nossa principal atividade era dirigir, dirigir e continuar dirigindo. Paradas apenas para contemplar a natureza – ali em preto e branco – e fotografá-la, mas sem nos expor por muito tempo ao frio. Percebemos várias vezes que a temperatura baixou dos -50°C, pois o termômetro parava de funcionar. Hoje, quando vemos na TV a moça do tempo dizer que uma frente fria se aproxima da nossa região, achamos até engraçado.

A montanha mais alta que transpusemos no percurso tem 966 metros de altitude. Lá em cima, as poucas árvores que conseguem se desenvolver naquele ecossistema inóspito parecem cabisbaixas, tal o acúmulo de neve em suas galhadas. Nesse ambiente, muitas vezes desolado, à noite, para o jantar, tínhamos a companhia do Konstantin. Era a hora de jogar conversa fora, falar das dificuldades do dia e ir dormir cedo porque no outro dia tínhamos que encarar a dureza da estrada novamente.

Aos 66°33' N cruzamos a linha do Círculo Polar Ártico. Foi engraçado, pois no Alasca e na Noruega existem placas ilustrativas enaltecendo este marco para os turistas fazerem suas fotos. Mas ali, na Rússia, não há nada. Descemos do carro e desenhamos uma linha imaginária sobre a neve para registrá-la. Soubemos deste ponto por meio do GPS. Depois veio Batagay, uma cidade literalmente isolada do mundo. Só foi possível entender a existência de habitantes no local porque estudamos a história da União Soviética antes de nos aventurarmos em seu território. Ouvimos dizer que a cidade possui um grave problema de depressão e alcoolismo, principalmente entre as mulheres. Os homens passam o dia mais ocupados, trabalhando nas minas, ao passo que as mulheres ficam presas em casa e, sem vida social ativa, acabam deprimidas. O lugar é tão isolado que o acesso à Rodovia dos Ossos só é possível no inverno, sobre o rio congelado em viagem de três dias. No verão pode-se ir de avião ou barco – o primeiro é caro e o segundo demorado.

Como Batagay situa-se a 67°39' N, tínhamos mais 2°21' em latitude para subir, sabendo antecipadamente que o percurso seria lento. É irônico pensar que para avançar 60 minutos em latitude levaríamos mais de dez horas. Mais ao Norte entramos no rio Yana, seguindo ora sobre o rio, ora sobre a taiga e a tundra. Isso porque esporadicamente alguns trechos do rio ficam com água sobre o gelo, algo comum de acontecer mesmo no pico do inverno. É um sinal de que existe perigo do gelo se partir. Nós encontramos seis caminhões que caíram nessa armadilha da natureza. Para os pobres motoristas que tinham muito trabalho no inverno a temporada havia terminado, pois para se tirar um caminhão daquela situação leva-se no mínimo dois meses.

O congelamento de um rio se faz pela temperatura ambiente externa ser muito baixa; há gelo por cima, mas por debaixo a água continua fluindo. No rio Yana, que chega a três metros de profundidade, se o gelo partiu com um caminhão sobre ele era porque estava pouco espesso, fazendo com que qualquer ação imediata de retirar o caminhão daquela situação seja arriscada, pois a base de gelo à sua volta também estaria frágil.

É aí que entram os especialistas em resgates no gelo, um trabalho que até então nem imaginávamos existir. A técnica que desenvolveram é a de estimular o congelamento do leito do rio nas laterais e por debaixo do caminhão até formar uma base sólida que permita removê-lo. Com o uso de motosserras ele cortam e retiram ao redor do caminhão blocos finos de gelo, de até 15 centímetros de profundidade. Isso forma pequenas piscinas vazias e o frio vai agir nessas partes recortadas, que já estão mais baixas que o nível do rio. Espera-se um tempo e cortam-se mais blocos, retirando-os para que o frio congele mais e mais em direção ao fundo. É um jogo de paciência, pois dependendo da temperatura externa, o gelo pode crescer apenas 10 centímetros por dia. O trabalho continua até que toda base do caminhão esteja bem congelada. Quando isso acontece, corta-se também com motosserra o gelo que está segurando o caminhão. O veículo encalhado é rebocado por uma rampa cortada no gelo e depois transportado em cima de outro caminhão até uma garagem aquecida, para que haja o derretimento completo.

Faltando apenas 40 quilômetros para Ust-Kuyga, o Lobo começou a pipocar, a perder potência até que o motor parou de funcionar. O terrível silêncio da natureza russa nos envolveu. "Ah não, de novo não!". Imediatamente a apreensão tomou conta de nós, mesmo sabendo que devíamos manter a calma. O que aprendemos em Oymyakon bastou para o diagnóstico – diesel congelado. Parecia que estávamos sendo testados para ver se merecíamos ou não o troféu da Latitude 70. Dessa vez fomos rápidos e certeiros. Com carro ainda em movimento, combinamos: enquanto a Michelle ferveria água eu jogaria um aditivo especial no tanque para remover a água do combustível e, ao mesmo tempo, bombearia manualmente a bomba até aliviá-la. Não adiantaria trocar o filtro, pois o bloqueio acontece no suporte e não no filtro em si. Logo que a água ferveu, enchemos uma bolsa e a colocamos sobre o filtro por alguns minutos a fim de aquecê-lo. Em seguida a Michelle deu a partida, enquanto eu abria alternadamente os bicos injetores para estimular maior vazão. Alívio: o carro voltou a funcionar. O mérito da conquista da Latitude 70 não seria o mesmo se chegássemos lá rebocados por uma Toyota.

De repente, não mais que de repente, o pranto se fez riso: lá de longe um pontinho de cidade apareceu. O GPS marcava 69°59' N até que, ainda sobre o rio Yana, virou para 70°00' N. Não dava para acreditar – conseguimos mais uma vez. Foi uma alegria tão grande e difícil de esconder. Nos abraçamos, choramos de emoção – afinal, essa marca havia sido exponencialmente mais difícil que no Alasca. Titubeamos e quase desistimos. Mas naquele momento estávamos lá, sentindo-nos como os conquistadores dos polos no começo do século 20. Falando nisso, faltavam quantos quilômetros para se chegar ao Polo Norte? Apenas 2.224 – um pouco menos que o percurso de ida e volta que fizemos nesta estrada de inverno.

Mas mesmo que quiséssemos ir até o Polo e se isso fosse possível de carro, nós não estávamos autorizados a ir. O território que costeia o Oceano Ártico na Rússia é controlado pelo exército e seu acesso é restrito. Nós até tínhamos uma autorização, que fizemos com 60 dias de antecedência para adentrar essa faixa costeira, mas ela valia somente para Pevek, no estado vizinho de Chukotka, cidade que fazia parte de nosso plano inicial. Por isso, mais uma vez chegávamos tão ao Norte, mas sem poder ver o Oceano Ártico. Faltavam 156 quilômetros em linha reta até a costa.

E teve troféu? Sim: um pedaço de caixa de papelão, no qual a Michelle escreveu cuidadosamente nossa latitude máxima na Rússia – 70°00'44" N. À noite, pelas dez horas, fomos presenteados com uma das mais lindas auroras boreais de toda a viagem. Ela despontou por detrás das montanhas de Ust-Kuyga e mostrou-nos durante um bom tempo todo seu esplendor. Estávamos tão maravilhados e contentes que até esquecemos do frio que fazia. E como foi bom, naquela noite, colocar nossas cabeças no travesseiro com a sensação de missão cumprida.

De uma coisa temos certeza: essa conquista, quase impossível, só aconteceu porque desde o início definimos metas bem claras. Teria sido mais fácil permanecer na Transiberiana ou mesmo na estrada dos Ossos, como nossos amigos russos nos aconselharam, mas onde ficariam essas histórias? O que teria sido do Santos Dumont se tivesse dado ouvidos a todos os que o aconselharam a não tirar os pés do chão? Às vezes é preciso não dar ouvidos àqueles que querem transferir para nós seus próprios medos. Temos que correr certos riscos, afinal Deus coloca obstáculos nos lugares mais especiais da Terra, para que o esforço despendido para os alcançar enalteça o prazer da conquista.

E agora, voltamos?

Na manhã seguinte, sobre o rio Yana, enquanto tomávamos café, nos vimos diante de uma nova questão: deveríamos voltar? Sim! Mas pensávamos que seriam seis dias tranquilos, pois já conhecíamos o caminho e as suas dificuldades. Mas não foi bem assim. Os amortecedores traseiros haviam danificado-se internamente devido ao frio intenso e, em alguma pancada forte, abriram-se até seus limites e quebraram seus suportes, fazendo-nos dirigir por centenas de quilômetros sem amortecedor. O carro balançava violentamente a traseira e só conseguíamos neutralizar este efeito mola quando parávamos. Fizemos a reparação em Batagay, mas um deles voltou a quebrar na mesma estrada. Para piorar, a bieleta da barra estabilizadora traseira também se rompeu.

Ao passar de volta por Batagay jantamos em um restaurante local. Era o Dia Internacional da Mulher e a Michelle ganhou um presente valioso: as cozinheiras lhe ofereceram um banho quente demorado. Depois de exatos dez dias sem poder tirar a roupa para um banho, disse que foi o melhor de sua vida. Felizmente eu e o Konstantin também pudemos usufruir do chuveiro. Saímos de Batagay e pegamos um desvio para conhecer Verkhoyansk, a segunda cidade mais fria do mundo – já marcou -67,9°C. Dali seguimos para o Sul.

Banhos definitivamente não aconteciam todos os dias. Nos 1.197 dias da nossa segunda volta ao mundo ficamos 519 sem tomar banho – o que equivale a um ano e cinco meses. Geralmente tomávamos banho dia sim, outro não, mas era comum ficarmos dois, três ou até quatro dias seguidos sem banho. Se nos banhássemos em rios, lagos ou em termas, contávamos como banho tomado.

Fiz uma planilha de banhos e fazia anotações diárias. É evidente que o número de dias sem esse luxo aumentava à medida que nos dirigíamos aos lugares mais frios: Alasca, leste da Rússia e Cáucaso. Portanto, quanto mais próximos do nosso objetivo – Latitude 70 – menos banhos. O Cascão da Turma da Mônica iria adorar.

Em nossa primeira volta ao mundo, ao viajar por lugares mais quentes, dos 1.033 dias viajados ficamos 271 sem banho, ou seja, a cada quatro dias, ficávamos um sem banho – uma média bem menor do que nessa segunda viagem. É natural que nesses lugares de muito calor, com florestas tropicais, a água seja mais abundante e refrescar o corpo é essencial.

A prioridade sempre foi conseguir água para beber e cozinhar e, por último, poder usufruir do privilégio de um banho. Se sabíamos que encontraríamos água logo adiante, o banho era garantido. Já nos lugares frios, dava preguiça de tirar a roupa e enfrentar o gelo. Quando a temperatura baixava de zero grau os banhos dentro de casa tornavam-se inviáveis, pois tudo congelava. Na China, onde viajamos de mochilão e ficamos em albergues, tomamos banho todos os dias. Talvez quem viaje dessa forma nunca tenha se dado conta da mordomia que as hospedagens proporcionam. Nós, muitas vezes, sonhávamos com ela.

Em nossa passagem de volta por Batagay jantamos em um restaurante local para celebrar mais uma vez a conquista da Latitude 70. A gente precisava, além de um bom banho, dar uma folga para as sopas enlatadas, macarrão, peixes defumados e comidas triviais. Depois da árdua conquista, era mais do que merecido. Jantar num restaurante trazia outro luxo: não precisaríamos lavar a louça e limpar a cozinha.

O restaurante escolhido era simples e fomos muito bem recebidos pelas mulheres que cuidavam do local. O Konstantin intermediou tudo, inclusive escolhendo o cardápio. Foi aquele banquete. A melhor parte ficou para o final, quando perguntamos se, por acaso, ali não havia um chuveiro para que pudéssemos tomar banho. A resposta foi positiva e eu, como mulher, tive a preferência de ser a primeira. O box era meio improvisado, mas tinha água em abundância – e quente.

Estávamos realmente precisando de uma chuveirada, pois nossas roupas praticamente andavam sozinhas – principalmente as de baixo, que não tirávamos nunca, nem para dormir. Quando soltei o cabelo, desmanchando o rabo de cavalo, os fios quase nem se mexeram, de tão oleosos. Essa situação era a que mais me incomodava, pois quando tínhamos de ficar vários dias sem banho a melhor solução era amarrá-los.

Ao saber que iria entrar embaixo de um chuveiro, o coração disparou de alegria. Quando a água atingiu a cabeça e começou a escorrer pelo corpo, a sensação foi maravilhosa. Parecia que todos os nossos problemas tinham acabado: o corpo instantaneamente relaxou e a sensação de prazer chegou ao máximo. A vontade era de não sair mais debaixo daquela água quentinha, mas a fila era grande: havia mais dois que aguardavam, ansiosos, por aquele momento. Tomar um banho depois do nosso recorde de 10 dias seguidos sem uma gota de água no corpo foi o melhor presente que ganhei naquele 08 de março de 2016 – Dia da Mulher. É nesses momentos que damos valor às coisas mais básicas da vida.

Dos 87 dias no leste russo ficamos 57 sem banho. Se não fosse pelas amizades que fizemos no caminho e o oferecimento das suas casas e de seus chuveiros talvez tivéssemos ficado ainda mais dias. Outras oportunidades inesquecíveis de banho na Rússia, além a do restaurante em Batagay foram em uma estação de trem da Transiberiana e numa casa de estudantes.

Mac, Mac, Mac, Mac

Em nosso regresso, ao vermos o amigo Vladimir, o das renas, acenando com um pano colorido para nós em frente à sua barraca, fizemos uma verdadeira celebração. Apesar de nos entendermos mais por gestos do que por palavras, ele foi, e ainda é, um amigo e, como diz a música: "amigo é coisa para se guardar no lado esquerdo do peito, mesmo que o tempo e a distância digam não". Também nos confortou o fato de que sua cabana marcava que faltavam apenas 30 quilômetros até Topolinoye, onde uma estrada melhor nos esperava. Tão logo descemos do Lobo, ele nos levou para ver suas renas, que estavam nas proximidades da sua barraca. Havia mais de 30 e para chamá-las fazíamos como ele: "mac, mac, mac, mac". Não só chegamos perto delas, como vieram comer sal em nossas mãos. Tiramos as luvas para desfrutar melhor desse momento, mas logo nos arrependemos, pois as babas deixadas por suas lambidas congelavam em nossas mãos em segundos, fazendo-as arder de dor. Mas esses são os sacrifícios aos quais temos que nos sujeitar para vivenciar momentos tão raros.

À noite, em nosso carro, fizemos uma macarronada com molho de tomate e azeitona. Foi a primeira vez na vida que Vladimir comeu azeitona. No outro dia, para retribuir nosso gesto, ele encilhou uma rena para que pudéssemos montar e cavalgar sobre a neve. Não foi fácil, pois não se usa cabresto nesse tipo de montaria – guia-se cutucando o pescoço do animal com uma vara. Montado fui subir uma ladeira, mas a sela pequena e dura, feita de madeira e couro, que não estava apertada o suficiente, girou no lombo do animal e me levou ao chão, o que rendeu boas gargalhadas entre todos que assistiram à cena. Entramos na tenda para nos aquecermos. Em seguida Vladimir nos serviu uma sopa de carne de rena que foi de lamber os beiços. Depois tivemos a oportunidade de atirar com sua Kalashnikov AK-47 – um fuzil soviético semiautomático de calibre 7,62 milímetros que Vladimir utiliza para caçar.

Por fim Vladimir presenteou-me com um laço de laçar renas feito por ele mesmo. Em nossa primeira passagem por sua casa, dias antes, ele já havia mostrado o laço e a técnica que utiliza para laçar os animais. Entrei na brincadeira e mostrei-lhe como se laça no estilo gaúcho, já que por vários anos dos meus "tempos de guri" eu participei de rodeios nas redondezas da minha cidade. Foi um dos presentes mais valiosos que trouxemos da viagem. O laço é lindo, feito artesanalmente com tiras de couro do pescoço do animal e cortado em forma espiral, a única maneira de se conseguir 30 metros de uma tira sem emendas.

Vladimir disse que no tempo em que estivemos no Norte ele tentou utilizar a técnica gaúcha nas renas, mas falhou, pois o ato de bolear espantava os animais. Essa técnica (gaúcha) é utilizada para um animal que já está em movimento, quando o laçador está em cima de um cavalo. Para laçar uma rena o método é diferente: é preciso preparar o laço e escondê-lo nas costas do laçador, que deve se aproximar do animal lentamente e, de surpresa, jogar o laço de uma forma que a armada se abra em cima de sua galhada. Alguma ponta do chifre tenderá a ficar presa no laço, então a rena estará capturada. Com o próprio Vladimir aprendi a agradecer na língua even: "allagda".

Quando visitamos Vladimir ele tinha 49 anos. Com sua falecida esposa, teve dois filhos, que lhe deram dois netos. Percebemos nele muita paz e serenidade, pois leva uma vida em total sintonia com a natureza. Só encontramos isso quando imergimos a fundo em lugares remotos e convivemos com culturas antigas, as quais, infelizmente, o mundo está perdendo pouco a pouco como consequência da globalização. Os filhos do Vladimir já não seguem suas tradições: optaram por morar na cidade e nem falam mais o idioma dos ancestrais – o even.

Alguns dias depois, quando tivemos acesso a uma loja de fotografia, imprimimos as fotos que tiramos com ele e as enviamos para que pudesse guardar uma recordação dos brasileiros que o visitaram. Assim como o Vladimir, outras amizades foram conquistadas ao longo do caminho. Muitos nos ajudavam e nos recebiam em suas casas. E eram esses momentos que nos traziam as melhores oportunidades de entrar em contato direto com a cultura local e conseguir informações atualizadas sobre o país e região. Quanto mais amizades, maior parecia ser a nossa sorte.

Viajamos para Topolinoye e em seguida até aquela nossa conhecida bifurcação na Estrada dos Ossos, que treze dias antes havia nos despertado tanta hesitação. Valeu a pena? Valeu – e muito. A região mais fria do planeta agora não nos assusta mais, pois a tratamos com respeito e em troca ela nos proporcionou uma das melhores experiências de nossas vidas.

Um canino para chamar de nosso, mas por pouco tempo

Encontrar uma raposa do Ártico no extremo norte da Rússia era um desejo que tínhamos há muito tempo. Sonhávamos em ver uma cena como aquelas de documentário, que mostram uma raposa saltando de cabeça na neve para pegar um pequeno roedor. Na volta da Latitude 70, de repente, no meio da estrada lá estava um animal que não conseguimos identificar, mas concordamos ser um canino. Seria a tão sonhada raposa do Ártico? Ou talvez um lobo? Antes de nos aproximarmos peguei a câmera e com o auxílio do zoom da lente garanti uma foto. A lente nos possibilitou confirmar ser um canino branco, mas muito grande para ser uma raposa. Ainda nos restava a dúvida se era um lobo ou um cachorro. Avançamos em sua direção, mas o animal instantaneamente saiu em disparada. A sensação que tive é de que estava assustado. Correu uns dois quilômetros pela estrada fazendo pequenas paradas para olhar para trás e ver se ainda o seguíamos. Esta reação não nos pareceu ser o comportamento de um lobo, então tinha que ser um cachorro. Mas naquele ermo?

O que fazia ele ali, no meio daquela região inóspita, sem nenhuma casa ou ser humano por perto? Será que o dono estava caçando na mata ou o pobrezinho teria sido abandonado naquele frio de -40ºC por alguém impiedoso? Quem teria essa coragem? Com tantas perguntas sobre o que aquele animal fazia ali, fomos seguindo-o e tentando nos aproximar. A estrada era péssima e o nosso progresso, lento; só depois de algum tempo o alcançamos, quando corria devagar, paralelamente à estrada. No momento em que ficamos lado a lado, ele se sentou na neve como se fosse nos assistir passar. Paramos o carro e eu abri a porta para tirar mais uma foto, quando confirmamos ser um cachorro branco com uma mancha escura sobre a pelagem do olho esquerdo. O Roy saiu do carro e assobiou e, para nossa surpresa, ele começou a correr em nossa direção – parecia que corria ao encontro de seus melhores amigos, tamanho seu entusiasmo. Aproximou-se abanando o rabo, como se estivesse sorrindo e já nos conhecesse de longa data.

Nós carregávamos na geladeira uma salsicha que não gostamos muito e que guardamos para presentear os cachorros amigáveis que encontrássemos pelo caminho. O Roy entrou no carro para pegar um pedaço e, como sempre, deixou a porta aberta. O simpático cachorro zuft! – pulou para dentro por cima das pernas do Roy e sentou no banco do passageiro, pronto para partir. Que situação hilária! Nós o chamamos para fora para presenteá-lo com a guloseima. Ele saiu, mas não parecia faminto, tão pouco magro ou maltratado e isso nos deixou mais intrigados: só podia estar perdido. O que fazer? Levá-lo junto, deixá-lo ali? Oh dúvida cruel. Entramos no carro e começamos a dirigir para ver a sua reação e ele começou a correr ao nosso lado. Parecia que falava: "Hei, não me abandonem aqui nesse frio!" Aquela cena cortou nossos corações e de pronto umedeceu meus olhos. Aos poucos o cachorro foi ficando para trás, até que o perdermos de vista. Não o ver mais confortou

Buda gigante esculpido nas Grutas de Yungang, China

Seul, capital da Coreia do Sul

Palácios antigos, Coreia do Sul

Arquitetura moderna, Coreia do Sul

Mercado Gwangjang, Coreia do Sul

Comida coreana saborosa

Pop Stars, Coreia do Sul

Cada um com seu celular, Coreia do Sul

Ferrovia transiberiana, Rússia

Edifícios soviéticos, Rússia

Estrada dos Ossos, Rússia

900 quilômetros sobre rios congelados, Rússia

Cavalos sobrevivem ao frio extremo, Rússia

- 55ºC, Rússia

Rebocados pelos bombeiros em Tomtor, Rússia

Protegidas por casacos e toucas de pele, Rússia

Círculo Polar Ártico, Rússia

Estradas de Inverno, Rússia

A sonhada segunda Latitude 70, Ust-Kuyga, Rússia

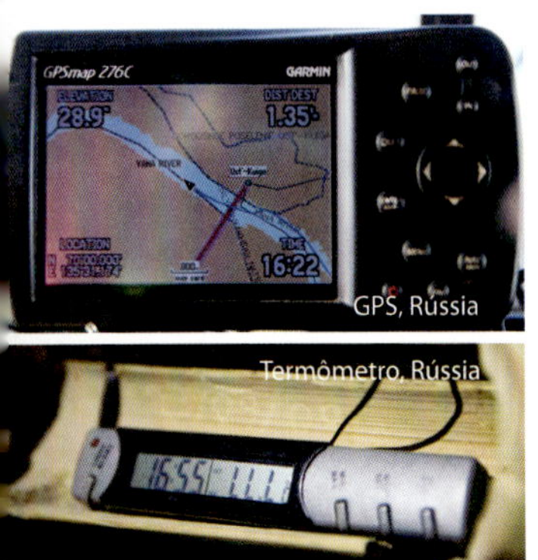

GPS, Rússia

Termômetro, Rússia

Presenteados com uma aurora boreal, Ust-Kuyga, Rússia

Barraca do Vladimir, Rússia

Montado em uma rena, Rússia

Caminhão preso no rio congelado, Rússia

Mina de diamantes de Mirny, Rússia

Ops! Tombamos, Rússia

Cãoroneiro, Rússia

Lago Baikal congelado, Rússia

Segunda estrada de inverno, Rússia

Grande Muralha da China

Passeio de moto nos arredores de Xingping, China

Soldados de Terracota, China

Quarteirão muçulmano em Xi'an, China

Chinês tradicional

Espetinho de escorpião, China

Etnia Miao, China

Penhascos de Hua Shan, China

Roy arrisca uma parada de mão na caminhada em Hua Shan, China

Rio Tuojiang em Fenghuang, China

Terraços de arroz da Coluna Vertebral do Dragão, China

Trabalho manual, China

Ger, a barraca dos nômades, Mongólia

Mongol

Interior de uma ger, Mongólia

Crianças simpáticas, Mongólia

Preparando-se para pescar no lago Bayan, Mongólia

Dunas de Khongoryn Els, Mongólia

Deserto de Gobi visto do paramotor, Mongólia

Arco e flecha

Corrida de cavalo

Luta mongol

Roy atrás de camelos, Mongólia

Dirigindo pelas estepes da Mongólia

Acampamento em Altai, Rússia
Astana, capital do Cazaquistão

Vendedora dormindo atrás do balcão no mercado de Almaty, Cazaquistão

Kok-boru, Quirguistão

Jogos Mundiais Nômades, Quirguistão

Torcida, Quirguistão

Cânion Sharyn, Cazaquistão

Estradas pelas montanhas Tian Shan, Quirguistão

O lindo lago Ala-Kul, Quirguistão

Acampamento na base do Pico Lenin, Quirguistão

Rodovia Pamir, Tadjiquistão

Casa em Murgab,Tadjiquistão

Almoço na plantação de trigo, Tadjiquistão

Muitos acenos, Tadjiquistão

Vale Wakhan visto do Forte Yamchun, Tadjiquistão

Congestionamento de animais, Tadjiquistão

Monte Karl Marx ,Tadjiquistão

Lago Karakul a 3.937 metros, Tadjiquistão

Cores de outono, Tadjiquistão

Vale Wakhan, Tadjiquistão

Plantações de trigo, Tadjiquistão

Povo quirguiz no lago Chaqmaqtin, Afeganistão

Cumprimentos, Afeganistão

O beijo, Afeganistão

Militares em Bazai, Afeganistão

Mulheres tirando leite dos iaques às seis horas da manhã, Afeganistão

160 quilômentros de caminhada, Afeganistão

A menina que fez a Michelle chorar, Afeganistão

Olhos verde-oliva

Vestimenta afegã

Simpatia afegã

Trabalho duro desde criança

Beleza afegã

Homens afegãos e um intruso de havaianas

Caravanas de iaques, Afeganistão

Bela arquitetura de Samarcanda, Uzbequistão

Barcos em Moynaq, Uzbequistão

Pilha de notas, Uzbequistão

Encalhada no Mar de Aral, Uzbequistão

minha consciência momentânea, mas logo ela iria pesar. Sim, porque nós o abandonamos.

Continuamos nossa jornada a uma velocidade inferior a 20 quilômetros por hora e depois de mais alguns quilômetros paramos mais uma vez, pois o amortecedor traseiro esquerdo havia quebrado novamente. Enquanto o Roy e o Konstantin checavam a avaria, fui pega de surpresa pelo cachorro: ele pulou para dentro do carro pela segunda vez, aproveitando mais um descuido do motorista, que deixou a porta aberta. Quando o Roy voltou ao carro, o cão, percebendo que aquele assento já tinha dono, rapidamente pulou para o meu colo. Ele sabia andar de carro. Parecia viajado. Seria de algum caminhoneiro? Abrimos a porta do passageiro para ver se saltava para fora, mas numa ação desesperada, deitou daquele jeito que os cães fazem quando não querem sair de um lugar – jogou todo o peso ao chão e nos olhou, como se pedisse: "Por favor, me levem com vocês...". Que situação! "Ok", pensamos, "ele venceu e vai de carona conosco". Até onde? Não sabíamos.

O cachorro parecia treinado. Sentou bonitinho no meu colo e respeitava todos os nossos comandos, como o de não ir lá para trás e não mexer no lixo... Até que relaxou e deitou, arriscando uma soneca, mas sempre com um olho na estrada. O malandro parecia conhecer o caminho e cada buraco da estrada. De vez em quando levantava a cabeça e dava uma respirada profunda, como se pensasse: "Ainda estamos aqui?".

Enquanto viajávamos, pouco conversávamos. Não que não tivéssemos assunto. Nossa cabeça estava a mil com a presença do cão e ambos matutávamos sobre o que fazer com o nosso amigo se não achássemos o dono. As possibilidades que levantamos foram, nessa sequência: oferecê-lo ao amigo Vladimir, que havíamos conhecido havia pouco tempo e morava logo mais ao Sul de onde estávamos; se o Vladimir recusasse, o ofereceríamos em Khandyga, depois em Iakutsk e, se ninguém o quisesse, pensamos que talvez o Konstantin pudesse levá-lo para a sua casa, do outro lado da Rússia; e, por fim, se ninguém o adotasse, o levaríamos conosco. Nós conversamos sobre como faríamos nas fronteiras, com comida, no carro e, que a verdade seja dita: queríamos que a última opção fosse a primeira – algo que nunca confessamos nem para nós mesmos.

Nem em sonho teríamos ficado com o cachorro, pois todos se interessaram por ele. O Vladimir abriu aquele sorriso quando mostramos a foto e visualizou a possibilidade de ter um companheiro em seu acampamento. O Konstantin também pensava em levá-lo para a sua casa e temos certeza de que qualquer um a quem o oferecêssemos iria se apaixonar na hora. Nós nunca teríamos chance. Mas, afinal, qual foi o destino do estimado cachorro?

Depois de viajarmos uns 12 quilômetros em sua companhia, chegamos em uma pequena vila. Parecia mais uma parada de caminhoneiros que ficava na entrada do rio Delenni. Paramos o carro, abrimos a porta e o "cãoroneiro", assim que percebeu onde estava, saltou para fora do carro. Ficamos dentro só reparando a sua reação. Farejou um pouco aqui, brincou com um caminhoneiro ali, levantou a orelha, como se tivesse reconhecido algo e correu pelo meio de uns caminhões e casas com a mesma empolgação com que correu para os nossos braços. Até desaparecer para sempre... Nem olhou para trás. Mal sabe ele que sua partida sem dizer adeus nos deixou com os olhos encharcados.

Ele não era um cachorro comum. Era cheio de personalidade – um companheiro ideal para viajar o mundo. Só depois nos demos conta de que talvez ele não fosse curtir viajar no calor e que se o levássemos para longe, sentiria saudades do Polo do Frio, onde era a sua casa e onde se sentia feliz.

Já havíamos dado carona para mochileiros, amigos, povo local, mas nunca, até então, para um cachorro. E esse danado mexeu conosco. Foram dias lembrando e falando sobre ele. Quem sabe um dia voltaremos para a Rússia para reencontrá-lo? Tomara que ele se lembre de nós, pois nunca mais o esqueceremos. No livro O Pequeno Príncipe, de Antoine de Saint-Exupéry, a raposa diz ao menino: "Tu te tornas eternamente responsável por aquilo que cativas." Foi isso mesmo que nos aconteceu – aquele cão nos cativou.

Ah, já tínhamos até escolhido o seu nome: Arctic, pois não encontramos a raposa do Ártico, mas conhecemos o cachorro do Ártico.

Estradas perigosas

"Michelle, vou parar no acostamento para tirar uma fot..." e ttrrraaaauussssccchhhhhccccrrrr.

Demorou para aprender que no Extremo Oriente Russo não se para no acostamento, pois eles não existem. Por ser uma região que alaga no verão, as estradas são elevadas por um aterro, como nas do Pantanal brasileiro. No inverno, a neve cobre esses desníveis laterais, parecendo que a estrada é mais larga do que é. Além disso, havia outro inconveniente: a neve fofa, não compactada pelos carros, acumula-se nas laterais da estrada e quando passávamos sobre ela com certa velocidade, passando só com os pneus do lado direito, éramos puxados com violência para fora. Isso nos causou vários encalhes, embora, por sorte, nenhum acidente mais grave tenha acontecido. Mas que passamos perto deles, passamos.

Aconteceu quatro vezes. A força do hábito me fazia ir para o acostamento quando eu queria parar o carro. O primeiro susto tomamos quando eu dirigia a uns 70 quilômetros por hora e conduzi o carro ao acostamento. A camada de neve me puxou para o lado direito com tamanha violência que não consegui mais controlar a direção e enterrei a frente do carro em uma camada alta de neve com quase um metro de altura. A desaceleração foi tão bruta que as coisas lá do fundo do carro voaram para frente. Por sorte nada sério aconteceu. Tivemos que ser guinchados para fora por um caminhão.

A segunda e terceira vez foram baques mais amenos e ocorreram em uma serra da Estrada dos Ossos. O motivo, novamente, foi parada para fotografar. Nos cem quilômetros desse trecho perigosíssimo encontramos vários caminhões caídos no falso acostamento e muitos rastros de veículos que haviam caído e sido rebocados. É uma estrada estreita e quando dois veículos dividem o pouco espaço, ao se cruzarem, um deles pode se lançar para fora – o que acontece com frequência. Um dia, ao cruzamos com uma carreta carregada com um contêiner, o pouco espaço que ela liberou foi o suficiente para levá-la para fora da estrada. Sua velocidade e peso fez com que levantasse o rodado esquerdo do chão e quase tombasse. Eu vi tudo acontecer pelo espelho retrovisor.

Ao chegarmos próximo ao rio Lena, em Iakutsk, como a Michelle ainda não tinha dirigido sobre um rio congelado, decidi parar o carro para a troca de motorista. Era um local movimentado e, para não atrapalhar o trânsito, tirei o carro para o acostamento – aí já era... O rodado direito escorregou, puxando-nos para uma valeta profunda e tombamos o carro. O acidente pareceu violento, pois a geladeira que ficava no lado esquerdo do carro caiu para o lado direito, causando um estrondo. Além da geladeira, outros itens da casa saíram voando. A lateral do passageiro deitou sobre a neve e as rodas do lado do motorista ficaram completamente no ar. Para eu sair do carro foi como sair de um tanque de guerra, pois minha porta ficou por cima. Depois ajudei a Michelle a sair, mas foi difícil, pois ela tinha dificuldades de soltar seu cinto de segurança.

Nossa sorte foi que estávamos devagar naquele momento e o cobertor de neve que preenchia a valeta protegeu a lateral do carro das pedras que estavam no fundo. Não aconteceu absolutamente nada na pintura; a neve apenas limpou a sujeira. Um policial chegou ao local após o acontecido, solicitou nossos documentos e, por último, se aproximou e me cheirou para ver se eu havia bebido vodca. Era o bafômetro russo.

Aconteceram inúmeros imprevistos na estrada durante a viagem. Tombamos, encalhamos, estragamos o carro nos lugares mais inóspitos e até o motor chegou a pegar fogo. Mas fazer o quê? Problemas sempre irão acontecer. É preciso estar preparado, ser resiliente e encará-los de frente. Em nosso caso, não adiantava ligar para casa ou para o 0800 de uma seguradora. Tínhamos que solucionar o problema com os recursos próprios ou recorrer à ajuda local. Um caminhão que vinha atrás de nós e viu a nossa queda naquela valeta, sem que eu precisasse chamá-lo, parou, colocou o veículo em posição de reboque e foi ajeitando seus cabos de aço. Na maior parte das vezes, a cortesia impera em qualquer estrada do mundo.

Em nossa primeira passagem por Iakutsk não tivemos uma impressão boa da cidade. Capital da Iacútia ou República de Sakha, ela possui uma peculiaridade: quando a temperatura baixa dos -40°C, por se situar numa depressão muito próxima ao rio, é comum formar-se uma neblina densa sobre ela, tornando-a cinza, sem sol e fria. Agora, ao regressarmos pela segunda vez, fomos recebidos por um céu azul, sol e uma temperatura de apenas -20°C. Depois do frio de -55°C que enfrentamos, podíamos dizer que o verão se aproximava. Na verdade, era final de março – início da primavera.

Os amigos que fizemos cerca de um mês antes estavam nos aguardando ansiosos e foi uma festa quando nos encontramos. A programação de visitas foi extensa e interessantíssima. No Museu do Mamute vimos fósseis de animais pré-históricos: além de mamutes, havia rinocerontes, bisões, cavalos e até o leão das cavernas. Como eu havia comentado anteriormente, o solo congelado do *permafrost* propicia a conservação desses animais pré-históricos, tanto que em 2013 cientistas fizeram a autópsia de um mamute e encontraram sangue, estômago e carne preservados. Chegaram a cogitar cloná-lo. O Museu dos Minerais expõe a riqueza da região: diamantes, ouro, prata, platina e dezenas de tipos de pedras preciosas – todas esculpidas em joias das mais variadas formas. Para terminar, fomos ao Permafrost Kingdom, uma caverna natural que fica congelada o ano inteiro. Ela é decorada com dezenas de esculturas de gelo feitas por artistas locais.

Nas horas de folga, entre visitas, encontros e uma entrevista para uma rádio e TV locais, aproveitamos para fazer a manutenção preventiva do carro, principalmente a troca dos amortecedores traseiros, destruídos no caminho. Peças de Land Rovers são raríssimas na Iacútia. É nessas horas que os amigos fazem a diferença: o Konstantin conhecia um "landeiro" em Moscou, que por sua vez conhecia um casal de "landeiros" em Iakutsk – o Dimitri e a Alexandra – que, por coincidência, tinham dois amortecedores usados que não utilizariam mais.

Demos adeus a este povo tão querido e hospitaleiro. Chegara a hora de cada um seguir o seu caminho. O prestativo Konstantin seguiu para a sua cidade pela Rodovia Transiberiana e nós rumo a Mirny – uma cidade tão isolada no meio da vastidão russa como Magadan e Ust-Kuyga. Mas essa sim tinha uma forte razão para existir naquele lugar: 25% dos diamantes que circulam o mundo procedem da sua mina, um buraco a céu aberto com 525 metros de profundidade e 1,25 quilômetros de diâmetro, um dos maiores já escavados pelo homem. Para dar uma ideia da sua dimensão podemos afirmar que o Pão de Açúcar, no Rio de Janeiro, com seus 395 metros de altura, cabe confortavelmente lá dentro de ponta-cabeça.

A mina foi desativada em 2001 e reaberta posteriormente. Hoje todo o trabalho de extração é subterrâneo, com atividades acontecendo até a 1,2 quilômetro de profundidade. Com um detalhe: a mina funciona em solo congelado. Até pouco tempo atrás o acesso a essa cidade era proibido para estrangeiros.

Mirny, um oásis no meio da vasta Sibéria, foi o nosso último ponto de infraestrutura. Dali para frente, na direção do lago Baikal, teríamos que ser autossuficientes em um trecho superior a mil quilômetros – a nossa segunda estrada de inverno. Nos preocupava a possibilidade de, por já estarmos na primavera, a neve sobre a estrada começar a derreter. Pedi informações a um caminhoneiro num posto de combustível e ele falou "нормальный" (normal'nyy), que significa "normal". Normal só se for para ele...

A estrada que liga Mirny a Ust-Kut é conhecida como "estrada de floresta", pois cruza, em sua maior parte, a taiga. Ao longo do percurso cruzamos com muitos caminhões – centenas deles. E foi aí que registramos nossa admiração pelos motoristas russos, pois dirigíamos um veículo 4×4 de três toneladas, enquanto eles viajavam com caminhões de até 30 toneladas. Caminhões toco, trucados, 4×4, 6×6 e carretas equipadas com correntes. Nós percorremos o trajeto em cinco dias; os caminhões costumam levar 8, 10 ou 12 dias, dependendo das condições da estrada. Vão, voltam, vão, voltam, até que as cancelas se fecham de forma natural com a chegada do calor.

Quando estavam enfileirados significava que nos aproximávamos de mais um trecho crítico. Isso acontece porque nessa época do ano, quando a temperatura sobe acima 0°C durante o dia, o gelo superficial derrete. A pista fica tão lisa que mal dá para se equilibrar em pé. Em um trecho derrapamos com o carro e giramos 180° tão rapidamente que nem soubemos de onde veio o tiro. Teria sido perigoso se as rodas calçassem em alguma valeta, podendo fazer nosso carro tombar facilmente. Dois caminhões que cruzamos nesse trajeto estavam tombados.

Os congestionamentos acontecem nas partes estreitas da estrada e nas subidas e descidas. Além da pouca largura para a passagem de dois veículos, há outro complicador: como todos passam pelo trilho central quando não há outro em sentido contrário, as laterais da estrada ficam mais elevadas em comparação ao centro. Pelo fato de o gelo ser liso, os veículos deslizam para o centro da estrada, mesmo em velocidade mínima, o que dificulta dois caminhões cruzarem em sentidos opostos. Às vezes batem e ficam entalados no meio da estrada. Se um caminhão daqueles escorregasse sobre o nosso carro, o prejuízo seria grande.

Aprendemos muito com os caminhoneiros do gelo. Nesta fase da primavera, quando a estrada começa a se deteriorar, o período de maior movimento é entre a meia-noite e o meio-dia, quando é mais frio e o congelamento é mais consistente. Era bonito de ver a labuta desses homens, um ajudando o outro e todos mantendo a autoestima. Paramos para perguntar a um caminhoneiro que havia tombado se precisava de ajuda e voltei com uma sacola cheia de frutas e verduras. "Não", disse ele, "está tudo bem aqui. Isso que aconteceu é normal. Vou 'destombar' o caminhão e seguir viagem". As frutas e verduras com as quais ele nos presenteou eram parte da sua carga. Outro motorista que trabalhava colocando correntes nos rodados traseiros de sua carreta, falou-nos com um sorriso: "*Russia extreme*"; ele queria dizer que aquilo era a Rússia no limite. Eu acho que esses caras gostam muito do que fazem.

Quando eles reparavam que um carro com placa brasileira compartilhava da mesma aventura que eles, ficavam abismados. Numa dessas, uns caminhoneiros que já estavam no embalo da vodca, por já ter passado do meio-dia, que é o horário em que param de dirigir, ofereceram-nos "Аленина" (Alenina) – carne de rena congelada –, além da bebida ardente, é claro. E para completar nos deram pedaços grandes de carne de rena como presente.

O motivo de todo aquele movimento deve-se ao fato dessa região ser muito rica em gás, petróleo e madeira. Ust-Kut, a cidade na qual terminou a estrada de inverno, é um dos principais pontos de escoamento desses recursos naturais, que partem via porto no rio Lena ou ferrovia. Ao chegarmos novamente na Rodovia Transiberiana contabilizamos 12 mil quilômetros fora dela, desde aquela encruzilhada em Never. O Yuri, o agente aduaneiro que recebeu nosso carro no porto de Vladivostok, ficaria de cabelos brancos se soubesse que optamos por esse "atalhozinho", pois já tinha ficado preocupado pensando que permaneceríamos na Transiberiana.

Quando o visto acaba é bom cair fora

Dobramos à esquerda no sentido Irkutsk e percorremos uma paisagem bem diferente. O branco da neve estava desaparecendo e o frio causado por ela deixou os campos cinzentos, secos e sem graça. O asfalto, que nesses 12 mil quilômetros praticamente não havíamos visto, deixou-nos entediados. Ali deu para entender por que os caminhoneiros que dependem das estradas de inverno aparentam ser mais felizes. Eles sofrem, mas se divertem mais.

Irkutsk foi fundada em 1661 como posto avançado para cobrança de impostos sobre peles vendidas pelos nativos. Posteriormente, tornou-se o centro administrativo e comercial do leste da Sibéria, comercializando pele e marfim com a Mongólia, Tibet e China em troca de seda e chá. Durante o século 18, a cidade foi um ponto importante para as expedições que partiam dali para explorar o extremo norte e leste do país, incluindo o Alasca, que na época pertencia à Rússia. Em 1898, com a chegada do primeiro trem pela Ferrovia Transiberiana, a cidade tornou-se um importante ponto de parada. E pensar que o sábio prussiano Alexander von Humboldt passou por essas estradas em 1829 a bordo de uma carroça: a convite do governo russo da época ele foi confirmar se de fato havia diamantes e ouro na região.

A cidade foi boa para nos reestruturarmos pós-inverno, com compras e, mais uma vez, mecânica. Retiramos os vidros duplos, que não eram mais necessários, trocamos o para-brisa que estava com trincas por todos os lados, checamos os óleos, trocamos os filtros, arrumamos o painel elétrico da geladeira que estava com mau contato, arrumamos a luz externa, apertamos as fechaduras do teto, trocamos as poli buchas do eixo, as buchas da barra de torção, uma bucha da barra de direção, e engraxamos. Além de tudo isso, Sasha, o mecânico, percebeu uma folga grande no cardam dianteiro. A cruzeta estava prestes a se romper e tivemos sorte por isso não ter acontecido no caminho. Certamente, o frio foi o causador de quase todos os problemas – ele destrói juntas e buchas, ocasionando também vazamentos de óleo.

Estávamos prontos para prosseguimos para o lago Baikal. Primeiro visitamos Listvyanka, uma pequena cidade que se situa no encontro desse lago com o rio Angara. Segundo nosso livro guia, uma visita a esse lugar não seria completa se não comêssemos o peixe omul, um parente distante do salmão. Na hora de um pôr do sol incrível, com sol, chuva e neve ao mesmo tempo, experimentamos o tal peixe defumado, que achamos sensacional, ainda mais acompanhado de pão preto com manteiga e cerveja.

Costeamos o lago rumo ao Norte fazendo um circuito indicado por Sasha. O trajeto proporcionou belos acampamentos. Queríamos dirigir sobre o lago, mas para isso chegamos um pouco tarde. Carros pequenos e leves de pescadores ainda se arriscavam, mas para nós, com um carro de três toneladas transportando nossa casa, equipamentos e um projeto de vida, correr o risco de perdê-lo num lago que alcança até 1.642 metros de profundidade significaria perdê-lo para sempre.

O lago Baikal é o maior em volume de água do mundo, responsável por 20% de toda a água doce do planeta. É também o mais antigo, com 25 milhões de anos, e o mais profundo. Sua largura média é de 80 quilômetros e seu comprimento é de 636 quilômetros.

Num acampamento que fizemos às suas margens, abrimos a temporada de voos em paramotor 2016, quando dei uma bela sobrevoada sobre ele. Um pouco mais ao Norte aprendemos sobre um novo esporte: o "ice sailing" – em português, "velejo no gelo". Barcos a vela, ao invés de possuírem casco, deslizam sobre o gelo por meio de esquis. Dependendo da intensidade do vento eles podem atingir cem quilômetros por hora.

Oitenta e nove dias em território russo; estava na hora de mudarmos de país. Até porque nossa permissão venceria no dia seguinte. Não se aconselha desprezar as regras de imigração e de aduana russas; quando o visto acaba, é bom cair fora. Mas valeu a pena – e muito. Apesar de não sermos os maiores fãs do frio, hoje podemos dizer que somos um pouquinho russos de coração.

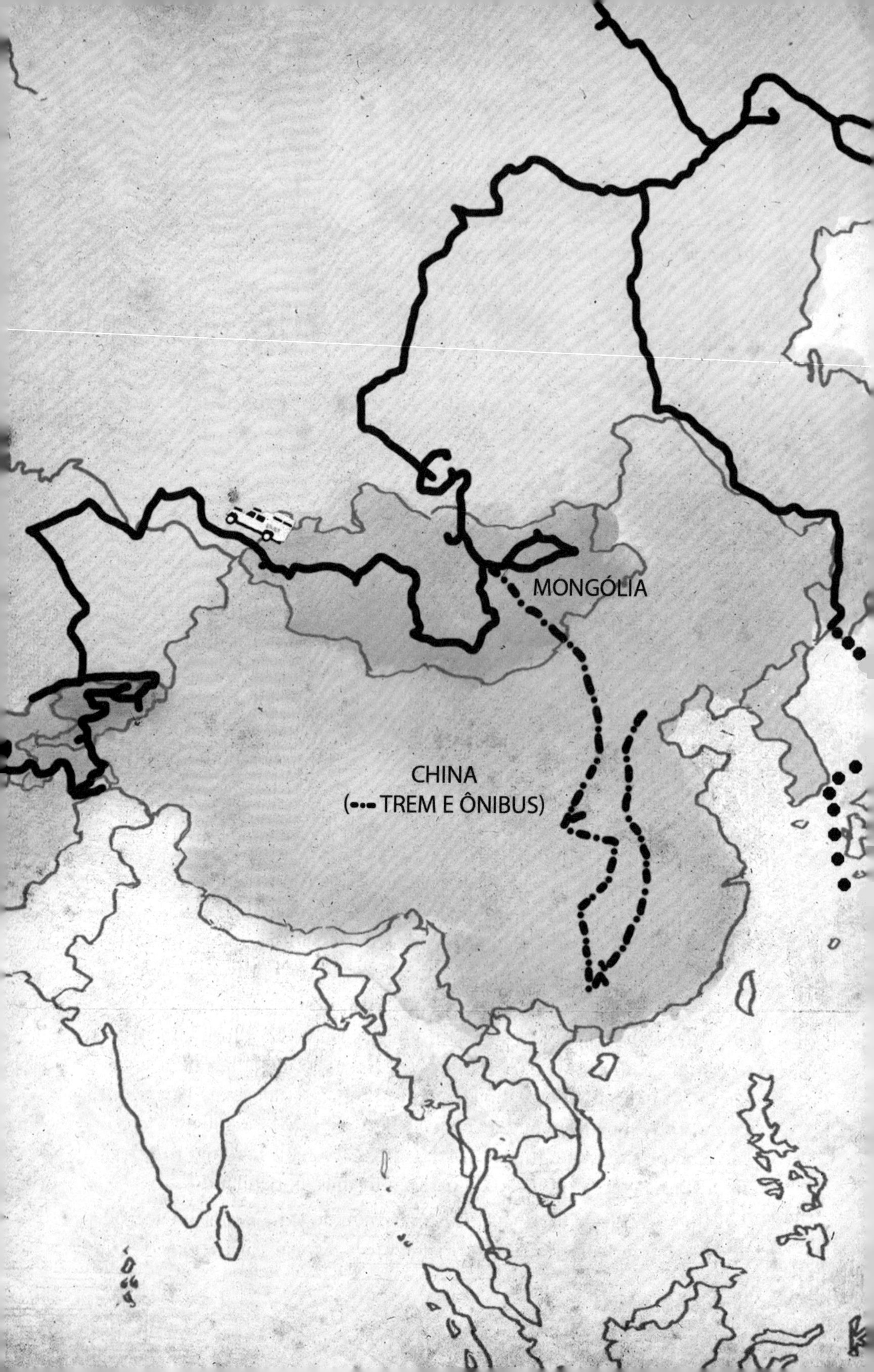
MONGÓLIA
CHINA
(••• TREM E ÔNIBUS)

7. China e Mongólia

Os portões da Mongólia se abriram para nós no dia 12 de abril de 2016, depois de rodarmos por milhares de quilômetros, ficando mais dentro do carro do que fora dele, por causa do rigoroso inverno russo. As novas estradas seriam promessas de temperaturas mais amenas e vida ao ar livre, mas não foi como imaginamos, pelo menos naquele momento. Entramos no país muito cedo: os pastos ainda estavam secos, os animais magros, a neve cobria os campos e as tempestades de vento, poeira e frio nos perseguiam onde quer que fôssemos. Não havia sossego.

Paramos para almoçar em um restaurante de beira de estrada e, enquanto saboreávamos uma sopa de carne (prato típico do país), discutimos o que fazer. Sempre foi nosso sonho conhecer a Mongólia, mas se viajássemos naquelas condições de clima, só aproveitaríamos uma fração da viagem. Seria melhor esperar por um clima mais quente.

Não estava difícil resolver o dilema, pois também tínhamos a intenção de conhecer o país vizinho – a China, onde já fazia em torno de 25°C em algumas localidades ao Sul, em latitude mais baixa. Em nossa conversa surgiu a ideia de ir até a capital da Mongólia, Ulan Bator, para procurar um lugar para deixar o carro e de lá tomar um trem até a China com a intenção de passar um mês "mochilando".

É possível ir de carro à China, mas além de caro, é uma chateação. É preciso fazer carteira de motorista chinesa, pagar várias taxas e contratar um guia que deve acompanhar o visitante durante todo o tempo em que permanecer no país. Além disso, a visita deve ter itinerário previamente definido, aprovado pelas autoridades e é obrigatório segui-lo à risca sob pena de severas multas. Isso me parece ser uma medida contraditória, pois se vamos sem o carro podemos circular com liberdade na maior parte do território chinês, exceto nas regiões controladas, como o Tibet. Pagar caro para viajar na coleira não servia para nós, então decidimos ir de trem e lá usar transporte público.

Resolvida a questão, saímos daquele restaurante e aproveitamos a proximidade para visitar o monastério budista de Amarbayasgalant Khiid – Monastério da Tranquila Felicidade –, bastante interessante por sua arquitetura do século 18. Em seguida dirigimos-nos a Ulan Bator a fim de nos preparar melhor para a súbita mudança de planos. Depois de alguns dias na cidade, fazendo base na Oasis Cafe & Guesthouse, onde o Lobo da Estrada ficaria descansando por 30 dias, partimos para a China.

Made in China

Talvez o fato de vermos em tantos lugares o selinho "Made in China" tenha atiçado a nossa vontade de viajar pela China. E depois dessa viagem só temos a dizer que sabíamos muito pouco sobre o modo chinês de ser e de fazer as coisas. Os chineses aparentam ser tímidos e inofensivos, mas quando se põem a trabalhar, pode ter certeza, sempre vem coisa grande. Eles definitivamente não são fracos.

Se existe um país que se prepara para o futuro é a China. Sob certos pontos de vista, até demais. Os chineses investem tanto em capacidade produtiva em grande escala, que qualquer crise mundial pode deixá-los ociosos, o que lhes custaria muito dinheiro. Também a preocupação e a responsabilidade quanto à preservação dos recursos naturais não parece seu forte.

A China é hoje a segunda maior economia do mundo, o maior país exportador de mercadorias e o terceiro em importação de insumos. Seu poder de venda e de compra é monstruoso. Assusta também saber que é uma potência nuclear e que tem o maior exército do mundo em número de soldados. A população representa quase um quinto da mundial – 1,38 bilhões de habitantes.

Para se ter uma ideia de como os chineses trabalham, talvez em busca do tempo perdido em regimes políticos passados, recentemente eles construíram uma linha de trem de 246,55 quilômetros ligando Longyan a Nanping e uma estação ferroviária em apenas nove horas. A construção começou às 18h30 do dia 19 de janeiro de 2018 e terminou na madrugada do dia 20. A operação reuniu 1,5 mil operários, 23 escavadeiras e sete trens para levar os materiais de construção necessários até os locais da obra. Os trabalhadores foram divididos em sete equipes e deixaram finalizado todo o processo: trilhos, sinalizações e controles de tráfego. Ou seja, de um dia para outro as cidades amanheceram com uma nova linha de trem, o que os moradores da região – e o resto do mundo, por meio da imprensa – devem ter visto com imenso espanto. Além de fazer a interligação das cidades com mais três ramais, a linha reduz de sete horas para 90 minutos o tempo de viagem entre as cidades.

Desembarcamos na fronteira Norte, na cidade de Erenhot e logo percebemos uma diferença enorme com relação ao país vizinho – a pobre, "primitiva" e deliciosa Mongólia. Em cada vagão estava um oficial em seu traje impecável para recepcionar os passageiros. A sala de imigração fica em um prédio grande e bem estruturado. Os procedimentos fluíram com eficiência e rapidez, inclusive as boas-vindas protocolares, faladas num inglês quase perfeito.

Como naquela cidade não havia nada que nos interessasse, almoçamos em um "verdadeiro restaurante chinês", matamos a fome, a curiosidade e seguimos em frente. Tomamos um trem para Datong e na viagem quebramos outros paradigmas. Ouvíamos dizer que os chineses eram fechados e antipáticos, mas nossa experiência foi inversa: todos foram muito amigáveis e, principalmente, curiosos. Uma das características do povo chinês é o respeito ao próximo, principalmente em ambientes públicos. Seria isso uma questão cultural? Certamente: os chineses herdaram o conceito de respeito ao outro nos ensinamentos do seu maior filósofo – Confúcio, quando há 2,5 mil anos seu pensamento foi oficialmente sancionado. Ele pregava a moralidade, o ser correto nas relações interpessoais, a justiça e a sinceridade. Também dava muito valor à família e, principalmente, o respeito aos mais velhos.

Outro filósofo a deixar um legado importante foi Sun Tzu. Apenas um ano mais novo que Confúcio, se destacou em ensinamentos sobre a arte da guerra. Seus escritos, mais tarde transformados em um livro chamado A Arte da Guerra, influenciam não só militares (inspirou até Napoleão), mas também executivos de todo mundo – afinal, o que é a disputa empresarial por espaços, mercados e clientes senão uma verdadeira batalha? Sei disso porque já fui soldado do mundo corporativo.

Muita coisa que a Europa inventou na verdade já havia sido criado pelos chineses há centenas de anos. Arqueólogos, ao estudar os famosos Soldados de Terracota, descobriram que há 2,2 mil anos eles já utilizavam uma técnica tipo cromagem para preservar seus armamentos, pois ao serem desenterradas, espadas e facas ainda estavam com um bom fio de corte. O mundo, antes dessa descoberta, dava o crédito à invenção da cromagem aos alemães e americanos. É claro que a técnica chinesa deve ter sido outra, pois a cromagem moderna é feita com eletricidade.

Há quem diga que os chineses copiam tudo. Mas temos que reconhecer: foram eles que inventaram o papel, a impressão, a bússola, a pólvora, a moeda e até o carrinho de mão (para tirar soldados feridos dos campos de batalha). O conceito "made in China" já vem de muito tempo.

A história da China é longa e as suas riquezas arqueológicas incalculáveis. Antes da unificação, o território chinês era dividido em várias dinastias e muitas das suas principais cidades, para se protegerem umas das outras, construíram muralhas, ainda bem visíveis. Uma antiga muralha está sendo totalmente reconstruída – e de forma impecável – em Datong. A finalidade é valorizá-la como atração turística.

O método chinês para restauração de prédios e monumentos históricos é derrubar o antigo e depois construir um novo igual e com todas as minúcias do antigo – pedra por pedra, detalhe por detalhe. Exatamente como disse o jornalista Fabiano Maisonnave (Folha de São Paulo, 25/06/12): "na China, daqui a pouco, toda a vizinhança será assim: prédios históricos inaugurados ontem".

Vimos obras sendo feitas em todos os lugares. Algumas nem pareciam tão necessárias, mas lá estavam tratores, retroescavadeiras, outros maquinários e muitos operários. Para os chineses parece não haver barreiras físicas que viadutos ou pontes não possam superar. Mas o crescimento desenfreado está causando em seu país e nos subdesenvolvidos de onde retiram as matérias-primas forte impacto sobre recursos naturais e, consequentemente, deterioração ambiental e muita poluição. Contou-nos uma amiga americana, a Susie, que quando viajou para a Indonésia conheceu uma chinesa. À noite, estando elas numa cidade pacata de Bali, Susie chamou todos da pousada para que fossem para fora ver as estrelas, pois a noite estava linda. A chinesa olhou para o céu e quase teve um treco, afirmando de pés juntos que nunca havia visto as estrelas. Ela morava em Xangai.

Por outro lado, os chineses, hoje, são líderes em tecnologias de energias renováveis: turbinas eólicas e painéis solares estão em toda parte e são exportados para todo o mundo. Dos países que visitamos, a China foi onde vimos o maior número de automóveis e motocicletas movidos a energia elétrica.

Petra do Oriente

Em Datong há restaurantes tão antigos quanto o Brasil e foi lá que percebemos que os chineses gostam de comer – e muito. São uns leões quando se põem à mesa. Enquanto pedíamos arroz e um ou dois acompanhamentos, nossos vizinhos pediam cinco ou seis pratos e ainda repetiam. As opções nos cardápios são vastas. Um chinês nos falou que é possível comer um prato diferente todos os dias do ano, sem repetir um dia sequer, tamanha a diversidade gastronômica. Para beber nos era trazida água quente. Estranhamos pensando que o atendente havia esquecido o saquinho de chá; mas não, naquela região toma-se água quente, às vezes com um pouco de limão espremido.

Nós fomos atraídos a Datong, na verdade, pelas Grutas de Yungang – uma espécie de Petra do Oriente (a cidade escavada na rocha na Jordânia que apareceu em um filme do Indiana Jones). Ao longo de um quilômetro na encosta da montanha Wuzhou, nos séculos 5 e 6, a mando da Dinastia Wei do Norte, foram escavadas na rocha 53 cavernas, 252 santuários e mais de 51 mil estátuas de Buda. As esculturas são perfeitas e a maioria representa Sakyamuni, o jovem Buda magro sentado em posição de lótus. Os detalhes são impressionantes e todo o trabalho foi realizado a partir da mistura da arte budista Gandhara – que chegou à China via a Rota da Seda – e da tradicional escultura chinesa. No interior da quinta caverna há uma estátua com 17 metros de altura. Temos uma foto ao lado dela, onde malmente alcançamos a canela do Buda, parecendo dois pigmeus. Dentro da sexta caverna, além de grandes estátuas, há preciosas esculturas contando a história de Sakyamuni. Mas não pudemos fotografar as obras mais detalhadas, pois os flashes das câmeras podem deteriorar as pinturas.

Visitamos as cavernas num dia chuvoso, mas mesmo assim dividimos espaço com muitos turistas chineses. O boom na economia fez a renda per capita chinesa crescer 8% ao ano nos últimos 30 anos. Com mais dinheiro no bolso, o chinês pode viajar mais. Reparamos que sempre que encontrávamos um grupo, o guia carregava uma bandeira alta para se distinguir e todos usavam bonés iguais, da mesma cor, para ninguém se perder ou trocar de grupo. Para nós, aquelas pessoas pareciam todas iguais.

O turismo explodiu dentro do país; há filas e mais filas em todas as atrações. Em alguns parques nacionais americanos o povo que mais encontrávamos era o chinês. Algumas cidades da Europa já incluem em suas propagandas o idioma mandarim. No Sudeste Asiático, a exemplo da Tailândia, normas de aduana e de trânsito mudaram por causa "da invasão chinesa".

De trem seguimos para Pingyao, uma das cidades muradas mais bem preservadas da China. Por todos os lados vê-se casas antigas, templos e torres, todas com detalhes e ornamentos característicos. Em muitas delas encontram-se as famosas lanternas vermelhas penduradas nas fachadas. O lugar é um verdadeiro cenário de filme de kung fu. Parecia que, em qualquer momento, um lutador do filme O Tigre e o Dragão saltaria de um telhado para outro enquanto caminhávamos pelas ruas. A muralha é original e, apesar do turismo desenfreado, a comunidade dentro dela ainda vive de forma tradicional, em ritmo lento. Seus moradores se locomovem a pé ou de bicicleta, vestem chapéus típicos e passam boa parte do tempo frente às suas casas interagindo com os vizinhos. Foi em Pingyao que surgiu o primeiro banco chinês – criador do cheque, documento desenvolvido para facilitar as transações do comércio de prata.

Fora das muralhas a vida transcorre de forma mais atual. Íamos lá na hora da fome, onde nos deliciávamos com as vendinhas de comida. Um dos pratos que experimentamos foi o espetinho cozido feito com uma variedade enorme de ingredientes: legumes, carnes, cogumelos, vegetais e complementos estranhos que nem dava para saber o que eram. Escolhíamos o que queríamos comer e os palitos eram mergulhados numa panela com água fervente. Depois eram servidos com molho de amendoim e ao final o atendente contava os palitos e multiplicava pelo valor unitário, mostrando com uma das mãos o valor a pagar.

Com uma só mão os chineses contam até dez, uma facilidade para quem está com a outra mão ocupada. De um a cinco, os sinais são como os que fazemos habitualmente. Para o seis, deixa-se esticados o polegar e mínimo, enquanto os outros ficam recolhidos. Para o sete, encosta-se nas pontas os dedos esticados polegar, indicador e médio, enquanto o anelar e mínimo ficam recolhidos. Para fazer o oito, deixa-se o polegar e o indicador esticados e os outros recolhidos, como se fosse representar um revólver. O nove representa-se com o dedo indicador curvado em forma de gancho e os outros recolhidos. E para o dez, entrelaçam-se os dedos indicador e médio esticados e os outros ficam recolhidos. Custou para descobrir o que as pessoas queriam nos dizer quando nos faziam esses sinais estranhos. E por que nunca pensamos em usar esta técnica no Brasil?

Mais uma vez pegamos o trem, agora para Xi'an. Os trens são ótimos meio de locomoção na China: são pontuais, silenciosos e a extensa linha férrea conecta quase todo o país. A China possui mais trens bala que qualquer outro país do mundo. O preço da passagem sobe à medida que o trem anda mais rápido. Para economizar optávamos pelos mais lentos e, com isso, acabávamos ganhando tempo, pois viajávamos à noite em vagões com camas.

São vagões com diversas cabines abertas, sendo cada uma com seis camas. São confortáveis, apesar de que não sabemos com que frequência as fronhas e os lençóis são trocados. Em frente à cabine, no corredor, há duas cadeiras escamoteáveis com uma mesinha para servir de apoio às refeições. Aprendemos com os chineses que a comida mais comum e prática nos trens são os *cup noddles* – macarrão instantâneo que vem dentro de um copo plástico. Nas viagens não deixávamos de trazer os nossos. Para o preparo basta ir até o início do vagão, onde há uma máquina que serve água quente, enche-se o copo e espera-se três minutos. Esta comodidade não existe só nos trens – nas cidades também se encontram fontes de água quente por todos os lados.

Aqui cabe o antigo ditado: "Cada povo com seu uso, cada roca com seu fuso". Ao andar por toda a China, principalmente em transporte público, pudemos observar de perto o comportamento e os costumes do povo. Costumes nem sempre condizentes aos dos brasileiros. Por exemplo: os chineses comem de boca aberta e quanto mais barulho fazem ao mastigar, mais sinal de educação. Arrotos são frequentes e recomendados, pois demonstram satisfação. E quando eles se põem a comer os *cup noodles*, colocam os copos próximo a boca e sugam o macarrão devorando-o como se fosse a última refeição das suas vidas. Para passar o tempo os chineses têm o costume de comer sementes de girassol e deixam as cascas espalhadas por onde passam. Outro hábito notório é o do cigarro. Eles fumam muito, gostam de cigarros fortes e não respeitam lugares fechados, costume que foi abolido no Brasil gradativamente por força da lei. Vimos chineses segurando em uma mão os *chopsticks* (palitos de comer) e com a outra um cigarro. Num albergue onde os banheiros e chuveiros são compartilhados, vi um chinês fumar e tomar banho ao mesmo tempo. Ficou só com a cabeça e a mão com o cigarro fora d'água.

E como é que fica a comunicação?

Comunicar-se na China é uma tarefa complicada, mas de forma geral, o inglês está se tornando cada vez mais usual. O inglês é a terceira língua mais falada no mundo e uma das mais influentes. Também a segunda língua escolhida pela maioria das pessoas. Se alguém deseja aprender algum idioma para viajar, com certeza a melhor opção será o inglês. Sabendo falar inglês dá para se virar na maior parte do mundo.

Viajar por países onde o inglês é a língua oficial é uma ótima oportunidade para aprimorar o idioma, pois aprende-se a falar de forma correta. Percebemos que em países onde não se tem esse idioma como língua-mãe, ao falarmos com os nativos em inglês, acabamos por aprender palavras, conceitos e pronúncias erradas.

Franceses falando inglês são inconfundíveis, não conseguem disfarçar o acento da sua língua materna. Quando conhecíamos um francês falando inglês sabíamos de cara a sua nacionalidade e se perguntávamos qual o país de origem era por educação. Os chineses também são inconfundíveis, pois não conseguem pronunciar o "r" e falam como o Cebolinha da Turma da Mônica. Caíamos na gargalhada toda vez que nosso amigo Wu Yu, que fala um pouco de inglês, chamava o Roy: "Loy, Loy!" Ou quando falava arroz em inglês, dizendo "lice". O mais engraçado foi quando exclamou "Look Loy, one felali" para mostrar uma Ferrari que passava em sentido contrário ao nosso. Os indianos pronunciam o "r" bem forte. Fico pensando o que os nossos amigos estrangeiros falavam do nosso sotaque.

De tão presente que o inglês estava no dia a dia da nossa viagem (falávamos inglês com os outros, líamos em inglês, assistíamos a filmes em inglês), que às vezes até pensávamos em inglês. Já tínhamos certa dificuldade de lembrar algumas palavras e expressões da nossa língua – o inglês vinha primeiro na mente e algumas palavras nem achávamos a tradução para o português. Numa conversa com minha mãe via Skype, quando tentava descrever o lugar onde estávamos, eu disse: "Está crowded". Ela me perguntou, sem entender nada: "O quê?". "Crowded, mãe!" Respondi e ela continuou sem entender. "Crowded é crowded.", repliquei com a maior naturalidade. Eu não conseguia lembrar da palavra em português e crowded, que quer dizer "lotado de pessoas", soava normal para mim. Em nossa primeira volta ao mundo, muitos comentaram perceber em nossa escrita nos diários de bordo certa influência do inglês, como na ordem dos adjetivos, que nessa língua vem antes do substantivo.

O interessante era quando tentávamos nos comunicar com um local que não falava português nem inglês. Nosso instinto era tentarmos uma comunicação em inglês. Nosso amigo Eduardo Prata já não tinha esse problema: falava português com todo mundo na Mongólia, como se estivesse no Brasil. Era divertido.

Mesmo o inglês sendo a principal segunda língua do mundo, na maioria dos lugares, principalmente nos países em desenvolvimento, tínhamos dificuldades com a comunicação. Para a segunda volta ao mundo foi imprescindível aprendermos um pouco de russo, pois lá, especialmente no extremo Leste, que fica a meio mundo longe de sua capital, os russos não falam inglês. Além disso, nós viajaríamos por diversos países da antiga União Soviética que ainda possuem o russo como língua oficial. O pouco que aprendemos foi na estrada – enquanto um dirigia, o outro estudava em voz alta – utilizando um livro de bolso da língua russa, aplicativos de celular e ensinamentos dos próprios moradores. Aprendemos um russo básico, de sobrevivência. Além de saber falar as palavras mágicas (oi, tchau, por favor, obrigado, com licença), sabíamos perguntar as direções, se podíamos dormir naquele lugar, onde ficava o banheiro; conhecemos nomes de alimentos, os primeiros números e ainda aprendemos ler o cirílico – o alfabeto russo. Parecíamos duas crianças lendo as primeiras palavras, gaguejando sílaba por sílaba, até chegar à palavra completa. Quando conseguíamos juntar as letras e a palavra fazia sentido, sorríamos de alegria. Porém entrar numa conversa era impossível. Quando estávamos na casa de locais, recorríamos a um tradutor na internet. Digitávamos e mostrávamos a tradução para os amigos; eles digitavam a resposta e mostravam para nós. E assim íamos noite adentro. Muitas vezes era uma pena não conseguirmos nos comunicar plenamente, pois perdemos a oportunidade de aprender mais sobre eles. A dificuldade da comunicação trazia outros aprendizados: ser criativo e achar outras formas de se fazer entender; perder a vergonha e trabalhar a desenvoltura em público – no que ficamos craques.

Os russos tinham medo de falar conosco quando percebiam que não falávamos a sua língua. O atendente envergonhado saía correndo e trazia alguém "pego para Cristo", que também não falava inglês. A sopa borsch virou a queridinha das nossas refeições, pois quando não entendíamos o cardápio, pedíamos borsch (em cirílico se escreve assim – борщ*). Sempre tinha e evitava surpresas.*

A primeira ida a um supermercado russo em Khabarovsk levou horas. Não que a nossa lista fosse longa, mas não entendíamos o que estava escrito nos produtos e tínhamos que descobrir o que continha em cada lata ou pacote. Um aplicativo que lia a escrita russa pela câmera do celular foi muito útil naquela vez, pois por sorte ali tinha wi-fi. Percebemos o quão importante são os desenhos nas embalagens. Trocar gato por lebre era normal.

*Aprender uma língua superficialmente é útil, mas às vezes nos traz mais complicações. Quando cumprimentávamos um russo em sua língua, muitos achavam que éramos fluentes e continuavam a conversa. Nós dois ficávamos com uma cara de ponto de interrogação e já dizíamos "*я не говорю по русски *(Ya nye gavaryu pa russki)", que significa "eu não falo russo". Alguns insistiam em falar russo conosco. Amigos nos falaram que pronunciávamos muito bem as palavras na língua russa. Percebemos que o russo possui fonemas parecidos ao português e isso explica o porquê de numa viagem de férias que fiz à Europa na companhia de minha irmã Daniela e de minha prima Katiusia diversas pessoas acharem que éramos russas. Não foi pela aparência, como pensamos, mas sim ao nos ouvirem conversando em português.*

Tem momentos em que não falar o idioma local é uma vantagem – como ao nos deparamos com policiais corruptos, que querem tirar nosso dinheiro. Muitas vezes até entendíamos o que eles queriam dizer, mas fingíamos que não e eles, sem argumentos, nos deixavam seguir.

Depois de três meses de um curso intensivo de russo, tivemos um baque ao cruzar a fronteira para a Mongólia. Estávamos tão empolgados e empenhados em aprender russo mas, em segundos, ele não servia para mais nada. Não ali na Mongólia. Apesar do país ter sido parte da URSS, não se fala mais o idioma, com rara exceção de algumas pessoas mais velhas. Pelo menos na escrita, manteve-se o alfabeto cirílico, ao in-

vés do tradicional e indecifrável alfabeto Mongol. Na China a mudança foi ainda mais radical, com uma fonologia totalmente diferente do latim e escrita parecendo, para nós, um código. A língua chinesa apresenta grande variedade de dialetos, sendo por vezes tão diferentes que são incompreensíveis entre si. Tentar aprender o mais comum, o mandarim, para um período de apenas um mês não nos pareceu muito prático.

Tanto na Mongólia quanto na China a comunicação foi difícil, porque poucos falam inglês e tudo levava mais tempo – até mesmo comprar os tíquetes de trem. Certa vez, quando fazíamos o check-in num albergue só para chineses, em Xi'an, fomos socorridos por uma turista chinesa que falava inglês. Isso também aconteceu na compra dos tíquetes para ver os Soldados de Terracota. Até para desenhos no papel apelamos nesses momentos. Para escolher a comida também levávamos horas. Ler o cardápio em chinês era impossível. Se não havia foto, olhávamos o que os vizinhos de mesa tinham pedido e apontávamos o que queríamos. Num restaurante fomos parar na cozinha para ver os ingredientes e escolher nosso almoço. Muitas foram as surpresas e decepções; sonhávamos com um prato e nos serviam outro. Reclamar em que língua? E assim íamos nos virando. A palavrinha mágica na China é De Baxi (的巴西), que em chinês significa Brasil. Como em todos os cantos do mundo, as pessoas de lá adoram nosso país.

Pedir direções para quem não fala a nossa língua nunca foi fácil, em nenhuma das duas voltas ao mundo, pois as pessoas geralmente não sabem desenhar mapas. Numa fronteira remota entre o Quênia e a Etiópia, quando finalmente achamos uma alma viva no meio do deserto para perguntar se estávamos no caminho certo, logo percebemos que a alegria foi em vão: a comunicação foi zero. A pessoa até tentou desenhar um mapa com seu dedo na areia, mas era incompreensível.

Percebemos que mesmo quando um não fala a língua do outro, é possível haver algum entendimento quando há boa vontade. Isso não aconteceu no oeste africano na primeira volta ao mundo. Não falávamos francês e os oficiais de aduana e polícia não falavam inglês e quando percebiam isso, ao invés de nos ajudar, viravam as costas e iam embora, deixando-nos na mão. Nesses momentos de comunicação difícil, apelávamos para a mímica. Foram diversas as vezes em que fiquei imaginando o que pensavam as pessoas que nos viam de fora, gesticulando. Devia ser um teatro muito engraçado.

Lembro-me de um dia em que o Roy queria perguntar a um mongol se em nosso caminho havia um rio para cruzar e se seria muito fundo. Dou risada até hoje ao lembrar-me dele se abaixando com uma mão tampando o nariz e outra para cima, como se estivesse afundando na água. Não estava próxima, mas imagino que ele deva ter feito os barulhinhos das bolhas de ar embaixo d'água: blublublu. Porém, gestos e sinais que fazem sentido para nós, podem noutros países não significar nada ou ter outro sentido. É preciso tomar cuidado.

Se alguém gesticula positivamente com a cabeça e sorri muito, significa que não entendeu nada. Na Namíbia, nossa amiga sul-africana Hilda e eu tentávamos nos comunicar com uma mulher da tribo Himba. Falávamos em inglês e ela replicava com um sorriso. Então ela falava na sua língua e nós sorriamos de volta. No final, caímos as três na gargalhada sem entender uma palavra sequer.

Não faço ideia de quantas línguas diferentes tivemos contato em nossas viagens, possivelmente mais de uma centena. O mandarim é a língua falada pela maior quantidade de pessoas em todo o mundo, porém é usado apenas num país – a China. Hoje chegamos à conclusão de que sabendo quatro idiomas chave podemos nos comunicar em muitos países do mundo que os possuem como língua oficial. São eles: inglês (América do Norte, Inglaterra, Oceania e muitos países do leste e sul africano); espanhol (Espanha e América Latina); francês (França, Canadá, centro e oeste africano e muitas ilhas da Oceania) e russo (Rússia e praticamente todos os países da antiga URSS).

Ainda bem que para interagir com a natureza não precisamos falar nenhum idioma, basta escutar os sons das florestas, o chiado das ondas do mar, o murmurar dos regatos e o silêncio dos desertos.

Xi'an é uma linda cidade com seis milhões de habitantes. Possui muralha, praças agradáveis, calçadas largas, iluminação pública, arborização e lá no seu coração abriga uma comunidade diferente: um quarteirão onde vivem chineses muçulmanos. Por trás de pessoas de olhos puxados, os costumes e vestimentas são de muçulmanos. Muitos homens deixam crescer uma barba ralinha, tipo do mestre Miyagi, do filme Karate Kid.

Nesse bairro havia barracas que vendem pães, o que não é comum na China. Havia vendas de vegetais, carnes e muitos restaurantes. Também encontramos pássaros à venda, mas o que nos surpreendeu foi ver, ali no quarteirão muçulmano, cigarras e grilos em gaiolas de bambu. Lembrei-me de uma cena do filme O Último Imperador, de Bernardo Bertolucci – o futuro imperador, quando criança, brincava com um grilo em uma pequena gaiola. Se a ideia é possuir um inseto para cantar como um passarinho, nisso as cigarras parecem ser as melhores. Por mais que pareça uma tradição estranha aos olhos de um ocidental, ela carrega uma história de milênios. Certos insetos são vistos como talismã: atraem a boa sorte, representam fertilidade, amizade e a passagem do tempo. Nas antigas práticas agrícolas, os chineses criavam insetos como bons indicadores de mudança no clima. Outra bizarrice é que além de cantores, grilos são criados para participar de lutas, tal como as brigas de galo. É uma espécie de esporte bastante popular no país. Insetos mais hábeis no canto e na luta chegam a valer centenas de dólares.

Numa das ruelas do bairro perdemos a oportunidade de tirar uma foto que, acredito, surpreenderia até o Steve McCurry, fotógrafo da National Geographic: uma mulher dormindo sobre os produtos que vendia – fígado de boi. Os fígados estavam sobre uma mesa e ela, debruçada sobre eles, dormia. Quando estava preparando a câmera para fotografá-la, outro chinês interveio e correu para acordá-la e avisá-la que deveria sorrir para a foto. Quanta ingenuidade!

Um exército em nosso caminho – só que em terracota

Xi'an foi, durante muito tempo, a maior cidade do planeta e, por mais de um milênio, a capital do império unificado chinês. Foi também a sede de 11 dinastias. Por seus portões começava a Rota da Seda e por ali passaram, durante centenas de anos, comerciantes vindos de todas as direções e países. Apesar da sua importância, não foi propriamente por ela que fomos até lá, mas sim para ver o que um mero agricultor encontrou embaixo da terra ao cavar um poço em busca de água. Aconteceu em 1974: ele encontrou primeiramente um pedaço de porcelana, que depois de informado às autoridades, levou a uma das mais valiosas descobertas arqueológicas dos últimos tempos: o incrível Exército de Terracota.

A monumental obra foi realizada durante o governo de Qin Shi Huang, o primeiro imperador da China Unificada. Ele mandou construir grandes obras que contribuíram para a estabilização socioeconômica e fortificação do seu império: novas estradas, canais hidroviários, sistemas de irrigação, palácios e até a continuação da construção da Grande Muralha. Com apenas 13 anos (246 a.C.), já pensando na sua morte e na eternidade, ordenou a construção do seu mausoléu. A cultura espiritual chinesa acredita na vida após a morte e ele, o imperador, queria levar consigo um exército para protegê-lo, além de seus tesouros valiosos e de seu harém com mais de 500 mulheres.

Qin Shi não pensava pequeno: para a edificação da sua tumba foram necessários 700 mil homens trabalhando durante 38 anos. Foi moldado um exército composto por 8 mil soldados, 130 carruagens com 520 cavalos e 150 cavalos de batalha, tudo feito em barro e em tamanho real. No recinto mais importante, onde pudemos apreciar a maior quantidade de soldados, ficamos realmente maravilhados. Soldados e cavalos estão posicionados em ordem de formação militar, tal qual um exército real, uma prova nítida do poder desse líder autocrata.

Olhando pela lente de nossa máquina fotográfica, pudemos ver claramente as diferenças entre os soldados: uns têm barbas, outros bigodes e todos apresentam cabelos, roupas, posições e posturas diferentes. Alguns estão sorrindo, outros parecem ser mais sisudos e vigilantes. Arqueólogos acreditam que os próprios soldados serviram de modelo para as esculturas, com acabamentos tão primorosos.

Estudos revelam que os soldados eram pintados e o mais surpreendente é que as peças provavelmente foram queimadas em temperaturas de até mil graus Celsius, o que mostra o avanço da produção de cerâmica da época. Nas mãos desses soldados, os arqueólogos encontraram armas como espadas, lanças e flechas, todas em perfeito estado de conservação devido à tecnologia da niquelagem. Muitos artefatos também foram feitos em bronze, inclusive uma carruagem com quatro cavalos.

O mausoléu está estruturado em diversos espaços e com muitos cômodos subterrâneos. Por causa do grande tesouro que o imperador levou consigo, tudo tinha que ficar em segredo. Parece que o esconderijo funcionou bem, pois a tumba só foi descoberta 2,2 mil anos depois. Após o seu término, todos os que trabalharam na obra foram sacrificados – a informação sobre a localização do túmulo só poderia ser conhecida pelo imperador e alguns assessores. O que parece uma brutalidade para nós, para eles, na época, era normal, pois aqueles que morreram acreditavam que iriam morar com o imperador em um lugar melhor.

As pesquisas arqueológicas não cessaram e foram descobertos mais artefatos nas imediações da tumba, mas o sarcófago e o exato local onde Qin Shi Huang foi enterrado ainda não foi aberto e não existe pretensão de fazê-lo tão cedo. O governo chinês acredita que estes objetos podem ser danificados durante as escavações. A ordem é esperar o desenvolvimento de novas tecnologias que permitam a exploração do local com segurança. Os chineses têm uma noção de tempo diferente de nós, ocidentais. Quem viver, verá.

Uma caminhada nas alturas

Vimos uma foto do Monte Hua em uma pesquisa que a Michelle fez na internet antes de iniciarmos a viagem. Ela procurava em sites de busca sobre as "caminhadas mais incríveis do mundo". Encontrou imagens de uma trilha curiosa, onde apareciam pessoas andando sobre tábuas fixadas num paredão vertical a centenas de metros de altura, tendo apenas algumas correntes fixas na rocha para se segurar. A imagem era tão incrível que parecia não ser real. Quando descobrimos tratar-se de uma caminhada na China, não tivemos dúvidas: queríamos conhecê-la. É o Monte Hua, situado a 120 quilômetros de Xi'an. É um lugar de adoração taoísta e, para os chineses, a morada dos deuses do submundo – para onde vão as almas dos mortos.

Nas partes mais inacessíveis, os chineses ergueram templos e construíram passagens que, no passado, somente os muito corajosos ou os de muita fé encaravam, de tão perigosas que eram. Hoje, por causa do grande fluxo de turistas, foi construído um teleférico para levar os menos empenhados e medrosos para cima, mas a trilha original, que passou por melhorias no quesito segurança, continua lá para ser escalada. Ao subir por ela, os peregrinos ficam expostos aos perigos dos abismos, enfrentam passagens estreitas, passarelas em madeira e degraus escavados na rocha... Mas, acima de tudo, a passagem é difícil pelo exaustivo e interminável aclive.

Nós subimos a montanha em um dia, pernoitamos em um albergue e descemos no outro. A ascensão de aproximadamente 1.750 metros foi dura, mas recompensadora, pois o lugar é maravilhoso. Nas escadas escavadas, com até 70 graus de inclinação, refletimos se o Jimmy Page e o Robert Plant, do Led Zeppelin, quando compuseram a música Stairway to Heaven, passaram por ali. Subimos em todos os picos, sendo que o mais alto fica a 2.154 metros de altitude, e encaramos aquela passagem sobre tábuas na parede vertical – aquela da pesquisa da Michelle –, que para quem tem vertigem, não aconselhamos encarar.

Nós a cruzamos com a segurança de uma corda fixada ao nosso corpo, uma norma atual. Por estar seguro, aproveitei para desempenhar um malabarismo, fazendo uma parada de mão sobre as tábuas, mas minha exibição causou um certo mal-estar entre os chineses parceiros de subida. No final da trilha, há a recompensa de conhecer um templo escondido numa fenda da rocha.

Por incrível que pareça, o mais difícil da caminhada nem foi o esforço da subida ou o vencer o medo naquela passarela estreita, mas a hora da descida. Confesso que em determinado momento, para evitar o impacto em meus joelhos já esgotados e doídos, passei a descer de costas, guiando-me pelas correntes de proteção.

De Xi'an até Jishou, no sentido Sul, foram mais 20 horas de trem. Aproveitamos para descansar nossas pernas após a insana caminhada rumo ao topo do Monte Hua. De Jishou, de ônibus, fomos a outras duas cidades com culturas bem distintas: Dehang e Fenghuang. A China reconhece 56 grupos étnicos, sendo que os Hans representam aproximadamente 90% da população. Os outros 55 grupos, a exemplo dos Miao e Dong, dependendo das regiões que residem, possuem subdivisões entre eles – portanto, a diversidade do povo chinês é enorme.

Dehang é uma vila pequena, situada em um vale verdejante no encontro de dois rios. É uma cidade linda, com casas tradicionais de madeira e pontes em formato de arco. Os arredores são montanhosos e repletos de cachoeiras. A cidade é do grupo étnico Miao, que se distingue pelo uso de adornos de prata riquíssimos.

Fenghuang é uma cidade incrível também. Cresceu nas margens do rio Tuojiang e as casas antigas que foram erguidas de frente para o rio estão literalmente penduradas nas estruturas de palafita precária. Tornou-se turística sem perder seu charme. O dia a dia das mulheres continua acontecendo ao lado do rio, quando descem para os trapiches para lavar roupas ou vegetais. Nós caminhamos por todos os lados, vendo e fotografando tudo. Numa rua onde havia restaurantes tradicionais, vimos, na frente de cada um, animais engaiolados à espera de um freguês que os escolhesse para irem para a panela – patos, gansos, roedores e até cobras. Ao lado das gaiolas, junto à porta de entrada, postas ao chão, estavam as tábuas de cortar e as facas cutelo assassinas. Vendedores ambulantes circulavam pelas ruas carregando cestos pendurados nas extremidades de um bambu com mais ou menos 1,5 metro de comprimento, apoiado sobre os ombros, tal qual uma balança. Eles vendiam desde fígado à língua de boi defumados.

Curiosidades chinesas

Nas cidades maiores existem hotéis, pousadas e albergues que só chineses podem se hospedar e outros, mais caros, somente para estrangeiros. O motivo não ficou claro, mas soubemos que é lei e tem o controle da polícia. Nos parece que o governo não quer que o chinês interaja muito com os estrangeiros. E por falar em controle governamental, alguns sites da internet, o Google e o Facebook são bloqueados. Vale lembrar que o governo chinês é descrito como comunista e socialista. E, ao mesmo tempo, autoritário, fazendo fortes restrições em muitas áreas, principalmente em relação à internet, imprensa, liberdade de reunião e religião e direitos reprodutivos. Mas o povo dá um jeito. Estrangeiros e chineses que precisam usar o Google conseguem driblar as restrições através de uma VPN.

Já que estamos falando sobre curiosidades, outra delas aprendemos quando acabou nosso desodorante. E quem disse que na China há desodorantes para comprar? Procuramos em farmácias, mercados, mas não achamos. Depois descobrimos que os chineses não os usam. Tampouco exalam cheiro ruim. O que também nos fez falta – ou melhor, muita falta para mim – foi o café. Eu bati minha incrível marca de 17 dias sem a preciosa bebida. Nesse tempo sobrevivi a chá e água quente.

Tem mais: algumas crianças chinesas com idade de deixar de usar fraldas vestiam uma calça que possuía uma abertura que ia do gancho frontal até o traseiro, ficando com as partes à mostra, ventilando. Talvez seja para facilitar o treino do uso do banheiro. Outro costume que achamos bizarro foi o uso de uma estrutura de guarda-chuva em motos nas regiões mais chuvosas.

Chamou-nos atenção o quanto os chineses são loucos por tirar fotos de estrangeiros ou selfies com turistas. Os que não tinham coragem de nos pedir para posar fingiam que estavam vendo algo na tela com o celular apontado para nós, giravam caso estivéssemos em movimento e nos fotografavam na cara dura. Certa vez em Pingyao tivemos a infeliz ideia de sentar, em um restaurante, em uma mesa próxima à calçada, ficando praticamente à mostra para quem passava em frente. Ali, sim, fomos fotografados como celebridades. Às vezes, de brincadeira, escondíamo-nos atrás do cardápio para ver a reação deles e os deixávamos envergonhados ou sem entender a situação.

Quando tirávamos fotos junto com eles, o que estava na moda era o símbolo de paz e amor. Em Fenghuang aconteceu algo hilário. Quando visitávamos uma muralha, num dos portões, a Michelle se abaixou para fotografar um detalhe esculpido na esquadria de madeira, que achou interessante. Como de ambos lados vinham e voltavam chineses pelo corredor do muro, eles aproveitaram para tirar foto dela agachada. Depois que ela levantou e saiu, eles foram lá, um de cada vez, tirar foto do detalhe em madeira que ela havia fotografado.

Mais um trecho de trem rumo ao Sul. Fizemos uma escala em Liuzhou, trocamos de vagão e seguimos para Guilin. Na estação de Liuzhou tivemos a oportunidade de conhecer o banheiro mais bizarro do mundo. Imagine um banheiro público com várias cabines, mas sem portas ou privadas – apenas com uma vala no chão aberta lateralmente interligando todos os cômodos. Ao caminhar ao longo das cabines para procurar um lugar vago, vi o que não precisava ver: pessoas agachadas, na ativa, olhando para o chão. Claro, quem iria olhar para frente estando numa situação dessas? Só encontrei vaga na última cabine. Acomodei-me e olhei para o chão. Foi então que entendi como o sistema de descarga funciona: de tempos em tempos uma coluna de água é despejada automaticamente no primeiro compartimento e esta leva consigo o que estiver no caminho. Como estava acocorado no último cômodo, vi passar por debaixo de mim tudo que os outros haviam descartado. Como as paredes laterais são baixas e só separam uns dos outros quando abaixados, ao me levantar para abotoar a calça, se falasse mandarim, poderia ter conversado com meus vizinhos ao lado.

Nas redondezas de Guilin fomos conhecer as montanhas dos Terraços de Arroz da Coluna Vertebral do Dragão. Foram escavados há 650 anos nas encostas das montanhas do Sul e são utilizados até hoje para plantio de arroz. Formam imensos terraços em formato de degraus, fechados nas extremidades, mas interligados de cima para baixo por valas que permitem a condução de água. Essa engenharia de irrigação permite que a mesma água oriunda de uma nascente inunde no topo o primeiro degrau e, depois de enchê-lo, vaze para o que está abaixo e assim por diante. Há centenas de plantações deste tipo na região e existem evidências de que este cereal faz parte da alimentação chinesa há 9,4 mil anos.

Para melhor observar a beleza das plantações, optamos pela vila Dazhai, onde vive a minoria étnica Yao. Lá as mulheres usam cabelos longos e negros com um coque na testa e vestem-se de forma tradicional. As jovens já não estão dando sequência a essa tradição. Por alguns dias subimos e descemos os terraços para vê-los de diferentes ângulos; foram horas de caminhadas em grandes desníveis. Como era metade de maio, parte dos terraços estavam com água, mas outros ainda sendo arados e fechados em suas extremidades, para que em seguida pudessem inundar. Pudemos ver os agricultores com aqueles chapéus cônicos enormes trabalhando na terra manualmente. Os degraus que já estavam cheios d'água ficavam prateados pelo reflexo do sol quando os avistávamos lá do alto.

Quem somos nós para questionar o investimento que está sendo realizado no país em infraestrutura turística, mas não pudemos evitar de pensar que existem coisas desnecessárias – como um teleférico na vila Dazhai. Não subimos por ele porque, em nossa opinião, tira todo o charme e as surpresas de uma subida em montanha. Decidimos ir a pé e de repente uma cobra pulou em nossa frente, desaparecendo rapidamente. Ficou o susto para contar a história. Se tivéssemos ido de teleférico não teria acontecido nada disto.

O segundo lugar próximo a Guilin que fomos conhecer fica entre as cidades Yangshuo e Xingping e é tão bonito e exótico que sua imagem está impressa no dinheiro chinês, nas notas de 20 yuan. Ao longo do rio Li e seus afluentes brotam montanhas de calcário cobertas de mata que se espalham por todo lugar. São ovaladas como o Pão de Açúcar do Rio de Janeiro, mas com menos de 10% do seu tamanho. É ali no rio Li que antigamente os pescadores, em barcos de bambu, usavam pássaros mergulhões para pescar. As aves eram treinadas para voltar ao barco depois de cada mergulho; para evitar que o peixe fosse engolido pelos pássaros eram colocadas argolas nos seus pescoços, deixando espaço suficiente só para poderem respirar. Essa prática não existe mais – só demonstrações para turistas.

A região é de uma beleza rara. Numa manhã alugamos bicicletas e pedalamos mais de 50 quilômetros ao longo do rio Yulong; no outro dia fomos com uma moto alugada fazer um circuito maior e passamos também por Xingping e arredores. De um jeito ou de outro, o cenário é sempre composto por lindas e ovaladas montanhas.

北京 – VÊ SE ME ENTENDE

Nossa última viagem de trem em território chinês foi de Guilin para a capital chinesa – Beijing, em chinês: 北京 –, também chamada de Pequim. O significado do nome segue a tradição da Ásia Oriental: Capital do Norte. Outros exemplos dessa etimologia são Tóquio e Pyongyang, que significam Capital do Leste e Capital do Oeste.

Em Beijing a situação foi diferente: tínhamos um amigo nos aguardando na estação. Conhecemos Wu Yu na Rússia. Ele é um tipo que no Brasil chamaríamos de "cara gente fina". Adora contar sobre as suas proezas: foi o primeiro chinês a chegar ao Polo do Frio e à Península de Kamchatka em um carro chinês e a fazer em menos tempo o trecho Paris – Pequim, dentre outras conquistas e recordes. Sua presença nos dias em que passamos na capital foi especial, pois não existe melhor forma de conhecer um lugar do que na companhia de um morador. Assim se tem a oportunidade de se aproximar mais das pessoas e aprender melhor sobre seus costumes e tradições.

A primeira lição que Wu Yu nos deu foi gastronômica. Tão logo colocamos as mochilas no carro, ele já nos levou para tomar o café da manhã: sopa de arroz, bolinhos e leite de soja quente. Já na sequência, sem ao menos dar-nos tempo de digerir aquela refeição, levou-nos para almoçar. E para nos encantar, não havia nada melhor do que experimentar o prato mais tradicional da capital: o Pato de Pequim.

Minha nossa, como estava gostoso. A amiga de faculdade de Wu Yu, Jiangli, nos acompanhou e foi ela a responsável por pedir os pratos, que quase não couberam na mesa. O pato foi servido em diferentes formas: só a pele, na forma de pururuca, com açúcar cristal; só a carne assada; e a carne mais a pele, tudo cortado bem fininho. Enrolávamos o pato com vegetais dentro de uma panqueca fina e adicionávamos um molho adocicado saborosíssimo. Comemos fígado de pato, pasta de tofu, sopa de tofu com pato e tofu refogado. Também um prato de berinjela refogada, que ninguém sabe melhor preparar do que os chineses – tudo na mesma refeição. Literalmente, comida para um batalhão. Durante o tempo em que ficamos em Pequim comemos demais e de forma variada – comidas estranhas e deliciosas.

Comer de tudo e mais um pouco

A China fica no topo da lista em se tratando de comidas exóticas. Provar sua rica e diversificada culinária sempre foi um de nossos principais objetivos. Na cultura oriental, ao ingerir um alimento assumimos suas propriedades energéticas. Isso explica, em parte, por que os asiáticos gostam tanto de comidas diferentes – exóticas em nosso ponto de vista, mas para eles, normais. Em alguns países os alimentos funcionam com propósitos medicinais e sociais e em outros, apenas para garantir a sobrevivência.

Sopa de ninho de andorinha, sopa de pênis de touro, carne de cavalo e de cachorro, espetos de insetos e cérebro de macaco são algumas das iguarias que muitos de nós, brasileiros, jamais pensaríamos em comer. Em nosso país é comum o espeto com coração de galinha para aperitivo, mas os amigos ingleses Janet e Cris, que vieram nos visitar em São Bento do Sul, acharam isso muito estranho e não conseguiram comer. O que para nós é normal, para eles é exotismo puro. Não podemos sair julgando os costumes de cada região ou aldeia.

Viajamos com cabeças e estômagos abertos para enfrentar qualquer tipo de comida, pois adoramos experimentar coisas diferentes. Quando alguém pergunta o que comemos durante a viagem, respondemos: "de tudo!". E é verdade. Talvez não tenhamos gostado de algum prato, mas isso só foi definido depois de experimentá-lo. Numa viagem assim estamos em busca de experiências e não podemos perder as oportunidades. Nós dois somos iguais aos chineses, que costumam dizer, brincando: "das coisas com quatro pernas, só não comemos cadeiras e mesas e das que possuem asas, só não comemos aviões".

Claro que algumas vezes passamos certos apertos, como aconteceu no Camboja, ao experimentar embrião de pato cozido. O gosto até que não era ruim; o problema era pensar no que estávamos comendo. Era, literalmente, difícil de engolir. O mesmo aconteceu quando experimentamos polvo vivo na Coreia do Sul. Na Mongólia fomos presenteados com um queijo duro e azedo, que definitivamente não gostamos. Para eles é um tipo de petisco. Como não tínhamos como recusar o presente, guardamos para dar às crianças mongóis que cruzavam nosso caminho. Elas adoravam. O Roy não é parâmetro para saber se a comida é boa ou não. Além de comer de tudo, acha tudo uma gostosura, tanto que às vezes tinha que perguntar para mim se estava bom mesmo.

Em alguns casos, o que marcou não foi o gosto e sim a qualidade dos alimentos experimentados. Na Guatemala, por exemplo, fomos aos dois extremos: do muito bom ao muito ruim. Em Antígua comemos os melhores pratos de toda a América Central, com destaque para as pupusas – tortilhas de milho recheadas com queijo, repolho, carne e feijão –, mas também provamos comidas estragadas e que nos causaram fortes dores de estômago, principalmente nas vilas mais remotas. Essa situação nos aconteceu em muitos outros lugares do mundo onde as condições de higiene eram precárias.

A alimentação muda muito durante a viagem. Em casa temos fartura de comida, tanto no mercado, quanto na mesa e é comum para nós, brasileiros, diversidade de pratos na mesma refeição. Quando estamos viajando, pela praticidade e por restrição de bocas no fogão, cozinhamos no máximo dois pratos: o principal, o secundário e, às vezes, uma salada para acompanhar. Também aprendemos qual a melhor quantidade para cozinhar. Isso nos tirava aquele luxo que temos em casa de poder repetir, mesmo que satisfeitos.

Outra coisa à qual tivemos que nos adaptar foi a disponibilidade de alimentos e seus preços. Nem sempre o que somos acostumados a comer em casa existe no lugar por onde estamos passando; temos que comprar o que encontrarmos no momento e ainda levando em consideração os preços. Se o preço da banana está caro vamos em busca de opção mais em conta para substituí-la. Geralmente temos uma variedade enorme de produtos desconhecidos para acrescentar em nossa dieta.

Em países onde era acessível comer fora (até quatro dólares por pessoa) fazíamos pelo menos uma refeição por dia em restaurantes, geralmente o almoço. Já o café da manhã, tomávamos "em casa" em 99% dos dias. Nos Estados Unidos, Canadá e Países Nórdicos, como é muito caro comer em restaurantes, sempre íamos para a cozinha – café, almoço e janta. Isso também aconteceu na Austrália e Nova Zelândia na nossa primeira viagem de volta ao mundo. Como os produtos alimentícios nos mercados da Europa Ocidental são baratos, principalmente na Alemanha, valia a pena cozinhar no carro. Se cozinhávamos um almoço pequeno, fazíamos uma refeição mais elaborada à noite e vice-versa. O Roy não podia ficar sem o seu café da tarde, uma tradição do Sul, onde moramos. O costume é tão forte que nosso corpo já avisava o horário, pois quando o Roy falava em café da tarde os ponteiros deviam estar marcando algo em torno das quinze horas.

Temos em casa o hábito da alimentação saudável, mas na estrada é difícil mantê-lo. Muitas vezes, pela praticidade de armazenamento e preparação, comíamos enlatados, principalmente no inverno no Extremo Leste Russo, pois era uma forma de economizar louça, já que não tínhamos água em abundância para lavá-la. Muitas vezes esquentávamos a comida direto na lata. Economizar panelas era com o Roy. Para ele, um bom cozinheiro se vira com uma panela só.

E como nossa viagem foi longa, tivemos que cuidar muito do orçamento. Costumávamos ir atrás de promoções nos mercados, mas muitas vezes eram de produtos de qualidade inferior. Na segunda expedição tomamos maior cuidado com esses detalhes, pois queríamos viajar com maior qualidade de vida e saúde. Como disse a amiga americana Susie: "Não me importo com minha aparência externa, as roupas que uso compro em brechó, mas o que coloco para dentro do meu corpo tem que ter qualidade". Na passagem pelos lugares de extremo frio tomamos suplementos alimentares e vitamínicos, para evitar que nosso corpo tivesse carência de algo.

Nosso sonho seria o de ser autossuficientes e coletar as comidas durante o caminho, como nossos ancestrais faziam. Quando tínhamos a oportunidade de nos alimentar com o que a natureza oferecia era uma festa. Adoramos pescar como forma de lazer, mas também como forma de trazer alimento para a mesa; por isso nunca perdíamos uma boa oportunidade para pescar.

Nos países nórdicos é comum a coleta de cogumelos e frutas silvestres: amoras, morangos e mirtilos. Adotamos esse costume e sempre que achávamos uma planta frutífera parávamos para fazer a colheita. Na costa oeste da África, em uma estrada remota, fomos colhendo pelo caminho dezenas de laranjas que iam caindo de um caminhão que seguia em nossa frente – uma forma de "coleta moderna".

Sem sombra de dúvidas, a culinária da Tailândia, Índia, México e China estão entre as mais saborosas e ricas do mundo, mas o nosso país não fica para trás. Pela nossa experiência, não sei se existe no mundo um lugar com tanta variedade, abundância de alimentos e bons preços como o Brasil. Quando voltamos sentimos que os preços do mercado brasileiro subiram muito desde nossa partida em 2014, mas ainda assim são mais baixos que na maioria dos lugares.

Sentíamos saudades de algumas comidas. Na primeira viagem o que nos fez falta foi a carne: em países desenvolvidos ela é muito cara. A maioria dos países asiáticos têm hábitos vegetarianos e se há carne no prato, vem em pequenos pedaços; no Oriente Médio vem sempre moída e, na África, tivemos que abanar a carne para espantar as moscas e aí poder enxergar que tipo de carne que estavam vendendo. São lugares onde não há refrigeração e a carne fica exposta ao calor, então nessas ocasiões preferíamos nem comprar. Aquele pedação grosso e suculento de carne só aqui no Sul do Brasil, Uruguai e Argentina.

O chocolate também fez falta, só fomos encontrá-lo nos países europeus. Nos países menos desenvolvidos se come pouco doce. Quando nossa família foi nos visitar na África do Sul na primeira viagem, na lista que fizemos de coisas para nos levarem estava a súplica: "Tragam muito chocolate. Chocolate! Chocolate! Por favor!" Para alguém cuja a mãe é doceira e o pai açougueiro – eu –, suportar as restrições alimentares da primeira volta ao mundo não foi nada fácil.

Já na segunda viagem, carne e chocolate estavam mais presentes em nossas refeições. O que fez falta dessa vez foram alimentos frescos e frutas. Os que encontrávamos frequentemente estavam murchos. Devido ao frio intenso os países do Hemisfério Norte têm essa carência; produzem ao máximo no verão e estocam para o inverno. A dieta local é mais de raízes e tubérculos do que de folhas cruas. Poucos alimentos vêm fresquinhos, direto da horta. Alface, acho que ficamos uns dois anos sem vê-la. O que mais sonhei foi em tomar um suco natural. Se o tomate foi o alimento mais presente na primeira volta ao mundo, posso dizer que a cenoura e a maçã foram os mais presentes nesta viagem.

A culinária diz muito sobre a cultura e os costumes de um país. Nos mais desenvolvidos economicamente, parece que ela perdeu a sua importância cotidiana. Nos Estado Unidos, por exemplo, por causa da pressa do dia a dia, a alimentação tem que ser prática e rápida. É por isso que os fast-food passaram a fazer parte da vida dos americanos. Já em países em desenvolvimento a culinária continua a desempenhar papel importantíssimo. Na Ásia, por exemplo, o dia a dia gira em torno das refeições, momento importante para o encontro e a interação da família. É por isso que a culinária asiática é uma das mais tradicionais e ricas do mundo.

Mesmo em países mais pobres há comida para todos, porque produzem em grande quantidade e variedade, o que torna o custo baixo. Sentar em volta de uma mesa para comer na Ásia é questão cultural, o que não acontece em países africanos, onde se come para sobreviver. Na África, de uma forma geral, não existem pratos elaborados para ganhar sabores melhores; a comida é para encher a barriga até o dia seguinte. E mesmo sendo tão simples, a comida na maioria dos países africanos é cara, pois quase tudo é importado da África do Sul.

Adorávamos visitar os mercados, pois neles descobríamos muito sobre os povos, não só o que comem, mas como são, como se vestem e quais suas tradições e cultura. Comprar alimentos nas feiras livres era uma forma de interagir com os locais. Era uma delícia, ao passarmos por algumas tribos da Etiópia, poder comprar os vegetais, as frutas e os temperos locais. Fazíamos também muitas compras na beira da estrada, direto dos produtores. No leste europeu era comum encontrar pessoas vendendo o excesso de frutas, vegetais, flores e o que mais tinham disponível em seu pomar. Consumiam o que produziam e se sobrasse um único pepino, levavam-no à frente de casa para ser vendido e trazer renda.

Percebemos que na Rússia a culinária ficou estagnada. Acreditamos que, como em outros aspectos, a vida socialista da antiga URSS deixou marcas na gastronomia. O país tem mais do que o dobro do território brasileiro, mas de ponta a ponta experimentamos praticamente os mesmos pratos, muitos incorporados dos países que pertenceram ao Bloco Russo, como Ucrânia, Mongólia e Cazaquistão. Tudo com uma variedade limitada de ingredientes.

Os chamados Кафе *(café, em russo), eram mais baratos que os restaurantes. Alguns têm menu fixo, outros são uma espécie de buffet por quilo – mas ao contrário do Brasil, onde pesamos tudo junto, lá cada comida tem um preço e, por isso, deve ser pesada separadamente; além disso, alguns itens, como fatias de pão, sobremesa, café, suco ou chá têm preços individuais. Toda essa complicação causa filas longas e demoradas nos locais mais movimentados. E o que provoca ainda mais espera é o fato de tudo ser esquentado no micro-ondas, um trabalho desperdiçado, pois é necessário pagar antes de comer e até que o cobrador some o valor de cada item e o cliente sente à mesa, a comida já esfriou.*

Nós, brasileiros, além de termos uma grande diversidade de alimentos, somos muito receptivos a novos pratos e vivemos importando técnicas culinárias e ingredientes dos outros países. Na Rússia parece que eles insistem em comer o mesmo trivial que comem desde que nasceram. Conversamos sobre esse comportamento russo durante os milhares de quilômetros que percorremos por lá e a nossa conclusão foi de que trabalhar para o governo durante a existência do sistema socialista deixou o povo acomodado, menos exigente e, por isso, menos inventivo. Não foi só a comida que nos levou a essa conclusão, mas também as cidades e as casas. Tanto em áreas públicas, como praças e ruas, quanto nas áreas comuns dos edifícios, falta zelo e capricho. Muitas construções nos deram a impressão de estarem abandonadas, largadas "ao deus-dará", sem manutenção. Cada cidadão só cuida do seu próprio umbigo, ou seja, da porta de sua casa para dentro; não fazem esforço para cuidar dos assuntos coletivos. É bom lembrar que a URSS ficou fechada para o mundo ocidental por quase 70 anos. A Mongólia foi outro país que pouco desenvolveu na culinária. Para eles o importante é ter carne e sal para temperá-la. O curioso é que os mongóis já foram donos de meio mundo e nada aprenderam com a culinária dos países que dominaram.

Pequim tem mais de 20 milhões de habitantes e é o centro político, cultural e educacional do país. É uma cidade moderna, arborizada, com ruas largas, arranha-céus em design arrojado e um ótimo sistema de metrô. Ao mesmo tempo em que mostra um alto grau de desenvolvimento tecnológico, consegue preservar sua história em suas praças, palácios, jardins, templos e muralhas.

Junto com nosso amigo chinês conhecemos o local onde aconteceram os Jogos Olímpicos de 2012 e caminhamos na praça Tian'anmen, uma das maiores do mundo, rodeada de prédios dos anos 50. Ao norte, no Portão do Paraíso da Paz, onde se acessa a famosa Cidade Proibida, encontra-se a imagem de Mao Tsé-Tung, marcando o local onde foi proclamada a República Popular da China, no ano de 1949.

Apesar de Pequim ser uma das cidades mais interessantes da China, nós ganhamos o dia mesmo ao sairmos de lá para conhecer um pedaço da Grande Muralha. Acompanhados do amigo Wu Yu nos deslocamos até Gubeikou, a 140 quilômetros, para visitar uma parte do muro tanto do lado oeste quanto do leste desta cidade. O local foi indicado por Irene e Willeke, duas holandesas com as quais fizemos amizade quando caminhamos o Monte Hua. Disseram-nos ser um trecho maravilhoso, onde teríamos a muralha praticamente só para nós, o que não aconteceria nas partes mais acessíveis. Nem Wu Yu conhecia este lugar – aparentemente saiu tão encantado quanto nós.

A Muralha da China, também conhecida como a Grande Muralha, é, sem dúvida, a maior obra da engenharia chinesa e uma das maiores do mundo. Não é para menos, já que é a única obra feita pelo homem possível de ser vista da Lua. Será? As primeiras construções surgiram antes mesmo da unificação do Império, mas foi o primeiro imperador, Qin Shi Huang – o mesmo que ordenou a construção do seu mausoléu com os Soldados de Terracota – quem ordenou o trabalho da unificação das fortificações já existentes. Em sua época, a muralha tinha aproximadamente três mil quilômetros de extensão, mas continuou sendo ampliada nas dinastias seguintes e chegou ao seu esplendor na dinastia Ming, no século 15. A obra demandou o trabalho de milhares de homens, bilhões de toneladas de pedras, tijolos e barro. Contando todas as suas ramificações, inclusive aquelas que hoje já não existem mais, a muralha alcançou o inimaginável comprimento de mais de 21 mil quilômetros. Como eu já disse: "Na China tudo é grande".

Para visitar e caminhar na muralha do lado oeste de Gubeikou não precisamos pagar, algo muito raro na China, pois tivemos que pagar por quase todas as visitas a atrações que fizemos e os preços não eram baratos. Como nossas amigas holandesas haviam dito, encontramos pouca gente no local. Subimos até o topo de uma montanha íngreme, ora por cima da muralha, ora acompanhando-a pelo lado. Do alto pudemos enxergar sua extensão para os dois lados. Sua silhueta ia ficando menos nítida ao se aproximar da linha do horizonte. Observar sua construção é fascinante, os engenheiros e arquitetos que a projetaram escolheram as partes mais altas das montanhas para passar por cima, o que criou uma barreira construída pelo homem em cima de outra feita pela natureza. Suas características variam de acordo com a região por onde passa, pois a construção dependia dos materiais à disposição, das condições do relevo, das técnicas utilizadas e das condições adversas vividas por cada dinastia.

No trecho que conhecemos, as paredes internas e externas foram construídas com tijolos de barro e o miolo preenchido com pedras e terra. Em geral, os muros apresentam largura aproximada de sete metros na base e seis metros no topo e a altura média tem sete metros e meio. Todas as torres de sentinela guardam distância que possibilitam a comunicação entre si, feita de várias formas. As usuais eram com bandeiras e sinais de fumaça. O lado leste está mais preservado e lá caminhamos por alguns quilômetros sobre a muralha. Ao final da tarde o sol nos proporcionou imagens belíssimas para levarmos de lembrança dessa que é uma das sete maravilhas do mundo moderno.

Mas "o que é bom dura pouco" e cumpriu-se o velho ditado. Chegou a hora de deixar o país, já que o nosso visto de 30 dias estava para expirar naquele dia. E para a nossa surpresa, o voo que nos levaria de volta à Mongólia foi adiado em um dia por falta de passageiros. Depois de acertada a questão do visto com as autoridades de imigração chinesas, isso nos soou como um presente. Até porque ganhamos a diária da companhia aérea em um bom hotel próximo ao aeroporto com todas as refeições inclusas. Além de dar um adeus à deliciosa comida chinesa, descansamos e tentamos assimilar tudo o que vimos nesse país encantador.

Para finalizar o registro, aqui vão mais algumas curiosidades: aprendemos com Wu Yu que quando somos convidados para um almoço ou jantar, na hora em que é servida a comida, é educado revidar rapidamente dizendo: "não, não, por favor, deixe que eu sirvo". Deve-se tentar por três vezes e, caso o anfitrião ainda insistir, aí sim se deve deixar ele servir. Pagar a conta é mais ou menos a mesma coisa: revida-se quando alguém ameaça pagar, mas se ele continuar insistindo após três tentativas, deve-se aceitar. Ao fazer um brinde, para demostrar o valor e importância do outro, seu copo deve estar em uma altura mais baixa que o da pessoa – ela com certeza irá tentar fazer o mesmo. Quando os dois já tomaram algumas cervejas, como aconteceu comigo e com Wu Yu, a tradição virou brincadeira e a tentativa de colocar o copo um pouco abaixo do copo do seu companheiro vai até o limite do chão. Vence, nesse caso, quem tem o copo menor.

Nômades do século 21

Imaginar a existência de tribos nômades em pleno século 21 parece algo fora do comum. Mas não: na Mongólia, grande parte da população, por costume, necessidade e cultura não mantém lugar fixo de morada. Os mongóis têm a tradição pastoril e por isso estão sempre em busca de novas pastagens para seus animais. Quando um sítio se esgota, desarmam suas tendas e mudam de lugar. No passado chegavam a ignorar até fronteiras internacionais. E por estarem sempre andando de um lado para o outro, ignoraram também a agricultura. Na dieta dos mongóis nômades quase não há verduras ou derivados. A base é a carne e o leite, seja de gado, cabra, ovelha, cavalo, iaque, camelo ou outros. Sopa na Mongólia é carne, água e sal, mais nada.

Mas o nomadismo, nos dias de hoje, não funcionaria em qualquer lugar. Imagina isso acontecer no Brasil, na Europa ou nos EUA, onde as terras são cercadas por serem propriedades privadas. Na Mongólia a terra pertence a todos. E olha que o país não é pequeno – tem 1,5 milhão de quilômetros quadrados, sendo o 18° maior do mundo em extensão. Nós descrevemos a Mongólia como uma grande fazenda com algumas porteiras ao Norte que acessam a Rússia e algumas ao Sul que acessam a China. Fora da capital e de outras cidades maiores, não existem terras particulares e por isso não há cercas. Todos são livres para ir e vir aonde quiserem e isso permite que os nômades movam seus acampamentos pelo país livremente, o que acontece de duas a quatro vezes por ano, de acordo com a oferta de pastos. O movimento é cíclico e possui o propósito de deixar a grama se recuperar. Não é muito diferente dos grandes felinos, que necessitam de imensas áreas para que suas presas também tenham a chance de se reproduzirem e subsistirem. Geralmente uma família vive sozinha, respeitando certa distância dos vizinhos. Em um país imenso com uma das mais baixas densidades demográficas do mundo (menos de dois habitantes por quilômetro quadrados), isso representa um grande jardim.

Para que a vida nômade seja possível, faz-se necessário uma *ger* – o nome dado a casa/barraca mongol, que serve de abrigo tanto no verão quanto no inverno e foi desenvolvida para ser fácil de montar, desmontar e transportar. São redondas, tipo as ocas indígenas, mas ao invés de palha, a estrutura é de madeira e coberta com feltro de pelo de cavalo e lona. Possuem uma porta, mas são desprovidas de janelas ou repartições internas e as camas ficam nas laterais próximas às paredes de treliça de madeira, que dão a estrutura lateral. Os varões de sustentação do teto e a cúpula redonda são decorados com pinturas em cores exuberantes. Na parte central fica o fogão a lenha e nos dias atuais, pela proximidade com a China, que é o maior produtor de painéis solares do mundo, as *gers* possuem o luxo da energia solar. Armazenada em baterias, é utilizada para lâmpadas LED, rádios e pequenos televisores. Nos mercados públicos da capital, uma *ger* completa, tamanho médio, é vendida por mil dólares.

Cada família precisa ter cerca de 300 animais para ser autossustentável. As mais ricas chegam a possuir mais de mil. O rebanho da Mongólia chega a aproximadamente 55 milhões de animais. Às vezes os animais de diferentes proprietários se misturam, mas todos reconhecem os seus. Os animais suprem a necessidade humana de alimento, moeda de troca, combustível (queima-se esterco seco no lugar de lenha) e locomoção. Dentre todos eles, o mais importante é o cavalo. Um antigo provérbio mongol diz: "Um homem sem um cavalo é igual a um pássaro sem asas".

Os cavalos da Mongólia são um pouco diferentes – pequenos, robustos, de crina grossa e dura e, em sua maioria, são meio xucros. Muitos descendem de uma das últimas raças de cavalos selvagens do mundo – cavalo-de-przewalski. Segundo um mongol com quem conversamos, esses cavalos obedecem a um dono só. Montei dois para ver se conseguia fazê-los me obedecer, mas não teve jeito, tive que me contentar pelo fato de não terem me derrubado. Também não me adaptei com a sela desconfortável, na qual os estribos estão posicionados no meio, ao invés de um pouco para a frente, como nas selas brasileiras. Fiquei igual um pêndulo em cima do cavalo, sem firmeza alguma. Hoje em dia, mesmo lá nas estepes, alguns pastores mais modernos tocam seus rebanhos montados em motos – pelo menos motos aceitam todos os tipos de "cavaleiros" e não empacam.

Viver num país vasto e remoto faz com que a hospitalidade se torne uma necessidade. Qualquer *ger* pode servir como hospedagem, restaurante ou mercearia, possibilitando aos locais viajarem longas distâncias sem ter que carregar muito peso em provisões. Esse povo está acostumado a receber em suas casas pessoas que nem conhecem; para nós, viajantes, isso foi um presente, pois as visitas facilitaram nosso contato com a cultura local.

O nosso voo de regresso da China aterrissou de madrugada no Aeroporto Internacional Chinggis Khaan. Não perdemos tempo e fomos logo reencontrar o nosso velho amigo, o Lobo da Estrada, que estava intacto no estacionamento da pousada. Demoramos um pouco para entrar em nossa "casa" porque depois de 30 dias sem usá-la havíamos esquecido onde tínhamos deixado a chave. Ao lado dele, vimos algo raro de acontecer num país tão distante: havia outro carro com placas brasileiras, uma Hilux com um *camper*. O carro era de Eduardo de Almeida Prata e da Maria de Lourdes Siviero, amigos que conhecemos no Brasil quando passaram por nossa cidade para um bate-papo antes de partir para sua viagem de volta ao mundo. O reencontro não poderia resultar em outra coisa, a não ser muita conversa e cerveja, vendida em garrafas pet de 2,5 litros. Abriu, tem que tomar até o fim. Abrimos várias.

A segunda passagem por Ulan Bator serviu para resolver questões burocráticas: precisávamos tirar o visto para entrar no Cazaquistão, renovar o estoque da despensa e consertar alguns problemas do carro. Trocamos os amortecedores traseiros e consertamos a válvula de pressostato da bomba d'água, pois quando pressurizei o sistema d'água para testá-lo, vazamentos apareceram por todos os lados. Pudera, ele estava desativado havia cinco meses e meio. A água que eu havia esquecido de esgotar do aquecedor do chuveiro (que utiliza água do radiador para aquecer) antes do inverno expandiu-se ao congelar, quebrando a peça. Fiz um *by-pass*, mas ao ligar a bomba apareceu outro vazamento, desta vez no registro do chuveiro. Os anéis de vedação, que são de borracha, também ressecaram e partiram com o frio. Consertei o registro com todo cuidado, mas para minha indignação, montei-o invertido e com cola, o que impossibilitou desmontá-lo novamente. Isso resultou em uma má posição do registro e começaram a acontecer acidentes engraçados com os desavisados, que ao entrar no carro batiam o braço no registro e o chuveiro jorrava água. Distraídos, levamos vários banhos por causa disso, mas o mais hilário foi quando um agente aduaneiro carrancudo entrou para revistar o carro e bateu com seu braço no registro. Tomou um banho com farda, coturno e tudo.

Um pouco de história – e que história

Prontos, partimos para o leste mongol na companhia dos amigos capixabas e com eles viajamos por duas semanas. Logo que adentramos nas estepes, que já haviam mudado da cor acinzentada para um verde claro, destacou-se no horizonte a figura de um misterioso cavaleiro gigante, montado em seu cavalo. Segundo os mongóis, é a maior estátua equestre do mundo, do personagem mais representativo daquele país: Genghis Khan.

Temujin, o nome de criança de Genghis Khan, nasceu supostamente em 1162, quando a Mongólia era formada por esparsos agrupamentos de tribos rivais. Com a morte de seu pai, Yesugei Baghatur, chefe de uma das tribos nômades que viviam no leste mongol, ele e sua família enfrentaram a rejeição do próprio clã, do qual, mais tarde, voltaria a ser líder. Em 1179 casou-se com Borte, de quem era noivo desde os nove anos. Por volta de 1189, a tribo rival dos Merkitas saqueou seu clã e sequestrou Borte. Temujin fez aliança com outra tribo, lançou-se à luta e venceu: além de ter resgatado sua esposa, ganhou muito prestígio. Continuou a fazer alianças com outras tribos, matou os líderes dos clãs rivais e de forma inteligente incorporou os sobreviventes ao seu grupo. Com isso unificou o povo mongol e, sob seu comando, estabeleceu a paz entre todos. Aos 44 anos se autointitulou Genghis, que significa guerreiro perfeito.

Estrategista nato, abandonou tradições hierárquicas e adotou a meritocracia na distribuição de cargos. Passou a disciplinar seu povo com treinamentos com arco e flecha e cavalaria, sendo o domínio do cavalo a sua grande arma. Os mongóis eram rápidos na comunicação entre si e mensageiros trocavam de cavalos de tantos em tantos quilômetros para manter os animais no trote máximo. Postos de troca estavam por todos os caminhos. Com inteligência e estratégia militar, conseguiu vencer a "intransponível" Muralha da China e estendeu o seu império nas direções Oeste e Sul. Dizem que em batalha não tinha piedade, mas se o inimigo se rendesse, garantia-lhe proteção, liberdade religiosa, baixos impostos e prosperidade nos negócios. Segundo estimativas, foi responsável pela morte de 40 milhões de pessoas.

Genghis Khan morreria antes de ver seu império alcançar a extensão máxima, mas a sua memória seria preservada pelos líderes mongóis que o sucederam – eles associariam suas próprias glórias às conquistas do grande estrategista. Genghis Khan foi um dos comandantes militares mais bem-sucedidos da história da humanidade, tendo conquistado mais terras do que Alexandre, o Grande, Napoleão e Hitler somados. Seu território com quase 20 milhões de quilômetros quadrados (2,3 vezes o tamanho do Brasil) se estendia da Coreia até a Hungria e do Golfo de Omã e Vietnã até a Sibéria, envolvendo um quarto da população mundial da época. Os nômades das estepes eram realmente temidos por todos. Aquela estátua de 40 metros de altura e 250 toneladas de aço inoxidável que se vê a quilômetros de distância foi uma homenagem à altura das conquistas desse grande líder.

A rota que seguimos é conhecida como a Rota de Genghis Khan por passar por lugares que fizeram parte da sua vida: onde nasceu e passou os 15 primeiros anos, onde se escondeu, onde está supostamente enterrado, onde seus cavalos pastaram e até onde parava para beber água, entre outras coisas. Por levarem uma vida nômade, as tribos da época de Genghis Khan quase não deixaram ruínas – uma *ger* não duraria tanto tempo.

Nesta rota passamos por outros marcos da história da Mongólia, como túmulos da Era do Bronze, monumentos religiosos do xamanismo, ruínas de uma muralha do século 8 e até inscrições rupestres. Quanto mais ao Leste avançávamos, mais verde ficava a paisagem e menos movimentada a estrada. Deixamos a via principal e continuamos por trilhas marcadas nos campos, até desaparecermos na vastidão das estepes.

Vida ao ar livre

A Mongólia é o melhor lugar do mundo para se acampar ao ar livre – lugares é que não faltam. Onde quer que se esteja há boas oportunidades para se acampar e assim foi todo o período em que estávamos na companhia do Eduardo e da Lu. Na primeira noite, o campo era tão grande que deu para tentar voar de parapente, jogar *la boule* (tipo de bocha de qualquer terreno) e até aprender a dar tacadas de golfe. Como estávamos na primavera, havia flores por todos os lados e a Michelle encontrou na Lu uma ótima companheira na arte de fotografá-las. Os dias terminavam sempre com gostosos jantares, ora preparados por nós, ora pelos amigos. Como a cerveja e vinho nunca faltavam, a conversa se esticava até altas horas da noite.

Ao passarmos próximo ao lago Khökh, onde Temujin se autoproclamou imperador, observamos que o local estava rodeado de infraestrutura para atender turistas. Decidimos seguir em frente até o lago Khangil, um lugar mais sossegado e também muito bonito. Como chegamos no final da tarde, compartilhamos o belíssimo espetáculo da arrumação que os pássaros fazem antes do anoitecer.

Conhecemos um mongol que mora nas redondezas e por meio dele conseguimos comprar carne fresca. Para isso, Eduardo teve que ir na garupa de sua moto até a casa do vizinho que possuía cabras. Comprou uma por 30 mil tugriks (menos de quinze dólares) e trouxe-a viva na garupa até a casa desse mongol, onde ele e a esposa a mataram e limparam. Uma cabra inteira era muita carne para armazenar, então Eduardo voltou para o acampamento uma hora depois com uma metade e a outra presenteou ao nosso novo amigo. A comida estava garantida para as próximas refeições. Fizemos as costelas grelhadas, mas os melhores pratos foram os ensopados com vegetais.

Por entre os campos, quando cruzávamos com pastores montados a cavalo, vimos que muitos ainda se vestem tradicionalmente – casaco colorido comprido, tipo sobretudo, com botões no lado direito e uma faixa de tecido na cintura. Calçam botas e na cabeça usam diferentes tipos de chapéus, alguns com as quatro abas viradas para cima e no topo uma saliência pontiaguda. Flagramos alguns pastores dormindo no gramado, na sombra de seu próprio cavalo, enquanto o rebanho pastava tranquilamente.

Ao cruzarmos um rio, resolvemos aproveitar a água em abundância para lavar nossos carros, que estavam imundos. Ali, várias crianças e alguns adultos faziam uma espécie de piquenique, formando o que parecia ser uma excursão de escola, com parada para preparar o almoço. Prestei atenção à forma como eles cozinham: em uma panela de pressão grande intercalam grandes pedaços de carne, alguns vegetais e os temperos. No meio colocam pedras do rio previamente aquecidas na brasa para ajudar no cozimento. Depois deixam a panela sobre a brasa para cozinhar vagarosamente. Não ficamos para experimentar, mas deve ter ficado delicioso.

Dadal é uma pequena vila que se situa próxima à confluência dos rios Onon e Balj. Se não tivéssemos a informação de que ali nasceu Temujin, o local passaria despercebido. O único marco que lembra este fato é um monumento no norte da cidade que comemora 800 anos de seu nascimento.

No nosso acampamento em Dadal, pelo fato de a vegetação estar muito seca, quase coloquei fogo no mato. Fui ao "banheiro" e depois queimei o papel usado em cima de um tronco. Ele se incendiou tão rápido que parecia ter sido encharcado com álcool. Corri para o carro para pedir ajuda à Michelle, ao Eduardo e à Lu, que saíram com panelas nas mãos cheias de água. Depois de muito trabalho, conseguimos conter as chamas e apagá-las. Ventava muito, então o risco de não termos dado conta do recado foi grande. Puxa, que susto! Aconteceu algo semelhante no Parque Estadual da Chapada Diamantina na Bahia – uma turista italiana queimou papel higiênico e o fogo se alastrou, destruindo centenas de hectares.

Continuamos no sentido leste e entramos na província Dornod, dirigindo por estepes inóspitas. Para achar nosso caminho, utilizávamos o GPS, mas em certos lugares onde não havia informação, a solução era recorrer às pessoas locais para saber o caminho.

Ao nos aproximarmos de uma *ger*, aprendemos que devemos gritar: "Nokhoi khor", que significa que alguém está chegando, mas ao pé da letra se traduz "segura o cachorro". Os mongóis, muito receptivos, nos cumprimentavam e logo convidavam para entrar. Nos serviam chá, iogurte tipo coalhada com açúcar, queijo e outras iguarias. O queijo, chamado "aaruul" é servido em cubos, duro, seco e azedo, com um gosto que me lembrava algum produto de limpeza. Dentro das *gers* víamos o quão simples é a vida daquelas pessoas. Sentávamos em suas próprias camas para conversar. Numa visita, um dos filhos estava dormindo à luz do dia. Devia ter uns 20 anos. Quando acordou, tomou um susto: deve ter achado que ainda estava sonhando, ao ver gente tão diferente dentro de sua casa. Todas as *gers* que visitamos estavam organizadas e limpas.

No leste da Mongólia, havia outro motivo, além dos importantes marcos deixados por Genghis Khan, que nos levou para lá: uma região específica de estepes (dizem especialistas que são as mais intocadas do mundo) é a morada de mais de um milhão de gazelas-do-rabo-branco. O biólogo americano George Schaller, que foi para lá pela primeira vez em 1989, viu um grupo de milhares de gazelas e declarou que o movimento delas é um dos espetáculos de vida animal mais incríveis da Terra.

O bioma é maravilhoso, pois dependendo de onde se está, pode-se enxergar um horizonte vasto, a dezenas de quilômetros de distância, sem um arbusto sequer, só o verde das pastagens baixas. Por um lado, enxergar longe nos dava mais chances de achar os grupos de gazelas, mas esses animais, por viverem há milhares de anos neste território aberto, sem lugar para se esconder, desenvolveram a habilidade de perceber predadores pela visão e audição e fogem a qualquer movimento estranho a centenas de metros. Quando as víamos, elas já tinham nos visto havia tempo e fugido em disparada. Seus filhotes são presas fáceis dos lobos e coiotes, mas como a natureza é sábia, retirou deles qualquer sinal de cheiro, fazendo-os passar despercebidos quando ficam deitados no meio do capim.

Se por terra era difícil uma aproximação, o jeito seria decolar para ver as gazelas do ar. Montei o paramotor e parti para um voo de reconhecimento ainda no final daquele dia. Lá do alto, o verde predominava, mas nada de gazelas – não havia uma sequer no meu campo de visão. Enquanto me afastava do acampamento, fiquei pensando para onde teriam ido, já que lá de cima podia-se enxergar dezenas de quilômetros e não havia nenhum lugar para se esconderem.

Ajustei o foco da minha visão e aí, sim, começaram a aparecer pontinhos marrons em todas as direções. Nossa, que coisa magnífica! Havia diversos grupos de gazelas espalhados na pradaria e cada um com cerca de 200 animais. Ganhei altura, escolhi um grupo para me aproximar e somente no planeio, com o motor em baixa rotação para não assustá-las com o barulho, voei para cima delas. Por serem ariscas, fugiram, mas não sabiam exatamente do quê, já que não me viam lá em cima. Segui-as por algum tempo, mas logo voltei para o acampamento, pois como esse era um voo só de reconhecimento, não levei muito combustível.

No outro dia bem cedo, ainda antes do café da manhã, decolei com mais combustível e com uma câmera com lente de zoom em mãos. Levei novamente alguns minutos para ajustar o foco dos olhos para encontrá-las naquela imensidão e assim que as vi, fui atrás de um grupo para fotografá-lo. Voei por cima, pelo lado, por detrás e pelo que eu via no visor da câmera, uma foto estava ficando mais bonita que a outra. Numa delas – de quando eu voava baixo e exatamente em cima do rebanho – as sombras desproporcionais das gazelas em movimento (saltando) deram a conotação de serem pinturas rupestres.

Dias depois dessa experiência magnífica, quando escolhia algumas fotos para fazer uma postagem em nosso website, quase me pus aos prantos. Descobri que todas as fotos estavam configuradas para qualidade baixa, um descuido que não pode acontecer, pois sempre configuramos para qualidade máxima. Demorei para entender como isso tinha acontecido – o mais provável é que quando estava em voo apertei no botão "quick menu", que fica próximo ao visor, e sem querer alterei a quantidade de pixels da imagem. O pior é que não foi só esse erro que cometi: eu tinha uma minicâmera presa ao capacete e tive que ajustá-la para filmar em um ângulo mais fechado, mas em voo a ação é difícil; então tirei o capacete, mexi nos botões e, ao finalizar, ao invés de ajustar o ângulo, desliguei a câmera, ou seja, não filmei nada.

O que me conforta é saber que esses erros básicos não acontecem só comigo. Veja essa história de Sebastião Salgado, contada no documentário "Revelando Sebastião Salgado". Ele trabalhava para a agência Gama e foi incumbido de fotografar o primeiro torneio Lancôme de Golfe na França, um dos eventos esportivos mais sofisticados da Europa. No último dia do torneio, o americano Arnold Palmer, o melhor jogador de golfe do mundo na época, foi ao segundo andar da Torre Eiffel, com toda a cúpula do golfe, para dar uma tacada simbólica lá do alto. Onde a bola caísse seria erguido um monumento em seu nome. Sebastião ganhou a exclusividade para fotografar aquele momento. Depois da foto, desceu da Torre Eiffel e correu para a agência a fim de revelar o filme e distribuir a imagem aos jornais e revistas e, ao rebobiná-lo, percebeu que algo estranho acontecera. Entrou na câmara escura do estúdio e descobriu que não havia filme dentro da câmera – ele havia esquecido esse mero detalhe. Eu tinha que me dar por satisfeito, pois pelo menos algumas fotos eu ainda poderia imprimir em tamanho reduzido.

Ao longo das duas viagens cometemos outros equívocos com respeito às fotografias e filmagens e creio que acontecerão outros no futuro. Estamos sempre sujeitos a errar nessas técnicas tão sensíveis. Mas se estivermos cometendo erros na captação das imagens é porque continuamos viajando e fotografando.

Em Choibalsan, a capital estadual mais ao leste da Mongólia, lembramos de um detalhe sobre a nossa estada no país. Brasileiros não necessitam de visto e podem ficar até 90 dias, mas quem pretende ficar mais de um mês precisa se registrar na imigração nos cinco primeiros dias úteis de sua estada. Por esquecimento, não o fizemos quando retornamos da China. Conversamos com as autoridades, que nos deram duas opções: sair do país dentro dos 30 dias (o que significava que teríamos menos de duas semanas para cruzá-lo de leste a oeste) ou voltar para a capital e pagar uma multa de 100 dólares por pessoa. Não nos restou outra alternativa a não ser retornar para Ulan Bator e desembolsar os 200 dólares. Um erro que nos custou caro, mas pelo menos teríamos tempo de sobra para continuar explorando a beleza do país.

A estrada principal que vai de Choibalsan até Ulan Bator é de chão batido e em sua maior parte acompanha o rio Kherlen. Os pastos estavam tão verdes e fartos que animais apareciam por todos os lados. Nunca vimos tantos cavalos em nossas vidas e reparamos que eles desenvolveram um comportamento interessante: imagino que para se protegerem das moscas, formam um círculo de mais ou menos 20 animais posicionando suas cabeças no centro e, com isso, formam uma barreira para as suas pelagens laterais.

Na capital fomos resolver o inconveniente do visto. Não estávamos felizes em voltar para lá, pois além de ser uma cidade grande, e barulhenta, tem um trânsito caótico. Os mongóis nasceram realmente para andar a cavalo e não para dirigir.

Milionários em tempo e liberdade

Um pouco mais pobres no bolso, mas, como diz nosso amigo Iguaçu Paraná, milionários em tempo e liberdade, nos despedimos do Eduardo e da Lu e apontamos nosso carro para o sul do país. Ao contrário do verde do leste, quanto mais ao sul dirigíamos, mais árida ficava a paisagem, pois mais próximos do Deserto de Gobi chegávamos.

Um dia, ao visitar as montanhas de granito de Baga Gazryn Chuluu, conhecemos Nyamka e Muugii, ambos de Ulan Bator e, diferentemente dos mongóis que conhecemos, falavam muito bem o inglês. À noite, quando acampamos juntos, aproveitamos para tirar as dúvidas sobre o país e os costumes do seu povo. Enquanto as mulheres preparavam um refogado de vegetais com macarrão caseiro, os homens acenderam a fogueira. Muugii cercou o fogo com três pedras grandes e fez questão de explicar-me que essa é a base da cultura mongol – a estrutura tríplice, uma garantia de estabilidade. Explico: não importa o tamanho das pedras, seja lá o que for colocado sobre o fogo (uma panela ou uma grelha), o objeto estará sempre assentado de forma estável, ao passo que se colocarmos quatro ou cinco pedras, elas devem ser niveladas. Um pensamento lógico, mas do qual nem sempre fazemos uso. Uma cadeira pode ficar bamba se tiver quatro pés, mas com três isso jamais acontece. Por isso é que usamos tripé para filmar ou bater fotos.

Outro assunto para o qual Muugii nos chamou a atenção ao estarmos ao redor da fogueira foi o fato de o fogo ser considerado sagrado. Por isso, deve ser tratado com respeito e não se deve utilizá-lo para queimar lixo, como plástico, papel, xepa de cigarro ou outras coisas. A terceira coisa que aprendi com ele foi que não são só os russos que gostam de vodca – os mongóis também adoram a bebida.

Nosso destino seguinte foi Tsagaan Suvarga, um solo esculpido pela erosão apresentando diversas cores: branco, vermelho, rosa e roxo. O lugar já foi fundo de mar, fato comprovado pelos fósseis marinhos encontrados ali. Por falar em fósseis, o Deserto de Gobi também é um cemitério de dinossauros. Nele foram encontrados alguns dos mais bem preservados fósseis do mundo, inclusive ovos intactos de 70 a 80 milhões de anos. Vimos alguns exemplares num singelo museu local.

Enquanto admirávamos aquela escultura natural feita pela chuva e pelo vento, um grupo de pessoas que fazia um piquenique na sombra de um carro fez o convite para que nos juntássemos a eles. Cumprimentamos e logo uma mulher estendeu uma bacia de alumínio contendo muitos pedaços de carne assada. Em outra panela havia balas e doces. Não era um piquenique como estamos acostumados, com pão, queijo, frios e bolos. Só havia carne e mais nada – nem um pãozinho para acompanhar, o que comprovou que carne é a principal dieta mongol. Vegetarianos e veganos não devem se sentir bem na Mongólia.

Dalanzadgad foi o ponto mais ao sul do país que chegamos e de lá viramos para o oeste e passamos a acompanhar as altas montanhas Gurvan Saikhan. Vales profundos formados entre as montanhas, por serem muito estreitos, não dão espaço para que os raios do sol penetrem no solo e o gelo acumulado no inverno se mantém no verão. Presenciamos esse fenômeno no Vale Yolyn Am, onde também tivemos a sorte de ver dois ibex (cabra montesa) trepados nos altos paredões. Essas montanhas são habitat do leopardo das neves ou "gato-fantasma", assim chamado por ser arredio, solitário e um dos animais mais difíceis de serem observados na terra. Tanto é, que nós não tivemos a sorte de vê-lo.

À medida que avançávamos, as estradas iam ficando cada vez mais precárias e a velocidade com que as percorríamos reduzia a cada quilômetro. Mas este inconveniente foi compensado quando percebemos a existência de um oásis – era o Khongoryn Els, que literalmente marcava o encontro das dunas do implacável Deserto de Gobi com a água e a vida. As dunas de Khongoryn Els chegam a 300 metros de altura, 12 quilômetros de largura e cerca de 100 quilômetros de extensão. A água proveniente do degelo das montanhas de Gurvan Saikhan, próximas dali, infiltra-se por um lado das dunas (sul) e vai brotar em forma de nascentes no outro lado (norte), formando um oásis. Acampamos no local por alguns dias.

Caminhar sobre as dunas foi uma experiência indescritível. Evitávamos o sol a pino, que deixava a areia muito quente, e subíamos nelas o quanto podíamos. As dunas mais altas são embelezadas por uma crista divisória tão perfeita, que ficávamos com pena de pisar nelas e estragar tamanha obra da natureza. Em alguns lugares as lindas ondas que se formavam pareciam comprovar a existência de um artista plástico divino, criando paisagens tão delicadas.

Essas dunas são conhecidas como "duut mankhan", ou "dunas cantantes". Não é para menos: o vento provoca um doce barulho ocasionado pelo atrito de minúsculos grãos de areia, que são arrastados. Como pode grãos de areia tão pequenos causarem tamanho ruído? É como diz o ditado: uma andorinha só, não faz o verão, mas o aparecimento de milhares delas aponta a chegada do tempo quente.

Coloquei o despertador para levantar cedo. Minha intenção era preparar o paramotor e sobrevoar aquela maravilha. Consegui levantar voo só na segunda tentativa, correndo feito louco para superar a dificuldade da falta de vento, normal nos começos de dia. De tanto correr, quase perdi uma minicâmera que escorregou junto ao suporte preso à minha coxa, parando na ponta do pé. As adaptações que tínhamos para essas câmeras não eram lá tão avançadas tecnologicamente – foram improvisadas em estilo MacGyver, isto é, com uma fita *silver tape*.

Sobrevoei o acampamento como de costume para dar um sinal à Michelle de que tudo estava bem e me dirigi para cima das dunas. Quanto mais ao Oeste, mais altas eram elas. Por ser de manhã, a luz do sol intensificava os tons amarelados de um lado e um alongado contraste de sombra do outro, criando um efeito maravilhoso nas cristas. Fotografei o encontro do verde – onde cavalos e camelos pastavam – com o bege seco e intocado da areia. Registrei lá do alto a vastidão árida desse deserto implacável, as montanhas, as dunas, o reflexo do sol sobre a área alagada, até que, de tão maravilhado que estava, não me dei conta que o combustível acabara e tive que pousar por pane seca quando ainda estava longe do acampamento. A Michelle, que devia estar morrendo de fome, esperando com o café da manhã na mesa, teve que abandonar tudo para vir me ajudar a carregar o paramotor e a vela de volta para o carro. Mas valeu – o que eu carregava no cartão da câmera e na minha memória não tinha preço. E o café teve um gosto especial naquela manhã. Vale a pena usar as coordenadas para ver Khongoryn Els em imagem de satélite: 43.767979, 102.246902.

O rumo agora era o Centro Oeste e para lá tivemos que ter coragem para encarar os cem quilômetros de um deserto inóspito por um caminho que nem mesmo os locais sabiam se haveria passagem ou não. As dunas nos acompanharam em uma parte do trajeto, mas logo começamos a rodar em uma área mais árida e foi ali que pudemos sentir o quão desafiador um deserto pode ser.

Num dado momento, ao seguir uma trilha que cruzava uma região de pequenas dunas e arbustos, nos perdemos. Logo que acabou o rastro, acabaram também as rotas do GPS. A intuição nos mandou continuar por um labirinto de arbustos rasteiros, dentro do leito seco de um rio, mas não havia saída. Um certo perigo pairava por ali: o Deserto de Gobi é a região mais árida da Mongólia; o intenso calor e a escassez de água torna a vida humana impossível.

Não havia ninguém para perguntar o caminho, só gazelas-de-rabo-preto que saltitavam amedrontadas, fugindo à nossa aproximação. É uma sensação muito estranha a de não saber para onde se deve ir quando se está perdido em um deserto. Contar com a intuição nada mais é que uma questão de sorte ou azar. Escolhe-se uma direção e reza-se para não haver acidentes geográficos intransponíveis. Ter que voltar cada vez que se erra resulta em mais litros de combustível consumidos, num lugar sem possibilidade de reabastecimento.

Depois de um bom trecho dirigindo aos trancos e barrancos a uma velocidade média de 10 quilômetros por hora, chegamos a uma planície mais aberta e ali encontramos um rastro. Decidimos segui-lo mesmo não indicando a direção desejada, pois naquele momento, tudo o que queríamos era chegar em alguma estrada. Horas depois, o caminho rumou para o Oeste, mas continuou difícil de trilhar, pois eram muitos os leitos de rios secos provenientes do degelo das montanhas que tivemos que cruzar.

Quando, enfim, o Deserto de Gobi ficou para trás, a água tornou a vida possível e as *gers* e animais passaram a fazer parte do cenário de nossa viagem novamente. O trajeto que liga Bayankhongor e Tsetserleg, cruzando as montanhas Khangai, com seus picos que ultrapassam os quatro mil metros de altitude, é um dos lugares mais lindos onde estivemos na Mongólia. A baixa velocidade, imposta pelas condições do terreno, possibilitou-nos apreciar cada detalhe do caminho. Subimos o vale do rio Tuin e perdemos as contas de quantas vezes tivemos que cruzá-lo dentro d'água.

De tantas espécies de flores silvestres que se espalham pelos campos nessa época do ano, quando eu colocava a segunda marcha, a Michelle demandava de novo: "para! para!, ali tem uma flor que eu ainda não fotografei". O mais surpreendente foi encontrar edelweiss – também conhecida como flor das montanhas – nesse lugar. Até então achávamos que essa flor mística e lendária, símbolo do amor e da vida alpina, existia só nos Alpes. Ela é tão querida na Europa, que além de se transformar no símbolo nacional da Áustria e da Suíça, ganhou sua própria música, no filme A Noviça Rebelde, de 1950 (The Sound of Music). Hoje é proibido arrancar uma edelweiss de seu habitat natural, nos Alpes, mas ali na Mongólia ela floresce em quantidade tal que fica difícil não dirigir sobre as flores.

O passe se sucedeu a 2.686 metros e naquelas redondezas decidimos acampar. Como nosso carro chamava muito a atenção, logo que parávamos recebíamos visitas. Alguns vinham a cavalo, outros em motos. Às vezes sozinhos, outras vezes acompanhados. As palavras eram poucas e a comunicação acontecia por mímica. Nosso carro tinha tudo a ver com a vida nômade dessas pessoas e por isso dizíamos a eles que nós morávamos em uma *ger* sobre rodas. Eles se interessavam por tudo o que tínhamos e não foram poucas às vezes que nos propuseram a troca de seus cavalos pelo Lobo. Numa dessas a Michelle se manifestou e perguntou como ela ficaria na negociação. O mongol gesticulou afirmando que cabiam dois no seu cavalo. Algo interessante dessas visitas era que depois do bate-papo, sem mais nem menos, os mongóis subiam em seus cavalos – que durante as visitas pastavam as edelweiss ao nosso redor – e partiam sem dizer adeus. Nos pareceu rude num primeiro momento, mas como todos faziam isso, nós interpretamos que as formalidades de despedida definitivamente não fazem parte da cultura deles.

Eu gosto é de carne

Os mongóis me lembram um vídeo engraçado da internet no qual a mãe perguntava ao filho se ele gostava mais dela ou do pai – e a resposta era: "Eu gosto é de carne". Se não fosse pela fala em português eu diria que esse vídeo foi gravado na Mongólia. Fiquei imaginando o que aconteceria se os mongóis tivessem a oportunidade de almoçar em uma churrascaria brasileira ou na casa do pai da Michelle, o seu Odenir, que por ter sido açougueiro durante muitos anos, sabe preparar um churrasco como ninguém. Os mongóis certamente iriam à loucura.

A fartura de peixes nos rios e lagos é grande nesse país, pois a maioria dos mongóis não pesca; muitos nem mesmo sabem pescar. Preferem carne vermelha a peixe. Disse-nos um cidadão que peixe é o mesmo que vegetal. Por isso resolvemos tirar a poeira da nossa vara de pesca e quem sabe fritar um peixinho. Fomos a três lindos lagos:

o Terkhiin Tsagaan, o Khar e o Bayan. Os dois primeiros ficaram marcados pela beleza, especialmente o Khar, onde tivemos a sorte de estar num fim de tarde maravilhoso. Sem uma brisa sequer, a água, completamente parada, refletia tudo o que havia ao redor. O inconveniente da calmaria eram os mosquitos, que se aproveitavam das boas condições de voo para nos infernizar.

No lago Bayan nossa experiência foi diferenciada. Nos quatro dias em que acampamos lá tivemos um contato muito próximo com os locais. Começou quando presenteamos umas meninas com ursinhos de pelúcia que ganhamos da filha do Claudio – o brasileiro que conhecemos no Alasca. Achamos que as meninas fariam melhor proveito dos brinquedos do que nós, então os repassamos de uma criança generosa do Alasca para crianças mongóis, que adoraram o presente. Não é uma situação encantadora? Ficamos amigos de três famílias, das quais os homens eram irmãos – G. Batdorj, G. Batsaihan e G. Ganchimeg. Quando andaram de canoa conosco constatamos que apesar de viverem tanto tempo na frente desse imenso lago não possuem intimidade com a água. Quando chegou a vez do irmão mais velho remar, emprestei-lhe um remo, mas logo pedi-o de volta, por causa da sua inexperiência. Ele se atrapalhava e ao invés de remar para a frente, empurrava o remo ao contrário, como se fosse remar para trás. Dava para perceber que estava com medo. Já as crianças fizeram a festa e não queriam mais deixar o barco.

Quanto à pescaria, a sorte virou a nosso favor. Assim que conseguimos uma folga dos anfitriões, a Michelle e eu remamos até onde um pequeno rio deságua no lago e em menos de meia hora pegamos dois belos peixes com mais de dois quilos cada um (talvez exagerei!). Era alimento para várias refeições. Para o almoço convidamos as três famílias para saborear as postas empanadas que a Michelle preparou. Parecia que nunca haviam experimentado peixe na vida – alguns nem sabiam que havia espinhos na carne. O irmão mais velho até que não achou tão ruim, mas o mais novo comia somente a casquinha do empanado (ovo e farinha), dizendo que gostava mesmo era de carne vermelha.

Quando chegou a nossa vez de participarmos de uma refeição em uma das três *gers*, a mulher do irmão mais novo, Ganaa, havia recém matado uma cabra. Como não tinha uma mesa para fazer os trabalhos de limpeza e corte, usou o próprio couro do animal estendido ao chão, como se fosse um tapete. A noite ela serviu uma espécie de cozido de embutidos das vísceras do animal. A comida estava fresca e saborosa, mas muito diferente do que costumamos comer. Da água do cozido foi preparado o arroz e para finalizar, também recheadas com os miúdos, ela serviu-nos Khuushuurs, que são massas fritas muito parecidas com nossos pastéis, porém mais gordurosas. De acordo com seus costumes, os homens são os primeiros a serem servidos – primeiro o dono da casa, depois, em ordem, do mais velho para o mais novo, para somente então servirem as mulheres, da mais velha para a mais nova e, por último, o cozinheiro.

Comemos todos sentados nas camas posicionadas ao redor do fogão a lenha. Reparamos que a carne da cabra, já que não possuem geladeira ou freezer para conservá-la, ficava pendurada na parte interna da parede, para o sangue escorrer ao máximo; assim, imagino eu, a carne durava mais tempo.

Bisbilhotando os vizinhos

Num momento da conversa, após o jantar, eu não sabia onde enfiar a cara. É que não é fácil ter privacidade para ir ao banheiro nesse país, pois os campos são vastos e abertos, sem arbustos ou árvores para se esconder. O jeito é caminhar o mais longe possível e ficar de olho para ver se não há ninguém por perto. Mas como já haviam nos alertado, todo pastor possui binóculos, com o qual monitora seus animais no campo, e, por bisbilhotice ou por não ter o que fazer, vasculha também os vizinhos distraídos. O irmão mais velho da família confessou que naquela manhã, quando eu saí do carro para ir no banheiro (lê-se matinho), observou tudo pelos seus binóculos. A forma que contou a história a todos, como não falava nossa língua, foi por gestos: ele me imitou caminhando, olhando para os lados para ver se alguém não estava vendo, desabotoando o cinto e a calça e por último imitou-me agachando no meio dos capins. Interessante: temos culturas tão diferentes das deles, mas nesse ponto somos todos iguais.

Nossa viagem através da Mongólia estava chegando ao fim. Do lago Bayan fomos até o extremo oeste do país. A paisagem continuou linda: campos verdes, floridos e montanhas altas e nevadas, mas os vales agora eram habitados por cazaques-mongóis, um povo que migrava do país vizinho, Cazaquistão, desde 1840. Eles faziam um bate-volta: passavam o verão na Mongólia e no inverno voltavam ao seu país de origem. Porém após a Revolução Mongol (1921) uma fronteira permanente foi estabelecida e um grupo de cazaques assentou-se definitivamente na Mongólia.

Tivemos sorte em estar no local naquele momento e poder assistir ao festival de maior orgulho nacional – o Naadam. O encontro acontece há centenas de anos para relembrar as antigas tradições da época de Genghis Khan e celebrar a independência da Mongólia. É sobretudo um evento esportivo, onde se competem os três esportes tradicionais – todos relacionados à guerra: luta livre, arco e flecha e corrida de cavalos.

Não é do nosso tempo, mas nas antigas lutas de *telecatch*, na TV brasileira, sempre aparecia um lutador careca chamado Mongol – era o homem mau que desafiava o mocinho Ted Boy Marino e sofria nas mãos dele. Nesse festival, os lutadores mongóis são verdadeiros.

O Naadam é celebrado em todo o país, mas é na capital que as festividades são mais imponentes. Tivemos a oportunidade de participar do evento em três localidades distintas: numa vila remota, em outra de tamanho médio e na capital estadual, Bayan-Olgiy.

As pelejas vêm acontecendo em forma de esporte desde a época de Genghis Khan, que estimulava o treino para manter as tropas em boa forma física e moral. No Naadam de Ulan Bator competem 512 lutadores, que disputam o título em eliminação direta em nove rodadas de dois dias. A luta livre é o esporte mais popular e esperado pelos espectadores e acontece em arenas diante de arquibancadas lotadas.

Os lutadores vestem um tipo apertado de sunga azul bordada, um colete vermelho com mangas e botas bicudas em couro trabalhado. O peito é aberto. É engraçado ver os brutamontes com uma sunga que mais parece a da Mulher Maravilha. Por falar nessa heroína, diz a lenda que o colete é aberto na frente para que as mulheres não possam competir. Parece que no passado uma lutadora ganhou a competição, criando um tremendo mal-estar entre os homens. Hoje em dia, para evitar que um homem apanhe de uma mulher na frente de todos, elas não estão autorizadas a lutar, tampouco conseguem se disfarçar de homem, com coletes abertos no peito.

A regra é simples: o competidor só pode tocar o chão com os pés ou com as mãos. Se o adversário lhe aplicar um golpe que o faça encostar alguma outra parte do corpo no chão, ele é eliminado. Parece uma luta boba quando vemos grandalhões agarrados uns aos outros, rodando em círculos para ver quem derruba o outro, mas os golpes são bem treinados e alguns lutadores chegam a levantar o oponente do chão. É claro que o mais pesado leva vantagem, pois não há regras que limitam o peso dos participantes, como acontece em outros esportes de luta.

Ao final de cada disputa, os adversários cumprimentam-se com um tapa na bunda um do outro e o vencedor dança ao redor do juiz, simulando bater asas, como se fosse uma águia, para que o juiz coloque seu chapéu tradicional, retirado antes da luta. Aquele que vence todas as rodadas é considerado herói nacional, semelhante ao que, no Brasil, são os craques de futebol brasileiro – mas não vamos nos esquecer que "a glória é passageira".

A outra competição é a do arco e flecha. Os arqueiros em trajes típicos (isto é, como se vestem no seu dia a dia), posicionam-se atrás de uma marca e atiram em uma linha de bolas postas no chão. Pela distância do alvo e ação da gravidade, a flecha deve fazer uma parábola e o arqueiro tem que calcular a direção, o ângulo, o vento e calibrar muito bem a força empregada no arco. Parece muito difícil acertar, mas muitos acertam o alvo com precisão.

O terceiro esporte é a corrida de cavalos. Diferentemente do sistema ocidental, onde os trajetos são geralmente curtos, no Naadam a corrida pode chegar a 26 quilômetros, dependendo da idade do animal. A disputa mais importante é entre os cavalos com cinco anos, pois dizem que nesta idade são mais velozes e resistentes. Quanto aos cavaleiros, são crianças com idades entre 5 e 13 anos. A maioria, pelo menos na localidade onde assistimos às provas, monta é no pelo, sem sela para manter o cavaleiro firme em cima do animal. Mas a criançada na Mongólia é valente, aprende a montar desde muito cedo – às vezes até com três anos – e todas crescem junto aos seus cavalos.

Já estávamos a caminho da Rússia, mas uma chuva forte que havia caído naquele dia impediu-nos de cruzar um rio. Não havia ponte no local, então resolvemos acampar na margem e esperar a água baixar. Jantamos carne de cabra e estávamos limpando a cozinha quando ouvimos o ronco de um caminhão vindo em sentido contrário. Olhamos pela janela para saber se iam ou não cruzar o rio cheio e, caso cruzassem, queríamos ver quão profundo era. O motorista tocou direto, sem sequer descer do veículo para analisar a situação e quando entrou na parte mais profunda, o motor morreu. A Michelle ainda falou: "Ixi! Quer ver que o problema vai sobrar pra nós?" Dito e feito: não levou dois minutos e um dos três ocupantes bateu em nossa porta. Sua feição era de desespero e quando desci para falar com ele descobri o que lhe afligia: estava sendo devorado por mosquitos, que logo passaram a me devorar também. Sacudindo o corpo todo para espantar os insetos vorazes, ele suplicou para ajudá-los a sair daquela encrenca.

A Michelle e eu guardamos as coisas para que não caíssem no chão ao deslocarmos o carro e dirigi o Lobo para frente do rio a fim de tentar rebocá-los. Calcei os pneus da frente, fixei o guincho no caminhão e ativei-o para sentir quão pesado o caminhão estava. Consegui puxá-lo, com dificuldade, o suficiente para fazer o motor sair fora d'água. Era um caminhão-tanque e estava carregado com uns cinco mil litros de combustível. O cidadão pediu que eu continuasse puxando, mas parei para não quebrar o guincho ou o Lobo. Estava muito pesado, não tinha como tirá-lo de lá assim. Era preciso fazer o motor funcionar.

Era um caminhão antigo movido a gasolina e a água do rio molhou as partes mais importantes geradoras de faísca, que precisavam estar secas para funcionar. Movimentando o corpo constantemente para espantar os mosquitos, sequei o distribuidor e o platinado e, mesmo assim, o motor não dava sinal de que iria pegar. Foi quando eu me lembrei de ter no carro o faz tudo WD-40 – um produto altamente inflamável. Dizem ser milagroso, bom até para reumatismo. Esguichei na entrada de ar do carburador e no mesmo momento pedi para o motorista dar a partida. Em algumas tentativas o caminhão pegou. Com a força do guincho mais a do caminhão funcionando, conseguimos tirá-lo da enrascada.

Os três homens ficaram tão felizes que um por vez vieram me abraçar. Um deles, acho que o motorista, deu um beijo no capô do Lobo antes de partir. O guincho instalado em nosso carro foi usado em 95% das vezes para ajudar os outros e apenas 5% a nosso favor. Mas como sempre fomos ajudados em situações críticas, era um prazer enorme poder retribuir. Nada é mais recompensador do que você ver alguém que minutos antes estava apavorado, sair feliz da vida por poder seguir o seu caminho graças à nossa ajuda.

RÚSSIA
CAZAQUISTÃO
UZBEQUISTÃO
QUIRGUISTÃO
TADJIQUISTÃO
AFEGANISTÃO

8.
Ásia Central

Cazaquistão, Quirguistão, Tadjiquistão, Uzbequistão, Turcomenistão e Afeganistão. Existem mais alguns países com a terminação "istão", mas os listados são os que pertencem ao que se entende por Ásia Central – nosso próximo destino. A terminação "istão" deriva da língua persa e quer dizer "lugar de morada". Logo, Cazaquistão significa "lugar de morada ou território dos cazaques"; Quirguistão quer dizer "lugar de morada ou território dos quirguizes" e assim por diante. Nós brincávamos quando estávamos na Ásia Central, falando "ondiéquistão"? ou "ondiéquistamos"?, pois esses países eram, até aquele momento, totalmente desconhecidos por nós.

Eu creio que muita gente não sabe o que se passou ou se passa nesses países. A falta de informação decorre do fato de que a maioria – mas não todos os "istãos" – terem pertencido à União Soviética até 1991. De certa forma eles ficaram por muito tempo na sombra da Rússia, ocultados pela Cortina de Ferro. Historicamente, a região foi muito próspera por situar-se num ponto estratégico entre a Europa e a Ásia Oriental, sendo que por ali passava um dos mais importantes trechos da Rota da Seda.

O Cazaquistão é o país mais desenvolvido da Ásia Central e o nono maior em território do mundo. É um país transcontinental, sendo que a maior parte pertence à Ásia e uma pontinha localiza-se na Europa. Mas para irmos até lá, tivemos que ir à Rússia primeiro, pois não há fronteira direta entre a Mongólia e o Cazaquistão. E ao apresentarmos os passaportes com os vistos emitidos em Ulan Bator, o agente da fronteira próximo a Semey, depois de fazer questão de enaltecer o nome do lutador brasileiro Anderson Silva, disse-nos que tínhamos desperdiçado o dinheiro para fazer os nossos vistos: o Brasil e o Cazaquistão haviam firmado relações diplomáticas a fim de favorecer as trocas entre os dois países e, por conta disso, os brasileiros não precisavam mais dessa permissão. Por coincidência foi naquele dia, uma segunda-feira, que a regra passou a valer.

Perigo, território radioativo

Na época da União Soviética, Semey se chamava Semipalatinsk. Não muito longe dali, cerca de 150 quilômetros, generais russos enxergaram a planície desértica e sem graça como um bom local para testes nucleares – a região ficou conhecida como "O Polígono". Durante 40 anos a URSS realizou 456 detonações de bombas nucleares, transformando o lugar no ponto terrestre de maior radiação do mundo, já que infelizmente as autoridades soviéticas nunca tomaram qualquer providência para minimizar os efeitos radioativos para o meio ambiente e a população. A área de testes, mantida em segredo até o desmantelamento da URSS, só ficou conhecida pelo resto do mundo quando autoridades do Cazaquistão divulgaram a sua situação crítica. A escolha de um local inóspito para a realização dos testes não impediu a exposição da radiação aos 1,5 milhão de moradores da região.

A União Soviética deixou sequelas irrecuperáveis no Cazaquistão, pois além dos testes nucleares, eles conseguiram destruir a sua cultura ancestral nômade ao forçar seus habitantes a trabalharem nas fazendas coletivas, transformando as extensas estepes em campos agrícolas.

Felizmente, aos poucos, o Cazaquistão recupera economicamente parte do estrago feito pelos russos, alugando a eles o Cosmódromo de Baikonur por alguns milhões de rublos. Esta é a primeira e a maior base de lançamentos de foguetes do mundo. Foi construída pela União Soviética em território cazaque e passou a pertencer a esse país após a queda do regime. Foi lançado de lá o primeiro satélite artificial, o Sputnik 1, e partiu de lá o astronauta Yuri Gagarin, o primeiro ser humano a viajar no espaço. Também foi no deserto do Cazaquistão que o brasileiro tenente-coronel Marcos Pontes pousou depois de ir ao espaço na "Missão Centenário", que comemorou o aniversário de cem anos do voo de Santos Dumont no avião 14-bis.

Dubai das Estepes

Com receio da radiação deixada pelos russos, dirigimos quase que sem fazer paradas por 700 quilômetros, até chegarmos a Astana. E quanta surpresa tivemos ao ver tanta modernidade no meio do nada. A cidade, assim como Brasília, foi projetada para ser a capital do país e pela extravagância de suas construções ganhou o apelido de "Dubai das Estepes".

Um ano após a sua inauguração, em 1997, seus governantes convocaram arquitetos e urbanistas de renome internacional a participar de um concurso para desenhar o traçado da nova capital. O vencedor, o japonês Kisho Kurokawa, junto aos demais idealizadores, foi arrojado nas suas concepções. De 1998 para cá a cidade explodiu, com a construção de belos arranha-céus em estilo futurístico. Gostamos demais desse lugar, que é vibrante e com muita vida. É agradável caminhar no calçadão ao final do dia por entre obras de arte e opções de entretenimento. Andamos em ônibus circulares e ficamos admirados com seus pontos de parada equipados com wi-fi e aquecimento no inverno. Dinheiro para essas melhorias e até para um pouco de ostentação o país tem e é proveniente dos seus recursos naturais: urânio, cromo, chumbo, zinco, manganês, cobre, carvão, ferro, ouro, diamantes, petróleo e gás natural.

Estando em Astana tem-se a impressão de que a vida ali segue às mil maravilhas. Porém, basta uma conversa com os cazaques para perceber que a situação não é bem assim. O presidente Nursultan Nazarbayev conseguiu realmente alavancar o crescimento do país, mas seguiu o caminho inverso da democracia: seu governo mais se parece com um modelo ditatorial. Ele assumiu o poder após a queda da União Soviética em 1991 e governou até março de 2019, isto é, ficou 28 anos no poder. Em julho de 2007 o parlamento promulgou uma lei que deu a ele poder e privilégios vitalícios, bem como imunidade jurídica e o direito de interferir na política dos futuros presidentes. Críticos afirmam que Nursultan se tornou um presidente vitalício de fato, mesmo que o presidente atual, que tomou posse no dia 20 de março de 2019, seja Kassym-Jomart Tokayev. Aqui faço uma correção: quando estivemos na cidade, ela se chamava Astana, mas depois da renúncia de Nazarbayev, um dia antes da posse do atual presidente, ela passou a se chamar Nursultan – seu primeiro nome.

Brasileiros no meio das estepes

Ao sul de Astana, ou melhor, ao sul de Nursultan, situa-se Karaganda. No meio de vastas estepes não parece um lugar comum para se encontrar brasileiros, mas aconteceu: topamos com os amigos Wilson Ramos Filho e Francisco Proner Ramos, que já havíamos encontrado no México e nos EUA durante esta viagem. O encontro foi planejado, pois eles também viajavam pela Ásia Central na mesma época em que nós. Fran (Francisco) nos deixou felizes ao nos presentear com um livro publicado sobre a viagem que fez junto ao seu pai Wilson e sua irmã Bárbara pelas Américas. Chama-se Nossa Grande Viagem. Esta família querida deu-nos o privilégio de escrever o prefácio deste livro.

Maçãs pelo caminho

Muitas estradas do Cazaquistão estão sendo construídas ou renovadas. Grandes melhorias para o futuro, mas enquanto as obras não ficam prontas, os deslocamentos são lentos e cansativos; há muitos buracos e desvios pelo caminho. Para chegar no sul deste país imenso levamos vários dias.

Ao nos aproximarmos das montanhas que demarcam as fronteiras com os vizinhos Quirguistão e Uzbequistão, a monotonia das estepes deu lugar a uma paisagem mais interessante. Ficamos encantados ao vermos, depois de muito tempo, frutas em abundância sendo vendidas à beira da estrada.

Visitamos Taraz, Shymkent e Sayram, cidades antigas que fizeram parte da antiga Rota da Seda. Sayram possui três mil anos. Na estrada para Taraz levamos um grande susto. Seguíamos em direção Leste e onde estávamos a estrada fazia uma curva para a esquerda. Para um caminhão que vinha em sentido contrário, a curva pendia para a direita. Eu acredito que o motorista do caminhão tenha dormido no volante, pois passou reto, avançando em nossa direção. Rápido, desviei bruscamente e consegui evitar um acidente grave. Creio que passamos por milímetros um do outro. O motorista que vinha logo atrás de nós foi ligeiro também e jogou seu carro para o acostamento. O do caminhão só acordou ou percebeu seu erro quando sentiu que saiu no acostamento do outro lado da pista. Esses são os riscos de quem está na estrada. Não é suficiente cuidar apenas de nós – devemos estar atentos aos outros também. A isso dá-se o nome de direção defensiva.

Em seguida fomos para Almaty, a antiga capital do país. Apesar de não ser mais a capital desde 1997, Almaty ainda é a maior, a mais desenvolvida e a mais diversa, culturalmente falando, do Cazaquistão. Por situar-se à beira de montanhas, o turismo de inverno atrai esportistas de todas as partes do mundo. Para nossa surpresa, as maçãs que vimos sendo vendidas em baldes têm sua origem nas proximidades dessa cidade. Almaty, na língua cazaque, significa "maçã". Há relatos de que Alexandre, o Grande, já havia encontrado maçãs no Cazaquistão em 328 a.C.; nós só em 2018.

Os verdadeiros espetinhos de gato

O Cazaquistão, em nossa opinião, é um forte concorrente do Brasil, Argentina e Uruguai no quesito carne de boa qualidade. As que experimentamos eram macias e saborosas. São vendidas em diferentes formas, sendo o *shashlik* o mais comum. No mercado municipal de Almaty descobrimos o segredo dos sabores: muito capricho no cuidado com o alimento. Há carne para todos os gostos: gado, carneiro, cabra, cavalo, porco e galinha. E são vendidas separadamente, por departamentos. Como há mais vendedores do que fregueses, a atenção com o corte e a ambientação são essenciais, ao ponto de que as toalhas brancas postas sobre a mesa para expor a carne são trocadas diversas vezes durante o dia. Isso é para evitar que o pano fique vermelho com o sangue escorrido. Dava gosto ver como os vendedores tratavam a carne com todo o carinho, ajeitando-a cuidadosamente de tempos em tempos nas mesas de venda.

Shashlik é um prato comum em toda Ásia Central. É feito com carne de ovelha ou cabra. Podemos compará-lo ao nosso espetinho, mas a carne é intercalada com vegetais e pedaços de pura gordura de carneiro, cortada da parte traseira do animal (isso é algo que não vemos na espécie de carneiro no Brasil) e, conforme nos contaram, essa gordura é mais cara que a própria carne. A Michelle batizou os animais de carneiros tanajuras.

Almoçamos no mezanino de um restaurante que servia comida local e, de repente, vimos uma cena que nos fez correr um certo risco ao desobedecermos uma regra local: fotografias não são autorizadas dentro do mercado. Por estarmos no alto, atrás de um balcão onde algumas mulheres vendiam frutas – tão coloridas quanto seus vestidos tradicionais e seus lenços de cabeça – vimos uma vendedora, em pleno horário de trabalho, deitar-se para tirar um cochilo embaixo do balcão, num lugar onde os fregueses não a viam, apenas os que estavam no mezanino. Achamos a cena formidável e não teve como não infringir a regra.

Ficamos em Almaty uma semana, pois tínhamos trabalho a fazer: compras, manutenção no carro, internet e vistos. E no fim de semana fizemos como muitos locais – subimos uma alta montanha para fazer piquenique e acampar. Havia muita gente ao nosso lado, com quem fizemos amizade. Conversamos, jogamos vôlei e constantemente éramos presenteados com muita carne e outras comidas de nossos vizinhos de acampamento.

O último lugar que conhecemos no Cazaquistão, talvez um dos mais bonitos, foi o Cânion Sharyn. Situa-se na extremidade sudeste do país, próximo à divisa com o Quirguistão e a China. A chuva e as águas do rio Sharyn trataram de escavar a rocha frágil e avermelhada, criando um cânion maravilhoso. Dessa vez eu dirigi o Lobo por entre as formações, enquanto a Michelle ficou no alto do cânion filmando e fotografando tudo. Ela fez isso muitas vezes durante a viagem. Das planícies desérticas cazaques subimos abruptamente para as montanhas quirguizes, evidenciando um contraste tremendo entre os dois países em se tratando de natureza.

A sonhada casa do lago

O Quirguistão foi o primeiro país da Ásia Central a se tornar independente da União Soviética e, como os seus vizinhos, herdou um sistema autoritário e antidemocrático. Duas revoluções seguidas – a das Tulipas em 2005 e a de 2010 – depuseram os presidentes. Foram acusados de abuso de poder, nepotismo e corrupção, além de repressão da oposição e da população. Na economia, a extração do ouro representa quase a metade do PIB do país, mas ele é forte também em agricultura, pecuária e apicultura.

Nos primeiros cem quilômetros já dá para perceber a forte presença dos apicultores. O curioso é que as caixas de abelhas são coloridas e ficam empilhadas sobre caminhões e carretas estacionadas nas bordas das matas. Normalmente há alguém por ali acampado, ao lado das abelhas, para vender o mel fresquinho, direto da fonte.

Logo chegamos a um lago cujas proporções precisam ser respeitadas. Chama-se Issyk-Kul (Kul significa lago em quirguiz) e é o décimo maior lago em volume de água do planeta, o segundo maior lago salgado e o sétimo mais profundo. Embora se situe a uma altitude de 1.607 metros do nível do mar, onde o inverno é rigoroso, suas águas não congelam – daí o significado do seu nome: Lago Quente.

Por possuir diversas praias, o lago foi uma ótima pedida para alguns dias de descanso, onde fizemos belos acampamentos. Pernoitamos em quatro lugares diferentes, sempre a poucos metros das suas águas cristalinas, onde nos banhamos diversas vezes. O extraordinário do Issyk-Kul é a vista que se tem dele, pois margeia as montanhas Tian Shan (montanhas celestiais), que passam de sete mil metros de altitude. Nos acampamentos, tendo água, sol e tempo de sobra, aproveitávamos para organizar o carro, fazer faxina, lavar roupa e estender tudo ao sol para que nossa habitação voltasse a cheirar bem.

Uma caminhada de tirar o fôlego – literalmente

As montanhas são tão bonitas que resolvemos dar uma folga de três dias para o nosso carro a fim de desvendar as belezas das altitudes a pé. Em Karakol, pegamos informações, encontramos um lugar seguro para estacionar o Lobo, ajeitamos as mochilas e de lá partimos pelo vale com destino ao lago Ala-Kul, um lugar que nos fascinou pelas fotos que a moça do centro de informações nos mostrou.

O percurso todo, segundo a jovem, seria de sete horas no primeiro dia, oito no segundo e apenas três horas no terceiro, quando chegaríamos num povoado onde poderíamos tomar um ônibus de volta para a cidade. Não precisávamos levar barraca, disse ela, já que para o primeiro pernoite há um refúgio de montanhismo e para o segundo chegaríamos em uma vila, onde poderíamos ficar numa pousada. O porquê de não seguirmos seu conselho, não sei; só sei que a decisão foi acertada: levamos a barraca, o fogareiro e comida para todo o percurso.

O primeiro dia até que foi assertivo – caminhamos 14 quilômetros, em sete horas. No início da jornada acompanhamos um rio de águas claras que percorre uma floresta de coníferas. Nos 2,5 quilômetros finais, porém, a trilha ficou tão íngreme, que tínhamos dificuldade para subir, com tantas pedras soltas. Mas a cada metro que vencíamos, com os nossos joelhos quase bambos, entendíamos por que os montanhistas gostam tanto das alturas: o esforço é 100% compensado com a paisagem, que fica cada vez mais bonita. Chegamos próximo ao refúgio ainda em tempo de armar a barraca antes da chuva. Jantamos macarrão instantâneo com atum, um banquete para as condições que nos encontrávamos, depois capotamos em nossos sacos de dormir. O tal refúgio, que cheguei a conhecer, além de estar lotado, estava imundo. Infelizmente o povo local não tem o costume de levar o lixo de volta consigo. A ascensão nesse dia foi de 916 metros e, assim, chegamos aos 2.966 metros de altitude ao nível do mar.

O segundo dia era para ser o mais longo, mas não imaginávamos que seria tão extenuante, pois a previsão era de apenas uma hora a mais do que a caminhada do dia anterior. Enquanto a barraca secava ao sol, tomamos um bom café da manhã e ajeitamos as coisas. Depois gritei para a Michelle: "para cima e para o alto!". Mas o entusiasmo durou pouco, pois a trilha que se seguiu era uma subida intensa que parecia não ter fim. Após duas horas e meia olhei para baixo e fiquei decepcionado: o acampamento ainda estava em nosso campo de visão. A imagem fez parecer que o dia não estava rendendo. E não estava mesmo, pois já passava do meio-dia quando chegamos ao lago Ala-Kul e a distância percorrida malmente alcançara os dois quilômetros, de tão acentuada a inclinação.

Quando passamos a escalar a encosta de uma montanha coberta por pedregulhos que contornava o lago pelo seu lado esquerdo, avistamos ao longe o que ainda tínhamos pela frente: mais subida, e muita. Deu três da tarde no relógio e ainda estávamos subindo. Uma consulta ao GPS nos informou que em cinco horas caminhadas, isto é, sem considerar as paradas para fotografar e comer alguma coisa, havíamos percorrido apenas 4,5 quilômetros dos 15 previstos. Nossa média até ali tinha sido de menos de um quilômetro por hora e nesse momento cheguei à conclusão de que a jovem do centro de informações definitivamente não havia percorrido aquela trilha, senão não diria que não era necessário levar barraca. "O lugar é animal, mas a subida é bruta" – tirei isso de nosso diário de anotações.

Ao chegarmos ao passo da montanha, a 3.939 metros de altitude, fomos agraciados com uma vista que ninguém, por mais crítico que fosse, encontraria defeito. De um lado, o grande lago Ala-Kul, com suas águas esverdeadas, fruto do degelo de um glaciar que ao fundo contrasta com as montanhas rochosas que o rodeiam; para completar, o cenário desponta com outras elevações, das quais destacam-se picos nevados de cinco a seis mil metros de altitude. Do outro lado há um vale imenso, seco, cortado por um rio de degelo e manchado por acúmulos de neve remanescentes do último inverno. Apesar de impressionante, apavoramo-nos ao olhar o caminho que deveríamos seguir – uma trilha em declive reconhecível por quilômetros de distância. A vila Altyn Arashan, na qual pretendíamos pernoitar, sequer aparecia em nosso campo de visão.

Comemos dois chocolates Snickers para repor a energia e iniciamos a inevitável descida com deslizamentos perigosos pelo caminho. Nas oito horas estimadas pela jovem, percorremos apenas sete quilômetros, menos da metade do percurso proposto. Não tínhamos como seguir adiante – nossas pernas já não respondiam mais. Paramos e armamos o acampamento em um lugar ao lado de um rio – habitat de muitas marmotas. Ainda bem que nos restavam dois pacotes de miojo, mas dessa vez o complemento de atum ficou só no desejo. À noite choveu e esfriou muito, pois estávamos a mais de três mil metros de altitude. A cobertura da barraca amanheceu congelada. Pouca coisa para quem já tinha passado pelo inverno siberiano.

No terceiro dia, cansados do que já havíamos encarado até ali, começamos a caminhar cedo. Tínhamos 23 quilômetros até o ponto de ônibus, tendo que descender cerca de 1,5 mil metros. Haja joelho para tudo isso, pois o que era para ser um caminho fácil, de apenas três horas, levou nove. E olha que não somos novatos nesse tipo de travessia.

O pior dessa parte da caminhada foi o clima criado entre nós, o que nos fez caminhar mudos por um bom trajeto. A Michelle queria me matar – e com razão. Por falta de atenção, entrei num rio com uma minicâmera e o celular, que usávamos como GPS, no bolso. Conto a origem do mau humor dela: em determinado momento, sem nos darmos conta, havíamos passado de uma ponte e, ao consultar o GPS, vi que teríamos que voltar uns bons quilômetros a fim de cruzá-la. Teimoso, decidi cruzar o rio ali mesmo. A Michelle alertou: "não cruze!"; eu respondi: "cruzo!" E, quando vi, já estava dentro d'água com os preciosos equipamentos no bolso. Tentamos consertá-los noutro dia na cidade, mas nunca mais voltaram a funcionar de forma normal.

Apesar de tantas dificuldades, a caminhada valeu. Faríamos tudo de novo, mesmo sabendo o quanto iriam doer as pernas e os joelhos. Aprendi também que ao cruzar qualquer rio devo dar uma olhada nos bolsos antes de cair na água. A propósito: a Michelle já voltou a falar comigo.

Jogos Mundiais Nômades

Jogar basquete a cavalo onde a bola é um carneiro morto, caça de lobos e raposas com o uso de aves de rapina, competição de arco e flecha em pé ou a cavalo, montagem de tendas, lutas, jogos de estratégia em que se usam ossos de cabras como dados, corridas de cavalo e de cachorro, dentre outros tipos esquisitos de esportes.

Por estarmos em viagem, perdemos a oportunidade de assistir às Olimpíadas no Brasil em 2016, mas os Jogos Mundiais Nômades 2016 no Quirguistão, com direito aos esportes mencionados, não perderíamos por nada, até porque as competições aconteceram em Cholpon-Ata – no lado oposto do lago Issyk-Kul, onde fizemos a caminhada –, bem na época em que passamos por lá. Esse sim foi um lance de sorte. Quando chegamos, a cidade já estava lotada. Além dos turistas e do povo local, 40 países estavam inscritos e, para nossa surpresa, o Brasil participava com alguns lutadores.

A primeira competição a que assistimos foi bizarra e um pouco chocante para os que não estão acostumados. Trata-se do *kok-boru*, uma competição semelhante ao basquetebol, mas jogada em cima de cavalos. Pode-se comparar também ao polo e há quem diga que se parece mais com o rugby, por ser um jogo duro, quase sem regras e muitas pancadas. Conta a lenda que este esporte surgiu quando os campesinos tinham que caçar os lobos que atacavam os seus rebanhos de cabras e carneiros. Também dizem que o jogo foi desenvolvido para testar a habilidade dos cavaleiros em agarrar uma cabra ou um bezerro do chão com as mãos em pleno galope.

Hoje, para a competição, utiliza-se uma cabra morta sem cabeça, que chega a pesar em torno de 30 quilos. Cada time é composto de seis cavaleiros. Eles devem pegar a cabra posta ao chão sem descer do cavalo, o que demanda muita força, elasticidade e técnica por parte dos competidores. Aquele que conseguir pegar a "bola" deve levá-la e atirá-la numa espécie de ponto marcado no campo do oponente. É como se ele fosse fazer uma cesta de basquetebol. A comparação com o rugby se dá nessa hora, quando todo o movimento é dificultado pelo time adversário, que em cima de seus cavalos faz o máximo para tirar-lhe a cabra das mãos. O esporte mais parece uma batalha entre tropas do que uma disputa saudável entre times diferentes. E ainda dizem que o nosso futebol é violento. Assistimos a duas partidas: a primeira entre um estado da Rússia contra os Estados Unidos e a segunda entre o Afeganistão e outro estado russo. Quem levou o ouro desta vez foi o time da casa, o Quirguistão.

Nos jogos de luta havia diversas modalidades e a que chamou mais a nossa atenção foi a do *mass-wrestling*. Consiste numa espécie de cabo de guerra com os dois combatentes sentados no chão com os pés separados por uma tábua e segurando um mesmo bastão. Imagine uma mesa de pingue-pongue – a tábua substitui a rede e a mesa é onde os lutadores se sentam. O objetivo do jogo é puxar o oponente para o seu campo ou fazê-lo soltar o bastão. Alguns brasileiros participaram dessa modalidade, além de países como a Noruega, EUA e outros que não têm nada a ver com a vida nômade.

Houve outras seis categorias de artes marciais, algumas com roupas tradicionais, folclóricas. Percebemos que a Ásia Central e alguns países do Leste Europeu, como o Quirguistão, Cazaquistão, Armênia, Azerbaijão, são muito fortes em lutas. Essa tradição faz com que conquistem muitas medalhas nessas modalidades nas Olimpíadas. Foi provavelmente por isso que o agente aduaneiro do Cazaquistão, quando entramos nesse país, lembrou-se de Anderson Silva e nem mencionou Pelé ou Neymar, nomes de brasileiros que normalmente ouvíamos durante a viagem.

As raposas vivas deixaram de ser utilizadas nas caçadas das águias a pedido dos órgãos de proteção aos animais. Hoje usam-se iscas de pele de raposa amarradas na ponta de uma corda e puxadas por um cavalo para simular os animais correndo pelo campo. Com o arrasto da pele, a águia-real é estimulada a levantar voo, agarrar a presa e voltar ao ombro do seu dono. Todo esse movimento tem que acontecer dentro de um determinado tempo.

No arco e flecha havia modalidades praticadas em pé e em cima de cavalos a galope. Os competidores trajavam roupas típicas conforme sua região ou país, sendo que alguns do Leste Europeu nos lembraram atores dos filmes de Robin Hood.

Vimos as corridas de cachorro e de cavalo, mas como são muitas as modalidades e essas acontecendo ao mesmo tempo, ficou difícil acompanhar todas. A mais divertida foi a da montagem das casas nômades – as *yurts*. Os times são compostos por seis pessoas e a cada vez cinco times diferentes competem. Uma equipe bateu o recorde erguendo e finalizando uma *yurt* em dez minutos e dez segundos.

Províncias do Quirguistão e alguns outros países montaram *yurts* na área do evento como forma de estandes. Ali apresentaram suas culturas: comidas tradicionais, danças, música, teatro, entre outros. Um verdadeiro espetáculo. O vale onde tudo aconteceu foi tomado por centenas de barracas nômades.

Cada coisa em seu lugar...

A capital Bisqueque serviu-nos para tirar o visto de entrada do Uzbequistão e resolver mais algumas pendências, dessas que só se consegue em cidades grandes. Dali tocamos na direção Sul em busca de mais belezas naturais, já que as montanhas Tian Shan representam 80% do território quirguiz. São tantas as montanhas nessa faixa de terra que o Quirguistão é considerado o segundo país com maior altitude do mundo, estando a uma média de 2.988 metros acima do nível do mar. Seu vizinho ao Sul, o Tadjiquistão, o próximo país da nossa lista de visita, é o primeiro, com uma altitude média de 3.186 metros.

Pelo relevo montanhoso, as curvas nas estradas serpenteiam as encostas dos vales íngremes e parecem intermináveis. Geralmente os passos acontecem entre os três e quatro mil metros de altitude. Por causa desta geografia, muitas estradas são transitáveis apenas no verão. Em um determinado ponto da viagem, saímos da rodovia principal e subimos por uma via precária, cheia de erosões, que nos levou para mais um lugar extraordinário: o lago Song, localizado a três mil metros de altitude e rodeado por pastos verdes repletos de animais e pássaros. Ao fundo, mais montanhas e todas muito altas.

Entre os passeios a pé e uma volta de canoa no lago, raso e espelhado, conhecemos uma família nômade que nos convidou para visitar a sua *yurt*. Entramos, cumprimentamos a todos e logo foram postos sobre um tapete estendido ao chão: pão, geleia, nata, chá e *kymyz* – o leite de égua acidificado e fermentado, feito em bolsas de couro especiais, onde fica curtindo num período de até três semanas. Essa é uma bebida tradicional da Ásia Central, mas não muito saborosa para quem a experimenta pela primeira vez. O pão, a geleia e a nata estavam frescos e deliciosos. A recepção cordial do casal e das crianças nos fez sentir em casa. Como escreveu o poeta Manuel Bandeira: "O meu dia foi bom, pode a noite descer. Encontrará lavrado o campo, a casa limpa, a mesa posta, com cada coisa em seu lugar".

Explicaram-nos os nossos anfitriões que passam as temporadas de verão ao redor do lago para que seus animais aproveitem os bons pastos das altitudes. Esse tempo dura cerca de três meses e já estava na hora de se prepararem para descer – o verão estava por terminar.

Quando nós descemos do lago da montanha, fomos encontrando pelo caminho mais pastores e seus enormes rebanhos de ovelhas voltando para casa. Foi lindo ver os animais levantando poeira na estrada, quase nos impossibilitando a passagem, a marcha lenta e gostosa. Esse é o tipo de congestionamento que pode demorar. Ao mesmo tempo em que nos dava uma sensação de paz e harmonia, o retorno ao lar dos pastores e seus animais nos entristecia um pouco – era sinal de que o frio se aproximava.

Desta cidade anciã três mil anos vos contemplam

Chegamos a Osh, uma das cidades mais antigas do mundo. Os locais têm orgulho em dizer que Osh é mais antiga do que Roma – estima-se que ela existe há mais de três milênios. Fomos ao grande bazar ao ar livre, um lugar onde se faz comercio há mais de dois mil anos. Como curiosidade: a palavra bazar deriva do persa *bāzār* ou *baha-char*, que significa "lugar dos preços". A cidade, durante muito tempo, ficou conhecida pela produção de seda e foi importante parada da Rota da Seda. O mongol Genghis Khan (mencionado no capítulo sete) também passou por lá e deixou o seu rastro habitual de destruição.

Depois das compras, fomos a um restaurante tradicional, daqueles onde o freguês senta com os pés cruzados descalços sobre grandes almofadas, tendo uma mesa baixa para ser servida a comida. Saboreamos o tradicional *shashlyk* e *lagman* – macarronada caseira acompanhada de molho de carne e vegetais. Participar do dia a dia da cidade proporcionou-nos uma gostosa sensação de ter feito parte dessa história milenar.

Ao nos aproximarmos da fronteira com o país vizinho, o Tadjiquistão, logo após uma daquelas curvas cegas, fechadas, que ao terminar abre-se uma paisagem à frente, ficamos literalmente de queixo caído – e olha que já vimos muitas paisagens deslumbrantes por este mundo a fora. Ali, nas proximidades da vila Sary-Tash, na fronteira entre o Quirguistão e o Tadjiquistão, as montanhas altas e nevadas da Cordilheira Pamir, com picos nevados acima dos sete mil metros, deram um show aos nossos olhos.

Seguimos o vale pela direita por dezenas de quilômetros, ainda em território quirguiz. O objetivo era um só: admirar a maravilha geológica do lugar e curtir a última experiência neste país. Deixamos o carro e caminhamos 12 quilômetros entre ida e volta até a base do Pico Lenin, com 7.134 metros de altitude e pertencente à Cordilheira Pamir. Este pico está entre os mais fáceis de serem escalados entre os de sete mil metros – por isso é uma das montanhas com esta altitude mais exploradas por aventureiros de todo o mundo. Como a temporada já havia acabado, aquela beleza toda estava praticamente só para nossos olhos.

O TETO DO MUNDO

Foi irritante fazer os trâmites de imigração com os nada confiáveis oficiais tadjiques para nos legalizarmos e podermos transitar livremente pelo Tadjiquistão. A corrupção, lamentavelmente, é uma prática cotidiana em parte dos países da Ásia Central e nessa aduana isso ficou ainda mais evidente. Altas taxas são inventadas na hora, não são fornecidos recibos ou comprovantes e pagamentos ficam sem o devido troco. No lado tadjique da fronteira entre o Quirguistão e o Tadjiquistão cheguei a perder as estribeiras. Irritei-me com os oficiais, mas em vão, pois no final os portões só se abriram quando pagamos tudo da forma que eles queriam.

Mas havia uma razão para estarmos ali: a estrada que se iniciava, chamada M41 na época da União Soviética e mais conhecida como Rodovia Pamir, é considerada uma das rodovias mais bonitas do mundo. É um caminho usado por séculos, tendo inclusive feito parte da Rota da Seda, já que não havia muitas possibilidades de se atravessar a Cordilheira Pamir senão pelos vales que ali se iniciavam. É nessa estrada que se encontra o passo centro asiático mais alto – 4.665 metros.

É fascinante dirigir por entre altas montanhas. Acima dos três mil metros a natureza mostra um solo árido com pouca vegetação. Como é baixa a umidade do ar e não existe poluição nem queimadas (mesmo porque não há muito o que queimar), a visibilidade é excelente.

Dizem os tadjiques que pelo baixo movimento de carros na rodovia esse é um dos melhores lugares para se avistar os raros carneiros Marco Polo (Argali), um animal que só habita as altas montanhas. O nome foi dado porque o explorador e mercador veneziano Marco Polo, que andou pela região por volta do século 13, mencionou sua existência no livro As Viagens de Marco Polo. Ele relata ter visto um carneiro com grandes chifres encurvados e, por ter sido o primeiro europeu a citar o animal, este ganhou o seu nome. É a maior ovelha selvagem do planeta, conhecida principalmente pelos seus longos chifres em espiral. O maior chifre encontrado media quase dois metros. Seu principal predador é o leopardo das neves, que também pode ser visto nesta rodovia, mas o observador deve ter a sorte de um ganhador de Mega-Sena.

Vez ou outra parávamos para vasculhar o entorno com o uso de binóculos e tentar ver um carneiro desses, mas não tivemos sorte. É compreensível, pois para ficar longe de predadores, este animal habita os lugares de mais difícil acesso entre as montanhas. Ele se camufla com eficiência, uma vez que as cores de sua pelagem variam de amarelo claro para cinza marrom-escuro, quase iguais às das rochas que o protegem.

Enquanto dirigíamos por aquela estrada alta e inóspita, nosso GPS deu-nos uma interessante informação: por pouco não fizemos com que a trajetória de nossa primeira volta ao mundo se cruzasse com a da segunda. Estávamos a cerca de 150 quilômetros em linha reta da Rodovia Karakoram, situada no Paquistão, percorrida por nós até a fronteira da China em maio de 2008. Pela ótima visibilidade do ar seco daquela altitude, que pode passar dos cem quilômetros, olhávamos para as montanhas na direção do Paquistão e imaginávamos se alguma delas, por ventura, já teríamos visto pelo lado oposto, ou seja, de lá para cá. Foi uma sensação maravilhosa – boas memórias voltaram à tona daquele pedacinho ermo do planeta.

Há dois lugares na parte alta da Rodovia Pamir que atestam serem essas terras de fato espetaculares. O primeiro fica no sentido de Rankul, cidadezinha que fica próximo à China. No caminho até lá, ao lado esquerdo, há dois lagos salgados: Shurkul e Pangkul. Repletos de pássaros, seu imenso espelho d'água reflete as montanhas ao fundo. Ao lado direito, destoando completamente do resto da paisagem, brotam da terra rochas avermelhadas por entre as quais se pode dirigir. Estimei que tivessem entre 300 e 400 metros de altura. Rodeados pelos paredões altos, nossos gritos ecoavam naquele labirinto. No céu, aproveitando a ascendente e as térmicas formadas no solo, abutres voavam contemplando as melhores vistas, talvez uma das mais bonitas de toda a Ásia Central. Se quisessem voar para a China, poucos minutos de planeio já bastariam. Difícil foi escolher o local para acampar naquela noite – se no meio das rochas ou de frente para o lago.

O outro lugar que nos fascinou foi o lago Bulunkul, situado a 3.774 metros de altitude, onde acampamos alguns dias. Ao amanhecer, se puséssemos as fotos que tiramos de ponta-cabeça, somente olhos bem atentos diriam que estariam viradas, tal perfeito era o espelho d'água que refletia a paisagem. O desenho da rocha refletida causa uma sensação da imagem representar uma borboleta de asas abertas.

Se a rodovia americana Rota 66 (Route 66) é conhecida no mundo dos motociclistas, a Rodovia Pamir se tornou a Meca dos ciclistas. Gente do mundo inteiro, especialmente europeus, vem ao Tadjiquistão para percorrê-la pedalando, carregando consigo barracas para se proteger das noites frias das montanhas. Cruzamos com muitos ciclistas, mesmo já tendo se encerrado a melhor estação.

Se existisse um troféu para os ciclistas mais inusitados, os que o mereciam ganhar seriam um pai e uma mãe com três filhos percorrendo a rodovia em duas bicicletas. Eram australianos e já estavam conhecidos na região, pois qualquer pessoa com quem conversávamos perguntava se havíamos cruzado com eles. O pai levava duas crianças em uma carretinha puxada por sua bicicleta e a mãe carregava a terceira em algo similar. As crianças eram pequenas e, pela grande distância entre uma cidade e outra, passavam várias noites consecutivas em barracas. Para isso tinham que levar suprimentos suficientes. Que exemplo de vida essa família nos deu, especialmente porque as crianças são muitas vezes usadas como desculpa para as pessoas deixarem de correr atrás de seus projetos mais audaciosos.

Logo depois de cruzarmos com os australianos, deixamos a Rodovia Pamir e dirigimos para outra estrada, uma que queríamos muito conhecer. Apesar de estar em piores condições, temos que reconhecer que foi um dos caminhos mais bonitos que já percorremos em nossas vidas. Refiro-me ao Vale Wakhan, que define o encontro das Cordilheiras Pamir e Hindu-Kush – um vale profundo rodeado por diversas montanhas nevadas. Cortando o vale corre o rio Pamir, que após juntar-se com o rio Wakhan, passa a se chamar Panj. Eles demarcam a fronteira do Tadjiquistão com o Afeganistão.

Um sonho para ser guardado a sete chaves

O primeiro contato que tivemos com o Afeganistão foi quando pudemos observar algumas das suas montanhas ao longe (talvez a 30 quilômetros de distância), ao passar pelo vizinho Paquistão. Aconteceu em 2008, quando dirigimos pela rodovia Karakoram. Estando nós lá, certa noite, na cidade paquistanesa Quetta, aconteceu um fato que nos marcou de forma profunda: enquanto jantávamos com outros viajantes, inesperadamente dois aviões caça sobrevoaram nossas cabeças. Voavam tão baixo que fizeram tudo tremer – até o chão. Perguntamos, boquiabertos: "o que foi isso"? Responderam: "Guerra, meus caros, são aviões militares indo bombardear o Afeganistão".

Guerras não nos fascinam, muito pelo contrário, mas temos corações de viajantes – quanto mais vemos, mais queremos ver. Aquele acontecimento despertou em nós uma curiosidade imensa em conhecer como era a vida no Afeganistão; como vivem seus habitantes em meio a tanta instabilidade e combates. Ficamos com o desejo de ver de perto o dia a dia dessas pessoas, onde e como moram, do que vivem e, especialmente, como é a vida das crianças. Em meio a tanto barulho e ameaças, será que vão para a escola?

O tempo passou e seis anos mais tarde, quando juntávamos informações para definir o trajeto da nossa segunda viagem, descobrimos que um pedacinho do Afeganistão seria seguro e possível de ser visitado. Nossos olhos brilharam com a descoberta, mas mantivemos o sonho a sete chaves, pois sabíamos que poderia gerar polêmica na família. Combinamos que quando chegássemos à Ásia Central confirmaríamos se aquela informação continuava verdadeira ou não e, se fosse, arriscaríamos a ida para lá.

Como a nossa viagem era muito longa, no começo foi fácil conviver com esse desafio, mas à medida que nos aproximávamos do Afeganistão crescia em nós o temor de andar por um país em guerra. Para entender, basta olhar as notícias internacionais. Décadas de guerras fizeram com que o país se tornasse um dos mais perigosos do mundo. Estávamos em 2016, os talibãs agiam com força total e não havia mais tropas estrangeiras por lá.

A capital Cabul e outras cidades importantes estavam "protegidas" pela força do governo, porém os acessos entre elas, as estradas que ligam umas às outras, estavam tomadas pelos talibãs. Pessoas como nós, estrangeiras, eram frequentemente alvos de sequestros e atentados, pois são verdadeiros trunfos em suas mãos. Um embaixador afegão revelou a um amigo viajante que havia mais de cem estrangeiros mantidos em cativeiro naquele momento. Também lemos o depoimento de um talibã na internet dizendo que se estrangeiros fossem ao Afeganistão era melhor que chegassem muito bem escoltados.

Mas o lugar que desejávamos conhecer aparentava ter uma realidade diferente. Trata-se de um braço de terra situado no nordeste do país, que se estende por 350 quilômetros até a China, tendo ao norte o Tadjiquistão e ao sul o Paquistão. Vendo no mapa fica mais fácil de entender. Basta digitar, no navegador, "Wakhan, Afeganistão" e buscar a opção "mapas". O lugar é remoto, de difícil acesso e não há muito o que possa interessar aos guerrilheiros.

O nosso plano, então, era dirigir pela Rodovia Pamir no Tadjiquistão e descer pelo Vale Wakhan até chegar em Khorog, onde solicitaríamos o visto afegão. Encontraríamos uma pousada na cidade para deixar o carro e seguiríamos em transporte público para o Afeganistão pela fronteira entre Eshkashem (Tadjiquistão) e Ishkashim (Afeganistão), cidades que se situam logo no começo desse braço. De lá, de táxi, seguiríamos até Sarhad, de onde partiríamos para uma caminhada de oito a dez dias (ida e volta) para conhecer o povo quirguiz que vive na Pamir Pequena às margens do lago Chaqmaqtin. Ouvimos falar que é um dos povos mais isolados do mundo em termos geográficos e políticos.

O que nos aconteceu foi semelhante ao planejado, mas com pitadas de emoção provocadas por situações que jamais pensamos que pudessem acontecer conosco. Ao chegarmos ao Vale Wakhan e ver as terras do Afeganistão tão próximas, do outro lado do rio, a distância do arremesso de uma pedra, nossos corações apertaram. É lindo e maravilhoso tanto do lado tadjique quanto do lado afegão. O lado tadjique é mais desenvolvido, mas mesmo assim o povo ainda vive de forma rudimentar, usando a força animal para os trabalhos agrícolas. Seus habitantes são extremamente carismáticos. Não temos a lembrança de, em nenhum outro lugar do planeta, precisarmos acenar as mãos cumprimentando as pessoas tantas vezes por dia.

Antigas civilizações já habitaram este vale. No lado tadjique ainda existem fortificações usadas para proteger a região. O forte Yamchun, construído no século 12, é um exemplo e ainda preserva boa parte de suas muralhas. Por situar-se na parte alta, possui uma das vistas mais incríveis. Sentados sobre pedras remanescentes empilhadas há 800 anos, contemplamos três países ao mesmo tempo: o Tadjiquistão, onde estávamos; o Afeganistão, do outro lado do rio; e o Paquistão, pelos seus picos altos, a meros 15 quilômetros de distância ao Sul.

Para relaxar desse "lugar estressante", a poucos metros do forte brotam águas termais onde foram construídas as termas de Bibi Fatima, onde pudemos nos banhar. A piscina dos homens é separada da das mulheres, dando assim a possibilidade de todos banharem-se nus. Foi engraçado, pois não imaginamos que os tadjiques, tão tradicionais, que vivem da lavoura e gado, fossem liberais nesse aspecto. A Michelle conta sua experiência:

> *Em um vale estreito entre duas montanhas de rocha foi construída uma estrutura simples – um quadrado de concreto frio e sem graça, sobre um rio congelante que corre entre as pedras. À primeira vista as termas de Bibi Fatima parecem pouco atrativas. Entrei no vestiário feminino devagarinho, sem saber como me portar num lugar desses em país muçulmano, receosa principalmente sobre o que vestir. Mas deparei-me com um ambiente descontraído, com mulheres nuas saindo animadas. Tirei minhas roupas também, pendurando-as num cabide comunitário, e desci para o ambiente de banho.*
>
> *Ao abrir a porta parecia estar entrando no paraíso. Não havia teto e, em meio a uma nuvem de vapor, a luz natural iluminava a encosta da montanha de onde escorria para dentro de uma piscina a água quente e cristalina. O efeito é fantástico: o calcário calcificado deixou a parede toda escultórica e ali se formaram três estalactites gigantes, por onde jorra a maior parte da água. Além das formas, a cor verde do calcário e dos musgos é agradável aos olhos. Naquele dia tive aquele lugar exótico somente para mim.*
>
> *Noutro dia voltei às termas e dividi o ambiente com um grupo de mulheres que, curiosas, vieram conversar. No pouco que nos entendemos, descobri que as tadjiques acreditam que aquelas águas potencializam a fertilidade. "Se uma mulher quer engravidar, basta visitar Bibi Fatima", diziam. Mostraram-me um buraco na parede, uma espécie de minicaverna com cerca de 1,5 metro de profundidade de água. Era o buraco da fertilidade. Quem tiver a intensão de engravidar deve entrar na caverna natural e beber a água e, segundo elas, em pouco tempo estará esperando um filho.*
>
> *Elas queriam a todo custo me colocar lá dentro. Relutei, não só*

porque engravidar não estava nos meus planos naquele momento, mas porque sofro de pressão baixa e poderia até desmaiar num ambiente tão pequeno e quente como aquele. No inverno, na cidade onde moramos – São Bento do Sul –, às vezes me pego sonhando com as termas de Bibi Fatima.

As vilas tadjiques situam-se por onde descem os afluentes entre as montanhas. A possibilidade de água por perto faz com que a natureza, que na região é desértica e acinzentada, transforme as redondezas, gerando campos verdejantes, repletos de árvores e agricultura. As casas de pedra e barro parecem bem cuidadas e as pessoas, por adorarem cores, transformam o entorno em uma festa. Mulheres e crianças vestem roupas multicoloridas e os homens exibem o brilho do ouro em seus dentes.

Almoço entre amigos durante a colheita

Eis um exemplo da inocência das crianças locais: em Langar queríamos comprar pão. Por ser uma vila desolada, onde as famílias vivem do que plantam e produzem, não havia vendas. Perguntamos a uma menina, que saiu correndo com um sorriso no rosto para logo nos trazer pão fresquinho, feito em casa. Cobrou dez somonis, o que era caro se comparado ao valor que geralmente pagávamos por um pão naquele país, mas aceitamos, afinal cada um faz o seu preço e compra quem quer. Quando íamos pagar, um menino mais novo, possivelmente o irmão, corrigiu-a imediatamente: "Não! Não!", sinalizou ele, "custa só cinco somonis", indignado com a irmã por ter cobrado dez. Ela não teve saída e nos cobrou cinco. Creio que depois ela teve que se explicar à mãe e o menino deve ter levado uma bronca por interferir na negociação.

Tivemos a sorte de percorrer este vale em uma época do ano muito bonita, quando as comunidades trabalhavam de forma coletiva na colheita do trigo. Além do trabalho braçal dos homens, 80% da força usada ainda é animal. Vimos alguns tratores estacionados em ladeiras e barrancos para facilitar a ignição (pegar no tranco), pois são máquinas antigas, cujas baterias já não seguram mais carga.

Passamos por Tuggoz justo quando um homem estacionava seu trator ao lado da estrada. Ele nos fez um sinal como se quisesse algo. Paramos para ver se precisava de ajuda, mas com um sorriso reluzente, em dentes de ouro, fez-se entender que nos oferecia chá. Estacionamos e o seguimos até o trigal e lá fomos apresentados a outros trabalhadores que pararam o que estavam fazendo para nos olhar da cabeça aos pés. Um menino foi enviado como mensageiro para informar as mulheres em casa que preparassem o chá. Ao menos foi isso que entendemos... Engano nosso: o pouco do idioma russo que aprendemos não foi suficiente para compreender que estávamos sendo convidados para um saboroso almoço, junto aos novos amigos. Uma senhora forrou o chão com uma toalha e serviu em uma grande frigideira o prato típico da Ásia Central, o *plov*, algo similar ao nosso risoto. Ele é frito na gordura do carneiro e a verdura que nunca pode faltar é a cenoura, que deixa um leve sabor adocicado. Sentados no chão e em sacos de trigo, saboreamos com aquelas pessoas simples, e ao mesmo tempo sofisticadas em seus costumes, uma comida maravilhosa. Todos comendo da mesma panela, tendo apenas uma colher para cada um.

O chá foi servido após o almoço, mas somente nós o tomamos, os outros homens preferiram vodca. É a cultura local harmonizar esse prato com a bebida. Terminamos a visita levando a criançada para dar uma volta no Lobo e depois eu fui intimado a dirigir o trator para debulhar o trigo.

Mas a farta hospitalidade tadjique não nos fez esquecer o desejo de conhecer o outro lado do rio – ainda mais quando começamos a enxergar os primeiros afegãos. "Veja, Michelle, há pessoas vivendo lá!", comentei fascinado. Era óbvio que pessoas viviam lá – que pensamento tolo o meu... Mas aquilo representava uma coisa muito distante para nós, parecia que o Afeganistão pertencia a outro mundo e isso nos deixava enfeitiçados.

Será que costumes e tradições conseguem cruzar um rio que delimita uma fronteira? Continuamos margeando o rio Panj e logo uma cena nos deixou com os corações partidos e nos trouxe a resposta: no lado tadjique, crianças e mulheres cuidavam de seus animais e faziam algazarra, ao mesmo tempo em que na margem afegã, a menos de 30 metros de distância, dois meninos assistiam ao movimento sentados na barranca em completo silêncio. Talvez quisessem estar ali com os outros, talvez sonhassem em se tornar amigos para poder brincar. Tão perto, tão longe. Outro lado, outro mundo. Não importava a pequena distância, nem se o rio era raso e fácil de atravessar, tratava-se da fronteira entre Tadjiquistão e Afeganistão e a patrulha de ambos países anda fortemente armada. Que mundo interessante: somos nós, os seres humanos, que colocamos barreiras para nós mesmos; não a natureza ou uma ação divina.

Passamos por Eshkashem e por fim chegamos a Khorog – a capital de Gorno-Badakhshan. Essa é uma região autônoma que exige uma permissão especial (GBAO) para ser visitada. Nós a emitimos junto com o visto para esse país. A propósito, o visto para o Tadjiquistão também teve que ser especial, pois tinha que compreender duas entradas, já que nosso plano seria sair por algumas semanas para conhecer o Afeganistão.

O segundo dia em Khorog foi decisivo para o nosso sonho. Fomos ao Consulado Geral da República Islâmica do Afeganistão para ouvir de pessoas credenciadas informações sobre a segurança em seu país. Ouvimos: "O Vale Wakhan no Afeganistão está livre de talibãs". Pronto, era o que queríamos ouvir. Ao entregarmos nossos passaportes para fazer o visto, a atendente perguntou nossa intenção, pediu-nos uns minutos e voltou com um balde de água fria. Disse que não nos daria o visto, pois não havia registros, nem informações, de como proceder com passaportes brasileiros. Nos mais de dez anos em que ela trabalhava lá, jamais havia emitido um visto para um brasileiro, então não sabia nem quanto cobrar. Por um instante enxergamos nosso sonho se desintegrar, mas não desistimos tão rápido. A Michelle fez uma expressão igual ao gato de botas do filme Shrek, dizendo: "Puxa! Nós carregamos esse sonho desde que saímos de casa, há mais de dois anos!" A atendente nos olhou com pena e se comoveu, dizendo baixinho que se não falássemos para ninguém iria nos cobrar o mesmo que a maioria das outras nacionalidades e o visto ficaria pronto ainda naquela manhã. Só tivemos alegria maior quando fomos autorizados a cruzar a fronteira em nosso próprio carro. Estimamos que, pelo alto custo do táxi no Afeganistão, devido às péssimas estradas e baixíssimo fluxo de veículos, poderíamos economizar uma boa grana, mesmo que pagássemos taxas extras de aduana para o carro. Nosso dia estava ganho.

Ali na embaixada, por coincidência, conhecemos um inglês chamado Jonny Duncan, que também solicitava visto para o Afeganistão. Antes de saber se podíamos ir de carro, combinamos com ele que iríamos dividir o custo do táxi naquele país. Quando soubemos que poderíamos ir de carro, o inglês fez a mesma cara de coitado que a Michelle havia feito, só que para nós, implorando por uma carona. Jonny acabou indo conosco.

O local onde íamos no Afeganistão possui baixíssima infraestrutura, por isso estocamos nossa despensa e a geladeira antes de sair de Khorog. Dirigimos até Eshkashem, ainda no lado tadjique, e cruzamos para Ishkashim, no lado afegão, tendo que cumprir as burocracias aduaneiras e de imigração no meio do caminho. E quando os portões da fronteira do Afeganistão abriram-se, a emoção se confundiu com a razão. Apesar de ser um de nossos grandes sonhos, não podíamos negar que estávamos entrando em um dos países mais misteriosos da atualidade. Sabendo das condições de segurança, estávamos angustiados.

Sistema de rastreamento via satélite

Informamos sobre nossa ida ao Afeganistão por meio de nosso website e eu tenho certeza de que, assim como nós estávamos preocupados, deixamos os que nos acompanhavam via internet da mesma maneira, especialmente familiares e amigos próximos. Escrevemos que todos que tivessem interesse podiam seguir nossos passos através do sistema de rastreamento via satélite que levávamos conosco, o SPOT, que enviava, a cada intervalo predeterminado, uma mensagem para nosso site e marcava um ponto num mapa com nossa última localização. Uma facilidade extra que esse dispositivo disponibiliza é um sistema de chamada de emergência chamado GEOS, que através de um Centro Internacional de Coordenação de Resposta de Emergência pode ser utilizado em casos extremos, quando a vida do usuário pode estar em risco. Este último benefício, porém, não tem cobertura em seis lugares do mundo e o Afeganistão é um deles, além da Chechênia, República Democrática do Congo, Iraque, Somália e Israel (West Bank, Gaza e Territórios Ocupados).

Acontece que, por ironia do destino, no momento em que entramos no Afeganistão a anuidade do serviço de rastreamento venceu e ao invés de nos ajudar, enviando a informação de que estávamos em movimento e supostamente bem, ele causou um sufoco para os que decidiram nos seguir, pois estagnou logo na primeira cidade da fronteira e o ponto no mapa ficou parado por 16 dias.

O povo local não conseguiu esconder a admiração ao ver nosso carro subindo a ladeira de chão batido. Pelo tamanho dos seus olhos parecia que viam uma nave espacial. Nós também os olhávamos admirados, pois bastou cruzar a ponte sobre o rio Panj para tudo mudar. Os homens vestiam o que nós apelidamos de pijamões: roupas de linho leves e soltas e que combinadas com coletes e paletós os deixavam elegantes. Sobre a cabeça 90% deles usavam um chapéu chamado *pakol*, que mais parece um pão afegão virado. As poucas mulheres que vimos circulando cobriam-se com burcas azuis com um véu em frente aos olhos para que nada delas aparecesse em público. Pela quantidade de pessoas nas ruas, ficou evidente que o comércio era o que impulsionava a economia da cidade.

Estacionamos em meio ao bazar e saímos em busca de permissões da polícia e do exército, exigidas no caminho para Sarhad. Como a cidade é pequena, um morador que falava inglês veio ao nosso encontro e se colocou à disposição. Ele trabalhava como guia e sabia como e onde fazer as permissões, que foram escritas à mão – nada de computadores. Enquanto aguardávamos, deixamo-nos levar pelo movimento, tiramos fotos, trocamos dinheiro e compramos alimentos frescos.

Ao passar em frente a uma fabriqueta de fogões a lenha feitos de latão, alguns artesãos, movidos pela curiosidade, convidaram-nos para entrar e tomar chá. O convite também foi motivo para fazerem uma pausa em meio ao trabalho. Os sorrisos daqueles homens baixos, magros e barbudos estendiam-se de orelha a orelha e o chá, servido com leite, estava uma delícia. Sabendo que o costume local segrega as mulheres, a Michelle, discretamente, ficou do lado de fora e aproveitou a oportunidade para registrar aquele momento mais que inusitado. Mais tarde ela tirou uma foto minha em meio à outra turma vestida com seus trajes típicos. De tão barbudo que eu estava, ela brinca até hoje que o único detalhe que me entregava não ser também um afegão era que eu usava sandálias havaianas. Até um chapéu *pakol* eu usava – havia comprado para levar de lembrança.

Sempre usávamos essa técnica para nos aproximar das pessoas: procurávamos nos portar e vestir como os locais. A Michelle usava lenço sobre a cabeça, mangas compridas e roupas soltas que não demarcassem seu corpo. Alguns países exigem isso das mulheres e como diz o velho ditado: “Quando em Roma, aja como os romanos”.

Ao lado da fabriqueta havia uma marcenaria, onde meninos de

uns 15 anos ou até menos trabalhavam fazendo esquadrias. Um deles vestia uma calça social bem folgada e, no lugar do cinto, amarrou uma fita verde de plástico. Todos ficavam envergonhados com nossa presença e riam à beça.

Nosso almoço foi *plov* em um restaurante local. Sentamos no chão e comemos com as mãos. Os grãos de arroz servidos naquele prato eram longos, saborosos e a carne muito macia. Eu falei para a Michelle que antes de voltarmos ao Tadjiquistão deveríamos comprar alguns quilos daquele arroz para abastecer nossa despensa.

Quanta pedreira

No início da tarde iniciamos o árduo deslocamento para Sarhad por um vale, que ao longo de milhares de anos foi se transformando em um imenso depósito de pedra. São de todos os tipos e tamanhos, oriundas das montanhas altas que o rodeiam. Volta e meia encontrávamos também grandes e profundas valetas produzidas pelos riachos que descem lá do alto. Por mais devagar que andássemos, o carro levantava uma poeira fina que se deslocava mais rapidamente que nós, entrava pelas janelas e criava uma desconfortável situação. Não é uma estrada para amadores e impacientes. Para rodar 210 quilômetros levamos dois dias e meio. Talvez seja por isso que ouvimos dizer que no Vale Wakhan, sem considerar a cidade Ishkashim, existem apenas quatro carros. Mulas são os melhores meios de transporte para esse tipo de terreno.

Os encontros que tínhamos com os locais pelo caminho colaboravam para manter o nosso ritmo lento, pois ao acenar para alguém recebíamos de volta um sorriso tão sincero que nos comovia. Percebíamos que os acenos vinham do coração, de pessoas de uma pureza e inocência sem igual. Era divertido quando encontrávamos um grupo de crianças e pedíamos para fotografá-las: imediatamente assumiam pose de orgulho e seriedade, como as fotos das famílias brasileiras de antigamente.

As mulheres que vivem no campo não se cobrem com burcas como as da cidade, pois pertencem a uma etnia diferente – os chamados Wakhi. Usam lenços para cobrir as cabeças e se vestem da forma tradicional abusando das cores e adornos compondo imagens bonitas e elegantes. Mesmo com as peles ressecadas e surradas pelo sol, ar seco, frio das altitudes e falta de produtos para os cuidados corporais, os afegãos são um povo bonito. Seus traços são fortes, selvagens, rústicos e, ao mesmo tempo, de uma delicadeza que impressiona o visitante no primeiro encontro. Uma grande parte das pessoas possui olhos verde-oliva intensos e marcantes. Dos países que visitamos no mundo nenhum apresenta um povo com olhos tão penetrantes. A cor verde predomina, mas existem também alguns com olhos azuis claros.

Como na região o serviço médico é escasso, cada vez que parávamos alguém vinha nos pedir remédios. Faziam gestos de que estavam com dor de cabeça, de estômago e um senhor chegou a nos pedir óculos, pois já não enxergava bem. Mas percebemos que algumas ONGs estão trabalhando para melhorar o padrão da vida local e há muitas escolas ao longo caminho. O Ministério de Relações Exteriores da Noruega aproveitou alguns anos de estabilidade política na região (antes de 2008) e ajudou a desenvolver melhorias na infraestrutura para o turismo. Foram criadas pousadas e restaurantes, mas com o reaparecimento dos talibãs os turistas sumiram e toda a estrutura ficou subutilizada. No ano em que estávamos lá, 2016, o Vale Wakhan recebeu apenas cem estrangeiros e no ano anterior, metade disso.

Sarhad é a última vila do vale e marca o término da estrada. Está localizada em uma planície rodeada por montanhas tão lindas que se nossa viagem tivesse sido somente até lá já teria valido a pena. O cenário é maravilhoso: casas de barro, mulheres trabalhando em tarefas rotineiras, homens conduzindo animais de carga e compenetrados nas suas plantações. Tudo acontece ao mesmo tempo em meio a uma belíssima luz que reflete no vale e rebate no alto das belas montanhas.

As crianças corriam em nossa direção e nos acompanhavam curiosas. Muitas com brinquedos improvisados, como aros de arame e pequenas rodas. Uma menina pequena que usava um lenço vermelho na cabeça quase cobrindo seus olhos calçava um sapato diferente do outro. Seu rosto, manchado de sujeira, deixava evidente que banho não fazia parte do dia a dia.

Na vila fizemos os últimos preparativos para a longa caminhada que nos levaria através da região da Pamir Pequena até aquele povo isolado – a terra dos quirguizes. Tivemos que nos organizar bem, pois durante a metade dos nove dias de percurso teríamos que ser autossuficientes em alimentação e abrigo (barraca). Contratamos dois burrinhos para carregar os pertences e com eles veio o dono, o

Kadan, um tipo gente fina muito bem quisto nos lugares por onde passamos.

Caminhando por nove dias

A trilha começou com uma forte subida. Partimos dos 3.300 metros em relação ao nível do mar e atingimos 4.235 metros já no primeiro dia. Logo depois descemos para 3.500 metros. No caminho, além de uma paisagem de tirar o fôlego, descobrimos que teríamos agradáveis companhias. Como o inverno se aproximava, fomos encontrando dezenas de quirguizes e seus iaques (bois da montanha) andando em caravanas. Iam buscar provisões para a temporada do frio: arroz, açúcar, utensílios domésticos, roupas, botas, esquadrias, madeira, entre outras. Esse comércio, nos explicou um estrangeiro que conhecemos em Ishkashim, funciona como um escambo. Comerciantes afegãos se deslocam para o lago Chaqmaqtin durante o verão para preencherem seus blocos de pedidos junto aos quirguizes e na volta já trazem animais como cabras, carneiros e iaques, que pegaram como forma de pagamento. Depois voltam para suas cidades, de onde despacham de caminhão as mercadorias compradas até Sarhad, onde são armazenadas até o outono, quando os quirguizes vão buscá-las.

Isso nos fez lembrar das histórias antigas contadas pelos nossos pais e avós, quando em nossa região quase não havia carros e o transporte acontecia em carroças e em lombo de animais. Levavam dias para chegar às cidades com maior infraestrutura. Depois dessa experiência no Afeganistão podemos dizer que vivenciamos um pouquinho desse passado.

É preciso ressaltar que não há acesso ao lago por estradas, sendo um dos motivos do isolamento desse povo. Para se chegar lá leva-se pelo menos quatro dias a pé. Já em caravanas de iaques demora-se ainda mais, pois os viajantes precisam guiar animais, muitas vezes desobedientes. Vimos um iaque se desprender da manada e cruzar o rio. Um quirguiz teve que atravessar as águas gélidas com seu cavalo para buscá-lo e isso atrasou a caravana por algumas horas. Um iaque leva até 100 quilos em mercadorias enquanto um cavalo suporta meros 40 quilos – e o ritmo dos animais carregados é lento.

Diversas caravanas vão e voltam e os viajantes se abrigam, durante as noites frias, em pequenas casas de pedra que eles mesmos constroem pelo caminho. Essas casas são equipadas apenas com um fogão a lenha rudimentar – nada mais. Tivemos a experiência de dormir nesses abrigos, compartilhando o mesmo teto com eles, quando o frio era mais intenso. Os inconvenientes para quem não está acostumado são a fumaça, a poeira e o cheiro do ópio que alguns fumam. O ópio é produzido a partir de um suco resinoso obtido da papoula, originária dessa região. Aliás, o país é um grande produtor desta droga, que possui ação analgésica e por isso por muito tempo foi utilizada como sedativo e tranquilizante. É potencialmente viciante – é dela que se deriva a heroína.

O segundo dia começou com um susto. Enquanto ajudava o Kadan a amarrar a bagagem nos burrinhos, escutei a Michelle gritar: "cuidado com a pedra!". Como nosso acampamento foi ao lado de uma montanha, um iaque que passava pelas partes altas deve ter pisado em falso, desprendendo uma pedra, que rolou em nossa direção como um tiro de canhão e passou a poucos metros de onde estávamos. Nesse segundo dia a caminhada foi linda e extenuante, mas nada comparado às subidas, descidas e planícies que percorremos no terceiro dia, quando o percurso levou mais de dez horas.

Já estava escuro quando paramos para pernoitar em uma pequena comunidade Wakhi. Estávamos tão cansados que não conseguíamos dar um passo além. Jantamos arroz acompanhado de carne de ovelha, que eu não sei se foi pela fome ou cansaço, mas foi a melhor carne que já comi. A Michelle disse o mesmo. Nem sempre tivemos a sorte de ter carne. Boa parte das refeições foram arroz branco e pão acompanhado de chá de leite de iaque. Não foi à toa que perdemos vários quilos neste período.

No quarto dia deveríamos ter chegado ao lago, mas um imprevisto aconteceu. Parece que em todos esses anos de viagem nós ainda não aprendemos que é importante (e algumas vezes imprescindível), levar o passaporte consigo. Deixamos os documentos no carro, acreditando que lá eles estariam mais bem protegidos. Afinal, estávamos indo para as montanhas, para acampar em um dos lugares mais remotos da Terra. Passaporte para quê? O que não contamos é que aquele lugar fica numa zona de fronteiras sensível entre quatro países. Ao Norte, a apenas 12 quilômetros, faz fronteira com o Tadjiquistão e ao Sul, a apenas 8,5 quilômetros, com o Paquistão; a China dista cerca de 40 quilômetros ao Leste.

Demos de cara com um posto de controle militar na vila de Bazai e de pronto o comandante local nos solicitou a carta de permissão que deveríamos ter recebido do comandante de Sarhad. Aí havia mais um problema: o comandante de Sarhad não sabia ler nem escrever, então como desculpa, disse-nos que não precisaríamos da tal permissão. Ficamos sabendo mais tarde que esse cara era um ex-talibã, que se rendeu às forças governamentais em troca de um posto na polícia. Vai explicar isso como, se não falávamos dari – a língua afegã? Bom, já que não tínhamos a carta, os militares nos solicitaram os passaportes. "Cadê"? "Não trouxemos". "Como assim"? Os oficiais ficaram indignados, mas eram jovens, educados e estavam procurando uma forma de nos ajudar. Levaram-nos a uma tenda, que servia como sua base, e ofereceram-nos chá enquanto estavam tentando fazer contato pelo rádio com o ex-talibã de Sarhad. Na TV assistiam a filmes de Bollywood. Minutos mais tarde, sem mais nem menos, pediram para sairmos do posto, montarmos a nossa barraca a uns 100 metros, em meio à ventania e ao frio, e esperarmos por instruções.

Agimos conforme nos pediram e logo que entramos na barraca começou um movimento estranho naquela estação militar. Um soldado corria para cá, outro para lá, vestiam os uniformes, ajeitavam tudo e o motivo ficou claro quando vimos cinco carros militares surgindo no horizonte. Três eram enormes e desconhecidos por nós. Outro era um Toyota Land Cruiser e o último um Hummer. Quando chegaram, muitos militares desembarcaram. Primeiramente cumprimentaram-se e fizeram as formalidades, mas não demorou para que um deles, que parecia o chefão, viesse em nossa direção; era o comandante dos comandantes, como eles o chamavam, o que foi perceptível pelo tamanho do seu bigode. E a história dos passaportes voltou à tona. Tentamos nos explicar, mas o tal comandante não nos dava ouvidos. Estava furioso. Fez questão de mostrar que até ele levava consigo seu documento. Começaram em seguida a vir os outros soldados e, quando nos demos conta, estávamos rodeados por uns vinte homens armados. O guia dos burrinhos, o Kadan, estava com os olhos arregalados de pavor.

Agora, pasmem. Isso não é algo que se vê todos os dias: nem todos os militares eram afegãos. Os afegãos eram a maioria (os que chegaram nos carros blindados grandes), mas os que chegaram na Land Cruiser eram chineses e no Hummer eram tadjiques. Não entendemos muito bem, mas parecia uma operação em conjunto que agia contra os traficantes de ópio da região. O melhor entendimento que tivemos foi com um oficial tadjique, que era muito educado e falava russo. Nós pelo menos falamos russo melhor que dari e foi nesse momento que a Michelle aproveitou para fazer aquele drama que já tinha dado certo lá na embaixada, dizendo que esse era nosso sonho e coisa e tal para tentar comovê-los. Gostaríamos de ter fotografado a confusão, mas não tivemos coragem: já os chineses não perderam tempo: tiraram *selfies* o tempo todo, especialmente com a Michelle.

A história terminou com a ordem do comandante superior afegão de desmontarmos a barraca, buscarmos abrigo em uma das casas de pedra da vila, pois estava fazendo muito frio, e noutro dia voltarmos para Sarhad, de onde viemos. Sem passaportes não estávamos autorizados a seguir em frente. Seu tom de voz fez com que aquele encontro terminasse e todos voltaram para seus postos. Tristes, mas ilesos, engolimos seco e começamos a desmontar a barraca. Naquele ponto tínhamos que nos dar por satisfeitos por não termos sido presos em função de estarmos sem os documentos pessoais. No dia seguinte teríamos que iniciar o longo caminho de volta.

Depois que os cinco carros partiram, quando já estávamos alojados no abrigo de pedra, os oficiais locais que nos receberam em sua tenda vieram nos visitar. Pediram desculpas pelo acontecido e deram-nos o recado que podíamos seguir para o lago, com a condição de que voltássemos no mesmo dia. Não entendemos muito bem, mas ficou no ar que o comandante superior, na frente dos outros militares, precisava cumprir seu papel de autoridade, mandando-nos voltar para Sarhad, porém na estação, entre os seus, acabou suavizando a ordem e pediu para que o oficial nos desse a boa notícia. Cheguei a dar um abraço nele, de tão contente que fiquei.

Noutro dia, o quinto da caminhada, saímos cedo para termos tempo de ir e voltar. Não tínhamos mais bateria no GPS para medir com precisão a distância percorrida, mas segundo o mapa devemos ter caminhado cerca de 30 quilômetros entre ida e volta, tudo acima dos 4 mil metros de altitude. E ainda nevou e ventou, o que dificultou nosso avanço.

No caminho, ao lado de um abrigo abandonado, havia um crânio com chifres intactos do animal que tanto procuramos por essas montanhas – o carneiro Marco Polo. Segurei-o em frente à minha cabeça e pedi para a Michelle tirar uma foto. Se o Lobo não estivesse a cinco dias de caminhada, creio que o levaria como lembrança.

Assim que avistamos o lago Chaqmaqtin, bateu-nos uma sensação gostosa de realização. Parece que quanto maior a dificuldade em se atingir uma meta, mais gostosa é a conquista. Fazia muito frio e ao nos aproximarmos de uma comunidade quirguiz fomos convidados a nos abrigarmos em uma *yurt*, onde conhecemos uma família desse povo nômade e hospitaleiro. Afinal, não fora por eles que encaramos todo esse desafio?

A família estava vestida tradicionalmente, todos tinham olhos puxados e estatura baixa. O homem da casa ostentava uma barbicha e usava um chapéu de pele estilo russo. As mulheres vestiam-se com trajes coloridos, usavam muitas bijuterias e, no lugar de lenço ou chapéu, usavam algo alto e de formato arredondado na cabeça, coberto por um véu. Missangas e botões eram utilizados para adornar os vestidos. A *yurt* era rudimentar, mas organizada de uma forma agradável. O fogão ficava no centro e uma pequena área de cozinha separava-se do resto do ambiente com um tecido decorado, onde ficavam pendurados os utensílios domésticos. Boa parte do perímetro estava ocupado por caixas metálicas e pilhas de cobertores coloridos. Sentamos no chão sobre tapetes e bebemos chá de leite de iaque acompanhado de pão com nata. Sem dúvida, o chá mais saboroso que já tomamos – uma espécie de recompensa por termos persistido nesse sonho por tantos anos.

A comunicação com nossos anfitriões foi difícil, mas o sorriso prevaleceu no rosto de cada um dentro daquela *yurt*. Sabíamos que estávamos entre amigos e que éramos bem-vindos. A chance que tivemos de conhecer essa cultura tão pura, tão intocada e diferente da nossa, mesmo que por tão pouco tempo devido à imposição dos militares de voltar naquele mesmo dia, nos fez refletir por meses sobre aquele momento, pois parecia que havíamos retrocedido cerca de 80 anos na História, como se tivéssemos embarcado em alguma máquina do tempo.

Um dia, numa exposição de fotos que fizemos no Brasil, um senhor me perguntou: "Por que você viaja o mundo se nem conhece o Brasil direito?". Ora, a resposta está exatamente nas oportunidades que temos de conhecer gente de culturas tão diferentes e passar por momentos de tão grande realização. Por mais que o Brasil seja diverso, é um país evoluído e todos falam a nossa língua. É a nossa casa, nossa zona de conforto. No Afeganistão não; lá, tanto as dificuldades como as recompensas são exponencialmente maiores.

E por que há um povo quirguiz vivendo no Afeganistao? Os quirguizes, como povo nômade, desde o século 18 migravam no verão em busca de pastagens para seus animais. Em 1917, no entanto, quando aconteceu o movimento da Revolução Soviética (ou melhor, em 1922, quando o Quirguistão passou a integrar a União Soviética), quirguizes que estavam fora de suas terras tiveram a opção de ficar ou voltar para sua terra natal. Algumas famílias decidiram assentar-se definitivamente às margens desse lago.

Até quando esse território vai permanecer remoto e intocado como está é uma incógnita. O próprio governo afegão negocia uma fronteira com a China na extremidade do corredor para intensificar o comércio. Se isso acontecer é certo que uma rodovia asfaltada irá substituir as trilhas por onde andamos e os caminhões passarão a fazer o trabalho dos iaques. Feliz ou infelizmente, isso é fruto do desenvolvimento. As pessoas geralmente preferem o progresso, que traz mais saúde, segurança, conforto, mas nós continuaremos torcendo para que essa estrada não se torne realidade. Egoísmo de nossa parte? Pode ser, mas essa seria a única forma dessa cultura tão linda permanecer do jeito que está.

Chegou a hora da volta e o trajeto foi o mesmo percorrido para chegar até ali, porém a temperatura caiu e nevou muito. A trilha, de tão coberta de neve, nem parecia a mesma pela qual havíamos passado dias antes. Como não levamos óculos de sol, sofremos com o reflexo da luz forte que radiava daquela brancura. De tão incomodado que fiquei, improvisei duas abas de papelão, fixadas ao gorro ao lado dos olhos, algo similar ao que os cavalos que puxam carroças utilizam no cabresto para não se distraírem com o que acontece nas laterais. A gambiarra ajudou um pouco. Continuamos a cruzar com quirguizes, acampamos junto a outros Wakhis e depois de quatro dias e meio de sobe e desce interminável chegamos a Sarhad, onde nosso carro nos aguardava. Sempre é uma sensação gostosa a de voltar para casa.

Entre mulheres

O islamismo é a religião oficial do Afeganistão e também do povo Wakhi, moradores do Corredor Wakhan. Ao contrário de Ishkashim, onde as poucas mulheres que observamos em público usavam burcas, no vale elas estão por toda parte. Dá a impressão de que ali não há problema em serem vistas por homens estrangeiros, desde que na companhia dos homens locais. Um estrangeiro jamais deve ter contato mais íntimo com o mundo doméstico dessas mulheres. Foi por isso que, pelo fato de eu ser mulher, em diversos momentos tive a oportunidade de desvendar o mundo feminino e conhecê-lo melhor.

Meu contato nos acampamentos durante a caminhada a Pamir Pequena era quase sempre com homens. Foi somente no regresso a Sarhad, quando pernoitamos numa comunidade familiar, que eu tive a oportunidade de interagir com as mulheres. Elas me tiraram da roda masculina e me levaram para a cozinha, que ficava numa das casas de barro. Sentamos num tapete e ali me serviram chá com pão. Era nítida a curiosidade delas por mim. Dava para ver nos seus olhos que gostariam de me encher de perguntas, assim como eu queria lhes perguntar várias coisas. Mas o idioma não nos permitiu muito diálogo e então ficávamos só sorrindo umas para as outras, num clima bastante agradável.

A descontração era interrompida quando os homens apareciam no ambiente. Na hora elas ficavam incomodadas com a presença deles e o clima agradável acabava. Num determinado momento desses uma chuva se aproximava e anunciava ventos fortes. As mulheres saíram da casa e correram em direção ao rebanho de iaques com baldes de alumínio nas mãos para tirar o leite antes do temporal. Pedimos autorização para registrar o momento e elas, de imediato, convidaram-me para tirar leite também. Boa parte de minha infância passei na fazenda de meu pai, mas nunca havia tirado leite de vaca, já que o gado era criado para corte. O frio era intenso, nevava e minhas mãos já estavam congeladas. Não consegui tirar uma gota sequer e elas riram da minha inexperiência. Quando olhei para o lado, vi o Roy montado no lombo de um iaque a convite dos homens.

O trabalho terminou e todos correram para suas casas a fim de se proteger do frio. Uma das mulheres me conduziu para dentro da sua casa e lá ficamos trocando gestos. Pelo que entendi, tinha três filhas e um filho. A mais nova não saía do meu pé desde que chegamos à comunidade e eu estava apaixonada por ela. Possuía traços lindos e era muito simpática. Fiquei naquela casa o máximo que pude. Minha presença só não foi mais tão bem vista quando o marido chegou. Noutro dia, antes de partir, pedi para tirar uma foto da família, enquanto lavavam seus galões de plástico com uma esponja feita de um maço de capim seco. O problema é que sempre que pedíamos para fotografar, as pessoas mudavam: ficavam com o rosto sério, não olhavam para a câmera e o encanto dos seus sorrisos ia embora. As poucas vezes em que conseguimos fotos mais naturais foram quando posamos junto ou fotografamos às escondidas.

Em Sarhad, quando tomei banho numa fonte de água quente comunitária, tive outra experiência marcante. O local não era somente para banho. Uma mãe e filha lavavam roupa, já que nos rios congelantes isso se tornava inviável (só descobri esse detalhe quando chorei de dor lavando algumas roupas num rio ali perto). Banhei-me na presença das duas mulheres e elas observaram cada movimento meu. Por fim, a menina se preparava para lavar seus cabelos numa bacia, o que seria feito com o próprio sabão de lavar roupa. Ela ficou feliz, abrindo um largo sorriso, quando lhe emprestei xampu. Acho que foi a primeira vez na sua vida que usou tal produto.

Numa parada perto da vila de Khundud fomos abordados por mulheres e crianças que saíram das casas próximas. As mulheres Wakhi usam muitos adornos e uma delas me presenteou com um dos colares de missangas que usava. Em troca, presenteei-a com um colar com o mapa do Brasil, que eu carregava para ocasiões como aquela. Tiramos uma foto juntas — cada uma com o seu novo adereço no pescoço — e terminei a visita tomando chá em sua casa. Hoje quando uso esse colar são essas belas lembranças que me vêm à mente.

Em nosso primeiro livro, relato (no capítulo "Uma mulher no mundo") um pouco das experiências como mulher no Oriente Médio; dos desafios de ser uma mulher independente num mundo predominante masculino. Na segunda viagem também tive muitas experiências do gênero, algumas positivas e outras negativas. Os homens orientais não são acostumados ao meio igualitário de homens e mulheres. Quando conviviam comigo por muito tempo, como aconteceu com o guia Kadan na caminhada no Afeganistão, ao final iam perdendo a formalidade. Provavelmente nunca vira uma mulher caminhando longas distâncias com uma mochila pesada nas costas, acampando em abrigos comunitários com outros homens, onde cozinhávamos e comíamos juntos, conversando de igual para igual. Isso acabava dando uma abertura para eles e se eu não impusesse respeito, passavam dos limites e começavam a flertar.

Outra situação aconteceu na China. Depois de visitar um amigo chinês em Pequim, compartilhamos com ele as fotos que tiramos enquanto estávamos juntos. Mais tarde descobri, por acaso, que ele postou na sua rede social chinesa somente fotos comigo, deixando o Roy de fora – provavelmente querendo dizer: "Vejam minha 'amiga' brasileira!". Fiquei chateada.

De volta para o Tadjiquistão

Descansamos por uma noite em Sarhad e no outro dia iniciamos o retorno a Ishkashim, numa viagem que durou três dias. Passamos a noite lá e noutro dia saímos do Afeganistão pela mesma fronteira que entramos 16 dias antes. Foi uma travessia nostálgica, pois deixamos para trás um rastro de boas lembranças e muitos amigos, que provavelmente nunca voltaremos a encontrar.

A viagem continuou por mais 470 quilômetros margeando o rio Panj, que delimita a fronteira tadjique e afegã. Enquanto íamos no sentido Dushambé, a capital do país, nem que quiséssemos esquecer a experiência do Afeganistão nós conseguiríamos. O país vizinho é tão perto que podíamos cumprimentar os afegãos do outro lado do rio.

O que nos fascinou neste trajeto foi observar a engenharia que os humanos desenvolvem para facilitar a vida em se tratando de construir estradas. Os obstáculos eram tantos, com tantos precipícios, que dava medo só de olhar aquela gente trabalhando. Onde a estrada não estava completa, o transporte acontecia por meio de mulas e outros animais.

Numa noite, enquanto acampávamos ao lado do rio Panj, o exército tadjique nos abordou. Patrulhavam a fronteira, onde, segundo eles, não era um lugar seguro para pernoitarmos devido ao tráfico de ópio que também acontece pelo rio. Ajeitamos as coisas tarde da noite e dirigimos alguns quilômetros para encontrar outro lugar para passar a noite. Era comum isso acontecer, já estávamos acostumados. A Michelle, muitas vezes, nem saia da cama enquanto eu dirigia até achar outro lugar para estacionar. Muitas foram as vezes que fomos acordados durante a noite por militares fortemente armados, que vinham ver o que aquele carro estranho fazia no meio do nada.

Kama Sutra expressamente proibido

Entrar no Uzbequistão nós já sabíamos que seria complicado. Amigos viajantes que passaram por essa fronteira nos aconselharam a destinar tempo e nos preparar emocionalmente. Mas acho que nada prepara alguém o suficiente para ver quatro soldados autoritários revirando o seu carro, ou melhor, a sua "casa", tendo um deles sentado confortavelmente na cama, com o computador ligado, vendo as suas fotos e arquivos pessoais. Eles procuravam por drogas, remédios que possuem codeína (são estritamente proibidos, por serem derivados do ópio), dinheiro (além do declarado no formulário da aduana), qualquer material impresso censurado ou pornografia – por isso a inspeção inclui os equipamentos digitais. Fomos revistados por várias horas e acho que nos liberaram porque escureceu e provavelmente teriam que trocar de turno. Pelo menos nos respeitaram quando dissemos que tinham que tirar os sapatos para entrar no motorhome.

Somente eu pude acompanhar os soldados, pois a Michelle teve que esperar do lado de fora. Mas se um vasculhava lá no fundo e outro na frente, ficava difícil controlar o que faziam. Deu um frio na barriga quando um deles pegou o baralho que ganhamos dos amigos Marcus e Helena quando visitaram os templos de Khajuraho, na Índia, por indicação nossa. As imagens desse baralho são as dezenas de estátuas de pessoas nas posições mais eróticas do Kama Sutra. Por sorte, ele não viu as cartas.

O Uzbequistão é mais um país ditatorial, que desde o fim do regime soviético, em 1991, foi governado por apenas um presidente – Islam Karimov. Este impôs controles sobre práticas religiosas, sobre a mídia e principalmente sobre a população e, o mais assombroso, havia sido acusado de cometer diversos crimes contra os direitos humanos, como torturas e execuções. Dias antes de cruzarmos a fronteira em Denau, Karimov faleceu depois de um AVC, o que nos deixou apreensivos com o que poderia acontecer dentro do país.

Nos países da Ásia Central até então visitados (Cazaquistão, Quirguistão e Tadjiquistão) a atração sempre foi a natureza, que se manifesta por meio das estepes, montanhas, lagos, vales e cânions. No Uzbequistão, o que se destacou foram as obras feitas pelo homem. O país situava-se numa posição extremamente estratégica da antiga Rota da Seda: ali, as caravanas vindas de Alepo e Bagdá cruzavam-se com as que vinham de Kashgar e Iarcanda. Por conta disso, a região tornou-se influente e uma das mais ricas de toda a Ásia Central na época.

A Rota da Seda, que já mencionei várias vezes nesse capítulo, foi uma série de caminhos interconectados que passavam pelo sul da Ásia e eram usados no comércio entre o Oriente e a Europa. Como o nome sugere, o principal produto comercializado era seda, um tecido fino elaborado com a fibra branca dos casulos do bicho-da-seda, a partir de uma técnica criada pelos chineses num passado distante, guardada a sete chaves por um longo período. Pela sua delicadeza, compradores europeus se dispunham a pagar um preço alto, fazendo-se compensar qualquer esforço para levá-la até o outro lado do mundo.

A balança comercial, assim como ocorre nos dias de hoje, pesava muito mais para o lado chinês do que o europeu, sendo que de Leste à Oeste comercializava-se seda, porcelana, papel, chá, gengibre, bambu, especiarias, incenso e ervas medicinais, dentre outros produtos; em sentido contrário eram transportados principalmente ouro, prata, marfim, lã, cavalos, uvas, vinhos e alho.

O comércio iniciou quando os chineses passaram a viajar até a Ásia Central a fim de comprar cavalos para ajudar na proteção de seu território contra os povos nômades vindos do Norte. No entanto, há evidências de que já havia rotas entre a Ásia, Europa e inclusive a África, sugerindo que povos de continentes diferentes trocavam bens de consumo milênios atrás.

Mas como já foi citado, a Rota da Seda compreendia uma rede de caminhos que se alternavam conforme as condições locais de mobilidade e segurança. Acidentes geográficos, como montanhas e desertos, formavam barreiras impostas pela natureza, mas as caravanas tinham também que enfrentar obstáculos humanos, em guerras e assaltos, já que muita riqueza desfilava de um lado para outro.

As cidades uzbeques de Samarcanda, Bucara e Khiva tornaram-se importantes, pois demarcavam o meio do caminho. Participaram intensamente do comércio, provendo camelos e cavalos que faziam a mercadoria fluir nos dois sentidos. *Rabats* ou *Caravançarai* (pontos de parada de caravanas) desenvolveram-se ao longo de todo o caminho e ofereciam acomodação, estábulos e mercados para as caravanas se reabastecerem. Por incrível que pareça, no Uzbequistão vestígios desses pontos de parada ainda existem.

É inestimável o quanto asiáticos e europeus faturaram ao longo dos séculos (principalmente entre os séculos 2 e 13). Porém, o maior legado que essa rota deixou não foram as riquezas materiais, mas a troca intelectual, tecnológica e de crenças, o que impulsionou o crescimento de grandes civilizações, como a do Egito, da Mesopotâmia, da China, da Pérsia, da Índia e de Roma. Foi através da Rota da Seda que o ocidente conheceu o papel. Mas nem tudo o que cruzou de um lado para outro foi bom. Acredita-se que a peste bubônica ou peste negra tenha chegado à Europa por esse caminho.

Em 327 a.C., Alexandre, o Grande, se casou com a filha do chefe de uma tribo e ganhou o controle de parte dessas terras, passando a fazer parte da história do Uzbequistão. No século 13, foi a vez do temível Genghis Khan dominar a região, levando ao chão grande parte das belas edificações. Após o domínio do Exército Mongol, a região viveu momentos de grande instabilidade e diversas tribos passaram a lutar pelo poder. Foi nesse cenário que emergiu Timur (Tamerlão), que com gana similar a de Genghis Khan construiu um império poderoso. Junto ao seu exército ele conquistou o oeste da Ásia Central, a Pérsia, o Cáucaso, a Mesopotâmia, a Ásia Menor, o norte do Mar de Aral, invadiu Bagdá, Damasco, Déli, a Rússia e quando almejava invadir a China, morreu.

Timur era conhecido por sua brutalidade e suas conquistas eram sinônimo de genocídios. Estima-se que suas campanhas causaram a morte de 17 milhões de pessoas. Os únicos poupados eram artistas e estudiosos e foi graças às habilidades deles que as cidades de Samarcanda, Bucara e Khiva (entre outras) foram reconstruídas durante os séculos 14 e 15. Timur foi um personagem bruto, mas importante na construção da identidade do povo uzbeque – tanto que é considerado um herói local. Como em toda a história, existe sempre mais de um ponto de vista. Para os conquistados, ele era considerado um tremendo assassino, pois a riqueza do império de Timur foi conquistada através da destruição, saque e massacre de outros.

Samarcanda, Bucara e Khiva fizeram parte de nosso itinerário também e nós atestamos que são verdadeiras obras de arte da arquitetura. Mesquitas, minaretes, palácios, fortes, madraças e mausoléus decorados com ladrilhos, mosaicos e pinturas pipocavam por todos os lados. Perante tão grandiosas construções e com tantos detalhes, que certamente levaram anos para serem finalizados, nós sentíamo-nos ínfimos. E refletíamos como deveria ter sido tudo aquilo na época do seu auge, quando aquelas construções faziam parte do dia a dia, com as caravanas indo e vindo, o movimento de pessoas e animais pela cidade e o comércio cada vez mais intenso. Devia ser maravilhoso.

Ao mesmo tempo em que aquilo tudo nos fascinava, ficamos um pouco tristes ao imaginar o passado, pois essas cidades perderam o seu verdadeiro charme quando deixaram de ser palco da vida real e viraram museus ou parques turísticos. Muitas mesquitas não estão mais ativas, os mercados não vendem mais produtos do dia a dia e nas madraças não se ensina mais. O que há dentro dos edifícios são souvenires e mais souvenires, que roubam a atenção de quem os visita.

Vistos, registros e permissões

Por curiosidade, diferentemente dos outros países da Ásia Central, no Uzbequistão, a cada três dias, tínhamos que nos registrar em alguma pousada ou hotel, pois o governo quer saber onde anda cada turista – uma herança da era soviética. A solução que encontramos foi dormir no carro, mas pagar uma taxa em alguma pousada ou hotel, para podermos receber um comprovante de estada que indicava a data e local do pernoite para mostrarmos aos oficiais caso nos fosse solicitado. Sem isso, poderíamos levar multa ou ter complicações na hora de sair do país.

Enfrentar burocracias de vistos, registros e permissões é inevitável quando saímos em uma viagem pelo mundo. Mas aparentemente as fronteiras estão ficando mais abertas. Nessa segunda viagem, dos 51 países que cruzamos com passaporte brasileiro, necessitamos de visto em apenas oito. Na primeira viagem, de 60 países visitados, 28 exigiram vistos. Países como Mongólia, Cazaquistão, Geórgia, Armênia e Bielorrússia, por interesses diplomáticos, turísticos ou de comércio com nosso Brasil, facilitaram a vida do brasileiro, fazendo com que ele não precise mais de visto para fazer turismo. Isso passou a valer recentemente.

Foi numa das pousadas onde registramos nossa passagem que conhecemos Armony e Cyril, um casal francês que realizava uma viagem de carro pela Ásia. Por termos propósitos em comum, eles se tornaram nossos companheiros de viagem por alguns dias. Em Khiva estocamos os carros com vegetais, carne e cerveja e partimos juntos para desbravar o deserto de Kyzylkum.

Estocar o carro no Uzbequistão significa gastar praticamente nada. O mercado negro de câmbio uzbeque paga cem por cento a mais do que a cotação oficial, o que faz com que viajar por esse país seja muito barato. Ao trocarmos 50 dólares, saíamos com um maço tão grande de dinheiro, que nos sentíamos ricos. Era tanta nota que a carteira foi desativada e passamos a utilizar uma mochila para carregar aquele volume todo. As trocas aconteciam nas ruas, com cambistas por todos os lados. A parte mais difícil no início era conferir o dinheiro em público. Mas logo começamos a lidar mais naturalmente com todo aquele dinheiro na mão, pois não éramos os únicos a sentar no meio fio e contar nota por nota. Mil soms uzbeques equivaliam a apenas 15 centavos de dólar. Quando abastecíamos o carro com diesel, dávamos um bolo de notas aos frentistas.

O primeiro destino em companhia dos franceses foi a região de Khorezm. Não é à toa que o delta do rio Amu Darya é chamado de Terra das Dez Mil Fortalezas: nele, ainda hoje, sobrevivem ao tempo centenas de fortes de barro de aproximadamente dois mil anos. Visitamos Guldunsun Qala, Koy Krylgan Qala e Ayaz Qala, sendo a última a maior e a mais bonita de todas. Tivemos sorte de estar lá na hora de um pôr do sol maravilhoso. Acampamos entre as ruínas de barro – apenas nós, nossos amigos e o deserto.

Nessa passagem estivemos a menos de dois quilômetros da fronteira com o Turcomenistão – o único país da Ásia Central que não visitamos. Ele fazia parte do nosso plano inicial, pois era de lá que pretendíamos cruzar o Mar Cáspio de ferry sentido Azerbaijão. Mas nossas pesquisas revelaram que essa opção não seria fácil, já que o Turcomenistão é um país ainda mais fechado que o Uzbequistão. O visto de turismo só se consegue por meio de alguma agência de viagens e caso o conseguíssemos precisaríamos contratar um guia para estar conosco durante o tempo todo de nossa visita ao país, o que tornaria a viagem muito custosa. Se tirássemos um visto de trânsito, não se faria necessário um guia, mas é mais difícil de conseguir. Se o obtivéssemos, teríamos que permanecer num caminho óbvio de trânsito, o que nos impossibilitaria de realmente conhecer o país.

O sertão vai virar mar, o mar vai virar sertão

Dirigimos para um lugar no ocidente do Uzbequistão, que se não o víssemos agora, talvez não tivéssemos mais essa chance no futuro, pois devido às ações impensadas ou à falta de responsabilidade humana, está desaparecendo. Falo do Mar de Aral (Mar das Ilhas, em português), que já chegou a ser o quarto maior lago do mundo. É chamado de "mar" porque possui só afluentes e nenhum efluente, isto é, água só entra e não sai, a não ser pela evaporação, o que o torna salgado. Este grande lago cobre parte do oeste dos países Uzbequistão e Cazaquistão.

Infelizmente, desde 1960, o Mar de Aral vem sucumbindo e seu entorno se desertifica em proporções catastróficas: já foram reduzidos 60% do seu tamanho original e 80% do volume de água como consequência principalmente da escavação de canais para desviar a água dos rios Amu Darya e Syr Darya, que alimentam o lago. Isso acontece desde a época em que a União Soviética foi fundada, quando se deu início aos projetos de irrigação para desenvolver a agricultura no Uzbequistão, especialmente para o cultivo de algodão, o "ouro branco" da época. Mas o que representou uma melhoria da economia, resultou num infortúnio da natureza. Foi bom para uns, um desastre para outros. Com as águas chegando cada vez em menor proporção ao mar, o seu nível baixou continuadamente durante as últimas décadas, causando problemas climáticos, como o fato de os verões serem cada vez mais quentes e secos e os invernos mais longos e frios.

A outrora atividade pesqueira do Mar de Aral se extinguiu e a evidência de que um dia houve fartura naquelas águas está nas dezenas, ou até centenas de barcos que ficaram encalhados no que hoje é o deserto. Quanto à população que dependia do lago para seu sustento, muitos debandaram para outras localidades, mas há quem ainda peleje nas antigas cidades portuárias e sofra com o desemprego, a estagnação econômica, escassez de água doce e poluição.

O futuro do Mar de Aral é incerto. Com a seca, ele se dividiu em dois: ao Norte, no lado cazaque, construíram-se barragens para preservar o fluxo da água doce, manter ou aumentar os níveis d'água e baixar a salinidade; já na parte Sul, no lado uzbeque, por questões econômicas o Aral foi abandonado e lançado à sua própria sorte e poderá desaparecer em curto espaço de tempo.

Os pescadores de Moynaq, que já foi uma das principais cidades portuárias, hoje para sobreviverem cuidam de rebanhos. Só para retratar a dimensão do problema: depois de partirmos de Moynaq, dirigindo sobre o que um dia esteve debaixo d'água, só fomos encontrar o primeiro vestígio do lago a cem quilômetros ao Norte.

Quando enfim conseguimos chegar próximo à beira d'água, nos metemos numa bela enrascada. Eu dirigia a menos de cem metros da margem quando passei com o carro sobre um veio argiloso de uns dois metros de largura e que se estendia pela areia de fora a fora. Não consegui identificá-lo em tempo de desviar e o carro, cujos pneus deveriam estar com calibragem mais baixa por estarmos andando sobre solo arenoso, enterrou-se e assentou-se até os eixos, tanto o traseiro quanto o dianteiro. Essa foi uma das encalhadas mais difíceis em que nos metemos em todas as viagens. A argila parecia abraçar o carro e grudar nos pneus e nas rodas, deixando tudo muito pesado para o motor poder girar. Sequer conseguíamos fazer os pneus patinarem.

Trabalhamos horas a fio para livrar o carro da argila. A estratégia foi macaquear as quatro rodas e calçar os pneus por baixo, um a um, usando pranchas de plástico que levamos exatamente para enfrentar situações desse tipo. Só depois é que pudemos fazer o reboque, puxados pelo furgão Iveco 4x4 dos nossos amigos franceses. No processo, que se estendeu até quando já estava escuro, uma cinta de reboque chegou a estourar e ricochetear, quebrando um farol dianteiro, duas lâmpadas (pisca e estacionária) e a grade do radiador. Mas se não fosse pela ajuda deles, seria certo que teríamos que trabalhar por mais outras tantas horas.

Tínhamos vontade de explorar melhor o entorno do Mar de Aral. Estávamos inclusive dispostos a esperar o tempo chuvoso passar para fazer um voo de paramotor sobre aquele lugar melancólico. Mas os franceses, por questões aduaneiras, precisavam seguir viagem e já que fazia tempo que não tínhamos tão bons companheiros para quebrar a monotonia de um casal viajante, decidimos ir juntos. Seguimos dessa vez para o Mangistau, ou melhor, de volta ao Cazaquistão.

O coração participa da decisão

Havia alternativas para alcançar o outro lado do Mar Cáspio, já que pelo Turcomenistão ficou inviável: poderíamos pegar uma balsa no Cazaquistão, que também faz fronteira com o grande lago, ou contorná-lo pelo Norte, tendo que, depois do Cazaquistão, entrar novamente na Rússia para em seguida nos dirigirmos à Geórgia. Nesse trajeto, porém, alguns estados russos que já apresentaram problemas de segurança no passado estariam em nosso caminho: Daguestão, Chechênia, Inguchétia e Ossétia do Norte. Decidimos ir por aí.

Mudar de planos em uma viagem longa como a nossa é uma ação corriqueira. Por mais que levantemos com antecedência informações sobre os países a serem visitados, as circunstâncias como as questões políticas, burocráticas, geográficas e de clima fazem-nos mudar de ideia no meio do caminho.

Na primeira viagem, por exemplo, chegamos a refazer o planejamento até da ordem dos continentes a serem percorridos; incluímos um subcontinente que não estava no programa e deixamos outro de fora. Nessa segunda viagem, com mais experiência e conhecimento de mundo, fomos mais assertivos, mas não ao ponto de seguirmos à risca o que planejamos. Nem almejávamos isso. É preciso ser flexível e, na maioria dos casos, deixar os corações participarem das decisões.

Cito o exemplo de como uma informação dada pelo nosso amigo Konstantin, o russo que foi conosco até a Latitude 70, mudou nosso roteiro. Ele nos informou que o Mangistau era um dos lugares mais bonitos que já tinha visitado. Com essa dica confiável não podíamos deixar de ir até lá, até porque ao sair do país onde estávamos, o Uzbequistão, pela fronteira Noroeste, sairíamos direto dentro desse estado cazaque.

À primeira vista as terras do Mangistau nos pareceram desinteressantes: áridas, desérticas, monocolores, sem montanhas ou florestas – uma planície só. Porém, com um pouco de persistência e atenção, começamos a descobrir os seus tesouros. Eles estão escondidos em cavernas, cânions, penhascos ou, simplesmente, no meio do deserto. Parece que Deus fez da região um de seus ateliês de escultura natural.

Nos primeiros dias contávamos com companhia de Cyril e Armony, mas devido à necessidade de cumprirem com a data predeterminada do visto de trânsito pela Rússia (os europeus não possuem a regalia de poder entrar sem visto naquele país), tiveram que seguir. O máximo que puderam esperar foi até a manhã do dia sete de novembro para comer um pedaço do bolo conosco pelo meu aniversário.

Dali para a frente, cada carro foi para um lado. Nós no sentido das margens do lago Tyzbair, no qual até hoje não sabemos se havia água ou se o que vimos ao longe tinha sido uma miragem. À medida que avançávamos para alcançar o que parecia água, a argila sob os pneus do Lobo ia amolecendo e a tensão entre nós aumentando, pois se encalhássemos novamente nesse tipo de terreno, agora sozinhos, sabe-se lá quando conseguiríamos sair; não havia uma viva alma sequer a dezenas de quilômetros. A investida nos deu uma prévia do que iriamos ver no Mangistau, quando começou a aparecer ao longe um paredão branco, lindo e cheio de erosões.

Obviamente, tivemos que dirigir bastante entre um ponto de interesse e outro, sendo que o percurso feito em sentido anti-horário somou mais ou menos 1,6 mil quilômetros somente naquele estado.

Vale lembrar que o Cazaquistão é o nono maior país do mundo e percorrê-lo é andar na maioria das vezes por estradas vicinais que se ramificavam para todos os lados. Um verdadeiro labirinto.

No meio daquela vastidão há um local específico que deixaria qualquer geólogo maluco. É onde se formam as pedras esféricas do Vale das Bolas, ou Torysh, como são conhecidas na língua cazaque. Ao longo de uma parte do deserto estão espalhadas milhares de pedras arredondadas – desde minúsculas, do tamanho da ponta de nosso mindinho, até gigantescas, do tamanho do nosso carro. Todas arredondadas, como bolas. Já havíamos visto pedras similares na Nova Zelândia (os seixos gigantes de Moeraki), o que nos intrigou ainda mais, pois ficam a meio mundo de distância, mas têm formação idêntica: sedimentos minerais se solidificaram ao redor de um núcleo, geralmente orgânico – como uma folha, um pedaço de concha ou fóssil – formando várias camadas e, dessa forma, crescem continuamente em diâmetro. O processo de formação de uma dessas pedras pode levar centenas de milhões de anos.

À noite, quando acampados no meio daquele jardim de bolas, assamos uma saborosa costela de carneiro e jogamos os ossos para atrair os chacais, que aceitaram a nossa oferta e como forma de agradecimento, imagino, nos acordaram durante a noite fazendo serenata com seus uivos agudos e sincronizados. Aliás, durante a viagem ouvimos muitas vezes uivos de chacais e, segundo um homem do Azerbaijão, com quem comentamos o assunto, os chacais respondem com uivos a dois sons: o dos aviões e o das mesquitas, na hora do chamado para a reza. Na Geórgia, quando fizemos uma caminhada pelas montanhas do Cáucaso, chacais começaram a uivar. Olhamos para cima e lá estava um avião cruzando o céu.

No limite oeste do Mangistau, às margens do Mar Cáspio, há mais um fenômeno geológico fenomenal. Chama-se *falling Earth* (terra caindo). Uma parte da encosta está desmoronando para dentro da própria terra, um efeito contrário da formação de uma montanha. Ali se formou um buraco tão grande que parecia cenário dos filmes de Apocalipse – o começo do fim do mundo. Nossas fotos não são capazes de demonstrar a magnitude dessa cavidade. "Levou quantos anos para isso acontecer"? "Fez barulho"? "Tremeu"? Esses foram alguns questionamentos nossos, pois aquele lugar realmente mexeu com nossa imaginação.

Quem visita o Mangistau pode intercalar belezas naturais com obras feitas pelo homem. Espalhadas pelo estado ficam as mesquitas subterrâneas de até mil anos, escavadas na rocha como se fossem cavernas. Grande parte ainda está em funcionamento e tornaram-se, com o tempo, local de peregrinação de pessoas de todo o país. A Shakpak Ata – a primeira que visitamos – é conhecida por possuir poder de cura, pois ali vivia um curandeiro de mesmo nome que, segundo crenças, não havia doença que ele não curasse. Centenas de anos se passaram e os fiéis ainda visitam o templo. Sultan Epe, outra mesquita-caverna, foi escavada em nome do protetor dos velejadores Sultan Epe, cujo mausoléu fica ao lado.

Aktau, a capital do Mangistau, é uma cidade fundada pelos engenheiros soviéticos após grandes reservas de petróleo terem sido descobertas na região. Fica às margens do Mar Cáspio. Na era soviética, além de ter sido utilizada para o desenvolvimento de armas nucleares, foi uma praia turística que servia à elite do regime.

Quando passamos por lá não fazia um calor convidativo para aproveitarmos suas águas, então abastecemos a despensa e sem delongas seguimos novamente rumo à natureza. Perto de Aktau entramos em uma depressão na terra chamada Karagiye, que tem o seu relevo 132 metros abaixo do nível do mar. Foi a localidade mais baixa que atingimos nessa segunda volta ao mundo. Na primeira, fomos mais longe em direção ao centro da terra, chegando a 428 metros abaixo do nível do mar, no Mar Morto, na Jordânia. Uma curiosidade: o Mar Cáspio, que não é um mar propriamente dito, mas um lago de águas salgadas, assim como o Mar de Aral, também tem seu nível d'água abaixo da linha dos oceanos em 27 metros.

Na cola das coordenadas de GPS sugeridas pelo Konstantin, na parada seguinte tivemos que sair da estrada principal e dirigir rumo ao Sul. Fomos descendo por uma estrada de chão batido irregular e já de longe começamos a entender o que o nosso amigo quis dizer quando afirmou que era um dos lugares mais bonitos onde já estivera. Enxergávamos três níveis de altura de rocha e pela forma das encostas e morros deduzimos que aquilo tudo um dia já esteve numa mesma altitude.

No meio da planície de elevação média há montanhas tipo mesa, que se igualam em altitude com a parte alta. Elas se sobressaem por terem seu entorno de cor clara proveniente de material calcário desgastado pelo tempo. Apontamos para uma delas e decidimos: acamparíamos lá. A montanha é linda, alta, arredondada de tal forma que parece com um cogumelo gigante. No caminho passamos por um lugar repleto de pedregulhos pretos e pesados, cuja origem só um geólogo experiente poderia decifrar. Estacionamos ao lado da montanha, levamos para fora mesa, cadeiras e fogão e ali almoçamos. O dia estava límpido, sem vento – uma delícia. Nem bem tinha terminado de almoçar, fui montar o paramotor, pois havia tempos queria tirar os pés do chão e o cenário parecia ser o melhor lugar do mundo para dar um planeio.

Quando falta vento para decolar um paramotor, utiliza-se o método alpino, que consiste em deixar a vela armada por trás do piloto, estendida no chão, com as bocas das células abertas, as linhas esticadas e organizadas para que no momento do ataque, ao acelerar o motor e iniciar o movimento à frente, a vela suba até chegar por cima da cabeça. Feito este procedimento, começa-se a correr e iniciar a decolagem. É uma forma mais difícil de decolar, pois não podemos enxergar a vela subindo e ela precisa subir de forma simétrica.

E lá fui para a primeira tentativa, correndo feito um desesperado por aquele deserto cheio de valetas e vegetação rasteira. Diacho! Não consegui sair do chão... Na hora do levante da vela, as linhas que se enroscaram nos arbustos ajudaram a atrapalhar a investida. Voltei ao mesmo lugar para tentar outra vez e com a Michelle me ajudando organizei a vela, as linhas, liguei o motor, acelerei e... Tudo em vão. O desgaste físico é grande, pois o paramotor abastecido e a selete juntos pesam quase 30 quilos. Na terceira tentativa, ainda sem vento, inverti o sentido da corrida, tomei fôlego e dei motor. A vela subiu e comecei a correr sem parar até que uma brisa leve de nariz me fez tirar os pés do chão. Esse era o lado certo e parti para um dos voos mais bonitos de toda a viagem. O final da tarde trouxe um pôr do sol alaranjado iluminando as formações rochosas de uma forma difícil de descrever.

Subi alto, dei uma volta ao redor da montanha onde estávamos acampados e segui a encosta dos paredões por alguns quilômetros, chegando a outra área com montanhas tipo mesa. Eram ainda mais bonitas: o relevo erodido criou desenhos mágicos com texturas diferentes, frutos dos variados tipos de solos, ora com pedras, ora lisos. Eles contrastavam entre si em meio a um jogo de sombras criado pelo sol poente. Os veios deixados pelo aguaceiro das chuvas torrenciais produziram outro espetáculo só possível de se ver lá de cima. As ramificações desses veios convergem para um só lugar, mais profundo, e quanto mais próximos do centro, maiores são os veios. Isso forma uma figura fantástica semelhante a uma grande árvore seca: os veios menores representam os pequenos galhos que se interligam no veio de maior diâmetro, semelhante a um tronco. Simplesmente magnífico. Não poderia ter escolhido melhor lugar e hora para esse voo. Pousei um pouco depois que o sol se pôs, caindo de bunda no chão, mas feliz por ter clicado imagens fantásticas para levar como recordações do Cazaquistão. E para coroar este mágico momento, naquela noite apareceu a "superlua", que segundo astrônomos foi a que mais se aproximou da terra deste 1948.

Continuamos a explorar o deserto em diferentes lugares: entramos por cânions, subimos montanhas e chegamos a ver um bando de saigas – uma espécie de antílope que possui um nariz flexível parecido com uma tromba de elefante.

Em uma caminhada dentro de um cânion, passamos a pisar sobre fósseis marinhos petrificados. Havia tantos que era difícil evitar caminhar sobre alguns. Encontramos desde conchas até ouriços do mar. Se estamos certos eu não sei, mas vimos um fóssil que se parecia com um pedaço de casco de tartaruga e outro semelhante a um dente de peixe – tudo petrificado. Nosso entusiasmo com a descoberta foi tão grande que não queríamos mais ir embora. "Olha esse"!; "Venha ver esse aqui"!, exclamávamos, engatinhando pelo chão.

Bishbermak e cabeça de cabra

Próximo a esse maravilhoso lugar visitamos mais duas mesquitas subterrâneas – Chopan Ata e Beket Ata –, ambas escavadas em solo argiloso e compactado, mas cada uma com características próprias. Como nas mesquitas que vimos no Norte, estas também atraem peregrinos e, por conta disso, há infraestrutura para pernoite e refeições. Tudo quase sem custo, pois a comida é levada pelos próprios fiéis para ser repartida. Desse modo há sempre o que comer na mesa. Foi uma boa oportunidade para interagir com os locais, pois éramos convidados a tomar chá e comer doces a todo momento. Em Beket Ata ficamos para a janta e o prato servido foi o tradicional Bishbermak, um macarrão largo, tipo massa de lasanha, com carne de cavalo ou cabra. Sentamos no chão, homens de um lado, mulheres de outro, ao redor de grandes bacias de alumínio, onde a refeição foi servida. Deve-se comer com a mão direita, sem a utilização de pratos e talheres. Esse Bishbermak foi feito com carneiro e a cabeça do animal, considerada uma das partes mais saborosas, circulou entre os homens para que cada um arrancasse um pedaço. Ao final, a água onde foi preparado o jantar foi servida quente como um chá, para, segundo eles, ajudar na digestão.

Saímos desse lindo percurso do Mangistau ao voltarmos para Beyneu. No caminho ao Norte, percebemos que os caminhões que vinham em sentido contrário traziam neve sobre o teto, indício que o frio estava em nossa rota. E veio muito rápido: entre às 13 e às 14 horas daquele dia a temperatura caiu de 10°C para -4°C, não nos dando tempo de tomar as precauções para enfrentá-lo. A caixa d'água e a pia congelaram de imediato e o aquecedor, por causa do diesel de má qualidade, congelou e entupiu o sistema. À noite a temperatura baixou para -6,2°C, no outro dia foi para -9,2°C e dias depois chegou a -13,4°C.

Ao norte do Mar Cáspio, na cidade Atyrau, ainda antes de deixar o Cazaquistão, cruzamos o rio Ural e trocamos de continente. Parece estranho, mas é isso mesmo: o rio Ural separa a Ásia da Europa e com isso apenas um pedaço do Cazaquistão pertence ao território europeu. Mais 300 quilômetros a Oeste e saímos do Cazaquistão para entrar pela terceira vez na Rússia, onde paramos em Astracã por alguns dias. A grande amizade que fizemos com Konstantin motivou-o a dirigir de sua cidade natal (Briansk) por 1,5 mil quilômetros (só de ida) para passar um único dia conosco. Vitaly, amigo dele que nos recebeu, também foi hospitaleiro e nos cedeu um lugar para estacionar e pernoitar na cidade.

Astracã, por situar-se no delta do rio Volga, que deságua no Mar Cáspio, foi um dos pontos de grande exploração do caviar, a iguaria de luxo que se constitui das ovas do peixe esturjão. Estávamos loucos por experimentar essa especialidade local, mas depois de ver o preço, desistimos e tivemos que nos contentar com as ovas de salmão. De acordo com regras russas e iranianas, somente as ovas do esturjão são consideradas o caviar verdadeiro. Mas na Europa o valor do quilo pode passar dos 10 mil dólares. O alto preço decorre do fato do esturjão estar em risco de extinção, devido à pesca excessiva. Segundo Vitaly, não muito tempo atrás essa iguaria fazia parte das refeições diárias dos locais. Não tê-lo comido fez nossa consciência ficar mais tranquila.

Coisas bizarras atravessando nosso caminho

Já havíamos visto muitas coisas estranhas nas estradas desse mundo, mas o que estávamos por ver no sul de Astracã ganhou o campeonato de bizarrice. Estávamos indo por uma estrada de chão batido e ventava muito. De repente começamos a ver enormes tuchos de mato seco rolando pelo campo. Nunca vimos algo parecido: os tuchos, conforme a Michelle anotou no diário, possuíam galhos curvados que facilitavam a rolagem e o seu deslocamento. Quanto mais progredíamos na estrada, mais bolas de mato despontavam em nosso caminho, algumas com mais de um metro de diâmetro.

Estávamos nos divertindo à beça e registrando esse movimento estranho, mas o que não esperávamos é que um aglomerado desse mato fosse capaz de bloquear nosso caminho. Explico melhor: a estrada por onde dirigíamos em algumas partes foi rebaixada e quando os capins caem nestes trechos vão se acumulando. Eram tantos que chegaram a bloquear nossa passagem por completo, obrigando-nos dirigir pelo campo para desviarmos deles.

Em pesquisa que fizemos na internet, aprendemos que são chamados de plantas rolantes (*tumbleweed*, em inglês) e pertencem à família das amarantáceas e quenopodiáceas. É uma planta que quando morre é arrancada pelo vento, pois a base do tronco fica frágil, e ao rolar carrega consigo as sementes que vão sendo espalhadas por onde passam, cumprindo a função da propagação da espécie, que elas exercem de uma forma fantástica: uma única planta pode produzir até 250 mil sementes. A natureza sempre sábia.

O acúmulo dessas plantas rolantes foi aumentando e, num local específico onde não foi mais possível desviá-las, decidi tocar em frente, empurrando os capins para ver se conseguíamos forçar a passagem. Ao invés do carro passar por cima ou empurrá-los, iam formando um monte que crescia de altura, passando dos três metros, então caíam por cima do capô tirando por completo nossa visibilidade. Íamos patrolando aqueles tuchos, dirigindo muitas vezes às cegas.

A estrada que no começo nos entreteve começou a trazer dores de cabeça, dando muito trabalho e lento progresso. Em uma tentativa de sair dela para desviar de um amontoado de capins, sem ter visibilidade alguma sobre o que havia à frente, o chassi do carro encavalou num barranco e eu não consegui mais tirá-lo. Três homens (os únicos que percorriam aquela estrada) ofereceram-nos ajuda e começamos a cavar debaixo do chassi. Mas nada, o Lobo nem se movimentava. Como conheciam a localidade, orientaram que aguardássemos, pois avisariam os militares em uma vila próxima para sermos rebocados por um jipe UAZ 4×4. Foi um sufoco, mas com o reboque conseguimos sair. Os capins atrapalharam-nos por dezenas de quilômetros, fazendo nossa viagem atrasar por horas. Chegamos no destino somente à noite.

Instabilidade política

Entramos em uma região de instabilidade política nos estados Daguestão, Chechênia, Inguchétia e Ossétia do Norte, onde o patrulhamento nas estradas aumentou de forma significativa. Motivados por delimitações de fronteiras mal estabelecidas desde a época do ditador Stalin e por diferenças culturais e religiosas, essas terras e algumas outras situadas do outro lado da Cordilheira do Cáucaso ainda lutam por suas independências.

A história da Chechênia, com a qual tivemos contato mais próximo quando estivemos na sua capital Grózni, é um exemplo marcante. A hostilidade entre russos e chechenos vem de séculos e recentemente a capital foi destruída, virada em cinzas, literalmente. Isso aconteceu duas vezes: entre os anos 1994 e 1996 e depois entre 1999 e 2009.

Os chechenos são islâmicos e distintos em cultura da maioria dos russos, mas seu território está incorporado à Rússia desde a época do império. Nos tempos da União Soviética, chamava-se República Autônoma Socialista Soviética da Checheno-Inguchétia. Na segunda guerra mundial, porém, os chechenos viram a invasão alemã nazista como uma oportunidade para se rebelar contra o regime soviético, que em resposta deportou-os em massa para a Ásia Central e Sibéria, onde foram forçados a permanecer até 1957.

Em 1991, na oportunidade da queda da União Soviética, grupos separatistas começaram um movimento para que o pequeno estado se tornasse independente. Há petróleo nessas terras, então por essa e mais outras que em 1994 o então presidente Boris Iéltsin lançou uma ofensiva levando 40 mil soldados russos para a região, dando origem a duas guerras sangrentas, que tiraram a vida de mais de 150 mil pessoas.

Os chechenos não conseguiram o que queriam, mas pelo menos a Rússia hoje olha para esse povo com outros olhos. O território é uma das 21 repúblicas que compõem a Federação Russa. Possui o direito de manter sua língua como oficial, a bandeira e os símbolos locais, além de estabelecer a própria constituição. Muito dinheiro russo foi investido na reconstrução do que foi destruído durante as guerras. Em 2016, quando passamos por lá, vimos outdoors do presidente Putin ao lado do antigo presidente da Chechênia, Akhmad Kadyrov, o que parecia representar uma trégua entre os dois líderes. Akhmad morreu em 2004 em um atentado terrorista provocado por radicais chechenos que o consideravam traidor.

Ele foi sucedido por seu filho, que afirmou que a Chechênia, nos dias atuais, é mais segura que a Grã-Bretanha. Pelo que vimos e experimentamos, tudo pareceu realmente seguro. Grózni é linda e quase não dá para acreditar que esteve tão destruída como nas fotos que vimos na internet (basta pesquisar: Grózni, imagens). O povo é simpático e acolhedor, porém há forte policiamento nas ruas. A capital nos pareceu mais organizada e caprichada do que as outras capitais de estados russos. Há mais zelo em tudo – nas ruas, nas casas, nos prédios e nos jardins.

Os chechenos são muito orgulhosos de seu povo. Observamos isso na conversa com um jovem que nos abordou na praça principal. Ele percebeu de longe que éramos estrangeiros e por isso se ofereceu para ser nosso guia por algumas horas. Em cinco minutos estávamos em seu carro, em alta velocidade, indo para Argun, cidade vizinha da capital, onde ele queria nos mostrar a mesquita moderna de apenas três minaretes. É lindíssima – o tapete interior é uma atração à parte e reflete bem a exuberância do lugar. Enquanto saboreávamos uma comida típica, o rapaz continuou falando sobre seu país. Bebidas e jogos são expressamente proibidos, mas porte de arma é permitido. Aliás, armas são a paixão dos chechenos, tanto que quando voltamos até a praça ele chamou um amigo policial só para nos mostrar a sua arma.

De Grózni cruzamos a Inguchétia, entramos na Ossétia do Norte e de lá já enxergamos o paredão da Cordilheira do Cáucaso que nos aguardava ao longe para ser transpassada.

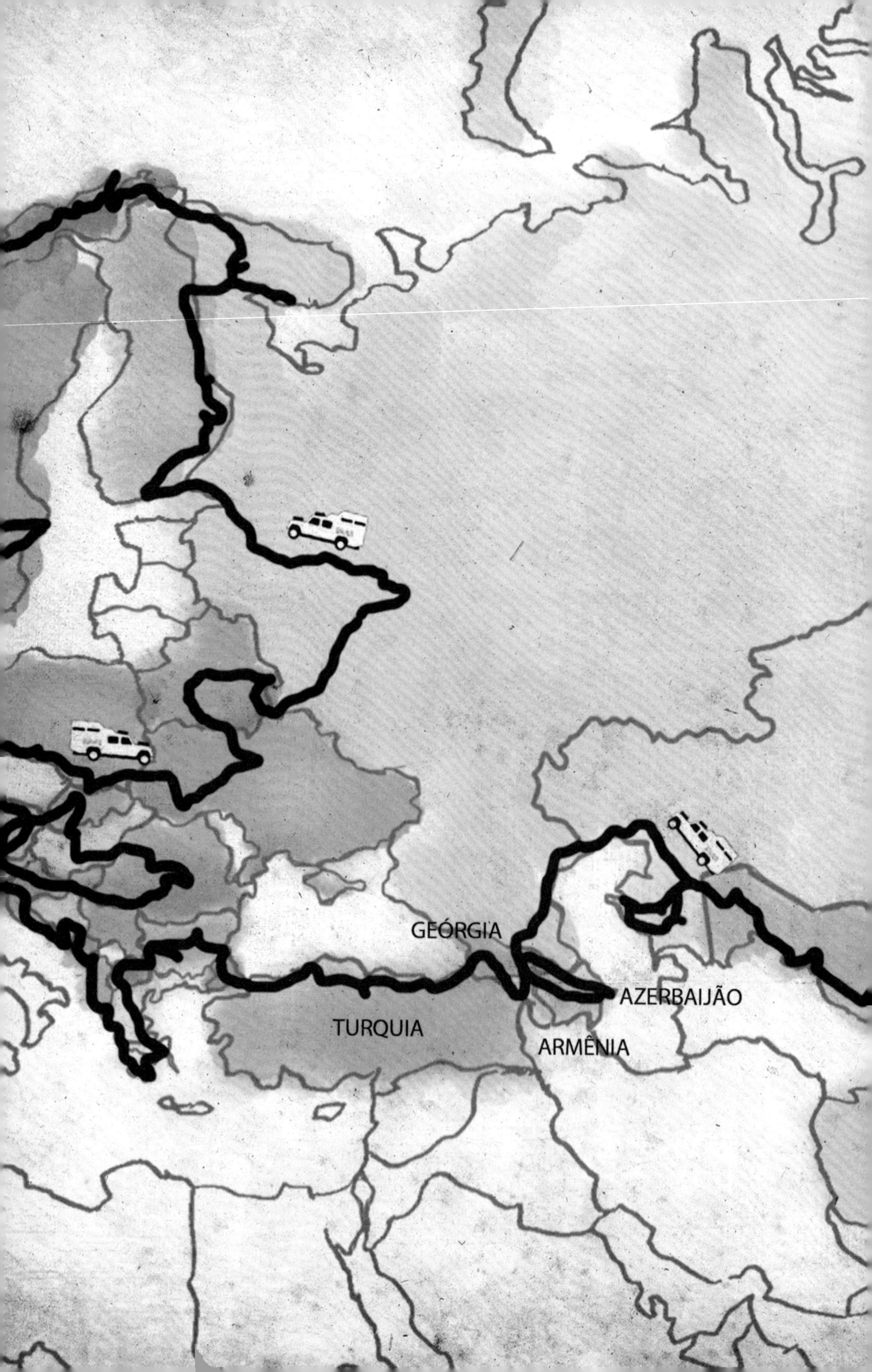
GEÓRGIA
AZERBAIJÃO
TURQUIA
ARMÊNIA

9. Cáucaso e Turquia

Ao entrar na região do Cáucaso, que inclui Geórgia, Azerbaijão e Armênia, ficamos na dúvida se estávamos na Ásia ou na Europa. A resposta é controversa, vem desde os tempos antigos e não envolve apenas questões geográficas, mas culturais e históricas. Politicamente os três países se voltam mais para a Europa. Suas capitais estão em pleno desenvolvimento e já experimentam o gosto da globalização, tanto que alguns países almejam fazer parte da União Europeia.

Mas geograficamente falando, onde se localiza a linha que divide a Europa da Ásia? Há consenso no mundo contemporâneo de que a Europa termina no Mar Egeu, no Mar Negro e nos Montes Urais, mas as linhas divisórias, principalmente nos Montes Urais, não são precisas. Algumas autoridades em assuntos geográficos, como a National Geographic Society, sustentam que esta linha segue a bacia hidrográfica dos Montes Urais (do Mar de Kara, no Norte da Rússia, até a nascente do rio Ural) e acompanha o rio até o seu desague no Mar Cáspio. Passamos por essa foz no Cazaquistão, na cidade de Atyrau. A fronteira continua por dentro do Mar Cáspio, dobra a Oeste para seguir pela bacia hidrográfica do Cáucaso até o Mar Negro, em seguida desce pelo Estreito de Bósforo na Turquia e termina no Mar Egeu. Esta definição mata a charada. Todos os Montes Urais e o Grande Cáucaso fazem parte da Europa, enquanto o Pequeno Cáucaso fica inteiro na Ásia. Quando entramos na Geórgia estávamos em Continente Europeu e ao atravessarmos o Grande Cáucaso e cruzarmos sua bacia hidrográfica retornamos à Ásia.

A extensão da região do Cáucaso é acentuadamente desproporcional à sua importância na história da humanidade. Há indícios de que ela foi o berço da agricultura e da civilização. Essas terras foram tão cobiçadas pelos povos antigos que sofreram diversas invasões ao longo dos tempos: assírios, gregos, romanos, bizantinos, árabes, persas, turcos otomanos, russos, de Timur, do exército de Alexandre e do mais temido deles, Genghis Khan. Em tempos modernos os conflitos se intensificaram quando os três países tornaram-se independentes da URSS. Como curiosidade: Josef Stalin, o líder máximo da União Soviética entre 1920 e 1953, era natural da Geórgia, da cidade de Gori.

Os chamados Conflitos do Cáucaso aconteceram por motivos separatistas e étnicos. Ainda hoje a Armênia e o Azerbaijão disputam uma região chamada Nagorno-Karabakh, enquanto a Geórgia enfrenta movimentos separatistas das regiões Abecásia e Ossétia do Sul, ambas apoiadas pela Rússia. Um cidadão local nos disse "nós vivemos uma guerra eterna".

Com todos esses impasses, o nosso itinerário por esses países teve que ser bem planejado. Não por razões de segurança, mas por não existir fronteira entre o Azerbaijão e a Armênia, tampouco entre a Armênia e a Turquia, que também já se envolveram em conflitos. Como o Azerbaijão é o único que exige visto para brasileiros e o lugar mais fácil para adquiri-lo é em Tbilisi, capital da Geórgia, esta cidade acabou sendo a nossa base para a exploração de toda a região. Tivemos que retornar para lá três vezes.

Deslizando no gelo – a gente não precisava disto

Os primeiros quilômetros em território georgiano passam pelo desfiladeiro Dariali, atravessando o Grande Cáucaso, uma cordilheira com 1,2 mil quilômetros de extensão, posicionada de Leste a Oeste no Norte do país. Alguns dos seus picos mais altos ultrapassam cinco mil metros de altitude.

Num vale entre as montanhas encontra-se Stepantsminda. Até que é uma cidade bonita, mas é no seu entorno que está a principal atração: em uma montanha a 500 metros acima do vale foi construído o Monastério Trindade Gergeti, acessado por uma estrada pequena, estreita, íngreme e de curvas fechadas. Ainda era início de inverno e a estrada já estava coberta de gelo e neve. Disse-nos um taxista que seria muito perigoso subi-la com o nosso carro, pois estava lisa e perigosa. Ouvir conselho de taxista? Falei: "É claro que ele quer ganhar um troco à nossa custa. Deixa comigo, Michelle, vamos com o nosso carro. Esse cara não sabe do que o Lobo é capaz". E como eu estava enganado! Nem no Extremo Oriente Russo, onde as estradas são de puro gelo, a gente passou tanto apuro. O Lobo aguentou firme na subida, mas "chorando na rampa". Mesmo com os pneus especiais para gelo e com travões metálicos, fomos patinando morro acima. Em várias curvas que dobravam 180° em zigue-zague, ele não dava conta de contornar de uma só vez e eu tinha que manobrar na superfície lisa.

Mas o problema maior não foi na subida. Aquele ditado que diz: "para descer todo santo ajuda", não serve para esse lugar. "Por que não dei ouvidos ao taxista?", pensava ao sentir o carro deslizando sem controle morro abaixo. Ele parava somente quando a roda encontrava um obstáculo ou um rastro mais profundo deixado por outros carros, mas na maior parte do trajeto, só deslizava. A falta de conhecimento sobre as condições do local fez com que descêssemos a montanha ao meio-dia, quando o sol esquentou a estrada e derreteu uma fina camada de gelo, deixando a estrada lisa como um sabão. Dava um frio na barriga só de olhar para o lado e ver que se saíssemos do trilho rolaríamos morro abaixo por centenas de metros. Não existe acostamento e nenhuma barreira entre a estrada e o abismo. Se o carro saísse da estrada, já era.

As curvas onde manobrei na subida, obviamente precisaram ser contornadas da mesma forma na descida. E numa delas cometi um erro quase fatal: não engatei corretamente a marcha à ré e quase provoquei um acidente. Consegui segurar o carro em tempo e na borda do precipício. Para deixar a situação ainda mais dramática, por ter esterçado o volante até o seu limite, a bomba da direção hidráulica estourou, derramando óleo na estrada e deixando o carro com "queixo duro" – a direção hidráulica não funcionava mais. Foi um dos maiores sufocos da viagem. Ir lá em cima, ver o monastério e a belíssima paisagem do entorno é sensacional, mas não precisávamos ter corrido esse risco. *Mea culpa! Mea culpa!* Faltou-me modéstia, mas aprendi a lição.

Percepções sobre o medo

Uma pergunta que nos é feita com certa frequência é se tivemos medo durante a viagem ao passar por lugares desconhecidos e inóspitos. O medo é, talvez, o principal sentimento que inibe as pessoas de fazer coisas diferentes. Não foram poucos os que falaram que jamais fariam uma viagem de volta ao mundo, sozinhos e de carro, por causa dos perigos que poderiam enfrentar.

Uma experiência assim envolve vários tipos de medo: de sair do seu país, de não conseguir se comunicar com estranhos, de dormir em qualquer lugar, de ficar doente, do carro quebrar num lugar isolado e sem apoio, de animais selvagens, de insetos, de ser roubado, de algo sair errado. É um sofrimento que muitas vezes geramos antes mesmo de encarar uma situação desafiadora e diferente. E isso nos paralisa e serve de desculpas para não sairmos da nossa zona de conforto. Medo é um sentimento normal, importante para a nossa sobrevivência, mas é preciso saber dosá-lo: além de limitar suas experiências, uma pessoa temerária pode, paradoxalmente, acabar colocando em risco a sua vida e a dos outros.

É o excesso de informações deturpadas e manipuladas pela mídia, pelo governo, pela escola e até mesmo pela sociedade que nos rodeia que faz aumentar nossa insegurança. Por isso relutamos e não saímos de casa. O medo é paralisante, é um legado evolutivo e é praticamente impossível viver sem ele.

Quando fomos roubados pela segunda vez nos Estados Unidos recebemos comentários do tipo: "comeram bola, pois deveriam ter informado-se melhor sobre a segurança do local". Falaram como se estivéssemos procurando ser roubados. Alguns nos escreveram dizendo que só visitam certos lugares depois de muita pesquisa sobre os perigos que possam encontrar. Imagina se fôssemos fazer isso antes de visitar todos os lugares por onde passamos: estaríamos ainda no conforto de casa, em frente ao computador, fazendo pesquisas e... sentindo medo. Nós não deixamos de buscar informações sobre a segurança dos lugares, mas com o objetivo da precaução, pois nosso pensamento sempre foi de que "o negativo atrai o negativo".

Você pode nos questionar: vocês nunca passam medo? São assim tão corajosos? É claro que temos medo. Mas temos que conviver com ele e administrá-lo. Foram muitas as vezes em que tivemos esse sentimento durante a viagem: desde a ansiedade de nos imaginarmos andando por trilhas remotas, até aquele momento de extremo pavor ao descer a estradinha congelada e sem proteção lateral que nos levou ao monas-

tério na Geórgia. Foi apavorante ver o nosso carro descer sem controle, deslizando sobre o gelo e com um enorme precipício ao nosso lado. Ufa! Essa o Roy ainda está me devendo.

O primeiro grande medo que senti foi quando largamos tudo e partimos para a nossa primeira viagem de volta ao mundo. Não tinha a mínima ideia do que nos aguardava – nem na próxima esquina, nem na próxima fronteira. Logo depois veio a apreensão do primeiro despacho marítimo entre a Venezuela e a Austrália. Eu vivia pensando em como iríamos lidar com a intricada burocracia portuária em um país estranho. Será que o carro iria chegar lá do outro lado do mundo? No início apareceu também o medo de me comunicar em outra língua. Falar espanhol na América do Sul é relativamente fácil, mas como iríamos entender o forte sotaque dos neozelandeses e australianos? Se eu falasse errado, ririam de mim?

Superados os medos iniciais, deixamos a Oceania e rumamos para a Ásia. Chegara a vez do medo do desconhecido, um continente misterioso a ser descoberto. Que tola fui: o povo asiático é simpático, receptivo e nas relações passa uma tranquilidade sem igual. E o que pensar sobre o Oriente Médio? A mídia nos fala: tenham medo, pois nessa região vivem os homens-bomba e os terroristas degoladores de estrangeiros. Tive medo sim, ao cruzar o Paquistão, Irã, Turquia, Síria e Jordânia, mas ele desapareceu depois que conhecemos de perto aquela região e o seu povo.

O que mais nos apavorou no Paquistão foi uma estrada pequena e estreita na encosta de uma montanha íngreme. Era tão perigosa que alguns locais nos alertaram para não seguirmos em frente. Decidimos experimentar mesmo assim e, em determinado momento, as pedras da estrada começaram a rolar e cair no penhasco, deixando a trilha cada vez mais apertada. Sentimos muito medo, pois como diz o Roy: "se rolássemos montanha abaixo, morreríamos de fome antes de chegar no fundo do vale". Devíamos estar a mais de mil metros de altura em relação ao começo da estrada. Foi uma das poucas estradas, talvez a única, da qual desistimos e fizemos o retorno.

A natureza é imponente e poderosa. O que falar sobre a sensação de cruzar, sozinhos, mais de 500 quilômetros do maior deserto do mundo – o Saara? Uma imensidão de areia e pedras, sem trilhas demarcadas ou indicações de direção, em um sobe desce sem fim de dunas, planícies áridas cheias de acidentes geográficos em um carro que, por mais manutenção que recebesse, poderia apresentar problemas mecânicos. Ali o medo aflorou forte, pois ninguém no planeta fazia ideia de onde estávamos e se algo ruim tivesse acontecido, possivelmente estaríamos lá até hoje.

Os animais também impõem respeito, principalmente os que estão no topo da cadeia alimentar. Quem não ficaria apavorado ao ficar cara a cara com um leão? Por exemplo, de tanto temer esse encontro quando transitávamos pela África, segurávamos a hora de ir ao banheiro (leia-se matinho) sozinhos. O ritual era esse: enquanto um fazia as necessidades, o outro ficava por perto, em alerta, para perceber possíveis ameaças. No Malauí pedi para o Roy parar o carro, pois precisava fazer xixi. E exatamente onde ele estacionou havia uma placa onde estava escrito: "Em memória de 'fulana de tal', que aqui morreu atacada por leões". Perdi a vontade de ir ao banheiro na mesma hora.

Quando dizemos que acampamos em qualquer lugar, é pura verdade. Mas como saber se é seguro acampar em determinado local? Usamos o feeling, uma expressão em inglês que significa intuição. Depois de tantos anos na estrada adquirimos certa experiência e maior sensibilidade para perceber se um local é seguro ou não para passar a noite. Mas mesmo com o feeling, muitas noites me senti insegura. Às vezes escutávamos barulho de carros se aproximando e apagávamos as luzes para não sermos vistos.

Na hora de estacionar, sempre procurávamos esconder o carro da vista dos passantes, pois chamávamos muita atenção e era provável que se alguém nos visse poderia espalhar a notícia de que um carro diferente, com pessoas diferentes, estava parado em tal local. A novidade poderia chegar aos ouvidos tanto de pessoas boas quanto das mal-intencionadas. Aconteceram poucos incidentes em nossos acampamentos. A maioria das vezes em que fomos abordados de madrugada foi pela polícia ou por patrulhas de algum exército local. Vinham checar quem éramos e o que fazíamos parados ali, sempre cordialmente (exceto num acampamento na Venezuela, em que grosseiros e armados queriam nos levar para a delegacia) e indicavam-nos lugares melhores e mais seguros para acampar.

As cidades grandes em qualquer lugar do mundo, seja na África, Ásia, Europa ou nas Américas, são inseguras e é onde devemos ter cuidado redobrado. Nelas concentram-se os interesseiros, pessoas gananciosas e ávidas pelos bens materiais dos viajantes. Nos vilarejos do interior, onde ficávamos na maior parte do tempo, as pessoas são, geralmente, quase isentas de maldade e vinham nos ver movidas pela curiosidade. Era comum acordarmos rodeados de pessoas, especialmente de crianças e adolescentes, olhando para o Lobo como se fosse uma espaçonave que desceu do céu.

A África do Sul foi um dos únicos países onde nos sentimos realmente inseguros ao acampar em qualquer lugar. Recebemos algumas ameaças de assalto enquanto lá estivemos, por isso procurávamos por campings pagos. A história do Apartheid ainda não está resolvida. No resto do continente há muita rivalidade entre tribos, com furtos de gado e outros bens, por isso muitos homens andam armados. Mas mesmo com suas metralhadoras em mãos, nunca fomos ameaçados.

Chega a ser estranho: das dezenas de fronteiras que cruzamos, onde senti mais medo foi no cruzamento da África para a Europa, entre Marrocos e Espanha. Adoro coletar pedras, flores secas, conchas, sementes, areia e tudo o que é diferente e exótico. De tanto guardá-las, o nosso carro estava cheio desses objetos, cuja entrada em alguns países é proibida. O meu receio era de que tudo fosse confiscado quando cruzássemos para o Continente Europeu, pois eles são mais rigorosos. Mas que alívio: nem revistaram o carro.

Depois da volta ao mundo, senti medo de voltar para casa. A vida na estrada passou a ser a nossa normalidade. O diferente, agora, era ter que nos adaptar a uma vida nova – aquela de quase todo mundo, morando de novo em uma casa fixa. Iríamos adaptar-nos? Como iríamos levantar dinheiro para sobreviver se não voltássemos a fazer o que fazíamos antes? Muitas dúvidas e incertezas nos assolavam.

Quando partimos para a segunda viagem, novos medos apareceram. Depois que fomos roubados na Colômbia, não queria que aquela experiência se repetisse e isso gerou medo ao visitarmos certos lugares considerados inseguros na América Central, especialmente Honduras, na época considerado um dos países mais perigosos do mundo. Fomos alertados que estavam assaltando viajantes em uma trilha que queríamos fazer na Ilha Bastimentos, em Bocas del Toro no Panamá. Fiquei receosa em levar nosso equipamento fotográfico. Caminhava apreensiva, olhando para todos os lados para ver se ninguém nos seguia.

Também tive medo em outras caminhadas – como no Alasca – de encontrar um urso frente a frente. Ao mesmo tempo em que temia esse encontro, torcia por ele acontecer. E o que mais me atormentou, por falta de informação e inexperiência, foi o frio no Extremo Leste Russo. Ele tirou muito o meu sono. Senti medo em ouvir o silêncio, do carro parando de funcionar e nós congelando naqueles ermos de temperaturas extremas.

Os voos de paramotor davam mais medo ainda. Quando eu estava lá em cima ou mesmo em terra, sem poder fazer nada ao ver o Roy balançando de um lado para o outro em voos turbulentos, ficava rezando para que o pouso fosse em segurança. O quase desastre do meu voo em Latacunga, no Equador, foi o mais apavorante de todos – naquela hora eu realmente senti medo de morrer.

Visitar o Afeganistão, considerado hoje um dos países mais perigosos do mundo, deixou-nos receosos, especialmente quando ainda estávamos na fase de planejamento. E ao sermos abordados pelo exército, naquele posto militar remoto na Pamir Pequena, senti medo de sermos presos.

Percebi que é impossível viver sem medo, mas esse sentimento jamais nos impediu de fazer as coisas que almejamos. O que temos que aprender é dominá-lo para podermos viver experiências diferentes em nossa vida. Hoje, de volta em casa, com uma vida estável e segura, tenho medo de não voltar mais para a estrada.

Tanto a Geórgia quanto a Armênia estão repletas de monastérios, quase todos construídos em lugares altos e com vista deslumbrante. Se a paisagem é de tirar o fôlego, provavelmente há um monastério no lugar. É admirável o trabalho dos monges que os construíram, pois estão situados quase sempre em locais de difícil acesso. Na parte interna os templos são escuros, em formato quadrado e com pé direito alto. As imagens das pinturas e das estátuas são tão perfeitas que parecem reais.

Os monges ortodoxos vestem mantos pretos, carregam uma grande cruz pendurada no pescoço e quase todos portam longas barbas. Para entrar eu tinha que tirar o chapéu e a Michelle cobrir a cabeça com um véu e vestir saia longa. Muitos fiéis costumam beijar as estátuas, por isso levam lenços para limpar o lugar que fora beijado por outro. Certa vez chamaram-me a atenção por estar com a mão no bolso dentro de uma igreja, o que é considerado falta de respeito. O silêncio e a tranquilidade imperam e o jogo de raios de sol que adentram pelas portas e janelas, somado à fumaça dos incensos e velas, cria um efeito transcendente que parece renovar a alma.

Depois de passar pelo Grande Cáucaso chegamos à capital Tbilisi, onde tivemos que esperar por uma semana pela emissão do visto para o Azerbaijão. Apesar de estarmos ocupados, arrumando a direção hidráulica e o eixo cardã dianteiro do carro, lavando roupa e visitando a cidade, a semana pareceu demorar a passar devido às condições do clima. O que compensou foi a excelente culinária georgiana, calórica e deliciosa. Comer bem foi o nosso passatempo preferido. Uma lenda georgiana conta que quando Deus criava o mundo fez uma parada para comer e tropeçou nas montanhas do Cáucaso, deixando cair parte do seu lanche, o que tornou esta terra abençoada pela comida celestial espalhada pelo chão.

O prato que nos encantou é o mais tradicional do país: chama-se Khachapuri e é composto por massa de pão amassada em formato de barquinho e assada na hora. A massa de farinha de trigo, água, leite, levedura e óleo fica consistente, conservando muito calor. Ao sair do forno, coloca-se manteiga, queijo e um ovo cru, que assa com o calor do próprio pão. Deu água na boca só de lembrar.

Viajar por longo período no Hemisfério Norte tem seus inconvenientes. É difícil fugir do frio. O segundo inverno que se aproximava não nos deixava contentes, pois de clima gelado acho que já tínhamos tido o suficiente na Rússia. Nem havia começado a estação mais fria do ano e nosso corpo já suplicava por vitamina D, tanto que chegamos a cogitar fugir de lá. Abandonaríamos o Lobo em um estacionamento qualquer e tomaríamos um voo para uma ilha paradisíaca com sol e o calor do Hemisfério Sul e voltaríamos somente quando as temperaturas de -9°C durante o dia e -18°C durante a noite estivessem mais amenas. A ilha cogitada para essa fuga foi o Sri Lanka.

Mas isso seria um golpe sujo contra o nosso companheiro de estrada, o Lobo. Assim seria fácil encarar o mundo: abandonando tudo e voando para um outro lugar quando a situação apertasse. Pensamos melhor e colocamos os pés no chão. Nossa nova decisão foi enfrentar o que nos propusemos e aquele inverno nem seria o maior desafio dessa segunda volta ao mundo. Então partimos de Tbilisi e dirigimos sentido a região dos vinhedos em busca de mais aventuras e experiências.

Você sabia que o vinho, essa bebida milenar, tem origem supostamente nos atuais territórios da Geórgia, Armênia, Turquia ou Irã? Os indícios mais antigos estão na Geórgia, onde foram descobertos jarros de produção de vinho de até oito mil anos. Não é para menos que a vinicultura é fundamental na economia do país e uma tradição muito forte. Soubemos disso quando visitamos uma vinícola no vale dos vinhedos. Lá aprendemos que há 500 variedades de uvas no país, sendo que apenas 45 são utilizadas na produção da bebida.

É curioso que no interior as casas possuem seus próprios parreirais e o vinho caseiro faz parte das refeições diárias. Boa parte da produção ainda é feita pelo método *qvevri* – a forma artesanal com a qual o vinho era produzido quando foi inventado. A uva é prensada e o suco com a casca e o bagaço são armazenados dentro de grandes vasos de barro, enterrados por seis meses para a fermentação. A separação da casca e do bagaço é feita por decantação. Os resíduos acumulados no fundo são posteriormente destilados e resultam no conhaque *chacha*, o queridinho dos locais. Os vinhos que compramos para aquecer nossas noites gélidas estavam sensacionais, tanto os brancos quanto os tintos, e eram muito baratos. Compra-se uma garrafa de vinho bom por 3,50 dólares.

Sighnaghi é a cidade mais bonita que conhecemos na Geórgia. Situa-se no topo de uma montanha, acima do Vale Alazani; ao fundo, a cerca de 50 quilômetros em linha reta, fica o imponente Grande Cáucaso. Um quarto da altura dessa cordilheira estava visivelmente branca de neve e o resto mantinha sua coloração escura desértica. De tão bem definida que ficava a faixa branca estendendo-se por toda a longitude do Grande Cáucaso, parecia que a parte alta da montanha havia sido mergulhada de ponta cabeça dentro de uma lata de tinta.

Barrados na fronteira

Na fronteira do Azerbaijão recebemos uma notícia inesperada: veículos que não se enquadram na regulamentação de emissões e segurança Euro 5, não podem circular no país por mais de três dias, a não ser que seja deixado um depósito de 4,5 mil dólares na fronteira, valor que seria ressarcido ao se deixar o país. O Lobo é de 2004, portanto não se enquadra no Euro 5. É claro que não tínhamos esse valor e mesmo que tivéssemos não iríamos correr o risco de deixar tanto dinheiro na fronteira em mãos burocratas. A notícia soou como um banho de água fria em pleno inverno. Tínhamos tanta expectativa em circular no Azerbaijão, havíamos esperado por sete dias pela emissão do visto, pagamos caro por ele e bem na entrada recebemos essa informação.

Não era a primeira vez que isso acontecia. Já havíamos sido barrados no Vietnã na viagem anterior. Lá, como não teve jeito, deixamos o carro na fronteira e viajamos pelo país em transporte público: moto, táxi e ônibus. No Camboja não pudemos passar com o carro pela primeira fronteira, mas dias mais tarde acabamos tentando por outra e conseguimos entrar.

No Azerbaijão, segundo o oficial da aduana, teríamos uma terceira opção: "entrem com a autorização de trânsito de três dias e extrapolem o tempo, o que vai resultar numa penalidade que não ultrapassará 35 dólares e poderá ser paga na saída". Não titubeamos, seguimos o conselho. Entramos com a permissão de trânsito, extrapolamos a validade em duas semanas, mas ao sair percebemos que a informação do oficial estava desatualizada. O valor da multa foi de 85 dólares. Burlar regras esdrúxulas dessa vez valeu a pena.

Até Baku a estrada continuou acompanhando o Grande Cáucaso, sempre ao nosso lado esquerdo. Chama a atenção a arquitetura das casas das simpáticas vilas rurais azeris de Cars, Ilisu e Lahic, situadas acima dos mil metros de altitude. São casas antigas, grandes, feitas de pedra, tijolos e madeira em estilo mais europeu do que asiático. Em Cars os muros altos de pedra são tomados por musgos e há muitas árvores de caquis. Frutas que vimos secando ao sol, entrelaçadas na forma de réstias, como se entrelaçam as cebolas no Brasil. Nas ruas há mais homens do que mulheres e eles nos olhavam com admiração. Para nós esse foi o povo mais simpático de todo o Cáucaso. As carroças são utilizadas com frequência, mas o veículo que mais aparece nas ruas e estradas do Azerbaijão são os da marca russa Lada, nos modelos Samara e Niva.

Já em Shaki, é evidente que a cidade foi muito próspera no passado. Há duas construções grandes de pedra, *caravançarais* que serviam de local de pernoite e comércio para os viajantes da Rota da Seda. Conhecemos o antigo palácio, que nos deixou admirados por suas pinturas e vitrais de Shabaka. Milhares de pedaços pequenos de madeira, manualmente esculpidos, foram montados por encaixe sem qualquer uso de pregos ou cola. Por entre eles estão encaixados os vidros coloridos importados de Veneza e Murano (Itália). Ao cair do dia os raios de sol atravessam os vitrais e as paredes brancas do palácio ficam coloridas, parecendo um caleidoscópio.

A verdadeira Terra do Fogo

Dois terços do país são compostos por depósitos de petróleo e gás natural. Combustíveis fósseis são tão abundantes que no início do século 20 chegaram a suprir metade do consumo mundial. É daí que vem o nome Azerbaijão, que significa "terra do fogo". Marco Polo também andou por essas terras e na Península de Absheron registrou em seu livro ter visto chamas saindo do chão – fenômeno que acontece até hoje. São bolsões de gás formados por hidrocarbonetos que, ao chegarem à superfície, escapam por fendas e, em contato com algum princípio incinerador, acendem labaredas que passam a queimar sem parar.

Yanar Dag significa "montanha em chamas". É um fogo na encosta de um barranco na Península de Absheron. Está queimando de forma contínua desde 1950, produzindo labaredas que chegam a um metro de altura. Dizem que a chama foi ateada acidentalmente por um pastor que passando por ali acendeu um cigarro. Ocorreu-me que o coitado deve ter tomado um enorme susto ao botar fogo na terra. O local é incrível, tanto que virou ponto de atração turística. Como fazia frio, aproveitamos para nos aquecer ao lado das chamas.

O Templo do Fogo em Suraxani também possui chamas constantes. Há uma teoria que diz que o profeta Zoroastro, fundador do Zoroastrismo, a religião mais antiga do mundo, nasceu no Azerbaijão. O fogo é um elemento venerado nessa religião, um de seus principais símbolos, e todos os templos possuem a flama eterna. Zoroastrismo é a religião do pai do Freddie Mercury, que vivia tentando incutir alguns conceitos religiosos em seu rebelde e genial filho.

Baku é a capital e situa-se às margens do Mar Cáspio. Cresceu e enriqueceu às custas da extração de petróleo e gás. Após a saída da União Soviética, iniciou uma reestruturação em escala sem precedentes. Centenas de edifícios da era soviética foram postos ao chão para dar lugar a um cinturão verde em sua orla; parques e jardins voltaram a dar vida à Baía de Baku. Foram feitas melhorias significativas na limpeza, manutenção e coleta de lixo, serviços que hoje enquadram-se nos padrões da Europa Ocidental. A sustentabilidade virou fator chave para o futuro desenvolvimento urbano da capital. Mas estes conceitos precisam chegar ainda ao interior do país.

No ano em que estivemos em Baku (2016) a cidade sediou pela primeira vez o Grande Prêmio de Fórmula 1 – um circuito urbano passando pelos principais pontos turísticos da cidade e mostrando uma mescla de arquitetura medieval, castelos, muralhas e modernos arranha-céus. Uma das construções que mais nos impressionou foi o Centro Heydar Aliyev, projetado pela famosa arquiteta Zaha Hadid – um local de atividades culturais, exposições e entretenimento; o edifício, por si só, é uma obra de arte. Também admiramos as Torres da Chama, três edifícios com mais de 30 andares cada, envoltos por janelas com vidros azulados que produzem o formato e a cor das chamas do gás.

Nos dias em que passamos por Baku a cidade fez jus ao significado do seu nome, que em persa quer dizer "cidade fustigada pelo vento". Ventava tanto que a bandeira nacional, hasteada no terceiro mais alto mastro do mundo, teve que ser baixada por questões de segurança. Em dias de vento mais fracos, a bandeira nacional com 70 metros de comprimento por 35 de largura agita-se em um mastro com 162 metros de altura. Quando foi construído, em 2010, era o maior do mundo, mas já perdeu para outros dois mastros: o de Jeddah, na Arábia Saudita (mais alto da atualidade) e o de Dushambé no Tadjiquistão.

Toda a riqueza proveniente debaixo da terra, isto é, que exige mineração, faz com que a natureza pague um alto preço. Isso ficou nítido na Península de Absheron: lá se vê claramente o contraste da moderna e impecável cidade de Baku e o da península, onde o solo apresenta-se revirado, com centenas de torres e poços de extração de petróleo. É uma cena assustadora.

Ao sul da capital, no Gobustão, fomos ver as últimas curiosidades do país: a Reserva dos Petróglifos com suas seis mil gravuras rupestres de até 12 mil anos. Dizem que o homem chegou a essas terras há 40 mil anos. Depois fomos aos minivulcões de lama, que liberam gases, água e óleo das profundezas – uma espécie de válvula de escape das atividades vulcânicas. O Azerbaijão é o país que contém o maior número de vulcões de lama no mundo. Na verdade, são gêiseres em formato de vulcões em miniatura, algo pouco comum. Estima-se que existam perto de mil no mundo, sendo que quase metade deles encontra-se nessas terras.

Em determinado momento, enquanto caminhávamos por entre os pequenos vulcões, com poucos metros de altura e borbulhando sem parar, o vento forte direcionou a descarga em minha direção e tomei um banho de lama. A Michelle riu e debochou da minha situação, mas logo em seguida, quando estava na frente de outro minivulcão, ainda mais ativo, o vento fez questão de banhá-la também. A lama sujou seu rosto e os óculos de sol. Um batismo das profundezas.

Tentativa de suborno nas estradas – como lidar com isso

Os dias nas terras azeris passaram voando; nossa impressão sobre o país foi muito boa, mas teria sido melhor se não fosse por um episódio que aconteceu um pouco antes da fronteira em uma parada policial. Sabíamos da fama dos policiais do Cáucaso, que inventam infrações para tirar uma graninha dos viajantes, mas não pensávamos que pudessem ser tão descarados. Uma viatura policial que vinha em sentido contrário ao nosso, ao nos ver, fez a volta rapidamente, nos alcançou e acionou as sirenes para que parássemos no acostamento. Um dos policiais ficou no carro e o outro, o motorista, veio até minha janela para checar os documentos. Pegou um a um, tentou entendê-los, já que os papéis brasileiros não devem ser comuns para ele. Pediu para que eu o acompanhasse até o seu veículo, pois precisávamos conversar com seu superior. Parecia que seus olhos brilharam em cifras, assim como numa máquina de cassino.

Segui suas ordens, então os dois começaram com o papo sujo, aquela conversa que a Michelle e eu já ouvíramos tanto em países da África e América do Sul: estaríamos dirigindo a 60 quilômetros por hora num lugar onde o limite era de 50 e se quiséssemos seguir viagem sem ter problemas, teríamos de pagar 50 euros. Primeiro: estávamos andando em uma fila de carros, então não tínhamos como estar mais rápido que os outros. Segundo: tendo informações antecipadas da fama dos policiais azeris, costumávamos dirigir dentro do limite de velocidade. Terceiro: como poderiam medir nossa velocidade, se estavam dirigindo em sentido contrário?

Eu fiquei enfurecido, mas mantive a postura e insisti que não havia infringido a velocidade e coisa e tal, até que eles começaram a erguer o tom de voz. Ficou claro que aquilo era encenado e já que eu resisti a pagar a propina, eles tentariam me intimidar de outra forma. Num dado momento decidi enfrentá-los. Disse que combinassem o que queriam fazer com meus documentos e quando tomassem a decisão, que fossem até o meu carro, pois estaria lá esperando. Nossa! Saltaram as veias dos seus pescoços, mas fui irredutível, virei as costas e entrei no carro. Aprendemos em tantos anos de estrada que policiais que sabem que estão agindo errado não têm coragem de levar a mentira por muito tempo. Tocaram a sirene novamente, mas eu não dei atenção, até que veio o motorista, com cara de bundão e me entregou a carteira, o registro do carro e aproveitou para dar-me uma lição de moral, dizendo para respeitar o limite de velocidade.

Na Armênia foi assim também e eles foram piores do que os azeris: davam ordem de parar por meio de autofalantes. A estratégia era a mesma: dizer que infringimos a lei para ganhar um troco. Mas chegou um momento em que quando era demandado sair do carro eu nem obedecia mais. Eu falava que se eles tivessem algo para me dizer, que o fizesse ali mesmo e na frente da Michelle. Normalmente os policiais ficam constrangidos em pedir dinheiro na frente das mulheres e têm medo da presença de câmeras ou gravadores que possam registrar os pedidos de propina. A propósito, esse é o número da placa de um dos carros que nos parou na Armênia: I 512 11 01. Quando o policial viu que o anotamos, mudou de comportamento na hora.

Durante todas as nossas viagens nunca nos tiraram um tostão. Desenvolvemos autoconfiança e quando sabíamos que estávamos certos, levávamos até as últimas instâncias a decisão de não pagar suborno, tempo tínhamos de sobra para aturá-los. Na Armênia, a polícia fica constantemente aterrorizando a população com autofalantes. Eles mais atrapalham a vida das pessoas do que ajudam. Disse-nos um cidadão armênio que os policiais tiram muito dinheiro de todos.

No Cazaquistão, ao andar de carona com o Wilson Ramos – o brasileiro que viajava com seu filho pela Ásia Central –, quando fomos em busca de um mecânico para o seu veículo, um guarda chegou a improvisar um teste de bafômetro enrolando uma folha de papel em formato de cone e pedindo para o meu amigo Wilson assoprar ali dentro; depois aspirou rapidamente o cone para sentir se havia cheiro de álcool.

A Michelle tomou nota de todas as vezes em que fomos parados por policiais: na primeira viagem percorremos também a América do Sul e a África e tivemos 186 paradas, sendo 21 no Egito, em 21 dias; e 29 na Mauritânia em apenas nove dias. Na segunda viagem fomos parados 132 vezes. Na Rússia foram 24 paradas num período de 133 dias e no Tadjiquistão fomos parados 17 vezes em 18 dias. A Mauritânia detém de longe o recorde de 3,2 paradas policiais por dia. Não tem como não aprender alguma coisa em 318 paradas policiais, das quais apenas seis aconteceram no Brasil.

Mais monastérios pelo caminho

Para seguir até a Armênia, voltamos para a Geórgia, pois aquele país não tem fronteira aberta com o Azerbaijão. Esse percurso obrigatório compensou cada litro de diesel gasto, pois pudemos conhecer o complexo de monastérios georgianos ortodoxos de David Gareja, que de tão fascinante é disputado entre os dois países vizinhos: Geórgia e Azerbaijão.

Do alto da montanha pode-se enxergar longe. Para o Norte víamos à nossa frente o paredão branco do Grande Cáucaso. Ao Sul, fazendo parte da Armênia, aparecem nitidamente as silhuetas das montanhas do Pequeno Cáucaso. Estávamos na Geórgia, no estado da Cachétia; se caminhássemos cinco metros ao Sul entraríamos no Azerbaijão. A vista é fascinante: dá até para enxergar a Rússia e o seu ponto culminante, o Monte Elbrus, que faz parte do Grande Cáucaso. E ao Sul, ainda existe a remota possibilidade de enxergar o que acreditamos ser o Monte Ararat. Ou seja, se não estávamos delirando, estaríamos vendo a Turquia também.

Os monastérios de David Gareja são tão encantadores que foram escolhidos pelos monges ortodoxos desde o século 6 como o local das suas preces. O complexo conta com mais de 50 cômodos: igrejas, capelas, refeitórios e alojamentos. Todos cuidadosamente escavados na rocha e na face sul da montanha. Nas paredes existem pinturas com imagens de Cristo, seus discípulos e outros santos – muitas dos séculos 10, 11, 12 e 13, época em que os monastérios atingiram seu maior desenvolvimento econômico e cultural. O rei da Geórgia, Demétrio I, no século 12, escolheu David Gareja como local de seu confinamento depois que abdicou do trono. É um lugar para encher de esperança o coração de quem o visita.

O dia 21 de dezembro marcou o início do inverno no Hemisfério Norte, data em que chegamos à Armênia. Logo percebemos que por ser um país montanhoso, onde parte do Pequeno Cáucaso está inserido, aquela não era a melhor época para estar ali. As estradas ficam cobertas de neve e grande parte delas – principalmente as que levam aos lugares mais altos – ficam interditadas. Em países mais desenvolvidos a neve das estradas principais é regularmente removida para que o trânsito flua, mas na Armênia, um país pobre, este serviço quase não existe. A neve compactada se torna gelo escorregadio e dificulta trafegar nas subidas e descidas. Dá aquele mesmo frio na barriga que tivemos ao descer do monastério de Stepantsminda.

O assunto entre nós enquanto dirigíamos em direção a Ierevan, a capital do país, foi o replanejamento. Muitos lugares que queríamos conhecer estavam com acesso bloqueado. As paradas nesse trajeto foram para conhecer os monastérios de Haghpat e Sanahin e para apreciar a magnitude do Monte Aragats, com seus 4.095 metros (não confundir com Monte Ararat).

Quanta beleza existe naqueles dois monastérios construídos no século 10, sustentados por paredes espessas de pedra. São obras-primas da Igreja Apostólica Armênia, mas em sua arquitetura existe também elementos eclesiásticos bizantinos e vernaculares da região do Cáucaso. Há detalhes de cruzes esculpidas nas próprias pedras e muitos túmulos no chão dos interiores dos templos. Uma curiosidade é que a Armênia foi a primeira nação do mundo a adotar o cristianismo como religião de Estado, no ano 301. No monastério Haghpat subimos a torre para conhecer os sinos; o menor pesava 200 quilos e o maior 300.

Um Natal fora de época

Nosso consolo, já que o frio nos impedia de continuar com o plano de viagem, era poder celebrar o Natal junto a esse povo, que é essencialmente cristão. Surpresa! No dia 25 de dezembro comemoramos o Natal sozinhos. Estávamos cercados de ruas, praças e residências da capital Ierevan enfeitadas com motivos natalinos, mas a vida corria normal, como se fosse um dia qualquer. Mais tarde descobrimos o porquê: o Natal, para os armênios, acontece em janeiro. A maioria das igrejas ortodoxas celebram o nascimento de Cristo e outras festividades religiosas utilizando o calendário Juliano, estabelecido por Júlio César em 45 a.C. Portanto, eles não adotam o calendário Gregoriano, proposto pelo Papa Gregório XIII em 1582 e usado em quase todo o mundo. A verdade é que os cristãos ortodoxos também celebram o Natal no dia 25 de dezembro, mas como o calendário Juliano está 13 dias atrasado com relação ao Gregoriano, o dia 25 de dezembro deles cai no nosso dia 7 de janeiro.

O Papa Gregório XIII estudava astrologia e percebeu que havia uma discrepância de 10 dias entre o equinócio de verão do calendário

Juliano e o real posicionamento dos astros. Consultou os cientistas e aprendeu que um ano solar possui 365,2422 dias solares, uma fração de tempo a menos que os 365,25 dias que o calendário Juliano considera. A pequena diferença representa 11 minutos e 14 segundos ou um dia a cada 128 anos. Feita a descoberta, Gregório decretou que o dia 5 de outubro de 1582 passaria a ser o dia 15 de outubro, fazendo com que os 10 dias entre as duas datas deixassem de existir. Então para a maioria das igrejas cristãs o Natal daquele ano chegou mais cedo, mas as igrejas ortodoxas preferiram continuar as celebrações de festividades religiosas conforme o calendário Juliano e esperaram até o dia 4 de janeiro de 1583 para celebrar o Natal. Nos quatro séculos seguintes, a diferença cresceu três dias, chegando a 13 nos tempos atuais. Depois do ano 2100, o Natal ortodoxo deverá ser celebrado somente no dia 8 de janeiro.

Quarenta e cinco quilômetros ao sul de Ierevan há mais um monastério para visitar: o Khor Virap (Monastério de St. Gregório). Situado na vila Pokr Vedi, é um dos mais bonitos do Cáucaso. Mas nem foi a arquitetura que nos atraiu até lá e sim a paisagem do seu entorno. Pokr Vedi situa-se a menos de dez quilômetros da fronteira com a Turquia e a 37 quilômetros do Monte Ararat, a maior montanha daquele país. O monte é composto por dois picos: o Grande Ararat, com 5.137 metros de altitude e o Pequeno Ararat, com 3.896 metros. Já havíamos visto a face sul do Ararat quando entramos pela Turquia vindos do Irã em nossa primeira viagem de volta ao mundo, então sabíamos que era lindo. Conta a Bíblia que foi no cume do Monte Ararat que a Arca de Noé parou quando as águas do dilúvio baixaram.

Porém tivemos azar. Passamos dois dias acampados no estacionamento do monastério para ver se melhorava o mau tempo que encobria a montanha, mas não teve jeito. Tínhamos mais uma chance de avistar o Ararat dirigindo ao sul até o Cânion e Monastério de Noravank, mas quando voltamos no outro dia, o mau tempo persistia. Cansados do frio, decidimos ir em busca do sol, que parecia estar acalentando mais no lado da Geórgia. Em cinco dos sete dias que ficamos na Armênia não enxergamos um palmo a nossa frente, pois a neblina encobria nossa visão. Muitos lugares tiveram que ficar só na imaginação.

Baía de Kotor, Montenegro

Piquenique no Mangistau, Cazaquistão

Vale das Bolas no Mangistau, Cazaquistão

Mesa farta nas mesquitas do Mangistau, Cazaquistão

Plantas rolantes bloqueiam a estrada, Rússia

Grozny, capital da Chechênia, Rússia

Vale dos Vinhedos e o Grande Cáucaso ao fundo, Geórgia

Monastério Trindade Gergeti, Geórgia

Torres Chama em Baku, Azerbaijão

Ierevan, capital da Armênia

Interior de um monastério, Geórgia

Chamas de Yanar Dag, Azerbaijão

Monastério Noravank, Armênia

Igreja Sveti Jovan at Kaneo e lago Ohrid ao fundo, Macedônia

Mesquita Azul, Turquia

Panificadora em Safranbolu, Turquia

Koprivshtitsa, Bulgária

Monastérios de Meteora, Grécia

Monemvasia, Grécia

Ruínas gregas no Parthenon, Grécia

Porto Katsiki, Grécia

Mar azul, Grécia

Gjirokaster, Albânia

Ponte de Mostar, Bósnia e Herzegovina

Dubrovnik vista de cima, Croácia

Momento de lavar roupa, Eslovênia

Castelo do Drácula, Romênia

Vida rural, Romênia

Alcateia de lobos (Defender 130), Sérvia

Rio Soča, Eslovênia

Peregrinação das Quatro Montanhas, Áustria

Český Krumlov, República Tcheca

Čičmany, Eslováquia

Vlkolínec, Eslováquia

Pontes de Praga, República Tcheca

Dresden, Alemanha

Agricultura com linhas perfeitas vista do paramotor, Hungria

Man at Work, Bratislava, Eslováquia

Vista de 360 graus nas montanhas Tatras, Polônia

Kiev, Ucrânia

Pianista nas ruas de Kiev, Ucrânia

Pêssankas, Ucrânia

Igrejas de madeira, Polônia

Campo de concentração de Auschwitz, Polônia

Casas tradicionais, Bielorrússia

Capital Minsk, Bielorrússia

Respeito aos costumes ortodoxos, Rússia

Catedral de São Basílio em Moscou, Rússia

Mosaicos da Catedral do Sangue Derramado, Rússia

Interior das igrejas ortodoxas, Rússia

São Petersburgo, Rússia

Parque Nacional Koli, Finlândia

Sol se pondo às 23h00, Finlândia

Parque Nacional Kolovesi, Finlândia

Baleias beluga, Rússia

Acampamento ao lado do Mar Branco, Rússia

Vastidão da Península de Kola, Rússia

Ataque de mosquitos, Rússia

Latitude 70 em Nordkapp, Noruega

Arquitetura colorida em madeira, Noruega

De fiorde em fiorde, Noruega

Ponto continental mais ao norte da Europa, Noruega

Renas, Noruega

Visita inusitada, Noruega

Preikestolen ou Pedra Púlpito, Noruega

Trolltunga, Noruega

Kjeragbolten, Noruega

Canal Nyhavn em Copenhague, Dinamarca

Pedra rúnica de Rök, Suécia

Distrito de Zaan, Países Baixos

Outono, Dinamarca

Hora do mate, Uruguai

Parrilla para el almuerzo, Uruguai

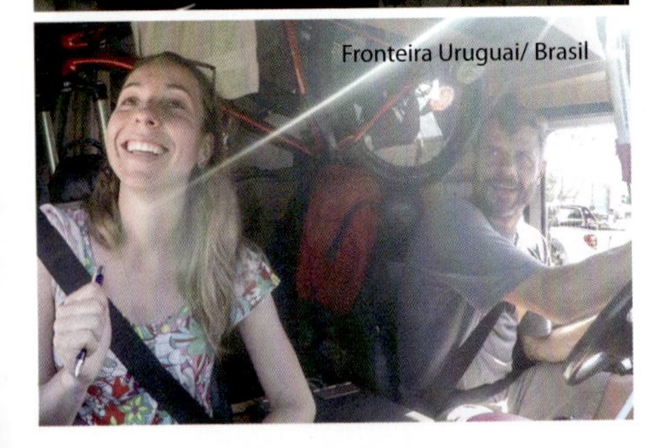

Fronteira Uruguai/ Brasil

Palmares de Rocha fotografado do paramotor, Uruguai

Amigos e familiares na chegada, Brasil

Dizia Platão: a necessidade é a mãe da invenção

Circunstâncias desesperadoras fazem com que pessoas realizem proezas de proporções fora do comum. Foi isso que a rainha Tamar, da Geórgia, deve ter sentido ao final dos anos 1100, quando se viu ameaçada pela invasão do exército mais devastador da época – os mongóis. Para proteger seu reino, ordenou a construção de Vardzia, um santuário subterrâneo esculpido na encosta da montanha Erusheli, localizada no sul do país, perto da cidade de Aspindza. As proporções da obra são descomunais: uma fortaleza subterrânea com 13 andares e 6 mil cômodos feita para abrigar monges e refugiados. Acredita-se que o único acesso a esse formigueiro humano se dava através de um túnel escondido, cuja entrada seria perto das margens do rio Mtkvari.

A parte superior da montanha foi coberta por terraços de cultivo equipados com um elaborado sistema de irrigação, a fim de suprir alimento para os 50 mil habitantes da cidade. Com as defesas naturais somadas às construídas pelos defensores, o lugar ficou a salvo da investida dos mongóis. Porém, um século mais tarde, um terremoto destruiu dois terços dessa cidade subterrânea expondo ao ar livre as suas entranhas, até então ocultas. O monastério continuou suas atividades até o século 16, quando foi atacado e saqueado pelos persas. Atualmente o que sobrou está mais para um museu do que monastério, mesmo com alguns monges ainda morando nas cavernas.

Ficamos surpresos com o valor do *ticket* – um pouco mais de um dólar –, muito barato se comparado com outros importantes sítios arqueológicos do mundo. Exploramos Vardzia como se estivéssemos dentro de um enorme formigueiro. Passamos mais de três horas subindo e descendo as cavernas e creio que não andamos pelo mesmo lugar mais de uma vez. Foi insano pensar que dentro daquela montanha ficavam escondidos tantos apartamentos, aposentos da rainha, sala de reuniões, capelas, adegas, igreja principal com torre do sino, refeitório, padaria, fornos, canalização de água e provisões para defesa. Uma cidade completa, parecida com aquelas ilustrações de Escher que brincam com nossa percepção da realidade.

Do outro lado do vale, menos preservados, mas não menos impressionantes, localizam-se os Monastérios de Vanis Qvabebi, 400 anos mais antigos que Vardzia. De um lado, cavernas abandonadas que somam 16 andares. Do lado esquerdo, a parte mais baixa e acessível, ainda é habitada por monges – o sinal de que existe vida no local é a fumaça saindo das chaminés. Subimos por escadas externas e internas de madeira e terminamos numa capela lá no alto. A vista do vale é surreal, podíamos ver Vardzia do outro lado do rio à nossa frente.

Celebramos a passagem do Ano Novo acampados num estacionamento em Borjomi, uma cidade que atrai visitantes em busca das suas fontes de águas minerais terapêuticas. Antes da virada do ano saboreamos no restaurante Bergi uma deliciosa truta ao molho de ameixa, acompanhada de berinjela e espinafre com pasta de amêndoas e vinho branco. À meia-noite assistimos aos fogos de artifício que pipocaram no hotel vizinho ao nosso estacionamento e logo capotamos para uma merecida noite de sono. Chegara 2017, o ano em que voltaríamos para casa.

Não muito longe de Batumi, na última cidade visitada na Geórgia, às margens do Mar Negro, aconteceu uma coincidência: nosso GPS registrou números idênticos de latitude e longitude: 41°45' 34" N e 41° 45'34" E. Será que isso vai se repetir algum dia? Devíamos ter jogado na loteria.

Um chamado às orações

Algo agradável de se escutar nos países islâmicos são os chamados às orações entoados por alto-falantes dos minaretes das mesquitas. São cânticos religiosos com pouca melodia, mas que criam um clima gostoso. Na Ásia Central, onde o povo é predominantemente islâmico, isso quase não acontece. As pessoas de lá são religiosas, mas não de uma forma tão fervorosa. Quando chegamos à Turquia, país com milhares de mesquitas, ouvíamos os chamados por onde quer que andássemos. Os muçulmanos fazem suas orações cinco vezes ao dia, sendo a primeira antes do nascer do sol e, para cada uma, os cânticos são repetidos. Para rezar, mesmo estando há milhares de quilômetros de distância de Meca, cidade sagrada na Arábia Saudita, os islâmicos se posicionam em direção a ela.

Outra mudança perceptível ao entrar na Turquia foi o nível de desenvolvimento do país: muitas estradas com pistas duplas, cidades grandes bem arrumadas e prédios modernos refletiram isso. Andar por estradas bem pavimentadas trazia um inconveniente:

passávamos a escutar todos os barulhos que o Land Rover andava fazendo, o que não acontecia nas estradas esburacadas, onde o som que prevalecia era a barulheira em toda a casa rodante.

A cadeia Montes Pônticos começa praticamente dentro do Mar Negro, o que limitou a expansão das cidades que se desenvolveram na região mais plana – logo as casas começaram a subir montanha acima. Rize, cujo nome origina-se do grego e significa "encosta de montanha", possui, além das casas e prédios, muitos terraços de plantações de chá. Desde a década de 1950, o produto transformou-se em uma das principais atividades econômicas locais. Ao serem vistas de longe, as plantações se parecem com tapetes bordados em verde musgo.

Em Trabzon deixamos a rodovia que acompanha a costa do Mar Negro para conhecer algo que não é muito comum na Turquia: um monastério. Acredita-se que o Monastério de Sumela foi fundado na época de Teodoro I, um dos imperadores bizantinos, e ampliou-se no século 6. Diga-se de passagem: o Império Otomano, que mais tarde transformou-se na República da Turquia, teve um passado glorioso após vencer o Império Bizantino e conquistar Constantinopla, hoje Istambul, a antiga capital bizantina. Durante os séculos 16 e 17, o Império Otomano chegou a ser uma das maiores potências mundiais.

Voltando ao monastério, curiosamente ele não foi destruído ou transformado em mesquita pelos turcos. Seguiu a tradição cristã dos países do Cáucaso, tendo sido construído em uma montanha linda e longe da interferência urbana. O diferencial é que essa construção está grudada, como um ninho de vespas, ao paredão vertical da montanha, a dezenas de metros de altura. Não pudemos visitá-lo por dentro porque no inverno muitos pontos turísticos estão fechados. O baixo movimento não compensa a abertura. Mesmo por fora, conhecê-lo valeu a pena por causa da sua bela arquitetura. A caminhada morro acima durou duas horas e um cachorro nos acompanhou durante todo o percurso. Quando ele ficava à nossa frente, parava e olhava para trás com expressão de quem diz: "Hei! Vocês não podem andar um pouco mais rápido?". Ao final, lamentamos não ter dado-lhe uma gorjeta por ter sido um guia de montanha tão eficiente e agradável.

Voltamos para a costa e continuamos acompanhando o Mar Negro em sentido Sudoeste. Após Samsun saímos novamente em direção às montanhas a fim de conhecer as elegantes cidades otomanas de Amasya e Safranbolu. Cortada pelo rio Yeşilırmak, Amasya mostra em suas margens um conjunto de casas, mesquitas e prédios de design simples, pintados de branco e contornados por linhas escuras, o que dá a eles um charme difícil de explicar. Nós a visitamos em um período de muita neve quando a região tinha um aspecto monocromático. No alto da cidade, tumbas dos Reis Pônticos estão escavadas na rocha. Arqueólogos encontraram evidências de que se formou uma civilização neste local há mais de 7,5 mil anos.

Safranbolu e seus arredores ficaram conhecidos porque antigamente cultivava-se muito açafrão. A prosperidade do comércio de especiarias ficou registrada nas mansões que se espalham pela cidade, que de tão bonitas tornaram-se patrimônio histórico da Unesco. O nome Safranbolu provém etimologicamente do cultivo do açafrão.

Voltamos para a costa pela terceira vez e, para nossa alegria, o sol despontou para deixar tudo mais gostoso. Amasra foi a cidade mais interessante que conhecemos na parte litorânea. Ocupada por uma península com duas baías e uma ilha interligada por uma pequena ponte de pedra romana, é um dos portos mais bonitos do Mar Negro.

Uma colônia grega chamada Sesamos Amastris foi estabelecida ali no século 6 a.C. Mais tarde, os bizantinos anexaram a cidade como parte do Reino dos Pônticos e entre 1270 a 1460 alugaram o porto para os genoveses para servir como uma estação de comércio. Mehmet, sultão do Império Otomano, conquistou o lugar sem precisar lutar. Sob o domínio otomano, a colônia perdeu a importância comercial para outros portos do Mar Negro.

O lugar é pródigo em castelos, igrejas, mesquitas e construções antigas. Um fato curioso marcou nosso passeio no local: assim como na visita ao Monastério de Sumela, fomos novamente guiados por um cachorro. Ficou parecendo que na Turquia os cães são treinados para acompanhar os visitantes. Enquanto passeávamos pela cidade seguindo o nosso guia de quatro patas, outros turistas brincavam com ele e acariciavam-no. Mas, fiel ao seu trabalho, o cão não nos abandonava por nada, seguindo sempre em frente, levando-nos pelo exato caminho que o livro guia nos sugeria.

Para testar sua fidelidade, num dado momento resolvemos ficar para trás por alguns minutos para ver se ele iria nos deixar. Quando avançamos, ao dobrar a esquina, lá estava ele, sentado pacientemente à nossa espera. Ao nos ver, levantou e seguiu em frente. De vez em quando parava e olhava para trás e fazia aquela mesma cara, de quem queria nos perguntar: "escutem, vocês não podem vir mais rápido?". Na Turquia e nos países vizinhos vimos muitos cães e gatos de rua e todos parecem estar bem tratados. Ouvimos dizer que eles não pertencem a ninguém, mas a comunidade toda zela por eles.

Uma vez, Constantinopla

Já não estávamos mais acostumados com cidades grandes e a chegada em Istambul nos assustou um pouco. Sua área metropolitana hospeda mais de 13 milhões de habitantes. São tantos os veículos nas ruas que o congestionamento já começa a se formar longe do centro urbano.

Quem nunca ouviu falar em Constantinopla (hoje Istambul), que já foi a capital do Império Romano, do Império Bizantino e do Império Otomano? Na Idade Média foi a maior e mais rica cidade da Europa e na época bizantina, a capital da cristandade. A cidade é cortada ao meio pelo Canal de Bósforo que liga o Mar Negro ao Mar de Mármara e divide a Ásia da Europa, como já detalhei anteriormente.

Nosso QG durante a visita a Istambul foi no lado europeu, mas antes tivemos que cruzar o estreito a bordo de um ferry. Foi muita sorte encontrar no meio de uma cidade tão grande um bom estacionamento de frente para o Mar de Mármara; um lugar seguro, próximo ao centro histórico, tendo tudo o que precisávamos. Ficamos ali por quatro dias. Já estava na hora de dar uma parada para nos reorganizarmos. Precisávamos lavar roupas e mandar imprimir algumas cópias do nosso livro em inglês, já que na Europa, por causa do idioma, aumentariam nossas chances de venda.

A cidade foi sempre um polo de atração turística, porém de alguns anos para cá, a instabilidade política e a falta de segurança estão espantando os turistas (houve atentados terroristas com vítimas estrangeiras). É da natureza turca ser persuasivo na venda dos seus produtos e, pelo baixo movimento da época, eles não perdoavam ninguém que passasse na frente dos seus estabelecimentos. Uma das técnicas da abordagem é: ficam prestando atenção para descobrir o idioma do turista para então chamar sua atenção usando alguma palavra naquela língua. Isso aumenta a empatia e facilita o início de uma negociação.

Nos restaurantes em que fomos convencidos a entrar, confesso que não houve arrependimento. A culinária turca é rica em massas, carnes, peixes, vegetais e doces e tem exercido grande influência na gastronomia de muitos países. Adoramos o *adana kebab*, uma espécie de "boi ralado", isto é, carne moída assada na brasa. Na maior parte das vezes optamos pela carne de carneiro, acompanhada de tomate e pimenta verde assada (que não encontramos fora da Turquia), iogurte e pão turco.

No Bazar de Istambul, um verdadeiro labirinto de ruelas, todas cobertas e com uma loja ao lado da outra, o assédio dos vendedores é intenso. Um turco disse-me: "entre na minha loja que eu te ajudo a gastar o seu dinheiro". Havia muita coisa para se comprar: luminárias, tapetes, xales bordados, artesanatos, joias, louças, especiarias, queijos, salames, olivas... Tudo de primeira qualidade. Vimos tapetes maravilhosos, cujos preços não são baixos, mas fazem jus ao trabalho e qualidade da tapeçaria turca. O povo turco, fora das regiões turísticas, é amigável, acolhedor e preserva muito os seus costumes, especialmente a arte de receber bem.

Ninguém lá vive sem o chá tradicional, servido em pequenos copos e em todos os lugares. Existem vendedores ambulantes de chá, que transportam os copos em bandejas de prata com correntes, deixando-as em pêndulo para evitar que o produto seja derramado durante as manobras que fazem para evitar trombadas nas agitadas ruas e bazares.

O centro histórico é tomado por construções antigas, mas na praça principal, chamada Sultanahmet, duas construções roubam a cena: a Aya Sophia e a Mesquita Azul. Conhecida como Sancta Sophia em latim, a Aya Sophia foi construída para restaurar a grandiosidade do Império Romano e foi finalizada pelos bizantinos em 537 d.C. Foi a mais importante obra cristã no mundo até 1453, quando os turcos conquistaram Constantinopla. O conquistador Mehmet converteu a igreja em mesquita, que passou a servir ao islamismo até 1935, ano em que foi transformada em museu. Por fora não é tão expressiva e mascara o esplendor do interior. A cúpula, as portas, as paredes, as pinturas cristãs que ainda se preservam entre as inscrições islâmicas e os mosaicos são encantadores. Tão linda e grandiosa, que no século 17, o sultão Ahmet decidiu rivalizá-la, construindo à sua frente a Mesquita Azul, que se destaca inclusive quando se está no lado asiático da cidade. No aspecto exterior, o sultão teve sucesso, mas internamente nada se compara a Aya Sophia, considerada uma das construções mais gloriosas do mundo.

Da Turquia seguimos para o primeiro país pertencente à União Europeia: a Bulgária. Que venha a Europa...

ROMÊNIA
ESLOVÊNIA
CROÁCIA
SÉRVIA
BULGÁRIA
BÓSNIA E HERZEGOVINA
MONTENEGRO
ALBÂNIA
MACEDÔNIA
GRÉCIA

10. Sudeste Europeu

O frio que havia dado uma trégua nos últimos dias na Turquia voltou com força total ao cruzarmos a fronteira com a Bulgária. A mudança de clima trouxe fortes nevascas e muito desconforto. De tanto ver neve já nos sentíamos como o personagem de um conto chamado Diário de um Argentino em Toronto, que narra de forma hilária a história de um argentino que, feliz da vida, mudou-se para o Canadá, onde neva muito. Com o passar do tempo, começaram a aparecer os inconvenientes da "m.... branca" – como ele se referia à neve nas cartas que endereçava aos familiares – e passou a desejar fortemente voltar ao calor e aos mosquitos de Santa Fé, a terra que antes desprezava.

Na Bulgária iniciava-se uma nova fase da nossa viagem. Ao cruzar a fronteira, ficamos receosos em perder os desafios e as aventuras que as terras inóspitas dos países conhecidos como emergentes nos ofereciam, mas fomos surpreendidos com outros encantos. Os países europeus são relativamente pequenos, populosos e tão distintos uns dos outros que fizeram com que nossa viagem se mantivesse extremamente interessante. Se na América do Norte e na Ásia ficamos por meses em um só país (181 dias nos Estados Unidos e 133 dias na Rússia), agora iríamos passar por mais de 20 países num período de nove meses.

Bulgária – uma história de ocupações e perdas

O povo búlgaro tem uma longa história de lutas para se manter independente. Primeiro teve que enfrentar, de forma contínua, os bizantinos.

No final do século 14 não pôde resistir à invasão dos otomanos – que, aliás, haviam vencido os bizantinos, seus maiores rivais. Só vieram a libertar-se dos otomanos em 1908, para logo em seguida, entre 1912 e 1913, envolverem-se na guerra dos Balcãs a fim de disputar com a Sérvia, Montenegro, Grécia, Romênia e Turquia o que havia restado do Império Otomano. Na Primeira Guerra Mundial, por lutar ao lado dos derrotados, perdeu grande parte do seu território. Depois da Segunda Guerra Mundial, em 1946, adotou o regime comunista, que se manteve até 1990. Em seguida vieram as crises econômicas e o padrão de vida caiu drasticamente. Só de 2004 para cá que o país vem se reestruturando novamente.

Iogurte e turismo

Um dos orgulhos do povo búlgaro é o seu iogurte, considerado um dos mais saborosos do mundo. Até a bactéria utilizada em sua produção leva o nome de *Lactobacilos Bulgaricus*. O povo afirma em alta voz que o iogurte foi uma invenção deles.

Uma das atividades econômicas mais importantes na Bulgária é o turismo. Ao ser comparada a outros países europeus, a região tem bons atrativos, belos cenários e preços competitivos. Para o verão existem as praias do litoral do Mar Negro e, para o inverno, as montanhas dos Balcãs, que atravessam a Bulgária de leste a oeste e são bem estruturadas com pistas para esqui e outros esportes de inverno.

Desde o Mar Negro, na cidade Sozopol, sentido à capital Sofia, dirigimos acompanhando a cadeia dos Balcãs. Tivemos uma ótima impressão do país, especialmente sobre sua bela e variada arquitetura. Em algumas cidades, como Veliko Tarnovo, Tryavna, Koprivshtitsa e Plovdiv, o encanto é o estilo das moradias – cada cidade tem o seu modo de construir, o que cria características peculiares e distintas umas das outras. Nas construções observa-se o uso de muita madeira e pedra. Nos segundos andares há muitos balcões, que avançam sobre as ruas para um melhor aproveitamento de espaço interno das casas. O mais marcante são as pinturas, representando em tons pastéis os pilares, as molduras de portas, as janelas e até as floreiras.

Para mim, que gosto muito de trabalhos em madeira, conhecer essas cidades foi interessante. Ficava boquiaberto ao olhar os detalhes das estruturas criadas pelos carpinteiros. Vindo de uma família com tradição em marcenaria, não podia perder aquele espetáculo e lição de trabalho de mestres. Reparava nos encaixes, nas esculturas e nas vigas, que aparentam ser montadas por vários pedaços, mas olhando de perto vê-se que todas são feitas em um tronco único. Para a Michelle, que é arquiteta, as residências da Bulgária foram um ótimo exemplo de como se pode misturar arte, conforto e praticidade.

Sofia é uma das cidades mais antigas da Europa – da época dos trácios, século 8 a.C. Localiza-se aos pés do Maciço Vitosha, que abriga um Parque Nacional e uma movimentada estação de esqui. Ficamos ali por vários dias, pois aguardávamos uma encomenda que chegaria pelos correios. Por ser mais prático, acampamos no estacionamento de uma lanchonete McDonald's. Mas com o tempo começamos a ficar "manjados" pelas pessoas que passavam diariamente em frente ao nosso carro rumo aos seus trabalhos.

No oeste do país conhecemos o monastério medieval Rila, fortificado, com quatro andares, aposentos para 300 monges e, no centro, uma igreja. As pinturas das paredes chamam a atenção pela cor e pelos elementos que a compõem: por fora imagens do diabo atormentando pessoas e na parte interna desenhos representando a salvação.

Nos domínios de Alexandre Magno

Ao cruzar-se a fronteira para a Macedônia do Norte o cenário muda radicalmente. Creio que por não fazer parte da União Europeia, o país mostra-se menos desenvolvido e isso fica evidente na má conservação das rodovias, das construções e na presença de grande quantidade de pedintes. Nas estradas, frequentemente cruzávamos com carros antigos da marca sérvia Zastava. Eles são pequenos e charmosos, ao estilo do carro do Mr. Bean. A Michelle jurou que um dia vai comprar um desses.

Ao tomarmos conhecimento da história deste país, hoje meio esquecido no contexto europeu, começamos, como brasileiros, a nos sentir pequenos em história e jovens no tempo – nosso país tem somente um pouco mais de 500 anos. A história da Macedônia tem lastro: em 363 a.C. o filho do rei Filipe II recebeu o trono após o assassinato do seu pai e iniciou uma rota de conquistas criando, quando ainda nem tinha completado 30 anos de idade, um dos maiores impérios do mundo antigo, que se estendia da Grécia ao Egito e, ao Noroeste, até a Índia. Seu nome: Alexandre III da Macedônia, mas era conhecido como Alexandre, o Grande, ou Alexandre Magno.

As especulações sobre a morte desse invicto guerreiro apontam malária ou dengue. Quem diria que um simples mosquito pudesse acabar com a vida de um dos maiores conquistadores de todos os tempos. Nem bem as cerimônias fúnebres terminaram, começou uma disputa por poder e terra entre seus generais. Em pouco tempo o império erguido à custa de muito sangue estava desmantelado. Boa parte desse território foi posteriormente conquistado pelos romanos e, mais tarde, pelos búlgaros (no século 6), pelos bizantinos (século 10) e pelos otomanos (século 14), que comandaram a região até 1913. Em 1945 a Macedônia passou a fazer parte da República Socialista Federativa da Iugoslávia. Em 1991 um plebiscito decidiu pela saída da Iugoslávia e, em 1993, foi admitida na ONU com o nome Antiga República Iugoslava da Macedónia, para hoje se chamar República da Macedônia do Norte.

Passamos ao largo da capital Escópia em direção aos pés das montanhas que fazem fronteira com Kosovo e depois às montanhas que dividem o território com a Albânia. Como nossa luta contra o frio estava sendo em vão, decidimos usá-lo a nosso favor: subimos as montanhas do Parque Nacional Mavrovo para esquiar, mesmo não sendo hábeis neste tipo de esporte. Eu já havia esquiado algumas vezes, mas a Michelle, ainda inexperiente, precisou passar por um curso rápido.

Novamente na estrada, agora em sentido Sul, cruzamos por vilas onde os prédios principais já não são igrejas, mas mesquitas. A Macedônia, além dos 65% de cristãos ortodoxos, hospeda cerca de 33% de islâmicos, oriundos do domínio otomano do século anterior.

Ocrida é uma das cidades mais bonitas do país e um dos destinos mais visitados. Foi importante na era bizantina, pois fazia parte da Via Egnácia, uma estrada construída no século 2 a.C., que conectava Constantinopla ao Mar Adriático. Dizem que a cidade possui uma igreja para cada dia do ano e é referida como a Jerusalém dos Balcãs.

Do alto de um castelo medieval tínhamos uma vista magnífica de um grande lago, também chamado de Ocrida. Com 300 metros de profundidade – um dos mais profundos da Europa – ele tem dois terços da sua lâmina d'água na Macedônia e um terço na Albânia. Calcula-se que foi formado há três milhões de anos. No ponto mais fotogênico da cidade (e, talvez, do país), foi erguida em um rochedo, às margens do lago, a igreja Sveti Jovan at Kaneo. No momento em que descíamos a ladeira que dava acesso ao templo, tendo aquela imensidão de água como pano de fundo, nuvens cinzentas abriram um pequeno espaço no céu, permitindo a entrada de raios de sol no lago. A imagem à nossa frente ficou magnífica.

A última cidade visitada foi Bitola e logo chegamos à fronteira da Grécia. Ali um fato marcante nos faz lembrar desse país cada vez que entramos em nosso carro. No guichê da imigração, quando carimbávamos os passaportes para a saída da Macedônia, o oficial, vendo que éramos brasileiros, arrancou seu distintivo de polícia aduaneira grudado por velcro na manga de sua jaqueta, pôs junto aos dois passaportes, entregou-nos e disse: "levem com vocês como um souvenir da Macedônia". No brasão, em alfabeto oficial cirílico, está escrito: РЕПУБЛИКА МАКЕДОНИЈА – ПОЛИЦИЈА - "República da Macedônia – Polícia". Ficamos honrados com o gesto e até hoje o brasão está pendurado no armário logo na entrada do nosso carro. Como dizia o profeta: gentileza gera gentileza.

Na terra dos sonhos

Quantas fotografias incríveis da Grécia já havíamos visto antes de irmos para lá! Imagens bucólicas de um profundo mar azul turquesa, vilas e cidades com casas de um branco alvíssimo subindo encostas, praias isoladas com areias finas, ilhas paradisíacas, anfiteatros, mosteiros no topo de penhascos e muitas lendas sobre deuses, monstros e batalhas homéricas que, na somatória, deixavam-nos fascinados em conhecer essa terra dos sonhos.

Estivemos lá por 20 dias, mas como estávamos na baixa temporada, grande parte da infraestrutura estava fechada. Para nós, autossuficientes em abrigo e alimentação, não foi nenhum problema. Pelo contrário: tivemos a maioria dos paraísos gregos quase que só para nós – privilégio impossível no verão.

Entramos pelo Norte e seguimos até Meteora, cujo significado é "no meio do céu". Ao observar de longe o que nos aguardava, entendemos o porquê do nome: pilares rochosos lavados pela ação do tempo (60 milhões de anos) sobem ao céu de uma forma magnífica. E como se isso já não fosse belo suficiente, no topo de alguns espigões, a quase 400 metros de altura, foram construídos monastérios que parecem equilibrar-se na beira do abismo.

Acredita-se que os primeiros monges chegaram ali no século 9. Viviam isolados dentro de cavernas, reunindo-se esporadicamente com outros monges para rezar e meditar. No final do século 14, porém, a Grécia também foi ameaçada de invasão pelo Império Otomano, fazendo com que três monges – Moisés, Gregório e Anastásio – vissem em Meteora um lugar para se esconder dos invasores. Posteriormente, outros monges peregrinaram para lá e então 24 monastérios foram erguidos no topo ou na encosta das formações rochosas. O acesso a eles acontecia só por cordas ou escadas retráteis.

Nos séculos 17 e 18 Meteora tornou-se um refúgio não só de religiosos, mas de poetas, filósofos e pensadores gregos, que também fugiam das ameaças dos otomanos e encontravam naquela natureza exótica inspiração para sua arte. Acredita-se que se não fosse pelos monastérios isolados e de difícil acesso, muitas tradições e escritas helenísticas teriam sido perdidas.

Atualmente, 6 das 24 construções ainda estão em atividade religiosa. Destas, cinco são habitados por monges. Em 1920, com o intuito de facilitar o acesso às edificações, foram construídas escadas de concreto. Na atualidade até uma estrada serpenteia morro acima, dando passagem a carros e ônibus de turismo. As novas condições de acesso quebraram um pouco a sensação de isolamento e inacessibilidade do lugar, mas o complexo religioso continua impressionante e, por outro lado, todos podem contemplar a beleza natural mesclada com a ousadia humana.

Visitamos o monastério Agios Stéphanos (Santo Estêvão), fundado no ano de 1400, e o Megálos Metéoros (Grande Meteoro ou Mosteiro da Transfiguração), o mais alto e mais antigo dos seis em funcionamento. O primeiro ostenta uma igreja com o interior todo pintado. Não há um centímetro quadrado sem tinta em suas paredes e as pinturas coloridas possuem incontáveis detalhes. Assim como no Monastério Rila, na Bulgária, por fora as imagens são fortes, representando o pecado e o sofrimento. Algumas, chocantes, retratam cenas de torturas: um homem cortando a cabeça de outro com serrote ou facão; pessoas tirando o couro de um homem vivo; outro enfiando um prego na cabeça de seu inimigo; esquartejamentos; um jovem com a cabeça cortada ao meio, segurando cada lado dela com suas mãos; outro jovem amarrado de ponta-cabeça pelos pés e sendo serrado por entre as pernas. Dentro da igreja as pinturas remetem à vida elevada, a trajetória de Jesus, com reis, santos e pessoas importantes da época. A mensagem nos ficou muito clara: os homens devem ingressar na igreja, assumir a vida religiosa, para deixar para traz a vida mundana.

Os móveis dos altares são de madeira entalhada com florais e marchetados com madrepérolas. As bases dos incensos e dos lustres são de ouro, com desenhos de santos. São tantos os detalhes que é possível visitar o monastério várias vezes e sempre encontrar algo novo e surpreendente. No monastério Megálos Metéoros pudemos ver como era e ainda é a vida monástica. Conhecemos a cozinha, a vinícola, a igreja e um museu.

O berço do mundo ocidental

A Grécia é o berço da cultura do mundo ocidental. Foi lá que surgiram os conceitos de democracia, filosofia, literatura, teatro, historiografia e ciência política e também grande parte dos pensamentos científicos, matemáticos e artísticos, como a arquitetura e escultura. Esses conhecimentos surgiram principalmente na Grécia Clássica (séculos 5 e 4 a.C.), período em que os gregos investiram nessas áreas. O país é repleto de ruínas e nós tivemos a oportunidade de visitar algumas das mais importantes, como Delfos, Atenas e Olímpia.

Conta a mitologia que Zeus soltou duas águias em lados opostos da Terra e o local onde elas se encontrassem seria, supostamente, o centro do mundo. Onde o encontro das aves aconteceu foi fundada a cidade de Delfos – o centro religioso da Grécia Antiga. A partir do século 6 a.C., ali, nas encostas do Monte Parnaso, iniciou-se a construção do Santuário de Apolo, um dos deuses gregos mais venerados da época. Milhares de peregrinos iam a Delfos para consultar o oráculo de Sibila – uma profeta de meia idade que sentava na entrada de uma gruta de onde saiam vapores e fumaça.

Sacrificava-se um animal e os fiéis faziam suas perguntas ao oráculo, não apenas com o intuito de driblar o mal, mas principalmente à procura de riqueza e poder. Sibila, depois de inalar os vapores alucinantes, tinha seu espírito possuído pelo filho de Apolo, Orfeu, que lhe fazia revelações proféticas. Um sacerdote transcrevia as mensagens aos consultantes. Várias pessoas importantes, como Alexandre, o Grande, consultaram o oráculo. Fatos marcantes da história do mundo, como guerras, conquistas e negócios foram influenciados por essas mensagens durante mais de dez séculos. Diz a história que o oráculo foi silenciado em 390 d.C., quando o templo foi destruído pelos romanos cristãos como forma de acabar com o paganismo.

As ruínas da cidade de Delfos estão inseridas num lugar montanhoso e ao redor do que um dia foi o Templo de Apolo. Ali há ruínas de capelas, os chamados tesouros, construídos pelas cidades-estados gregas para guardar as oferendas ao deus Apolo em forma de comemoração ou agradecimento aos seus benefícios. Eram tantas doações que Delfos ficou rica, passando a funcionar como uma espécie de banco. No museu do complexo arqueológico é possível observar muitas peças originais da época.

Depois de Delfos fomos para Atenas, a capital da Grécia moderna e uma das cidades mais antigas do mundo. Com mais de três milhões de habitantes, tem no alto do morro central um dos principais símbolos do país – a Acrópole de Atenas. A ruína merece respeito, tanto por seu tamanho e imponência quanto por sua beleza. Depois que o oráculo anunciou que este local deveria tornar-se a morada dos deuses, muitos templos foram erguidos ali. O principal, Parthenon, foi construído há 2,5 mil anos em homenagem à Athena, deusa da guerra e da sabedoria e patrona da cidade. Durante o domínio bizantino ele funcionou como uma igreja; posteriormente os otomanos o usaram como mesquita e foi nessa época que a estátua de Atenas, com 12 metros de altura e toda de ouro, foi transferida para Constantinopla, onde desapareceu.

No ano de 1600, os venezianos causaram um grande estrago no edifício ao atingi-lo com uma bala de canhão e, como o templo funcionava como um depósito de pólvora, a destruição afetou 80% da construção. Em 1900, os ingleses saquearam parte das riquezas remanescentes. Hoje o pouco do que restou pode ser visto no museu da Acrópole.

Tentar imaginar a técnica de construção daquela época colocou nosso pensamento em ebulição. De acordo com explicativos do museu da Acrópole, os gregos antigos já possuíam a tecnologia de guindastes – movidos de forma manual por meio de uma série de engrenagens e polias. As colunas gigantescas esculpidas em pedra foram divididas em partes. No centro de cada uma havia um furo onde se derretia chumbo quando estavam alinhadas. Era como se o chumbo fosse a medula espinhal da coluna vertebral: permite resistência e, ao mesmo tempo, flexibilidade, atenuando os abalos sísmicos.

Atenas possui tantas ruínas gregas, romanas, bizantinas e otomanas que chega a cansar o visitante. Chegamos a cometer o sacrilégio de dizer um ao outro: "Ah não, mais uma ruína!", como se aquilo fosse insignificante. Os deuses gregos devem ter ficado loucos conosco. Para dar uma pausa das histórias e de tantas ruínas, saímos a perambular pelas ruas agitadas da cidade e a saborear as especialidades culinárias gregas. Gostamos muito do *souvlaki*, um tipo de *fast-food* grego que consiste em carne grelhada num palito. A carne pode ser servida em um espetinho ou num pão pita (pão sírio), acompanhado por vegetais e molho de iogurte.

A oeste de Atenas entramos na Península do Peloponeso e passamos por cima do Canal de Corinto, aberto pelo homem há pouco mais de cem anos, assim como foi feito no Canal do Panamá. Seus 6,3 quilômetros de extensão economizam em torno de 400 quilômetros na viagem de um navio do Golfo de Corinto ao Mar Egeu. Mas é acessível apenas a embarcações de pequeno porte. Ao entrar nessa península encontramos uma Grécia mais rural, com plantações de oliva e cítricos. Compramos na beira da estrada, em uma garrafa pet, dois litros de azeite de oliva caseiro. Foi o melhor azeite que já experimentamos.

Flores em abundância na beira das estradas anunciavam a chegada da primavera. Dirigimos por caminhos de grande beleza cênica que acompanham penhascos à beira-mar e assim que deixávamos a costa, subíamos repentinamente para mil metros de altitude. Oitenta por cento do território grego é montanhoso, com cânions profundos e rios cristalinos. No caminho que fizemos, tanto na costa quanto nas montanhas, cruzamos por desfiladeiros exuberantes, monastérios pendurados nas encostas e lindas vilas repletas de casas de pedra.

Ao subir a pé a montanha onde se situa o Castelo Palamidi pudemos ver de cima a cidade de Náuplia, cheia de casarões de três andares em cores agradáveis, quase todas neutras. Os casarões têm pés-direitos altos e praticamente todos possuem balcões. Caminhamos pelas ruelas arborizadas, onde as tangerineiras envergavam com tantos frutos.

Se Náuplia deu um banho de charme, o que falar de Monemvasia? Talvez a maior atração do Peloponeso seja esta vila fundada no ano de 583, que guarda influências gregas, bizantinas e otomanas. Localiza-se numa pequena ilha rochosa conectada ao continente por um dique artificial. A parte antiga, chamada Castro, está dividida em duas zonas: a baixa, com ruas estreitas para pedestres, e a alta, que está em ruínas, com exceção de uma igreja restaurada. Nesse lugar tiramos fotos típicas de cartão postal grego: a vila com fachadas rebocadas em tons pastéis e, ao fundo, o mar azul e cristalino. Impossível não se render aos encantos da Grécia.

Aqui foi inventado o termo "presente de grego"

Gythio é o antigo porto de Esparta, uma das cidades-estado mais poderosas da Grécia Antiga. Lá passamos em frente à ilha de Cranae, que diz a lenda ser o local onde o príncipe de Tróia casou-se com a princesa de Esparta, desencadeando a Guerra de Tróia. A guerra ficou famosa devido à tática usada por Esparta para invadir as muralhas impenetráveis de Tróia. Em determinado momento do conflito, que durou dez anos, os espartanos comunicaram aos troianos que gostariam de cessar a guerra e, como prova da intenção de paz, deixaram de presente um gigantesco cavalo de madeira. Os troianos trouxeram o presente para o interior das muralhas, mas não sabiam que dentro desse enorme cavalo havia soldados escondidos. À noite, enquanto Tróia dormia, os soldados saíram do cavalo e abriram os portões da fortaleza para que o exército inteiro de Esparta entrasse e destruísse a cidade. Foi desse episódio que surgiu a expressão "presente de grego", que significa receber um presente ou dádiva que só traz prejuízos. Representa também uma surpresa desagradável ou uma cilada.

Por mais bem-intencionadas que as pessoas fossem, algumas das lembranças que ganhamos nas duas viagens bem que podem ser considerados presentes de grego: na Malásia um senhor nos deu uma cabeça de búfalo e queria que nós a fixássemos na frente do radiador do carro – e bem no momento em que estávamos indo para a Índia, onde esse animal é sagrado. Imagina o problema que teríamos lá. Na Jordânia eu ganhei de um cara da Arábia Saudita um grosso sobretudo de lã de carneiro, cujo volume ocupava um compartimento inteiro de nosso armário. E estávamos a caminho da África, onde predomina o calor intenso. Desse mesmo senhor, o árabe que me deu o casaco, a Michelle ganhou uma bandeja metálica enorme, que em viagem nós definitivamente não utilizaríamos.

Em uma estrada de inverno na Rússia recebemos o presente mais inusitado de todos. Foi de um motorista de caminhão-tanque, que já estava embalado pela vodca e, direto de uma válvula de descarga de seu caminhão, encheu um vidro de conserva com petróleo cru que transportava e ofereceu-nos para levar de lembrança. Na Chechênia ganhei uma arma de brinquedo e numa pequena cidade próxima a Moscou fui presenteado com um par de algemas de um policial russo. Ambos poderiam nos trazer sérias consequências se algum oficial de aduana encontrasse esses presentes em nosso carro em uma inspeção. O jovem checheno que me presenteou com a arma trabalhava com brinquedos para festas de criança e ainda nos deu um pintinho de corda e um balão de festa junina, daqueles que se acende fogo e o ar quente o faz subir – nada conveniente para a região seca e inflamável onde viajávamos.

No Extremo Oriente Russo fomos parados por um policial que pediu para averiguar nossos documentos. No momento em que descobriu que éramos do Brasil, perguntou se tínhamos uma moeda brasileira para sua coleção. Encontramos uma de 50 centavos no console do carro e em troca ele retribuiu com um sinalizador de blitz, daqueles que os policiais utilizam para fazer os carros pararem nas estradas. Na Rússia também ganhamos um crachá de trabalho, onde estava escrito: Юлия - контролёр, que significa: Julia - controle. Como não tinha outra coisa naquela hora com a qual poderia presentear-nos, Julia nos deu o seu crachá. Ganhamos ainda um massageador estragado, ursinhos de pelúcia, prendedor de boné em jaqueta, elástico de prender carteira na calça, uma lagartixa que cresce em contato com a água, carrinho de ferro, laço de couro de rena e algumas bebidas intragáveis. Na Namíbia deram-nos uma panela pesada de ferro de fazer *potjiekos* (cozido africano) e no Irã um senhor aproximou-se do nosso carro estacionado e, sem falar uma palavra em inglês, estendeu um pacote como presente: eram cinco cuecas da marca Gildan, enormes e super-resistentes. Mas esse não pode ser considerado presente de grego: passaram-se dez anos e eu ainda as visto.

Na Península de Mani alcançamos o ponto mais ao sul da Europa: 36° 39' 43,6" N, 22° 23' 27,45" E. Depois iniciamos nossa volta rumo ao norte, a tão sonhada terceira fase do projeto Latitude 70°N, mas ainda havia uma ruína em nosso caminho que não poderíamos deixar de visitar – Olímpia. Fomos ao local onde as Olimpíadas começaram no ano 776 a.C. e, para nossa surpresa, a bandeira brasileira estava hasteada na frente da prefeitura da cidade, pelo fato do nosso país ter hospedado as últimas Olimpíadas. As ruínas estão praticamente irreconhecíveis e é preciso muita imaginação para visualizar como aquilo havia sido em tempos anteriores. A energia que sentimos só por estarmos ali e por pensarmos em tudo o que se sucedeu ao longo de mais de 2,5 mil anos foi de arrepiar.

Deixamos o Peloponeso de ferry e dirigimos para Lefkada. Nessa cidade, situada na ilha de mesmo nome, o céu azul passou a fazer parte dos nossos dias e o termômetro chegou a marcar 19°C, calor cuja sensação nem lembrávamos mais como era. A costa oeste da ilha possui praias paradisíacas, onde pudemos aproveitar e remar nas suas águas cristalinas e agitadas, passando por grutas e cavernas escondidas por entre penhascos rochosos. Este lindo passeio foi uma das últimas experiências na Grécia e aconteceu para deixar-nos com "um gostinho de quero mais". Quem sabe um dia voltaremos à essa terra dos sonhos e deuses.

O PAÍS DOS BUNKERS

A Albânia sofreu sucessivas invasões, especialmente dos otomanos, que ditaram as regras durante 400 anos. Após a Segunda Guerra Mundial, o país passou a ser comandado pelo ditador Enver Hoxha, que ao contrário dos outros países comunistas ou socialistas, rompeu relações com seus aliados: Iugoslávia, URSS e China. Tornaram-se assim um dos países mais isolados do mundo, um dos territórios mais resistentes a conceder a permissão de entrada de estrangeiros e saídas de locais. Essa situação perdurou até 1991.

Hoxha morreu um pouco antes da queda do regime em 1992, mas as quatro décadas de seu domínio deixaram cicatrizes profundas, como as perseguições a dissidentes e religiosos. Em 1967 declarou que o país era o primeiro estado ateu do mundo; até quem usasse barba era perseguido, pois isso remetia aos otomanos, os antigos mandatários daquelas terras.

Enver Hoxha temia que a Albânia fosse invadida, por isso idealizou um programa de "bunkerização" – o único no mundo. Mais de meio milhão de casamatas foram construídas ao longo das praias, montanhas, plantações, vilas, cidades, parquinhos, hotéis e até em cemitérios. Casamatas são pequenos domos – tipo um cogumelo gigante –, fabricados em concreto à prova de projéteis, assentados sobre cilindros enterrados e de tamanho suficiente para uma ou duas pessoas ficarem em seu interior. O investimento nesse programa militar foi alto, consumindo quase todo recurso do país, mas nunca foi utilizado para o seu propósito. Hoje são um problema, a sua destruição ou remoção é difícil e cara.

Culturalmente falando, o isolamento de quase 40 anos que o ditador impôs ao seu povo tornou-os únicos. O país parou no tempo e hoje é um dos mais pobres da Europa. Para nós a oportunidade de observar de perto essa cultura foi interessante. Entramos na Albânia pelo Vale Drina, uma região enorme e fértil situada nos Alpes Dináricos. Cruzamos por vilas feitas de pedra que se assentam nas encostas das montanhas a fim de deixar a planície totalmente livre para as atividades agropastoris. Pastores tangendo com suas tradicionais bengalas de madeira viram pequenos pontinhos no meio da imensidão.

Gjirokastër foi a primeira cidade que conhecemos e de cara ficou evidente que os otomanos estiveram por ali. A parte antiga é tão bonita que é considerada Patrimônio Histórico da Humanidade, descrita como um "raro exemplo de cidade otomana bem preservada". As casas antigas, tanto dos fazendeiros quanto dos comerciantes, são do tamanho de pequenos castelos, algumas com até cinco andares. Foram construídas em pedra e madeira, sendo que a maioria possui um formato de torres gêmeas com uma grande fachada de arcos duplos entre elas. A cidade é conhecida como a "cidade das pedras", pois até mesmo os telhados das casas são feitos com pedras lascadas.

Visitamos por dentro a Casa Zekate – um exemplo grandioso desse estilo. Foi construída entre 1811 e 1812 e restaurada por seus proprietários para se transformar em museu. O térreo é destinado para a cisterna e estábulos, enquanto que os andares superiores acondicionam cozinha, quartos de hóspedes e da família. Há uma escada central que serpenteia todo o edifício. Ficamos impressionados com o luxo do andar mais alto. Lá fica a sala de recepção e duas outras salas menores. A parede da sala principal é pintada com afrescos e possui armários entalhados em madeira maciça, teto esculpido e uma lareira ornamentada com porcelanato. Este nível era compartilhado por toda a família. No centro do andar, no topo da escada, há uma varanda de madeira com vista para a cidade. Era onde o chefe da família se sentava, recebia seus convidados e observava o que acontecia lá embaixo.

Outro exemplo de arquitetura otomana está em Berat – "a cidade das mil janelas". Essa denominação deve-se à coleção de casas repletas de janelas que se aglomeram na encosta de uma montanha. A cidade antiga é composta de três partes: Kalaja, onde há um castelo no topo da montanha, que já foi ocupado por bizantinos, búlgaros, sérvios e otomanos; Mangalem, a área urbana na base da montanha; e Gorica, o quarteirão localizado no outro lado do rio Osumi. Esses dois bairros residenciais possuem ruelas entre as casas, onde se forma um verdadeiro labirinto. Divertimo-nos à beça, deixando-nos levar pelas passagens estreitas até quase nos perdermos no meio delas. Tudo para ver a linda cidade de diferentes perspectivas.

O povo albanês é simples, amigável e acolhedor, especialmente quando dizíamos que éramos brasileiros. São de estatura mais baixa, magros e de cabelos escuros. Eu li em algum lugar que eles também têm o costume de falar muito alto. Justo nesse país com hábitos conservadores fui cortar meu cabelo, mas logo me arrependi: a Michelle debochou por vários dias, dizendo que eu parecia um senhorzinho albanês com um corte altamente tradicional.

A região costeira da Albânia não chega aos pés das praias da Grécia, mas também possui o seu charme. O que a estragou um pouco foi a interferência humana, com a construção de vilas e cidades sem planejamento e infraestrutura, além de muito lixo. Um dos lugares mais bonitos que conhecemos foi quando dirigimos pelo Passe Llogara. Chegamos a 1.030 metros de altitude, sendo que a distância dali até o mar era de apenas 3,3 quilômetros. Em nossos pensamentos víamos a Itália do outro lado do Mar Adriático, pois ficava a apenas 85 quilômetros de distância.

Já não existe mais o nome Iugoslávia no mapa-múndi

Os mais jovens talvez nem tenham ouvido falar, mas quem frequentou a escola antes de 2003 estudou o mapa-múndi com um nome de um país que se chamava Iugoslávia. Sua história começou após a Primeira Guerra Mundial, com o nome de Reino dos Sérvios, Croatas e Eslovenos. Em 1929 passou a se chamar Reino da Iugoslávia. Durante a Segunda Guerra Mundial foi libertada do domínio nazista pelos chamados *partisans*, um grupo guerrilheiro comunista liderado por Josip Broz Tito.

Tito, um ano após a abolição da monarquia, que aconteceu em 1945, se tornou presidente e governou o país até 1980, ano da sua morte. Ainda em 1945 o nome do país mudou para República Popular Federativa da Iugoslávia. Em 1963 foi rebatizada República Socialista Federal da Iugoslávia. Ao longo desses anos a Iugoslávia conquistou outras terras, tanto que antes de seu declínio, iniciado com o falecimento do General Tito, era constituída pelas Repúblicas Socialistas da Bósnia e Herzegovina, da Croácia, da Macedônia, de Montenegro, da Eslovênia e a da Sérvia. Naquela época a República Socialista da Sérvia ainda detinha o controle das províncias autônomas de Vojvodina e Kosovo.

Em 1992, quatro das seis repúblicas (Eslovênia, Croácia, Macedônia e Bósnia e Herzegovina) deixaram a Iugoslávia para formar estados independentes, o que resultou em uma das guerras mais sangrentas que a Europa viu após a Segunda Guerra Mundial. Quando isso aconteceu, as repúblicas restantes da Sérvia e de Montenegro formaram a República Federal da Iugoslávia. Em 2003 o nome Iugoslávia deixou de existir e com a união da Sérvia e Montenegro, usou-se esse mesmo nome – Sérvia e Montenegro – para esse "novo" país.

Em 2006 Montenegro tornou-se independente e em 2008 Kosovo, uma das províncias autônomas da Sérvia, também conquistou sua independência. Em praticamente toda a sua história, a sede de governo da Iugoslávia localizava-se na Sérvia, em Belgrado. O nome Iugoslávia significa "eslavos do sul".

Como curiosidade, já que falamos em Sérvia, este foi um país europeu de grande poder político e que influenciou um dos mais importantes acontecimentos do século 20: foi um sérvio que disparou o tiro que iniciou a Primeira Guerra Mundial. Aconteceu em Sarajevo, capital da Bósnia e Herzegovina e a bala disparada matou o príncipe do Império Austro-húngaro. A Tríplice Aliança, que compunha o Império Austro-húngaro, Alemanha e Império Otomano (atual Turquia) declarou guerra contra a Sérvia, que, por sua vez, foi apoiada pela Tríplice Entente, composta pelo Império Russo, França e Reino Unido.

Deixando essa história complexa de lado, vamos relatar um pouco sobre nossa experiência na antiga Iugoslávia. Nosso itinerário foi nesta ordem: Montenegro, Bósnia e Herzegovina, Croácia, Eslovênia e Sérvia. Na Macedônia já havíamos estado antes da Grécia. Apesar do fato de que todos faziam parte de um só país até pouco tempo atrás, eles são muito distintos. Mas as montanhas dos Alpes Dináricos e o Mar Adriático são belezas comuns a quase todos.

Entramos em Montenegro e fomos conhecer o lago Skadar, sobre o qual corre a linha imaginária que divide Montenegro da Albânia. Subimos uma montanha alta, onde de um lado avistávamos o Mar Adriático e, de outro, este lindo lago entre as montanhas dos Alpes Dináricos. O lago, um dos mais bonitos de toda a região, foi uma ótima pedida para relaxar. Montamos a canoa, desempacotamos o equipamento de pesca que havia tempo não via água e fomos pescar, ou melhor, molhar o anzol. Há algumas ilhas no lago e numa delas foi erguido no passado um monastério que está em funcionamento até os dias atuais. A região tem vilas tradicionais com casarões quadrados protegidos por muros de pedra. Há bastante movimento agrícola e de carneiros. Com exceção dos monges – que, verdade seja dita, não são nada simpáticos –, todas as pessoas sorriam quando passávamos.

De lá cruzamos as montanhas para visitar cidades da costa do Mar Adriático, como Sveti Stefan, Budva e Kotor. Devido ao fato de montanhas nascerem praticamente no mar, há pouco espaço para desenvolverem-se, então amontoam-se, deixando as ruas e passagens muito estreitas. No verão as ruelas devem virar um caos, mas talvez sejam elas que deem um charme tão especial ao lugar.

Kotor é a principal atração de Montenegro. Situa-se ao final de uma baía de mesmo nome e está rodeada por montanhas rochosas altas. Quanto mais se sobe essas montanhas, mais a gente percebe o quão são altas. Para se ter uma noção, em 17 quilômetros numa estrada íngreme e cheia de curvas, saímos do nível do mar para alcançar 1.651 metros de altitude. Lá em cima está o Parque Nacional Lovćen e, no cume, há um mausoléu com uma vista espetacular. Eu deduzi que em um dia limpo seria possível enxergar, de lá, os países Montenegro, Albânia, Kosovo, Sérvia, Croácia, Bósnia e Herzegovina e, com muita sorte, a Itália, que se situa do outro lado do Mar Adriático. Talvez seja exagero meu.

Kotor mereceu a inclusão na lista de patrimônios mundiais da Unesco. É uma bela cidade, cercada por muralhas cheias de labirintos e é habitada desde o Império Romano. Sua arquitetura antiga impressiona. Um castelo na montanha se sobressai a 300 metros acima da cidade.

Perast, que também margeia a costa da Baía de Kotor, é outra vila atraente. Pequenina, possui 16 igrejas antigas, todas construídas em pedra. A arquitetura sofreu influência veneziana, que dominou a região durante algum tempo. Há duas pequenas ilhas na baía que estão próximas a Perast – ilha de São Jorge e ilha Gospa od Škrpjela. Na primeira há um monastério e, na segunda, uma igreja.

Seguimos em frente, agora a caminho da Bósnia e Herzegovina. E surpreendemo-nos com a beleza natural do Cânion do rio Piva e os seus 33 quilômetros de comprimento e 1,2 metro de profundidade. No caminho, muitas pontes e 56 túneis escavados na rocha.

Bósnia e Herzegovina

O povo da Bósnia e Herzegovina jamais se esquecerá do que passou entre 1992 e 1995. Para recapitular: a Iugoslávia foi um país socialista composto pelos países Sérvia, Macedônia, Montenegro, Bósnia e Herzegovina, Croácia e Eslovênia. O enfraquecimento do regime comunista a partir de 1991 abriu espaço para movimentos nacionalistas e separatistas e naquele mesmo ano a Croácia e Eslovênia tornaram-se independentes.

A Bósnia e Herzegovina, um país multi-étnico-religioso, por hospedar em suas terras sérvios, croatas e bósnios, declarou sua independência em 1992. Isso enfureceu os sérvio-bósnios, que almejavam um país que unisse todos os sérvios. Eles não aceitaram a independência e deram início a uma guerra sangrenta, que resultou em aproximadamente 200 mil mortes. É difícil acreditar que um país, que no começo dos anos 80 promoveu as Olimpíadas de Inverno, tenha sido tão bombardeado anos depois, sofrendo um cerco de 1.425 dias. Segundo informações de um museu em Sarajevo, a quantidade de projéteis disparados contra seus prédios, casas, homens, mulheres e crianças alcançou uma média de 330 por dia. Em 22 de julho de 1993, as Nações Unidas registraram 3.777 tiros, todos com intenção de matar ou causar destruição. O objetivo dos sérvio-bósnios era conquistar a capital, mas como suas intenções não estavam sendo alcançadas, devido à vigorosa resistência dos seus defensores (que tinham dramaticamente menor poderio de fogo), Sarajevo foi submetida a uma das sagas de guerra mais duradouras e brutais dos tempos modernos.

No museu da cidade vimos a declaração de uma menina para a televisão: "Só tem ideia do inferno que passamos em Sarajevo nesses quatro anos quem esteve lá". Quinhentas mil pessoas literalmente sobreviveram a esse período, pois por estarem cercadas pelo exército inimigo dos sérvios, tiveram acesso limitado de recursos básicos, como comida, água, eletricidade e combustível.

Outro museu que conhecemos, próximo ao aeroporto, mostra o que os bósnios de Sarajevo fizeram para que não morressem todos. Em segredo construíram o Túnel da Vida, que passava por debaixo da pista do aeroporto. Com um quilômetro de extensão e apenas 1,5 metro de altura, por meio de vagonetes sobre trilhos foram transportados mantimentos para meio milhão de pessoas nesse período da guerra.

Sarajevo, nos dias de hoje, é uma cidade segura e agradável. Por ser um dos países mais pobres da região, as marcas das batalhas ainda estão evidentes nos buracos causados pelos projéteis nas paredes dos prédios e casas. Isso sem contar a destruição de tantas outras cidades do país, como Srebrenica, onde em questão de duas semanas mais de oito mil bósnios-muçulmanos foram assassinados. Esse foi o primeiro caso reconhecido como genocídio após o Holocausto.

Guerras envolvem tantos interesses políticos que se torna difícil entender seus verdadeiros motivos. Eis um exemplo: em determinado momento do conflito da Guerra da Bósnia, bósnios-muçulmanos e croatas lutavam lado a lado contra os bósnios-sérvios, os sérvios e os montenegrinos. Em 1993, porém, um desentendimento que surgiu entre os aliados (bósnios-muçulmanos e croatas) fez com que esses lutassem entre si. Qualquer diferença étnica, social ou religiosa já era motivo de conflito.

Comenta-se que Mostar, a próxima cidade da Bósnia que nós visitamos, de tão destruída que ficou, parecia-se com Dresden na Alemanha após a Segunda Guerra Mundial. A ponte em arco Stari Most construída no século 16 e que sobrevivera inclusive à invasão italiana na Segunda Guerra Mundial, caiu 427 anos mais tarde, no dia 9 de novembro de 1993, fruto dessa rivalidade.

Após o cessar fogo, Mostar foi reconstruída com apoio internacional e a ponte voltou a ser um dos lugares mais visitados do país. Esse marco é tido pelos seus habitantes como um sinal de esperança para o futuro de uma cidade dividida entre croatas e bósnios-muçulmanos, que um dia já foram amigos.

Para nós, que conhecemos gente de todos esses países que lutaram entre si, fica difícil tomar uma posição. Se estávamos na Bósnia e Herzegovina ouvíamos pontos de vista em favor dos bósnios. Quando na Croácia, ouvíamos a história em favor dos croatas e, na Sérvia, em favor dos sérvios. Todos perdem a razão quando chegam a ponto de matar ou causar o mal ao próximo.

Se arrependimento matasse

Quantas histórias aconteceram no continente europeu! Hoje, percorrendo este lugar imenso conhecido como velho mundo, arrependo-me de não ter prestado mais atenção às aulas de história e geografia no ensino médio. Quando jovens, ainda sem muito juízo, temos outras prioridades, estamos mais para conversar, rir, brincar e paquerar. Por que iria me interessar em saber onde fica a Bósnia e Herzegovina e a estudar a história da Grécia, por exemplo, se eu não tinha nenhuma conexão prática com estes assuntos? Agora que fomos in loco e pudemos sentir na pele o que as pessoas viveram, suas histórias e a geografia local com suas belas paisagens, minha vontade era de lembrar-me de tudo aquilo o que o professor explicou com tanto afinco, mas que eu não dei o devido valor na época.

Os europeus enxergaram há muito tempo que para fazer os jovens darem valor ao estudo e ao conhecimento teriam que incentivá-los a ter contato direto com o mundo. Perceberam que não há nada mais enriquecedor nesta fase do aprendizado do que a pessoa se sujeitar a uma viagem por lugares desconhecidos. Esse comportamento começou no final do século 16, quando houve um aumento considerável de viagens particulares (não-oficiais), pois na falta de meios de comunicação, a única forma de se poder estudar obras de arte, outras culturas e línguas seria viajando. Jovens, na época, Leonardo da Vinci, Humboldt, Richard Burton e Picasso foram viajantes contumazes.

O Grand Tour surgiu na Inglaterra com o objetivo de motivar jovens aristocratas a viajar ao final dos seus estudos. Muitos iam acompanhados de seu professor particular ou tutor com a finalidade de complementar a formação, adquirindo experiências e, principalmente, mostrar que o que ele aprendeu nos bancos escolares fazia sentido. As viagens podiam durar alguns meses ou até anos, no início, com destinos apenas para países europeus.

Normalmente o jovem brasileiro sai direto do ensino básico para a faculdade, aos 16 anos mais ou menos – um pouco cedo para esta transição. Nessa idade a pessoa ainda é imatura e inexperiente para escolher o caminho que irá traçar para o resto da vida. Parar os estudos, viajar um pouco para amadurecer antes de ingressar na universidade e no mercado de trabalho pode agregar valores práticos de forma exponencial a qualquer jovem, bem como a uma sociedade inteira. Hoje, alguns países mais avançados na educação adotam este sistema e até financiam um ano sabático àqueles que se candidatam a esta bolsa.

Eu, particularmente, tive receio de trancar o último ano da minha faculdade de Arquitetura & Urbanismo para realizar a primeira volta ao mundo em 2007. Fui e voltei para casa muito mais madura e com bagagem arquitetônica e de vida que uma universidade jamais me proporcionaria. Lembro-me do primeiro dia em que retornei ao Centro Politécnico da Universidade Federal do Paraná em 2010. Foi uma sensação estranha, parecia que havia fechado um parêntese na minha vida durante três anos. Mas eu estava mais preparada para absorver o que os professores ensinavam. Ainda bem que nunca é tarde para cair a ficha e voltar a aprender.

Croácia é sinônimo de turismo

A Croácia é o país mais turístico da costa do Mar Adriático. Não é para menos, sua extensa costa é salpicada por 1.244 ilhas. Isso sem falar das montanhas, lagos, cachoeiras e das cidades medievais, como Dubrovnik. Ainda está para ser construída uma cidade que se iguale a ela no quesito charme.

Dentro das muralhas espessas o traçado das quadras é simétrico, bem organizado e lotado de igrejas. Nós gostamos mesmo das ruelas estreitas que ficam do lado oposto ao mar, onde existem escadarias entre as casas. Ali a vida parece mais normal, menos turística, o que fica evidenciado pelas roupas secando nos varais em frente às janelas com venezianas. As luminárias da cidade são pintadas com logotipos e fazem o papel dos letreiros das lojas e restaurantes – uma ótima ideia para que as fachadas não fiquem poluídas visualmente. Fora das muralhas há uma montanha de onde dá para ver Dubrovnik de cima. A vista lá do alto, rivalizando com a vista que tivemos de Kotor, em Montenegro, é uma das mais bonitas de toda a costa do Mar Adriático.

Passamos por Split, Trogir e outras cidades medievais vestindo bermuda e camiseta, algo raro nesta viagem, e nos despedimos da costa para conhecer o Parque Nacional dos Lagos de Plitvice, que possui belíssimas quedas d'água. Trata-se de uma concentração de cachoeiras de águas cristalinas que escoa por um vale profundo. Mesmo na baixa estação tivemos que dividir as passarelas com muitos turistas, a maioria chineses.

Quem corta lenha com mais capricho

Na Eslovênia, tudo mudou. Vilas pequenas, casas bem cuidadas, campos de cultivo, alguns castelos e uma vila próxima à outra. É um país pequeno, com apenas dois milhões de habitantes. Mas não são nas pequenas embalagens que estão as coisas boas da vida? A Eslovênia é assim. Um dos países mais verdes do mundo, proporcionalmente ao seu tamanho, com um braço dos Alpes Julianos entrando em suas terras. Uma dádiva que os eslovenos resolveram manter bem cuidada.

Ao olhar as casas e suas pilhas de lenha, pareceu-nos que existe uma espécie de competição local para ver quem corta e empilha lenha com mais perfeição. O lixo, que até então víamos por todos os lados das estradas, desapareceu por completo. Se não tivéssemos aprendido nos livros, jamais diríamos que este país um dia fez parte da Iugoslávia. Ele está muito mais para a Áustria e Suíça.

Passamos pelo vale do rio Soča, rodeado por montanhas altas e nevadas e com águas tão cristalinas que são quase imperceptíveis. Em uma parte do vale, onde o rio esculpiu uma passagem estreita na rocha, podíamos ver trutas nadando contra a correnteza. Dava uma coceira nos dedos para fisgá-las, mas não tínhamos permissão. Num acampamento ao lado do rio aproveitamos para lavar as roupas e descansar um pouco de tanta estrada. Esticamos o varal e a quantidade de roupa pendurada chamava atenção de quem passava por perto. Do outro lado do rio há uma ferrovia e quando o trem passava lentamente, eu fazia sinal para que o maquinista tocasse o apito e, quando um deles tocou, sorri igual a uma criança. A Michelle até escreveu no diário que eu havia ganhado o dia.

Visitamos lagos maravilhosos que refletem como um imenso espelho as paisagens das suas margens, como o Bled e o Bohinj – os lagos mais conhecidos da Eslovênia. As casas em estilo alpino têm telhados de madeira, o que as deixam ainda mais elegantes. As igrejas possuem torres pontiagudas e bem desenhadas. Em Kobarid deparamo-nos com trincheiras remanescentes da Primeira Guerra Mundial, onde houve combates contra os italianos.

Conhecemos a capital Liubliana no dia certo: uma sexta-feira de muito sol e calor, o que levou muita gente para as ruas. No centro histórico não são permitidos carros, livrando as passarelas e as pontes sobre o rio Liublianica, com suas águas verde-esmeralda, para os pedestres. De um lado do rio fica a parte antiga da cidade e o acesso ao castelo; do outro, o setor comercial. No centro está a praça France Prešeren (poeta de fama nacional) e uma igreja dedicada à Ordem Franciscana.

Naquele dia acontecia um festival gourmet nessa praça, com barracas vendendo diferentes tipos de comida. Não perdemos tempo e almoçamos junto à multidão, sentados ao sol com uma cerveja na mão. No local onde o evento era realizado, voluntários universitários vestiam roupas de garis e trabalhavam junto aos latões de lixo, orientando os participantes sobre como separar o lixo. Isso sim é bom exemplo. Ali a Michelle e eu conversamos sobre o quão diferente é a vida em Liubliana em relação a outras cidades visitadas por nós até então. Numa mesma viagem, num mesmo mundo, tantas culturas tão distintas...

Servia dos sérvios

Não há fronteira direta entre a Eslovênia e a Sérvia, o que nos fez voltar para a Croácia para um deslocamento de 300 quilômetros, para então entrarmos em Belgrado, capital da Sérvia. Estávamos com uma somatória de problemas elétricos no carro (pane geral e curto circuito) e precisávamos com urgência encontrar peças para Land Rover. Nos últimos dias, para ligar o carro estávamos recorrendo à ligação direta, utilizando uma chave metálica para conectar os dois polos do motor de arranque. Mas em Belgrado tivemos sorte de encontrar tudo o que precisávamos: para a nossa surpresa, no pátio da oficina havia tantas

Defenders 130 – o modelo do Lobo – como nunca havíamos visto na vida.

Enquanto eu mesmo trocava o comutador da ignição, uma das peças avariadas, dois sérvios vieram conversar conosco: o Max e o Dule. Ambos são adeptos do 4x4 e o Dule possui na periferia da cidade um centro dedicado a isso: o Nomad Poligon Kamp Off Road Centar, com pistas "fora de estrada" e outras infraestruturas para os associados se divertirem com suas máquinas tracionadas nas quatro rodas. Convidou-nos para acampar lá por quanto tempo quiséssemos, depois ligou para outro adepto da Land Rover, que ligou para outro e em breve entramos num círculo de amizade com pessoas com as quais nos comunicamos até hoje.

Essa coisa de amizade é interessante. Depois de percorrermos tantos países percebemos que as mais sólidas ocorrem entre pessoas de culturas semelhantes. Achamos os sérvios parecidos com os brasileiros em muitos aspectos: cultura, política, religião e economia. O mesmo aconteceu com os russos. Nós deixamos muitos amigos na Sérvia e na Rússia, mas não podemos dizer que isso aconteceu na Mongólia ou no Uzbequistão, por mais que tenhamos conhecido muitas pessoas por lá. Creio que as grandes diferenças culturais dificultem a boa conexão.

Chegamos no Nomad Poligon Kamp Off Road Centar e lá estavam o Dule e o Max. Depois vieram o Nemud, o Vilijam e a Karmen, todos muito prestativos. A *rakia*, um destilado de ameixa, começou a circular entre os novos amigos. Até no dia seguinte, no café da manhã, tive que tomar *rakia*. Disseram que é assim que se começa o dia na Sérvia. A mecânica do Dule fica num reduto fortificado alemão (bunker) da Segunda Guerra Mundial.

Belgrado é uma cidade grande, moderna e, ao mesmo tempo, antiga. Situa-se na confluência dos rios Danúbio e Sava. De acordo com os locais, o Danúbio demarcava a fronteira entre o sul, dominado pelo Império Otomano e o norte, pelo Império Austro-Húngaro nos idos de 1800. A Casa do Parlamento Nacional da Sérvia é um monumento cultural de grande importância para o país. Nele, Tito governou a Iugoslávia, contou-nos Milosh, o irmão do Dule. Disse também que o edifício tem muitas entradas e saídas, para que ninguém ficasse sabendo do paradeiro do presidente. Milosh gentilmente levou-nos a um *city tour* pela capital.

Nos dias seguintes passamos na casa do Vilijam, em Smederevo, e conversamos muito, pois ele estava se preparando para viajar o mundo em seu Unimog 1997. Vilijam levou-nos a um restaurante às margens do Danúbio, onde tomamos sopa de peixe de entrada, depois um peixe de água doce chamado sander lucioperca, assado com vegetais e acompanhado de salada sérvia (pepino, tomate e pimenta). Saímos rolando de tanto comer, pois tudo estava delicioso.

Vilijam chamou seu amigo Alek para nos conhecer. Quando este viu a Michelle, loira e com jeito europeu, perguntou se éramos nós os brasileiros amigos do Vilijam. Alek possui uma pequena chácara às margens do Danúbio, um lugar lindo, onde à tardinha fizemos churrasco. Vilijam comprou carne para um batalhão: *ćevapi*, tipo um "boi ralado" muito popular desde os países dos Balcãs até a República Tcheca. Teve também fígado de porco enrolado no bacon, frango com queijo enrolado na tripa de porco e estômago de porco.

A cada instante rolava um copo de *rakia*; disseram que essa bebida é tão pura que a tontura vai embora assim que se acaba de bebê-la. Mas não foi o que aconteceu conosco... Pelo menos nós, embalados pelo álcool, começamos a sonhar com uma aventura futura: descer de canoa o rio Danúbio, desde a Alemanha até a sua foz no Mar Negro, entre a Romênia e a Bulgária – uma remada de aproximadamente 2.850 quilômetros. A vantagem de registrar nossos sonhos em livros é que criamos um compromisso público para, um dia, realizá-los.

De repente, escutei um "duvido!". Isso não se fala para mim, ainda mais depois de tantos goles de *rakia*. E lá fui eu, pelado, no escuro, mergulhar nas águas congelantes do rio Danúbio. Depois do mergulho "insano", terminamos a noite ao lado da fogueira e mais *rakia* para esquentar.

O caminho até a fronteira com a Romênia foi lindo, mas lesados de tanto álcool, estacionamos o Lobo à beira do Danúbio e fomos para a cama curar a ressaca.

Romênia de Conde Drácula

O Danúbio nos acompanhou por um longo trecho. À primeira vista, dirigindo por estradas bucólicas já dentro da Romênia, tivemos a sensação de voltar alguns anos no tempo ao ver cenas campesinas passando continuadamente diante dos nossos olhos: vilas aglomeram-

-se em casas coloridas; pelas estradas, carroças e cavalos decorados com pompons de lã vermelha nas orelhas, agricultores e seus tratores puxando pequenas carretas, com suas mulheres e filhos de carona. Enquanto nas encostas os pastores cuidam de ovelhas, nas planícies o trabalho acontece no lavrar a terra e com a força animal puxando arados.

As mulheres vestem-se de forma simples: uma saia por cima da calça de agasalho, meia com chinelo e coletes de lã. Uma senhora com quem conversamos tinha apenas um dente, retratando as dificuldades que o país passou num passado recente. O romeno – que, assim como o português, deriva do latim – não era difícil de entender quando líamos, mas quando alguém falava conosco, não compreendíamos nada. O som assemelha-se ao italiano misturado com o russo.

Como estávamos no sul da Romênia, tivemos que cruzar os Montes Cárpatos, a segunda mais longa cadeia montanhosa da Europa, que se estende dali passando pela Ucrânia, Polônia, Eslováquia e República Tcheca, com picos não mais altos que 2,7 mil metros. Nosso plano inicial era dirigir pela Estrada Transalpina ou pela Transfagarashan, mas infelizmente ambas estavam fechadas. Já estávamos em abril e elas ainda permaneciam cobertas de neve.

A estrada Transfagarashan foi construída na década de 70 para servir de rota militar quando o presidente Nicolae Ceaușescu previa uma invasão soviética. O custo financeiro e de vidas foi alto e hoje, por estar aberta apenas em poucos meses do ano, serve mais como atração turística do que como rodovia utilitária. Muitas pessoas, principalmente os europeus, vêm dirigir por suas curvas fechadas, um turismo que se intensificou depois de 2009, quando um apresentador famoso da TV britânica declarou que aquela é "a melhor estrada do mundo".

Já que não pudemos cruzá-la, subimos por um lado até onde foi possível. De um certo ponto, dos 1,3 mil metros aos 2.042 metros fomos de teleférico, de onde não conseguimos sequer palpitar por onde a estrada passava, tamanha a espessura da camada de neve. Desembarcamos do teleférico, caminhamos um pouco sobre a neve, que chegava a cobrir quase que por completo algumas casas lá no alto, e encontramos um portão de ferro que dava acesso a um túnel que atravessa a montanha. O portão estava fechado, mas uma portinhola não. Pelo GPS vimos que para chegarmos noutro lado teríamos que caminhar 1,3 mil metros sem saber se o túnel estaria aberto do outro lado. A Michelle relutou em cruzá-lo, pois temia que alguém fechasse a portinhola, deixando-nos trancados lá dentro. Passo a passo fomos avançando. Havia algumas luzes, mas muitas estavam queimadas e em alguns trechos ficamos na escuridão. Fazia frio e o silêncio era quebrado apenas pelo gotejar das infiltrações, que se transformavam em estalagmites de gelo. Foi de arrepiar, principalmente depois de termos assistido, na noite anterior, ao filme do Drácula, para entrar no clima de terror da Romênia. Apreciamos a vista, a luz e o ar fresco do outro lado do túnel, pois havia uma porta destrancada e voltamos rapidamente para chegar em tempo de pegar o teleférico de volta. Se não pudemos dirigir pela Transfagarashan, pelo menos tivemos essa experiência diferente.

Atravessamos os Cárpatos por uma estrada mais baixa que não fecha no inverno e quando apontamos do outro lado dessa cadeia montanhosa entramos na Transilvânia, a região que ficou mundialmente conhecida depois que Bram Stoker escreveu o livro Drácula, em 1897.

Mito ou realidade?

Depois de conhecer algumas cidades e castelos na Transilvânia, levando sempre uma resma de alho nos bolsos para "espantar os vampiros", foi que entendemos ser a história do Conde Drácula um mito, mas baseada em fatos e personagens reais.

Em 1897, o escritor irlandês Bram Stoker publicou um romance com o título Drácula. A história ficou tão famosa que ainda hoje é considerada um dos grandes clássicos da literatura de terror. Em número de publicações, segundo uma reportagem na revista Superinteressante, Drácula perde só para a Bíblia. Apesar do livro não ter sido sucesso imediato na época, alguns fãs o descrevem como um "romance de gelar o sangue". Sir Arthur Conan Doyle, criador de Sherlock Holmes, chegou a escrever uma carta a Stoker para lhe dizer o quanto havia gostado de ler Drácula.

A maior parte da narrativa se desenrola no final do século 19 – para ser mais preciso, entre os dias 3 de maio e 6 de novembro de 1890 e se passa entre a Inglaterra e a Transilvânia (Romênia), quando um jovem advogado britânico chamado Jonathan Harker vai para a Transilvânia prestar serviços jurídicos nas transações imobiliárias que o Conde fazia em Londres. O que ele não sabia era que o castelo do Conde, onde ele iria se hospedar durante os negócios, era temido pelo povo local. Quando estava a caminho do castelo, uma mulher na rua lhe entregou um crucifixo – para que se protegesse do diabo.

Nos primeiros dias não se percebe nada de anormal, a não ser a solicitação para que não entrasse em determinados aposentos. Depois de algum tempo ele começa a ver coisas estranhas, como o fato da imagem do Conde não refletir em espelhos. Numa noite, ao vagar pelos quartos onde não era permitido entrar, adormeceu e foi acordado por três lindas mulheres – eram "as irmãs", com seus lábios vermelhos e dentes afiados. Elas o atacam e tentam sugar seu sangue, mas Drácula chegou em tempo de salvá-lo. Jonathan percebe o problema em que se encontra quando Drácula explica para as mulheres que o sangue do inglês pertenceria a ele. O grande interesse de Drácula era aprisioná-lo em seu castelo para depois reconquistar a sua amada, que morrera havia 400 anos, mas que reencarnara numa linda mulher, moradora de Londres – por coincidência, a noiva de Jonathan.

Esse é só o começo da história e ela pode ser vista em dezenas de filmes. A mais fiel narrativa do livro é Drácula, de Bram Stoker, de 1992. O elenco conta com Gary Oldman, Anthony Hopkins, Winona Ryder, Keanu Reeves e Cary Elwes. Vale salientar que a edição original desse livro já tornou-se domínio público e pode ser baixada gratuitamente na internet.

Mas afinal, o que há de real nessa história? Ela foi inspirada pelo Vlad III, também conhecido por Vlad Tepes, o príncipe da Valáquia. Ele nasceu em Sighişoara em 1431. Era filho de Vlad II, o Dracul (derivado de "draco", que em latim significa dragão). Seu pai tinha esse nome, pois pertencia à Ordem do Dragão, cujo propósito era defender a Europa e a igreja cristã do Império Otomano durante as Cruzadas. O nome Drácula caberia, então, como "filho do dragão". Em romeno, "dracul" também significa diabo e Drácula pode ser relacionado com "filho do diabo".

No século 15, o Império Otomano era poderoso e detinha o controle das terras da Valáquia. Por conta disso, com apenas 11 anos de idade, Vlad III e seu irmão Radu foram entregues ao sultão otomano Murad II, como garantia de que seu pai, Vlad II, o então governador da Valáquia, seguiria as normas otomanas e jamais bateria de frente com ele. Os otomanos usavam essa estratégia para manter seu império unido. Outro costume que tinham era requisitar jovens dos países conquistados, centenas ou milhares deles, para fortalecerem o seu exército. Quando Vlad III retornou para a Valáquia, seu pai já havia falecido. Então, com 17 anos, iniciou uma série de batalhas, especialmente contra os otomanos. Aos 25 assumiu o trono que pertencera ao pai e ali permaneceu por seis anos.

Hoje, para os romenos, Vlad é tido como um herói, pois suas lutas foram sempre em prol da proteção e resistência contra os otomanos. Mas fora dessas terras, principalmente na Europa Ocidental, a sua reputação era de um homem brutal e monstruoso, um perfeito "filho do diabo", que chupava o sangue de seus inimigos. Isso se deve à forma como punia, torturava e matava os prisioneiros. Como o livro foi escrito por alguém da Europa Ocidental que jamais havia pisado em terras romenas, a base das pesquisas para o personagem Drácula fora feita fora do contexto, o que explica sua transformação em "vampiro".

Vlad III era conhecido como Vlad, o Impalador. Impalar era uma tortura utilizada pelos otomanos e Vlad deve ter aprendido esse martírio quando esteve lá. Consiste em fazer atravessar um pau comprido e pontudo por dentro da pessoa, adentrando no ânus e saindo pela boca, tendo cuidado para não perfurar os órgãos vitais e, assim, tardar ainda mais o sofrimento e a morte do inimigo.

Conhecido como o castelo do Drácula, o lugar que visitamos nem era o castelo de Vlad III. O que coincidiu foram as suas características com as descritas no livro de Bram Stoker. Assim, o Castelo de Bran (que não tem nada a ver com o nome do autor do livro), hoje é visitado por milhares de pessoas de todos os cantos do mundo, que, assim como nós, buscam por um gostinho de sangue dessa história.

Casarões vigilantes

Sibiu foi nossa cidade preferida na Transilvânia. Os casarões do centro histórico, um ao lado do outro, acompanham as curvas das ruas. As igrejas possuem torres altas e as praças, largas, com diversos cafés, estão sempre movimentadas. Há um detalhe nos telhados das casas que as fazem parecer possuir olhos humanos: as telhas elevavam-se para dar espaço às janelas dos sótãos e criam esta ilusão. Ao andar pelas ruas têm-se a impressão de estar sendo vigiado o tempo todo.

Tão simpáticas quanto Sibiu são as cidades de Brașov e Sighișoara. Nesta última, encontra-se uma casa de esquina, antiga e bem conservada, onde nasceu Vlad Tepes, o rei que inspirou o Conde Drácula. Da muralha da cidade do século 14, nem todas as torres sobreviveram. A torre do relógio, com 64 metros de altura e paredes de 2,35 metros de espessura, está intacta e dá acesso à parte antiga da cidade. Na parte interna da fortificação encontra-se a praça central, onde aconteciam os julgamentos e os impalamentos. Por uma antiga escadaria, datada de 1642, com 172 degraus e coberta, pode-se ter acesso à igreja gótica no topo do morro.

No interior da Transilvânia dirigimos por estradas vicinais, onde havia florestas densas, uma coisa não muito comum de se ver na Europa. A Romênia possui uma das maiores áreas de florestas intactas desse continente, onde há uma grande concentração de ursos e lobos. Os ursos – segundo o livro-guia que utilizamos para planejar nosso itinerário – foram preservados pelo megalomaníaco ditador Nicolae Ceaușescu, o único no país autorizado a caçá-los. Isso fez com que a população de ursos na Romênia, que é de aproximadamente 6 mil indivíduos, representasse 60% de todos os ursos da Europa. Nós não vimos nenhum, infelizmente.

Nas vilas Viscri e Biertan visitamos igrejas fortificadas que datam de mais de 500 anos. Foram construídas pelos saxões, um povo originário da Alemanha, trazido a partir do século 12 pelo Império Húngaro (que dominava essas terras nesta época), a fim de que defendessem os ataques dos otomanos e dos tatars. Os saxões, bons construtores e carpinteiros, usavam como estratégia para resistir aos ataques a formação de comunidades fortes de fazendeiros, artesãos e comerciantes.

As igrejas fortificadas possuem características militares, com muralhas e paredes espessas, torres de vigia e armazéns onde eram guardados mantimentos e armas – tudo para que eles pudessem sobreviver caso fossem sitiados por um longo período. Hoje existem mais de 150 igrejas fortificadas no sudoeste da Transilvânia em estilos variados, sendo que sete foram declaradas Patrimônio Mundial da Humanidade pela Unesco.

De onde vêm os ciganos?

Mais uma coisa que nos chamou a atenção na Romênia: a existência de um povo que se diferencia dos romenos por seus traços e vestimentas. Alguns homens trajam-se em estilo caubói, com botas e chapéu; já as mulheres, que possuem cabelos negros e compridos, usam saias vermelhas longas, muita bijuteria e lenços na cabeça. São os ciganos, que já havíamos visto em outros países dos Balcãs, mas não em tamanha quantidade. Os ciganos, ou o povo roma, como também são conhecidos na Europa, não possuíam escrita no passado e por conta disso sua origem e história foram um mistério por muito tempo. Foi por meio de seu idioma, o romani, que antropólogos levantaram a hipótese de que eles se originam do noroeste da Índia, o que foi confirmado posteriormente por dados genéticos. Segundo pesquisas, a diáspora dos ciganos começou há 1,5 mil anos, quando migraram para o Oriente Médio, Europa e norte da África. Mais tarde, a partir do século 14, iniciaram movimentos em direção às Américas.

O Brasil, por exemplo, recebeu grande número de ciganos. Em nosso país eles são essencialmente nômades, viajando em caravanas de cidade em cidade, vivendo acampados em grandes tendas. Por algum motivo, em todo o mundo, os ciganos têm má reputação e por isso são discriminados. Lembro que em São Bento do Sul (SC), nossa cidade, era comum ver seus acampamentos em algum terreno baldio, mas isso praticamente acabou. Talvez no Brasil, assim como na Romênia, eles deixaram de ser nômades e assentaram-se definitivamente.

O curioso na Romênia – isso ficou muito evidente na vila Huedin – foi que os ciganos constroem palácios para suas moradias. São casas muito grandes, algumas chegam a cinco andares, cheias de compartimentos. Os telhados são diferentes de tudo o que já vimos – de latão prateado, todos cheios de frique-frique. O detalhe é que poucas casas estão acabadas.

Segundo o amigo que fizemos na cidade, os ciganos gostam de ostentar e criam em suas comunidades uma espécie de competição de quem pode mais, quem constrói maior ou mais luxuoso. O que eles não contam é que o dinheiro pode acabar antes de finalizar a obra, ou se a concluem, não é fácil manter tamanhas moradias, então as casas acabam virando elefantes brancos. Quando nós olhávamos aqueles casarões de fora, imaginávamos o que colocavam lá dentro, se conseguiam mobiliar os aposentos. Provavelmente não.

Contentes com o tamanho compacto da nossa casa sobre rodas – o Lobo da Estrada –, seguimos nossa vida nômade, meio cigana, montando nosso acampamento todos os dias até chegarmos na fronteira da Hungria.

RÚSSIA
BIELORRÚSSIA
POLÔNIA
ALEMANHA
REP.
TCHECA
ESLOVÁQUIA
ÁUSTRIA
HUNGRIA
UCRÂNIA

11.
Centro e Leste Europeu

Entramos na Hungria pela Planície da Panónia, também conhecida por Bacia Cárpata, que nos pareceu ser uma versão em miniatura do nosso Pantanal. No passado essas terras foram tão exploradas pela agricultura e pecuária, que desencadearam a desertificação do solo. Ao passar por fazendas vimos solo arenoso e muita poeira. A areia exposta pela ação do vento se movimenta formando dunas que cobrem plantações e vilas. De vez em quando avistávamos animais e muitos pássaros, especialmente faisões. Como no nosso Pantanal, os pássaros fazem sua algazarra em ninhais nas áreas alagadas. Na tentativa de recuperar a área, foi criado o Parque Nacional Kiskunsági.

O rio Danúbio divide a planície ao meio e foi às suas margens que encontramos um lugar para passar a terceira noite no país. Estacionamos entre duas árvores enormes que nos proporcionaram boa sombra. Tão logo paramos fui ajeitar o paramotor para fotografar aquela bela paisagem do alto. O campo ao lado parecia um aeroporto: vasto e plano, próprio para pouso e decolagem. Mais uma vez, devido à ausência de vento só consegui tirar os pés do chão na terceira tentativa.

Tinha a intenção de registrar imagens do Danúbio e as suas embarcações, mas em voo percebi outra beleza: o imenso capricho dos desenhos das plantações. As linhas quase perfeitas do plantio ficam evidentes vistas do paramotor. Na lavoura, assim como em qualquer outra atividade humana, tenho certeza de que o capricho ajuda a aumentar a produtividade.

Enquanto dava minhas voltas pelo céu em busca de diferentes enquadramentos, vi de longe um trator puxando um implemento largo. Lá de cima eu tive a oportunidade de registrar uma fotografia bem interessante: à primeira vista tem-se a impressão de ver a imagem de um crucifixo pendurado numa parede. Só quando se olha com mais atenção é que se percebe os maquinários e o rastro de pneus deixados sobre a terra.

Era sempre prazeroso o momento pós voo, quando celebrávamos a decolagem, o voo e o pouso em segurança. Naquele dia, ao entardecer, puxamos nossas cadeiras de praia ao redor de uma fogueira e degustamos uma cerveja, assistindo ao movimento dos barcos, ora de passageiros ora cargueiros que desciam e subiam o Danúbio. Coletamos lenha trazida pelas águas e a cada acha que colocávamos para queimar, perguntávamos, em tom de brincadeira, de qual país ela teria vindo: Alemanha, Áustria ou Eslováquia?

O feriado de Sexta-Feira Santa passamos em Budapeste, uma cidade grande, espalhada, sem arranha-céus – típica capital europeia. Na verdade, ela é composta de duas: Buda e Peste – cada uma de um lado do rio Danúbio. Buda é mais turística: a beleza das igrejas, palácios, castelos, pontes e torres atrai uma multidão. Do Castle Hill cruzamos o Danúbio pela ponte Szabadság híd (Ponte da Liberdade), onde casais de namorados fazem de sua estrutura verde metálica o seu ponto de encontro, criando um ambiente agradável. Em Peste a vida parece mais real e menos turística. Caminhamos sem rumo, descontraídos, e o clima de início de primavera nos convidava a tomar um sorvete italiano numa feira gastronômica.

Seguimos para o norte margeando o rio mais importante do país, de vila em vila, até que paramos para celebrar a Páscoa em Visegrád – local escolhido pelos reis húngaros para se protegerem dos ataques mongóis. O tal de Genghis Khan não deu sossego. Dá para acreditar que ameaçou conquistar até aquelas terras? Quantos quilômetros nós havíamos feito desde a Mongólia até a Hungria? E isso porque na época dele não havia carros.

Subimos até a Citadela em busca de uma vista panorâmica e demos uma espiada no Palácio Real, que já foi um dos maiores da Europa Central. Depois almoçamos uma típica tábua de carnes da Transilvânia, onde foram servidos frango, porco, bacon, salsicha, batata, pepino e repolho doce. Esse foi um clássico dia de domingo de Páscoa: sossegado e de comilança.

Quanto à arquitetura húngara, gostaria de registrar pelo menos um aspecto: os tubos das calhas das casas e prédios estendem-se até a rua, sendo que alguns, de tão longos e feios, precisam de uma haste para sustentá-los. Segundo a Michelle, uma aberração da arquitetura.

Zona Schengen

Planejar uma viagem pela Europa por um período superior a 90 dias é complicado. Isso se deve à criação, em 2013, da Zona Schengen, da qual 26 países europeus fazem parte. Eis os países pertencentes à zona do Schengen na época em que estivemos lá: Áustria, Bélgica, República Tcheca, Dinamarca, Estônia, Finlândia, França, Alemanha, Grécia, Hungria, Islândia, Itália, Letônia, Lituânia, Luxemburgo, Malta, Países Baixos, Noruega, Polônia, Portugal, Eslováquia, Eslovênia, Espanha, Suécia, Suíça e Liechtenstein. Para toda esta área, nós, brasileiros, temos o direito de permanecer 90 dias. Mas se dividirmos 90 por 26, a média é de 3,46 dias por país. Em outros continentes, como a Ásia Central, apesar de estarmos sujeitos às regras de visto de cada país, temos no mínimo 30 dias para cada um, o que pode elevar o direito de permanência em uma região do tamanho da Zona Schengen para além de 150 dias ininterruptos. É preciso planejar muito bem para se fazer viagens mais longas pela Europa.

Os brasileiros ainda estão em uma situação mais confortável que a maioria dos outros povos. Depois de muitas pesquisas na internet para saber como a regra funciona (os sites oficiais não deixam a regra muito clara), descobrimos que existem duas formas de se calcular essa permanência: a nova e a velha. Para brasileiros, assim como para os países Antígua e Barbuda, Bahamas, Barbados, São Cristóvão e Neves, Maurício e Seicheles, usa-se a forma antiga, que permite maior permanência dependendo de como se planeja a viagem. Nós temos direito de permanecer 90 dias, contínuos ou não, em cada período de 180 dias contados a partir da primeira entrada no território e esses 90 dias zeram após o vencimento do período de 180.

A nova forma de cálculo que os outros países devem utilizar é baseada em 180 dias correntes, ou seja, para todos os dias em que se está na Zona Schengen deve-se olhar para trás para ver se nos 180 dias prévios não se permaneceu mais do que 90. Nessa forma de contagem o período nunca zera. É importante notar que tanto na forma velha como na nova, o dia de entrada e o de saída contam como dias de permanência, o que ajuda a gastar os poucos 90 dias no caso de múltiplas entradas.

E como essa regra se aplicou em nosso planejamento? Que a verdade seja dita: nós temos mais sorte do que juízo, pois passamos a entendê-la quando já estávamos dentro do território Schengen e mesmo assim tivemos que fazer poucos ajustes para adequá-la ao que idealizávamos. Mas quando soubemos da tal regra, temos que confessar, perdemos uma noite de sono temendo não ter tempo suficiente para alcançar nossa terceira Latitude 70, na Noruega. No final, cumprindo as regras minuciosamente, pudemos viajar pelos países da Zona Schengen por mais de 160 dias.

O segredo está em antecipar a primeira entrada para que os 180 dias comecem a contar o quanto antes. A partir de sua primeira entrada, deve-se utilizar os países vizinhos não pertencentes à Zona Schengen por 90 dias a fim de não extrapolar o permitido e, então, quando os 180 dias de sua primeira entrada findarem, tudo irá zerar e você poderá ficar mais 90 dias dentro do segundo período de 180. O que nos ajudou a fazer as contas foi o site www.schengen-calculator.com.

República Eslovaca

Já havíamos cruzado a fronteira com a Eslováquia, inclusive passado uma noite lá, mas tivemos que voltar, pois eu havia esquecido a tampa do tanque de combustível no último posto onde abastecemos. Isso já tinha acontecido três vezes na Europa. Nas outras vezes, por causa da distância já percorrida, ao notar a falta da tampa não nos demos o trabalho de buscá-las: compramos outras. Nesse posto da Hungria, a apenas sete quilômetros do acampamento na Eslováquia, havia cinco outras tampas esquecidas. Fiquei aliviado ao descobrir não ser o único avoado que esquece tampas de tanques de combustível. Por estar na Zona Schengen foi fácil voltar para a Hungria, pois cruzar fronteiras nos 26 países desse tratado é como cruzar o limite entre duas cidades: não é preciso nem parar para registrar os passaportes.

A Michelle conta os detalhes desses dias burocráticos que fazem parte de uma expedição de volta ao mundo.

Como cruzar dezenas de fronteiras

Ao entrar pela segunda vez na Eslováquia contabilizamos 61 fronteiras cruzadas, de um total de 80 em toda a viagem (75 com o carro e cinco sem). Por coincidência essa foi a mesma quantidade de fronteiras que cruzamos em nossa viagem anterior. As fronteiras da Zona Schengen são tranquilas para se cruzar, diferentemente das outras, geralmente burocráticas e morosas. Dos 1.197 dias dessa viagem, quatro (93 horas) foram gastos em fronteiras. Se pararmos para pensar, isso não representa tanto tempo assim: apenas 0,3% da viagem; creio que se estivéssemos em casa perderíamos muito mais tempo em filas e congestionamentos.

As fronteiras mais demoradas ocorreram entre a Rússia e a Mongólia e vice-versa, com cinco e seis horas respectivamente. Mais tempo perdido do que nessas tivemos apenas entre a Colômbia e o Panamá, com sete horas e meia na saída da Colômbia e cinco horas e meia na entrada do Panamá. Essa ocasião foi excepcional porque envolveu o transporte do carro num ferry (o tempo de viagem no ferry não foi contabilizado). Na América Latina nós gastávamos entre uma e duas horas e meia em cada fronteira. No leste europeu, dez a vinte minutos já foram suficientes. Na Ásia Central e no Cáucaso variava bastante e geralmente eram mais demoradas. O tempo gasto foi mais de espera do que de trabalho em si. As fronteiras russas são uma prova concreta da ineficiência humana e o segredo está em ter paciência. Muita paciência.

Apesar de existir similaridades nos processos, cada fronteira é única e não há uma cartilha a seguir. O importante é ter o passaporte em mãos, o documento do carro no nome do motorista e a carteira de motorista internacional. Nunca fizemos um seguro internacional para o carro. Desconhecemos a existência de um. E, se existe, deve ser caro. Se algo além disso é exigido e considerado muito importante, procurávamos nos informar como lidar com os procedimentos com antecedência, mas geralmente aprendíamos na hora de cruzar a fronteira.

Na Síria, por exemplo, tivemos que pagar uma taxa semanal de cem dólares para o uso do diesel que é subsidiado. No Uzbequistão, Rússia e Geórgia, certos medicamentos são proibidos, sob pena de dar cadeia caso se desrespeite a regra. No Uzbequistão, o porte de um drone também é proibido. No Canadá não se pode possuir spray de pimenta – algo muito usado no país vizinho, os Estados Unidos, para se proteger de ataques de ursos. No Azerbaijão tivemos a infeliz surpresa de saber que carros que não se enquadram no sistema de normas Euro 5 (nosso caso) ganham apenas visto de trânsito ou devem deixar um exorbitante depósito para poder trafegar no país. O importante é saber de antemão os países que exigem o Carnet de Passages en Douane, documento que se torna uma dor de cabeça para quem viaja de carro. Nós, nessa segunda volta ao mundo, não o necessitamos, mas na primeira viagem utilizamos dois blocos de dez páginas cada.

Uma fronteira pode ser fácil para um viajante e chata para outro; ou o que exigem de um pode ser que não exigem de outro. Tudo é possível e depende muito do agente que está ali no momento, do seu ânimo e, principalmente, de como o viajante se porta diante dele. Bater de frente, discutir, é pedir complicações. Aquele que tem respeito e paciência pode ser recebido bem e seu processo fluir melhor. Procuramos fazer tudo corretamente e nunca usar da corrupção. Há quem dê presentinhos para facilitar sua vida nas fronteiras, mas somos contra isso.

Uma coisa que nos incomodava era quando os agentes de imigração carimbavam no meio das preciosas páginas de nossos passaportes. Foram poucos os que tomavam cuidado e carimbavam pensando em economizar espaço. O que demanda mais tempo são as aduanas, onde dá-se a entrada do carro. Importação temporária, seguro obrigatório contra terceiros, fumigação, fotocópias, taxa de importação, taxa de diesel, taxa disso, taxa daquilo, imposto de circulação, raio-X do carro, declaração de comidas, dinheiro e equipamentos, inspeção em busca de drogas, armas, passageiros ilegais ou outros itens proibidos por determinada aduana e... muita espera.

Para economizar, fazíamos seguro contra terceiros somente se nos exigissem, especialmente quando sabíamos que o país onde entrávamos era tranquilo. Às vezes dávamos o documento do carro dizendo ser também o seguro. Dava certo. Se sabíamos ser um país problemático, com policiais corruptos, preferíamos não dar margem e fazíamos o solicitado. Na entrada da Bulgária, para garantir que faríamos o Green Card, o oficial ficou com o passaporte do Roy e só o devolveu quando comprovamos a compra do seguro.

Nas fronteiras dos países da antiga URSS nos revistaram em busca de remédios, drogas e armas – muitas vezes isso aconteceu na saída. Não entendemos o porquê desse procedimento depois de já termos viajado o país. Na saída da Rússia para a Geórgia, região da Chechênia, o Roy passou por um superinterrogatório. Não temos ideia até hoje sobre o que investigavam e o que levantou suspeita.

Numa outra entrada para a Geórgia, o agente invocou que meu passaporte era falso, verificou diversas vezes os detalhes do plástico e da cola. Na entrada da Bósnia e Herzegovina foi a foto que gerou polêmica: disseram que eu estava muito diferente da realidade. Na Armênia não gostaram de ver o visto do Azerbaijão, país vizinho com o qual possuem disputas territoriais. E o que falar quando os agentes de imigração viam que estivemos no Afeganistão e depois ainda viam o visto do Cazaquistão e Uzbequistão? Imediatamente arregalavam os olhos. Faziam uma ligação, saíam da sala para checar mais a fundo e quando voltavam escaneavam o passaporte todo, página por página. No final sempre fomos liberados. Algumas fronteiras são organizadas, bem estruturadas e equipadas; outras, um verdadeiro caos, onde ninguém sabe dar informações corretas e os documentos ainda são preenchidos a mão.

Demorávamos algum tempo até entender o funcionamento de cada fronteira, mas sempre preferíamos nos virar sozinhos, sem contar com a ajuda dos chamados "fixers", que ficavam à espera dos inexperientes na esperança de ganhar um troco. Em certas fronteiras, como na Geórgia e países da ex-URSS, eu tinha que ir sozinha, a pé, fazer a imigração, enquanto o Roy de carro fazia a dele e a aduana. Nós nos reencontrávamos somente ao final do processo. Alguns lugares dão preferência para estrangeiros na fila; em outros é uma briga de mão nos guichês e respeito a filas é algo desconhecido.

Há também as fronteiras corruptas. A vencedora nessa viagem foi a de entrada no Tadjiquistão. Cobraram-nos muitas taxas: de pulverização, de aduana, de transporte, de polícia – algumas com recibo, outras, não. Não conseguimos evitar o pagamento da taxa de transporte que nos soava indevida e deixamos o local desapontados. Pior do que essa fronteira somente a do Egito, na primeira expedição, quando foram 24 horas de chateação e tentativas de tomar nosso dinheiro.

Em algumas fronteiras a aduana não fica junto com a imigração. Pode ser alguns quilômetros antes ou centenas deles, como aconteceu na saída do México, em Sonoyta. Na saída da Bielorrússia nos deparamos com uma fronteira pequena apenas para bielorrussos e russos e não nos autorizaram cruzá-la. Tivemos que nos deslocar trezentos e cinquenta quilômetros extras até o sul do país, onde havia um serviço para estrangeiros. Vale a pena estar informado quanto a isso, já que existem fronteiras que simplesmente não nos deixam entrar ou sair, o que aconteceu também no Vietnã e no Camboja na primeira viagem. Há também fronteiras mais fáceis e menos movimentadas.

Saber o horário de funcionamento também é importante. Percebi em minhas anotações que cruzávamos as fronteiras a partir das dez horas da manhã ou depois das 15 horas. Geralmente acampávamos antes da fronteira, levantávamos com calma, tomávamos café, preparávamos tudo e, aí sim, partíamos para um novo país. Em muitos deles fazíamos os preparativos para a travessia com antecedência: se o combustível era mais barato no país de onde estávamos saindo, enchíamos o tanque; se a comida era mais barata, abastecíamos a despensa ou comprávamos produtos que sabíamos não haver no outro lugar. Também tínhamos que trocar ou gastar o dinheiro restante, entre outros detalhes.

Fazer compras de comidas frescas, carnes e derivados de leite antes das fronteiras não é uma boa ideia, pois geralmente esses itens são proibidos. Na entrada de Belize é proibido transportar bebidas alcoólicas e tínhamos acabado de comprar 24 latinhas de cerveja e um monte de comida fresca na Guatemala. O Roy escondeu o precioso líquido detrás da geladeira e dentro de sua maleta de ferramentas. Declaramos apenas alguns vegetais e o oficial foi amigável: restringiu apenas um salsão murcho e nos deixou ficar com os demais itens. Na fronteira dos Estados Unidos também é proibida a entrada com alimentos frescos. Ficamos com pena de jogar uma maçã fora e perguntamos ao oficial se podíamos comê-la rapidinho; ele deixou. Na Noruega e países mais desenvolvidos nos perguntavam se tínhamos carnes e derivados de leite e nem vinham revistar o carro. Faziam isso na base da confiança, mas se decidissem inspecionar e encontrassem algo indevido e não declarado, teríamos problemas e levaríamos uma bela multa.

Uma vantagem de se fazer uma volta ao mundo no sentido Leste para Oeste é que quando deixamos as Américas para a Oceania ou Ásia, perdemos praticamente um dia por causa do fuso horário, mas à medida em que evoluíamos nosso itinerário rumo Oeste, fomos recuperando essas horas. Então, era normal, ao cruzarmos uma fronteira, que ganhássemos uma hora para desfrutar naquele dia.

Fronteiras possuem o benefício de preservar a cultura dos diferentes povos. É perceptível que um novo mundo, totalmente diferente do anterior, inicia quando cruzamos essa linha imaginária: religião, idioma, moeda, culinária, paisagem e traços das pessoas. Mesmo dentro da Zona Schengen – onde não havia postos fronteiriços e nenhuma demarcação além de uma placa com os nomes dos países – tudo muda drasticamente de um país para outro.

O maior frio na barriga, de ansiedade e alegria, foi ao cruzar a fronteira de retorno ao Brasil (nas duas viagens). Que felicidade, depois de tanto tempo poder escutar pessoas falando português, ler placas com facilidade, sintonizar rádios tocando nossas músicas, identificar costumes e comidas comuns. Confesso, não há sensação mais prazerosa.

A Eslováquia, cujo nome oficial é República Eslovaca, há menos de três décadas fazia parte da Tchecoslováquia, um país fundado após a Primeira Guerra Mundial, que compreendia o que é hoje a República Tcheca e a Eslováquia. Em 1948, um pouco depois da Segunda Guerra Mundial, os comunistas tomaram o poder e a Tchecoslováquia foi o último Estado europeu a passar para o lado soviético da Cortina de Ferro. A Eslováquia só se tornou independente no primeiro dia de 1993, após a dissolução pacífica com o seu atual vizinho tcheco. Hoje pode-se considerar que o país possui uma das maiores taxas de crescimento na União Europeia, tem boa economia e uma alta renda per capita.

Os primeiros quilômetros desse país foram rodados por uma estrada que segue muito próxima à fronteira com a Hungria, passando por vilas que estavam com seus jardins floridos de tulipas. Reparamos que todas as pequenas cidades possuem postes com alto-falantes. Ficamos cismados e mais tarde perguntamos para que serviam: disseram-nos que as caixas de som funcionam como uma espécie de rádio da prefeitura, uma forma de os mandatários comunicarem-se com a população, transmitindo avisos, divulgando notícias, anúncios de nascimentos e falecimentos e outros recados. Um hábito antigo que ainda acontece em meio a esse mundo digital.

Banská Štiavnica é vistosa, com casas e prédios maiores do que nas outras cidades. Teve um ciclo de prosperidade no século 16, por causa da mineração. Chegou a ser tão rica, que ficou conhecida como "a cidade da prata". Túneis para a extração desse minério correm na parte subterrânea e podem ser visitados.

A riqueza arquitetônica da Eslováquia pareceu-nos diferente do que estávamos acostumados a ver na Europa Oriental. Em Banská Štiavnica, por exemplo, os telhados metálicos, quando vistos de cima, mostram coberturas verdes e avermelhadas. Nas vilas Vlkolínec e Čičmany, a maioria das casas são de madeira, algumas formadas com troncos inteiros, cortados longitudinalmente de forma quadrada e com cortes em ângulo nas extremidades. Isso faz com que a pressão exercida pelo próprio peso da madeira melhore o fechamento dos encaixes. Os telhados também são de madeira e quase todas as construções portam uma espécie de chapéu arredondado na parte frontal da cumeeira a fim de proteger a janela do sótão contra a chuva. As pinturas são feitas em cores vivas e chamativas. Em Čičmany, apesar do modo de se construir ser idêntico a Vlkolínec, até as calhas são feitas de madeira. O diferencial dessa vila está nas pinturas que lembram inscrições indígenas. Símbolos e desenhos pintados em branco contrastam com a madeira escurecida e cada um tem um significado.

No norte do país queríamos caminhar nas montanhas Tatras, a parte mais alta dos Cárpatos, mas a época do ano ainda nos impedia de ir até lá por causa da grande quantidade de neve. Já que estávamos impossibilitados de queimar calorias, o jeito foi ir a um restaurante típico para ganhar mais algumas. Pode ser um contraste de ideias, mas que a verdade seja dita: não havia nada melhor para fazer naquele dia nebuloso do que comer e beber. Segundo informações do nosso livro guia, o restaurante Salaš Krajinka, em Ružomberok, não nos decepcionaria. Dito e feito: nos deliciamos com um refogado de carneiro acompanhado de pirogue de batata, bacon e queijo *brindza*, o queijo de ovelha típico dessa região; até hoje me vem água na boca quando lembro daquele prato. O strudel que saboreamos como sobremesa acabara de sair do forno – desculpem-nos os austríacos e alemães, mas foi o melhor que experimentamos na Europa. A Michelle diz que ainda prefere o da mãe dela.

Os eslovacos são muito nacionalistas. Terchová é a cidade natal de Juraj Jánošík (1688-1713), o jovem personagem de muitos contos, romances, poemas e filmes da Eslováquia, bem como dos países vizinhos Polônia e República Tcheca. De acordo com a lenda, ele era o Robin Hood local – roubava dos ricos para dar aos pobres. Nesta cidade foi erguida uma estátua metálica prateada com sua figura.

Na sequência dirigimos por montanhas, conhecemos parques, castelos e a última cidade em que estivemos no país foi a capital Bratislava, onde pudemos acampar num amplo estacionamento em frente ao rio Danúbio e ao centro histórico. A cidade situa-se ao sul da Eslováquia e faz fronteira com a Hungria e a Áustria. É charmosa, não muito grande, pouco mais de 400 mil habitantes, sede da presidência e do parlamento nacional. Conta com universidades, museus, teatros e toda infraestrutura comum às grandes cidades.

Depois de ter passado pelo período comunista, em que as cidades tinham um ar sombrio, o governo agora promove reformas, tentando dar mais cores aos prédios e obras públicas. Também foram criadas estátuas em posições curiosas a fim de dar mais alegria a quem caminha pelas ruas. A estátua mais famosa chama-se Cumil ou Man at

Work, como explica uma placa ao seu lado. Ela retrata um homem esculpido em bronze com suas vestes e capacete de trabalhador debruçado na calçada por uma abertura de bueiro. Apesar de apenas uma parte do corpo aparecer fora do buraco, ela aparenta ser do tamanho real de uma pessoa.

Por estradas vicinais

A Áustria não fazia parte de nossos planos. A intenção seria permanecer no leste europeu, pois havíamos conhecido a Europa Ocidental em outras ocasiões. Mas mudamos de ideia porque não estávamos muito longe de uns amigos que conhecemos em nossa primeira volta ao mundo: Werner, Delphine e suas filhas Louise e Paula. Eles moram em Hagenbrunn, pequena cidade das imediações da capital austríaca. Fazia dez anos que não os víamos. Trocamos algumas mensagens por e-mail para combinar esse reencontro e o último que recebemos do Werner foi provocativo. Ele nos convidava para nos juntarmos a eles em uma peregrinação tradicional que acontece no sul da Áustria – uma estirada de 52 quilômetros. Adoramos caminhar – esse é um dos entretenimentos favoritos quando estamos em viagem –, mas andar 52 quilômetros, num sobe e desce com variação de altitude de dois mil metros, desafiava nossos já combalidos joelhos. Não estávamos tão preparados assim, mas como não somos de recusar convites como aquele, topamos o desafio – decisão que nos deixou apreensivos até o dia da caminhada.

O caminho até Viena foi por estradas do interior. Viajávamos normalmente fora das autoestradas por dois motivos: evitar pedágios, que na Áustria não são baratos, e apreciar com mais vagar as paisagens, tendo mais contato com o entorno, seja pelo cheiro, som de animais e insetos ou pela proximidade com as pessoas. Viajar em autoestrada é como ver o mundo pela televisão: temos que manter velocidade constante e não podemos parar nos acostamentos, o que impossibilita qualquer contemplação ou fotografia. Além disso, a visibilidade é reduzida por causa dos muros antirruídos nos arredores das cidades.

Passamos dez dias na companhia de Werner e Delphine. Eles foram prestativos e suas filhas, assim que se familiarizaram com nossa presença, divertiram-se à beça. Durante o dia, quando eles estavam ocupados com seus trabalhos e afazeres domésticos, alternávamos entre resolver pendências em nosso carro e conhecer Viena.

Todas as vezes em que fomos à capital caminhamos muito. Viena é uma cidade fantástica. Nós nos deixávamos ser levados pelo fluxo de turistas e assim íamos passando pelos principais atrativos: a Catedral Saint Stephen, o Palácio Hofburg e o Jardim Burg, onde se encontra a estátua de Mozart – compositor que viveu naquela cidade; passamos pela Praça Saint Michael, o ponto de partida de carruagens que levam os visitantes ao redor de Viena; almoçamos comida típica no Naschmarkt; andamos pelo Parlamento, pela Prefeitura e pela Biblioteca Nacional; fizemos uma parada obrigatória no Café Central de Viena – um programa que, segundo nossos amigos, era indispensável para que a visita à cidade fosse completa. E assim fomos treinando nossas pernas para a longa caminhada que teríamos pela frente.

Parávamos para descansar quando encontrávamos algum músico de rua, na maioria das vezes tocando música clássica. O curioso foi encontrar no Naschmarkt uma bandinha de indianos executando e cantando músicas típicas austríacas – com certeza resultado da globalização. Friedensreich Hundertwasser é o arquiteto conhecido como Gaudí de Viena. A Casa Hundertwasser é um prédio de poucos andares, mas com uma fachada tão exótica que virou um marco na cidade. As linhas são desuniformes e a pintura é composta por cores variadas. As janelas e as texturas não possuem padrão único e algumas árvores brotam em certos andares. A obra mais parece um quebra-cabeça colorido elaborado por uma criança e, com certeza, não se adapta às normas e clichês convencionais da arquitetura.

Próximo dali está a Roda Gigante de Viena. Construída em 1897 e com 64,75 metros de altura, é uma das primeiras rodas gigantes do mundo. Ao invés de cadeiras, possui cabines envidraçadas onde se acomodam aproximadamente dez pessoas. Como Viena é uma cidade romântica, uma das cabines da *Wiener Riesenrad* é destinada a jantares a dois. A cada volta da roda gigante, essa cabine faz uma parada para que seja servido um novo prato ou bebida ao casal enamorado. Apesar da intenção romântica, o jantar não tem nada de privativo, pois a exposição frente aos outros visitantes da roda faz com que o casal seja mais observado do que a paisagem de Viena. Escutamos dos turistas que estavam na nossa cabine: "Olha o que eles estão comendo"; "Ela sorriu!"; "Ele pegou na sua mão"; "Agora entrou outro prato. O que será?"; "Vai pedi-la em casamento?".

Uma noite no museu

Aos finais de tarde retornávamos a Hagenbrunn e as noites terminavam em saborosos jantares, regados pelos bons vinhos austríacos. Numa quarta-feira à noite, assim como o casal da roda gigante, também tivemos uma ceia de gala. Nossos amigos nos presentearam com um jantar no Museu de História Natural de Viena – uma verdadeira "Noite no Museu". O jantar foi servido debaixo do domo principal do edifício e sobre um maravilhoso piso em mármore branco e preto. Além dos pratos de um festival de aspargos, tivemos uma aula de biologia, geografia e história. O museu guarda um acervo imenso de animais empalhados, recolhidos por expedições patrocinadas na época do império. Para se ter uma ideia do tamanho do acervo, além das peças expostas, existem mais de três milhões de itens guardados. Foi nesse dia que aprendemos como diferenciar um crânio de homem do de uma mulher: os homens, segundo o guia do museu, sejam nos dias atuais ou há dez mil anos, possuem uma proeminência no supercilio, ao passo que as mulheres não.

Do telhado do prédio do museu contemplamos a cidade à noite e ficamos em frente à praça onde Hitler fez um discurso público para milhares de pessoas: era o prenúncio da Segunda Guerra Mundial. O guia contou algumas histórias da cidade, sendo que em duas delas os protagonistas se suicidaram. O primeiro foi um escultor contratado pelo rei para fazer uma estátua com dois cavalos. Ao término da obra, o rei falou que estava bom, apenas bom, o que entristeceu o escultor a ponto de ele tirar a própria vida. O segundo fato ocorreu com um arquiteto que projetou o alojamento do Exército e esqueceu os banheiros. A história virou piada e o arquiteto também se suicidou.

Vierbergelauf – a grande caminhada

Chegara o dia tão esperado, o da "Vierbergelauf" – a corrida das quatro montanhas. Para participar, viajamos 350 quilômetros até Klagenfurt, no sul do país. Essa é uma peregrinação que acontece na Áustria há centenas de anos. Tanto tempo, que algumas teorias sugerem que ela vem acontecendo desde a Idade Média; outras, que começou antes de Cristo, quando se peregrinava para a adoração do sol celta. A localidade, segundo o povo local, possui uma energia sobrenatural.

Nos dias atuais é um evento católico que se inicia na primeira hora da segunda sexta-feira após a Páscoa e percorre quatro morros – Magdalensberg, Ulrichsberg, Veitsberg e Lorenziberg – ao redor do vilarejo St. Veit, conectando igrejas onde fiéis assistem a missas ao longo do percurso. O caminho é feito a pé e possui 52 quilômetros. Soma-se a ele um quilômetro para se chegar ao início e três para se voltar da última igreja até o local da condução de retorno para casa.

O evento é regional e nem muitos austríacos de fora dali o conhecem. Se não fosse pelo convite de nosso amigo Werner, não acredito que teríamos encarado tamanho percurso a pé por livre e espontânea opção. São quilômetros e quilômetros subindo e descendo quatro montanhas, que somam em aclive mais de dois mil metros – é muito chão. Além disso, é preciso varar a noite e o dia seguinte inteiro para, depois de 17 horas contínuas, chegar-se à última igreja.

Mas lá fomos nós, junto ao Werner, Hardy (amigo do Werner) e mais cinco mil peregrinos. O que ninguém esperava é que das 17 horas percorridas, 15 seriam debaixo de chuva e frio. A Michelle e eu, por não estarmos vestindo roupas adequadas, nos encharcamos logo na segunda hora. À noite a temperatura chegou a 2°C. Estávamos molhados inclusive dentro das botas, pela água que escorria da calça para a meia – era de chorar em alemão com dialeto austríaco.

O esforço foi constante: não podíamos parar para descansar, o que daria ao nosso corpo chance de esfriar ainda mais. As partes que mais gostávamos eram as subidas, quando o corpo aquecia um pouco. Além do frio, as trilhas ficaram enlameadas devido à chuva e ao fato de cinco mil pessoas estarem passando pelos mesmos lugares. Mas o clima entre os peregrinos foi caloroso e de muita descontração. Em locais de paragem, moradores das redondezas ofereciam comida típica, cerveja e *schnaps* (similar à nossa aguardente) a troco de qualquer doação, o que nos animava a seguir até a próxima parada. Falavam em alemão conosco e se surpreendiam quando falávamos que éramos brasileiros. “Como vocês vieram parar aqui?” era uma pergunta constante.

As horas foram avançando, a escuridão deu lugar à luz do dia, o cansaço às vezes desaparecia, mas voltava logo em seguida. Na terceira montanha – Veitsberg – demos três voltas em sentido horário ao redor da igreja e depois tocamos o sino, o que nos deu o direito de fazer um pedido. Eu suspeito que a Michelle pediu para que suas mãos descongelassem. De acordo com nossos amigos, lá de cima a vista seria linda se o clima não estivesse fechado. Em alguns lugares foram acendidas fogueiras para as pessoas se esquentarem e quando nos aproximávamos do calor, víamos a água de nossas roupas evaporarem.

Cruzamos com alguns veados, passamos por mais vilas, campos e florestas. E assim fomos vencendo cada passo, cada uma das 17 horas intermináveis, até que a última igreja chegou para que pudéssemos tocar o sino e celebrar. O sofrimento cessou, sentamos para tomar cerveja acompanhada de pãezinhos com queijo, salame, linguiça, patê e requeijão. Agora era só caminhar até o carro da Gundi, esposa do Hardy, que nos esperava num estacionamento próximo à igreja.

Lackenhof foi uma boa pedida para descansar. Passamos alguns dias na casa de campo dos nossos amigos. O lugar ficava ao centro-norte do país, região montanhosa, com paisagens típicas dos Alpes Austríacos. Ao mesmo tempo em que choveu lá no sul, enquanto peregrinávamos, ali nevou muito. Tanto que nosso divertimento naquele fim de semana foi descer as montanhas nevadas com *bob's* – carrinhos de plástico com volante, especiais para crianças brincarem na neve. Adrenalina pura, pois o brinquedo embala muito. Experimentamos pela primeira vez os *snowshoes*, ou sapatos para neve, mais parecidos com raquetes de tênis adaptadas aos pés. Servem para não se enterrar na neve profunda ao caminhar.

Na casa de campo há uma sauna e, como estava frio, não haveria coisa melhor a fazer do que relaxar numa sauna após um dia extenuante brincando na neve. Pela tradição austríaca, disse-nos nosso amigo Werner, todos devem entrar nus. "Topam?", perguntou ele. Olhei para a Michelle, ela me olhou e, mesmo que isso não seja comum em nosso país, dissemos sim, afinal de contas nós não estávamos no Brasil.

O caminho de volta à Viena foi acompanhando o rio Danúbio. Castelos, cidades medievais e plantações de frutas e vinhedos fazem parte daquela paisagem. Em Viena, ainda antes de botarmos o pé na estrada rumo à República Tcheca, jantamos na casa de outro casal de amigos austríacos que havíamos conhecido na primeira viagem de volta ao mundo – Angelika e Martin, que também tiveram duas filhas nesse tempo que não nos vimos. O encontro serviu como despedida deste lindo país e dos queridos amigos.

Onde estão os tchecos?

Se esperávamos encontrar o povo tcheco na República Tcheca, creio que fomos para o lugar errado. Pelo menos foi essa a percepção que tivemos ao passar pelas cidades de maior interesse. Como o país vem investindo muito no turismo, vê-se por toda parte, praticamente, só turistas. Praga, por exemplo, é a quinta cidade mais visitada da Europa. Fica atrás apenas de Londres, Paris, Istambul e Roma. Em Český Krumlov, os turistas orientais estão em massa – tanto que alguns restaurantes anunciam em grandes cartazes pratos nos idiomas chinês, japonês e coreano.

A cidade formou-se ao longo de uma volta em formato de ferradura às margens do rio Vltava. À primeira vista parece estar ilhada com apenas uma passagem por terra. O diferencial na arquitetura dos castelos, igrejas e residências é que os detalhes físicos, saliências e apliques (inclusive as pedras e tijolos) são pintados, dando a impressão de três dimensões.

A República Tcheca lidera a lista dos países onde mais se bebe cerveja no mundo: 150 litros por pessoa por ano. Se dividirmos esse consumo em medidas médias, cada cidadão estaria bebendo uma latinha de cerveja por dia. Não sem motivos, pois eles chamam a cerveja de "pão líquido".

A tradição cervejeira nesse país vem da Era Medieval. Na época, apesar de o direito de fabricação ser concedido somente pelo rei, muitas cidades e vilarejos do antigo Reino da Boêmia, atual República Tcheca, mantinham seus próprios processos de fermentação. Nos tempos da Cortina de Ferro, quando o país foi tutelado pela União Soviética, tomar cerveja com os amigos em um bar era um dos poucos lazeres permitidos. Durante esse tempo não houve investimentos no setor, o que prejudicou a presença da cerveja tcheca no mercado mundial. Mas foi justamente por causa disso que ela voltou a ser atrativa e a ganhar mercado fora do país. A falta de investimentos no setor manteve intactos os processos, as técnicas e as tradições centenárias de fabricação, quando o mestre cervejeiro era o único a tomar as decisões da produção.

A cerveja tcheca é uma das melhores que já experimentamos e não temos nenhuma dúvida sobre isso. No país ela é mais barata do que água mineral. Experimentamos Gambrinus, Budweiser Budvar, Urquell, Kozel, entre outras. Em České Budějovice visitamos a fábrica da Budweiser Budvar, uma cerveja produzida desde 1265. Fomos guiados por uma mulher que falava um inglês precário: conhecemos a fonte da água, os lugares onde se ferve o malte, adiciona-se o lúpulo e os tonéis de fermentação – etapa que pode variar de dois e sete meses, dependendo do tipo da cerveja. De acordo com a guia, a Budweiser americana, pertencente ao grupo Imbev, é uma das cervejas mais conhecidas no mundo e começou a ser produzida há 140 anos. A fábrica americana se apropriou do nome da cerveja tcheca, o que acarretou uma disputa judicial que se estende há muitos anos. O nome Budweiser deriva do nome da cidade tcheca onde a Budweisser Budvar é produzida – České Budějovice.

Deixamos o carro num camping e fomos ao centro de Praga em um barco pilotado por um comandante vestido a caráter. Optamos por nos transportar de barco, não por falta de pontes, pois elas se somam às dezenas. Uma delas merece destaque: a Ponte Carlos. Ela deveria servir para as pessoas irem de um lado ao outro do rio, mas acabou virando ponto de parada de turistas. Eram tantos que tivemos dificuldade para contemplar esse símbolo da cidade. É irônico porque são tantas as pessoas querendo ver a ponte e tantas são as barracas de vendas de souvenires, que ninguém consegue vê-la. Só levantando muito cedo.

Construída com pedras há mais de 600 anos, possui um quilômetro de comprimento. Ao longo da sua extensão existem 30 esculturas de santos. A mais famosa é de João Nepomuceno, o vigário que teria sido torturado e atirado da ponte no ano de 1393 por ter negado divulgar os segredos das confissões da Rainha da Boêmia ao Rei Venceslau IV, que alimentava uma teimosa e infundada desconfiança sobre a fidelidade da mulher. Reza a lenda que passar a mão na placa de bronze da base da estátua traz sorte e a certeza de um dia voltar a Praga. Tantas mãos já se esfregaram neste metal desde que a estátua foi finalizada em 1683, que a sua cor já está diferente do resto do monumento.

A Ponte Carlos parece concentrar metade dos turistas do mundo. A outra metade penso que circula frente ao relógio astronômico Orloj – uma peça medieval localizada na parede sul da prefeitura municipal da Cidade Velha. O relógio tem um mostrador astronômico que indica a posição do Sol e da Lua, um calendário representando os meses do ano e a cada hora mostra um show mecânico com as figuras dos apóstolos saindo de uma portinhola.

Praga é uma das capitais mais bonitas da Europa – por isso atrai tantos visitantes. Suas ruas, passarelas e a arquitetura dos castelos, igrejas e cúpulas mostram que foi mais próspera no passado. É conhecida como a "cidade das cem cúpulas". Ficamos com torcicolo de tanto levantar a cabeça para apreciar os detalhes das caprichosas pinturas em suas casas e prédios. Outro marco da cidade é o Castelo de Praga, registrado no Livro dos Recordes (Guinness Book) como o maior do mundo, ocupando uma área superior a 72 mil metros quadrados. Foi habitado pelos reis da Boêmia e hoje é o palácio presidencial.

Não muito longe do castelo, frente à embaixada da França, um muro virou símbolo da paz e da liberdade de expressão dos tchecos. Em uma manhã de 1980 o muro apareceu pintado com a imagem do cantor John Lennon – recém-assassinado. Na época, o regime comunista já dava sinais de desgaste, mas ainda com alguma força de repressão a qualquer ideia de liberdade. O grafite foi considerado pelas autoridades como forma de protesto e apagado. O pintor, desconhecido, voltou a pintá-lo e o governo a apagá-lo e assim foram sucedendo-se pinturas e apagamentos. Outros grafites com palavras de paz e de esperança apareceram no mesmo muro na forma de mensagens de resistência ao regime. O tempo passou, as mensagens ficaram e o regime comunista acabou. A parede continua sofrendo contínuas intervenções, tanto que nunca aparece igual em duas fotos. E entre os recadinhos de "fulano esteve aqui", ainda se vê o rosto de John Lennon em um canto do muro.

Vimos o entardecer na Cidade das Cem Cúpulas de um dos seus pontos mais bonitos – do Parque Letná, que se encontra no alto de um morro, de onde se pode enxergar cinco pontes em sequência, o rio Vltava, o castelo e praticamente todas as cúpulas do centro histórico. E, como não podia deixar de ser, sentamos em um *Biergarten* com uma cerveja numa mão e um pão com salsicha e mostarda na outra. Uma boa forma de comemorar os mil dias de estrada desta segunda viagem.

De Praga dirigimos 150 quilômetros até Dresden na Alemanha – talvez a cidade mais bombardeada durante a Segunda Guerra Mundial. Hoje está reconstruída e muito bonita, mas não perdemos muito tempo nesse país, pois nosso destino era a Polônia. A passagem de raspão por Dresden foi para trocar os pneus do carro, já que os preços lá são mais competitivos que nos outros países pelos quais passamos.

Colonização europeia no Brasil

"*A fama dos brasileiros, de andar com pouca roupa e jogar futebol, está espalhada mundo afora. Mas nós não tínhamos a fisionomia que as pessoas esperavam. Decepcionavam-se quando nos viam, pois não éramos como eles imaginavam ser um brasileiro. Muitos nem acreditavam na nossa nacionalidade e ainda teimavam que éramos europeus.*" – Trecho extraído de nosso livro Mundo por Terra - Uma fascinante volta ao mundo de carro.

As pessoas que pouco ou nada sabem sobre o Brasil não imaginam o quão diverso é o nosso país. Também não entendem que o Brasil abriga imigrantes do mundo inteiro e, ao longo do tempo, houve uma grande miscigenação entre nós. Até os brasileiros do Norte e Nordeste parecem ignorar esse fato. Quando passamos pela Bahia, ao final da nossa primeira viagem de volta ao mundo, fomos elogiados por baianos, que nos diziam estar impressionados porque nós falávamos o português muito bem.

No sul do Brasil houve uma grande colonização europeia, especialmente de italianos, holandeses, suíços, alemães, austríacos, poloneses e ucranianos – e é por isso que alguns brasileiros sulistas possuem traços europeus. Nossa cidade, São Bento do Sul, em Santa Catarina, foi fundada por famílias oriundas da Bavária e Saxônia (sul da atual Alemanha), Áustria, Prússia (norte da atual Polônia) e Boêmia (atual República Tcheca), para citar as principais. Muitos são-bentenses, incluindo nós, descendem dessas nacionalidades. Descobrir exatamente de onde vieram nossos antepassados nem sempre é fácil, pois a Europa alterou suas fronteiras de forma constante nas últimas centenas de anos. Regiões que pertenciam a um determinado país passaram a pertencer a outro.

A Polônia é um exemplo. Já foi o maior Estado europeu, quando se uniu à Lituânia, mas também já deixou de existir quando suas terras foram divididas entre os impérios da Rússia, Prússia e Áustria. Teve seu território restaurado depois da Primeira Guerra Mundial e foi palco de disputas entre alemães e soviéticos na Segunda Guerra, tendo sido um dos principais cenários do Holocausto. Terminou sua trágica história de domínio russo em 1989. Só a partir daí é que se libertou para poder prosperar como país.

Meu trisavô por parte de pai, Wilhelm Rudnick, nasceu em Steinforth, um pequeno povoado da antiga Pomerânia, situado no norte da atual Polônia. Atualmente a vila se chama Trzyniec e já pertenceu à Prússia, um reino alemão fundado em 1701, que deixou de existir quando a Alemanha perdeu a Primeira Guerra Mundial, em 1918. Wilhelm partiu de Steinforth para o Brasil em 1858 e nunca mais voltou à sua terra natal. Já por parte de minha mãe, meu avô, Leo Malewschik, imigrou para o Brasil em 18 de maio de 1924 quando ainda era uma criança de colo. Veio da cidade alemã de Witten an der Ruhr, em Westfalen, junto com seu irmão Paul e seus pais – os meus bisavós, Leo Malewschik e Hedwig Malewschik.

O sobrenome Weiss da Michelle possivelmente vem da Áustria. Ela só tem informações relacionadas ao lado materno da sua família de sobrenome Becker: sabe que é uma das 1.522 tetranetas do casal de descendência franco-germânica de sobrenome Fleith. Seu tataravô, Jacob Fleith, casado com Rosalie Christ, nasceu em 3 de agosto de 1827 na Comuna de Riedwihr, situada no Departamento do Alto Reno, na região da Alsácia, na França. Embarcaram no Vapor Mearim, com chegada à Colônia Dona Francisca em 7 de setembro do mesmo ano em que Wilhelm Rudnick chegou ao Brasil – 1858. É no mínimo curiosa a quantidade de tetranetos que o casal Fleith teria se ainda estivesse vivo. Se pensarmos na via oposta, aprendermos sobre nossos ancestrais também é algo exponencialmente difícil, pois cada um de nós possui 4 avós, 8 bisavós, 16 trisavós, 32 tetravós e assim por diante.

Por essas e muitas é que estávamos entusiasmados em ir à Polônia. Entramos pela região da Baixa Silésia, onde os Sudetos (uma cadeia montanhosa) percorrem mais de 250 quilômetros ao longo da fronteira com a República Tcheca. Lá caminhamos um dia inteiro, por quase 20 quilômetros, para alcançar o pico da montanha Szrenica.

Ao cruzarmos as pequenas vilas, ficamos impressionados com os casarões antigos feitos em pedra, tijolo e madeira (enxaimel). Muitos com manutenção precária. Aqui vai uma interessante história que enfatiza a importância da madeira para o povo dessa região: entre 1618 e 1648 aconteceu na Europa a Guerra dos Trinta Anos, uma disputa religiosa entre o Império de Habsburgo e seus aliados católicos contra os protestantes. Antes de 1618, o povo de Świdnica era livre para seguir com sua religião luterana, mas logo no início da guerra foram privados dessa opção. O tratado de Paz de Vestfália colocou fim aos conflitos e com ele o imperador católico de Habsburgo permitiu a construção de apenas três igrejas luteranas na região da Silésia: em Jawor, Głogów e Świdnica. Para evitar a perpetuação dos templos luteranos, as construções tinham que seguir as seguintes restrições: só podiam ser construídas fora das muralhas das cidades; torres e campanários não eram permitidos, pois a edificação não poderia ter aspecto de igreja; e os materiais a serem utilizados na construção só podiam ser madeira, areia, palha e argila. Para dificultar, não se podia usar pregos, ou seja, somente materiais que supostamente não possuem muita durabilidade. Além dessas restrições, o tempo de construção não poderia ultrapassar um ano.

Hoje, 360 anos depois da construção da Igreja da Paz de Świdnica, ela é a prova de que as dificuldades estimulam a criatividade e a inovação. A igreja tornou-se um marco na arte da engenharia e da construção. O templo que acomoda 7,5 mil fiéis foi erguido em tempo recorde e de acordo com as regras estabelecidas. Se o imperador não tivesse colocado tantos empecilhos, talvez a construção não ficasse tão diferenciada. Junto à igreja de Jawor, esta tornou-se Patrimônio Mundial da Unesco.

Ainda falando de construções em madeira na Polônia, destaco a Torre de Rádio de Gliwice, construída por alemães em 1935. Foi edificada toda em madeira sem o uso de pregos ou outros materiais metálicos. É considerada a estrutura em madeira mais alta do mundo – 118 metros. O uso do metal dessa vez não foi proibido, mas foi abolido para que não interferisse nas ondas médias do rádio. O povo local chama essa construção de Torre Eiffel de Gliwice.

Arbeit macht frei

Os campos de concentração de Auschwitz, nome alemão dado a Oświęcim, situam-se na atual Polônia, que antes da Segunda Guerra Mundial fazia parte de um território conquistado pela Alemanha nazista. As construções foram bem planejadas e elaboradas, mas seu propósito traz amargura para a humanidade até os dias de hoje. Entre 1941 e 1945 o local serviu para aprisionar, torturar e matar os inimigos de guerra da Alemanha: judeus, poloneses, soviéticos e ciganos. Os judeus foram o alvo principal, já que a alta cúpula nazista tinha o propósito de dar a "solução final para o problema judeu", ou melhor, exterminá-los como povo.

O complexo de Auschwitz ostenta no seu portão de entrada a frase "Arbeit macht frei", que significa "o trabalho liberta" – uma prova da brutalidade com que o ser humano é capaz de tratar seus semelhantes. O local de matança tornou-se, inclusive, patrimônio da Unesco, algo que foi difícil de entender num primeiro momento, pois não se trata de uma beleza natural ou arquitetônica. Mas ao longo da visita entendemos o propósito da instituição: alertar, ensinar e difundir ao mundo essa horripilante história, a fim de que não seja repetida.

Como o número de prisioneiros foi grande, Auschwitz I não os comportou, fazendo-se necessária a construção do Campo II de Birkenau, do Campo III de Monowitz e mais 45 campos menores nas imediações. Os prisioneiros chegavam de trem provenientes de toda a Europa conquistada. Os campos possuíam estação ferroviária e logística eficiente, mas totalmente desumana para com os passageiros que viajavam trancafiados e amontoados em vagões de carga, praticamente sem água, comida ou qualquer proteção.

Assim que chegavam a Auschwitz, os presos eram selecionados por médicos da organização de proteção nazista da SS (Schutzstaffel), em grupos de aptos e não aptos para o trabalho. Os aptos seriam escravizados e os não aptos eram levados sem demora para as câmaras de gás, onde eram mortos. Desse segundo grupo, o dos não aptos para o trabalho, faziam parte as mulheres, crianças e idosos, representando cerca de três quartos dos prisioneiros.

O sarcasmo da SS era impiedoso – os que caminhavam para a morte recebiam as boas-vindas dos oficiais e informações de que iam para um chuveiro comunitário, para que pudessem se banhar depois da exaustiva viagem. Ao tirarem suas roupas, os alemães tinham o desplante de alertar para que não se esquecessem dos números dos cabides, para que pudessem encontrá-los após o banho, quando ganhariam um prato de sopa e chá. As câmaras até possuíam chuveiros, mas os banhos jamais aconteceriam: assim que as portas se fechavam, pastilhas à base de cianureto (Zyklon-B) eram despejadas por pequenas aberturas no teto e a morte dava-se em até 20 minutos. Em seguida, os corpos seguiam para os crematórios, mas não antes de terem suas bocas inspecionadas para ver se possuíam dentes de ouro. Se tivessem, eram retirados e derretidos e o ouro enviado aos bancos alemães. Dos pertences pessoais, os classificados como valiosos eram estocados em uma área chamada Canadá, já que esse país representava riqueza para os oficiais da SS. Os cabelos eram cortados e utilizados na fabricação de tapetes e uniformes. Nós vimos pilhas de roupas, sapatos, óculos e utensílios de cozinha, coisas de pequeno valor que não interessavam aos oficiais e que hoje fazem parte do acervo do museu.

Imagine que nos campos de Auschwitz, durante esses anos, 1,1 milhão de pessoas morreram, sendo a maioria nas câmaras de gás. Os que não morreram desse modo foram por trabalho forçado, doenças e homicídios pontuais por desobediência. Suicídios também eram comuns. Entre abril e julho de 1944, 475 mil judeus húngaros foram deportados para Auschwitz – uma média de 12 mil por dia. Como o montante de mortos excedia a capacidade de cremação dos fornos, a SS recorreu à queima de corpos ao ar livre.

Os que haviam sido selecionados para trabalhar não tinham uma realidade menos brutal. Para dormir, amontoavam-se em pequenas camas onde não havia nenhuma higiene. O dia começava de madrugada, quando se apresentavam aos oficiais. Comiam pouco e se deslocavam a pé para fábricas que se instalaram nas redondezas para explorar o trabalho escravo e após exaustivas horas de trabalho voltavam aos campos para nova apresentação. Todos enfileiravam-se na chegada, inclusive os que eventualmente haviam morrido no trabalho, algo que acontecia todos os dias. Os colegas eram obrigados a carregá-los e mantê-los em pé para a inspeção. O mau trato aos prisioneiros era tamanho que a forma de identificação teve que ser alterada de foto para números tatuados nos antebraços, pois eles mudavam de aparência em questão de dias, tornando-se irreconhecíveis.

O Bloco 11 do Auschwitz I era considerado a prisão dentro da prisão. Ali ficavam as salas de tortura para punir os que quebravam as regras, tentavam fugir ou suspeitos de alguma conspiração. A fuga de algum preso acarretaria na execução pública de dez familiares ou companheiros de alojamento do fugitivo – uma estratégia que a SS usava para colocar pavor em todos. Havia celas chamadas verticais, de 1,5 metro quadrado, onde quatro pessoas eram trancadas. Devido ao minúsculo espaço, não havia outra solução para eles a não ser de passarem a noite em pé, para noutro dia cedo seguirem direto para o trabalho. Havia as celas da fome, onde prisioneiros não recebiam água ou comida e ficavam trancados até a morte. E as celas escuras, onde eram sufocados pela falta de oxigênio, dentre outras formas cruéis que, até então, para nós eram inimagináveis.

Foi em Auschwitz que o médico Josef Mengele, conhecido como o anjo da morte, com os médicos Carl Clauberg e Kurt Heissmeyer fizeram as famosas pesquisas utilizando cobaias humanas. Eles faziam as mais abusivas experiências médicas e as testavam nos prisioneiros, o que certamente resultava em morte, desfiguração ou incapacidade permanente.

Em 27 de janeiro de 1945, o campo de Auschwitz foi libertado pelo Exército de Frente Ucraniana do Exército Vermelho. Apenas 7,5 mil prisioneiros foram encontrados vivos, pois os alemães previram a chegada dos aliados e anteciparam-se, matando todos os que tiveram tempo de matar. Como não conseguiram exterminar os 60 mil presos, muitos ainda tiveram que marchar até outros campos, para que de lá fossem transportados em trens para a Alemanha. Nesse trajeto, muitos morreram.

A tentativa de queima de arquivo não foi eficiente, pois evidências do genocídio ficaram por todos os lados. Depois da guerra, muitos oficiais da SS que atuaram nos campos foram presos e sentenciados à morte por crimes contra a humanidade. Os 7,5 mil prisioneiros encontrados vivos pelos soviéticos estavam tão debilitados que poucos resistiram para testemunhar o sofrimento.

Ouvimos histórias que realmente mexeram conosco. O guia nos falou que muitos dos visitantes que vêm a Auschwitz possuem um parente que fora aprisionado. Contou também que judeus, ao ver aquele cenário, não conseguem conter as lágrimas. É uma história realmente triste, mas que, segundo ele, deve ser difundida, pois só assim é possível evitar outra tragédia dessa magnitude. O guia foi um tanto frio o tempo todo, o que nos decepcionou um pouco no começo, mas depois do que vimos, entendemos o seu lado. Esse deve ser um dos trabalhos mais depressivos que já vi. Na visita, lemos essa frase de George Santayana: "Aqueles que não lembram do passado estão condenados a repeti-lo".

Vamos mudar de assunto

As cidades da Polônia são encantadoras. Em Vratislávia, por exemplo, enquanto fotografávamos a vida e as cores vibrantes das fachadas das casas e prédios, tropeçávamos em esculturas de anões em situações inusitadas e que davam um encanto ao lugar. Duzentas estão espalhadas pela cidade e um dos passatempos dos visitantes é encontrá-las. Um grupo de estátua marcante é o Monumento aos Pedestres Anônimos, que fica na esquina da Avenida Piłsudskiego com a Świdnicka. Representam pedestres – homens e mulheres em tamanho real – que vão desaparecendo para dentro da calçada como se estivessem descendo uma escada para cruzar por debaixo da Avenida Świdnicka. Do outro lado da avenida, outras sete pessoas esculpidas parecem sair da terra, cada uma em um nível diferente em relação ao calçamento. O efeito é surreal.

Sobre Cracóvia, antiga capital do Império da Polônia, não sabemos nem por onde começar a descrição. A cidade é de uma arquitetura estonteante e por muita sorte escapou de ser destruída na Segunda Guerra Mundial. Para termos mais tempo de explorá-la fizemos do estacionamento da universidade o nosso acampamento e a pé caminhamos por toda cidade.

A Rynek Główny, uma das maiores praças medievais da Europa, é uma das principais atrações da Cracóvia. Não importava para onde íamos durante o dia, nosso itinerário sempre terminava ali, onde sentávamos em uma mureta para assistir ao movimento das pessoas, carroças e bicicletas embaladas pelos ritmos dos músicos de rua.

Do topo do Monte Wawel há uma bela vista do rio Vístula. Neste lugar encontram-se dois grandes símbolos da Polônia: o castelo e a catedral de Wawel – ambos destruídos durante a ocupação austro-

-húngara, pois o propósito deles seria construir hospitais no local. Na mesma área, o Museu do Papa João Paulo II, que, como todos sabem, era polonês. Ajudei um cadeirante francês a subir a ladeira que leva ao castelo e, no caminho, ele me contou que viajava pela Polônia sozinho. Fiquei surpreso e feliz em ver que a incapacidade de andar não o impossibilitou de conhecer o mundo. Um grande exemplo de força de vontade e disponibilidade de adaptação aos equipamentos para acessibilidade.

Ao sul do castelo fomos ver o bairro Kazimierz com suas dezenas de bares e restaurantes. Por entre o fluir da vida moderna, a presença de muitas sinagogas e símbolos judaicos davam o testemunho que uma história triste foi vivenciada no local. Ali foi o Quarteirão Judeu, onde mais de 65 mil judeus poloneses moravam durante a Segunda Guerra Mundial. Ainda é possível ver alguns fragmentos do chamado "gueto muralhado", onde o povo foi isolado pelos nazistas com o propósito de controlar, aterrorizar, perseguir e explorar.

A Fábrica de Schindler, edifício que ficou conhecido no filme "A Lista de Schindler", hoje é um museu. Durante três horas e meia vimos fotos, vídeos e depoimentos relatando a história da Cracóvia, desde sua tomada em 1939 pelos alemães até a libertação, em 1944, pela União Soviética. O local conta em detalhes a história do alemão Oskar Schindler, que viu na mão de obra judia uma solução barata e viável para obter lucro durante a guerra. Como tinha forte influência no partido nazista, para ele foi fácil conseguir a autorização para criar a fábrica. E o que poderia parecer uma atitude de um homem terrível, por aproveitar-se da desgraça alheia, transformou-se em um dos maiores casos de amor à vida e dedicação ao próximo. Oskar abdicou da sua fortuna para salvar a vida de mais de mil judeus.

Há cem quilômetros ao sul da Cracóvia está Zakopane, cidade localizada aos pés das montanhas Tatras, a parte mais alta da cordilheira dos Cárpatos. Ela faz fronteira entre a Polônia e a Eslováquia.

Partimos de 1.013 metros ao nível do mar para uma caminhada de oito horas pelas montanhas. Subimos até o Lago Preto, que estava congelado. Continuamos por uma trilha íngreme até o passo Karb, de onde tivemos a opção de continuar subindo por uma trilha ainda mais íngreme e de pedras soltas até o pico Kościelec (2.155 metros), onde encontramos as cabras montesas. Lá de cima, sozinhos, em completa sintonia com a natureza, pudemos apreciar, em vista panorâmica de 360 graus as montanhas ao redor e o Lago Preto, a 500 metros abaixo de nossos pés. Ao final do dia, havíamos caminhado 16 quilômetros em um desnível de 1.142 metros.

Estávamos curtindo demais as experiências na Polônia e com vontade de ficar mais tempo, mas um detalhe nos pressionou a seguir em frente: os 90 dias de visto da Zona Schengen estavam chegando ao fim, então precisávamos deixar o país. A Ucrânia, apesar de estar no continente europeu, não faz parte dos países pertencentes ao acordo Schengen, então indo para lá cessaríamos o dispêndio dos 90 dias. No caminho acompanhamos o rio Dunajec, conhecido pelo rafting e fly-fishing. Ele é rodeado por montanhas cobertas por uma floresta densa e verde. Em cada vila há uma igreja de madeira, característica da região da Pequena Polônia. Em Dębno, a Igreja de São Miguel o Arcanjo (de 1460), foi construída sem o uso de um prego sequer. Como era domingo e acontecia um casamento naquela pequena comunidade, só pudemos espiar o interior por uma fresta da porta, mas já foi suficiente para vermos sua beleza. A igreja de Kwiatoń estava aberta e pudemos apreciá-la. Hoje é católica, mas já foi ortodoxa, o que explica o formato acebolado dos seus domos de madeira. Vimos também a igreja de Skwirtne, depois de Ropica Górna e assim fomos seguindo esse caminho até chegar à fronteira.

O celeiro da Europa

Por causa da alta fertilidade das suas terras, a Ucrânia é conhecida como o "celeiro da Europa". É um dos maiores exportadores de grãos do mundo. Soma-se a isso o alto desenvolvimento de setores de manufaturas, industrial e aeronáutico. O maior avião do mundo, Antonov AN 225 Mriya, nasceu nesse país.

Chegamos pelo Leste, dirigimos por estradas do interior e a primeira cidade de maior porte visitada foi Lviv. Não é luxuosa como outras cidades europeias, até porque ficou à sombra da União Soviética por décadas, mas por estar mais próxima da Europa Ocidental do que o resto do país, possui uma arquitetura mais refinada – uma mistura de barroco, neoclássico e pitadas do estilo soviético. Em seus 750 anos de existência, tendo sido dominada por vários povos – poloneses, austríacos, alemães e soviéticos –, ainda está bem preservada.

Um dos fatores que nos fez gostar de Lviv, bem como de toda Ucrânia, foi que o sol e o calor estiveram conosco o tempo todo. Lviv estava tomada por pedestres, músicos de rua e mulheres vendendo flores nas calçadas. O custo de vida da Ucrânia é mais barato do que nos outros países europeus, o que nos deu a chance de frequentar os muitos restaurantes locais. Grande parte das receitas já conhecíamos. Os russos sempre nos falavam que a Ucrânia era a cozinha da União Soviética e isso fez com que sua culinária tradicional fosse amplamente difundida aos outros países do antigo regime. *Borsch*, *varéneke* e *pirozhki* são pratos já conhecidos desde nossa passagem por Vladivostok.

Em busca de montanhas e natureza dirigimos para o Sul. O plano era subir ao topo do monte Hoverla, a maior montanha da Ucrânia. Fizemos o caminho por Yaremche, situada em uma região de mata densa, montanhas e muitos rios. É um destino cobiçado pelos ucranianos que gostam do contato com a natureza. Estrangeiros, como nós, quase não vimos.

Um fator que freou a presença de turistas estrangeiros foi a tensão desencadeada pela invasão da Rússia na Crimeia, a península situada às margens do Mar Negro, que pertencia à Ucrânia até 2014. Este país ainda contestava o seu direito sobre o território invadido. Aliás, desde 2014 as províncias de Donetsk e Luhansk do leste da Ucrânia também estavam em conflito: similar ao que aconteceu na Crimeia, grupos separatistas pró-Rússia lutavam pela independência, com apoio e armamento russo. A mágoa dos ucranianos pelos russos é tão evidente que em uma loja de artesanato vimos rolos de papel higiênico à venda com a fotografia do atual presidente russo estampada em cada folha destacável.

Estacionamos o carro na cidade de Verkhovyna. Tiramos do fundo do baú nossa barraca, mofada por tanto tempo sem uso, separamos roupas e mantimentos e partimos para uma caminhada até o topo do monte Hoverla (2.061 metros), que não é tão alto como outras montanhas da Europa, mas é o ponto culminante da Ucrânia. Ele é o símbolo da grandeza desse povo e, por ser de fácil acesso, milhares de ucranianos sobem seu cume todos os anos.

Para desviarmo-nos das trilhas mais movimentadas, optamos pelo caminho mais longo. Caminhamos 36,8 quilômetros pela crista da Cordilheira Chornohora, a parte mais alta dos Cárpatos ucranianos, ficando sempre perto dos 2 mil metros de altitude; somente no terceiro dia chegamos ao cume do Hoverla.

Ao final da longa pernada, cansados e com uma vontade imensa de tomar um banho, voltamos de carona para Verkhovyna. O carro ficou estacionado na pousada Shum Cheremosha e, ao chegarmos lá, fomos recebidos com todo o carinho pelas proprietárias – mãe e filha.

Tomamos o tão esperado banho e fomos convidados para um jantar bem caseiro: sopa com bolinhos de carne de porco, salada de repolho, pepino e tomate, queijo defumado, queijo *brindza*, batata cozida e carne moída com repolho à milanesa. Dormimos no carro e, no outro dia, nos foi servido um delicioso café: pão com salame e queijos, ricota, geleia, nata e panquecas. Tudo caseiro e feito com carinho. Por toda essa mordomia, as anfitriãs não queriam nos cobrar praticamente nada, sendo que os preços já eram baratos. Insistimos em pagar pelo que usufruímos. Tiramos algumas fotos para o registro do nosso encontro, mas a melhor lembrança que temos delas foi o carisma e a hospitalidade. Em nossas andanças pelo mundo, nós ficamos com a sensação de que quanto menos um povo tem, mais ele oferece.

Como escrever em um ovo

O povo ucraniano é mestre em artesanato. A começar pelos bordados refinados nas roupas do dia a dia das mulheres e dos homens. Mas uma das mais importantes tradições da Ucrânia são as pêssankas, que consiste em ovos, normalmente de galinha, pintados à mão com desenhos simbólicos. Estima-se que desde 3000 a.C os povos que habitavam a região do Mediterrâneo, do Leste Europeu e do Oriente já tinham o costume de presentear com ovos.

Eles adoravam o Sol e aguardavam ansiosamente pelo fim do inverno, quando a luz e o calor voltariam com mais força à Terra. O branco da neve seria substituído pelo verde dos campos, as flores voltariam a desabrochar, as árvores ofereceriam frutos e o povo poderia voltar a cultivar a terra. Para agradecer a sua volta, oferendas eram feitas no início da primavera. Uma delas era na forma de ovos de galinha, cozidos e pintados com desenhos que lembram as plantações e figuras relacionadas à colheita. Representam a esperança da fertilidade do solo e colheitas fartas.

Com o passar do tempo, o povo ucraniano começou a adotar a cerimônia das pêssankas nas festividades cristãs. Como os ovos sempre foram considerados símbolo do nascimento e da vida, foram relacionados à Páscoa, que celebra a Ressurreição de Jesus Cristo e a esperança de uma vida nova, e oferecidos como presentes.

A palavra pêssanka provém do verbo ucraniano *pyssaty* (писати), que quer dizer “escrever”. E os escritos das pêssankas representam o bem que aquele que presenteia deseja ao próximo – o que é presenteado. Além dos desenhos, as cores possuem significados e são determinantes na hora de escolher quem receberá o ovo. Na cultura ucraniana uma pêssanka só é dada a uma pessoa muito querida. É um presente de grande valor a quem recebe – segundo a tradição, é um talismã que a protegerá do mal.

Sempre imaginei que pintar pêssankas seria uma atividade feminina, mas surpreendi-me quando no museu da Pêssanka de Kolomyia observamos que os trabalhos mais delicados e com maiores detalhes foram feitos por homens. Alguns ovos possuem tantos detalhes, cores e traços perfeitos, que nossos olhos ficavam hipnotizados. Não tem como não se encantar. Na pintura de um ovo são empregadas muitas horas de dedicação e trabalho.

Para se escrever uma pêssanka são necessários os seguintes itens e procedimentos: ovo, lápis, pena, cera de abelha, vela, tinta e verniz. Com o lápis é feita a divisão básica do desenho. Como os ovos são coloridos por imersão em tinta, pinta-se da cor mais clara para a mais escura. Primeiro, com uma pena, protege-se com a cera de abelha tudo o que vai ficar sem pintura, conforme o desenho definido. Mergulha-se então o ovo na tinta amarela. Depois de seca a tinta, cobre-se de cera tudo o que deverá permanecer em amarelo. Feito isso, mergulha-se o ovo na cor laranja e depois protege-se com cera o que deverá ficar laranja; mergulha-se no vermelho e em seguida protege-se com cera o que deve ficar vermelho e assim sucessivamente, até se chegar à cor preta. Na penúltima fase, o ovo estará totalmente coberto de cera e preto. E aí vem a parte mais prazerosa do trabalho: a revelação. Leva-se o ovo até a lateral da chama de uma vela para aquecer e derreter a cera. Passa-se um papel toalha para retirá-la e, por baixo da cera, o desenho e as cores se revelam.

As igrejas da Ucrânia são diferentes – construídas em madeira, assim como na Polônia, mas com toras roliças recobertas com chapas metálicas prensadas com desenhos em alto relevo. Lembram um pouco as casas dos ciganos na Romênia, que também utilizam metais.

Os templos aparecem de longe, especialmente quando o sol reflete no metal. Não vimos igrejas como aquelas em nenhum outro lugar do mundo.

Kiev, a capital da Ucrânia, assim como Lviv, não possui nem estilo europeu, nem soviético. É uma das maiores e mais antigas cidades da Europa, mas dá a impressão de ser uma cidade de interior. Localiza-se nas duas margens do rio Dniepre, que deságua no Mar Negro, próximo à península da Crimeia. Paramos o carro no estacionamento do apartamento de uma família alemã que conhecemos no sul da Ucrânia e dali exploramos a cidade a pé; fomos, inclusive, assistir a uma ópera. Numa calçada do centro da cidade havia um músico tocando piano – instrumento raramente utilizado por artistas de rua, por conta das dificuldades em transportá-lo; mas na Ucrânia isso foi possível. O destaque da arquitetura local é o Mosteiro São Miguel das Cúpulas Douradas.

A catástrofe de Chernobil

De acordo com informações contidas no museu de Chernobil, em Kiev, o engenheiro que projetou a usina nuclear garantia que ela era tão segura, mas tão segura, que poderia ser construída na Praça Vermelha, no coração de Moscou. Na madrugada do dia 26 de abril de 1986, porém, quando alguns experimentos eram executados no reator número 4, próximo à cidade de Pripyat, norte da Ucrânia, aconteceu a explosão que causou o maior desastre nuclear da história. Foi considerado nível 7 de radiação, que é a classificação máxima na Escala Internacional de Acidentes Nucleares, e espalhou radioatividade por uma boa parte da União Soviética e da Europa. A gravidade da explosão foi tão grande que, comparada às bombas de Hiroshima e Nagasaki, espalhou 400 vezes mais material radioativo.

Além da área atingida ter sido vasta, cinzas foram transportadas pelo vento, inicialmente para o lado Oeste e Noroeste e depois para o Sul. Os oficiais soviéticos tentaram mascarar o ocorrido para evitar alarde internacional, mas de nada adiantou, pois a Suécia, país situado a mais de mil quilômetros de distância, detectou radioatividade em seu território.

Por causa da medíocre tentativa de esconder a gravidade da tragédia, ações emergenciais, como a evacuação dos moradores da área atingida, demoraram a acontecer. O povo foi deixado exposto a um alto nível de radioatividade por um período prolongado. Tardiamente, 130 mil pessoas tiveram que ser evacuadas de suas moradias. Uma parte delas nunca mais pôde voltar às suas casas, pois a zona contaminada foi interditada por tempo indeterminado e hoje ela é chamada de "zona excluída".

Após o acidente houve uma grande discussão a respeito da causa da explosão: se foi erro de projeto ou falha dos operadores. Hoje especialistas independentes atribuem problemas em ambos os lados. Para simplificar, um defeito no reator foi exponencialmente agravado pela falha humana. No museu de Kiev tivemos acesso a documentos, depoimentos, fotos, jornais, pertences de pessoas que trabalhavam na ocasião do acidente e na megaoperação de limpeza após a tragédia, que envolveu cerca de 600 mil pessoas.

Mil e oitocentos helicópteros jogaram cinco mil toneladas de material extintor (areia e chumbo) sobre o reator que ainda queimava. Os trabalhadores em sua maioria não fugiram da responsabilidade e bravamente expuseram-se à alta radiação, primeiramente apagando o fogo e depois construindo um sarcófago de chumbo e concreto sobre o reator para deter por completo sua radiação.

É difícil estimar o número de mortos no acidente, pois dependendo da intensidade do contato com a radiação, as pessoas podem morrer horas ou até décadas mais tarde, de câncer ou de outros problemas de saúde. Foram muitas as vítimas fatais, sem contar com as possíveis mutações genéticas que afetaram as futuras gerações. Como exemplo disso, no museu havia um feto suíno que possuía dois corpos para uma só cabeça.

A energia atômica é questionada no mundo atual, pois apesar de ser uma fonte de energia eficiente, os riscos são grandes, tanto pelos potencias acidentes como pela destinação dos resíduos radioativos. Vale lembrar que o Brasil sofreu um acidente gravíssimo (medição 5) em Goiânia em 1987, quando catadores de ferro velho encontraram em uma clínica abandonada um aparelho de radioterapia. Por pensarem que era sucata, desmontaram o aparato e repassaram para terceiros, criando um rastro de contaminação que afetou a saúde de centenas de pessoas, provocando a morte de algumas. No dia 11 de maio de 2011 ocorreu um acidente nuclear em Fukushima, Japão, motivado por um tsunami que registrou medição 7 na Escala Internacional de Acidentes Nucleares. O Brasil hoje opera três usinas nucleares em Angra dos Reis, no Rio de Janeiro.

No caminho à Bielorrússia passamos a apenas 70 quilômetros de Pripyat, que hoje, é possível visitar. Nós nem fizemos paradas nas proximidades, pois acreditem: não é uma sensação gostosa passar por essas terras que ainda hoje possuem placas que indicam a radioatividade.

Rússia Branca

Há algumas teorias sobre a origem do nome Bielorrússia, que ao pé da letra significa Rússia Branca. A mais aceita diz que a palavra "branca" provém da "pureza" do seu povo, que por muito tempo não se misturou com os não-russos, condição dada pelo fato de seu território, que fazia parte do Império Russo, não ter sido conquistado pelos mongóis. A região ficou praticamente intocada. Porém, durante a Segunda Guerra Mundial, o país foi massivamente destruído. Mais de 25% da sua população morreu e o terceiro maior campo de concentração nazista localizava-se próximo da capital, Minsk. Há rumores de que só ali foram executadas mais de 200 mil pessoas. Por conta disso, o país está repleto de monumentos, feitos especialmente com tanques de guerra, que homenageiam os que lutaram e perderam suas vidas.

E não foi somente isso: depois da guerra, a Bielorrússia foi seriamente afetada pelo desastre de Chernobil. O acidente, que se originou na Ucrânia, contaminou um quarto do país e seus efeitos são percebidos até hoje, especialmente na região Sul, por onde nós entramos, onde as florestas absorveram grande parte da fumaça radioativa decorrente da catástrofe.

A Bielorrússia foi um dos países membros fundadores da União Soviética e uma das suas repúblicas mais prósperas, mas com o fim do regime soviético, sua economia começou a declinar. Aleksandr Lukashenko assumiu o poder em 1994 e ainda comandava o país quando passamos por lá, em um governo conhecido como ditatorial, opressor e fechado para o mundo. O país possui relações estreitas somente com a Rússia, da qual é dependente de importações e exportações. Deve ser por esse motivo que sabemos tão pouco sobre a Bielorrússia. O declínio na economia fica evidente principalmente no interior, ao ver-se moradores indo para a frente das suas casas a fim de vender as sobras da produção das hortas. Uma senhora expunha na calçada apenas três pepinos.

Nossa passagem pela Bielorrússia foi rápida. Entramos pelo Sul, passando próximo a uma reserva florestal composta por mata e pântanos ao redor do rio Pripyat. Por sua dimensão e capacidade de geração de oxigênio, alguns a chamam de "o pulmão da Europa". Aliás, 40% do país ainda é coberto por florestas. Acampamos a beira do rio e fomos pescar onde alguns moradores também tentavam sua sorte. Dizem que há peixes de até 60 quilos, mas, infelizmente, não pegamos nada. O jeito foi comer a nossa tradicional macarronada com atum enlatado. A reserva abriga animais como porcos selvagens e alces, mas os seres com os quais tivemos maior contato foram os milhões de mosquitos que em certos horários não nos deixavam sair do carro.

Minsk, a capital, foi severamente destruída na Segunda Guerra Mundial e reconstruída nas décadas 40 e 50 como símbolo do stalinismo. É uma cidade bonita, com ruas amplas e edifícios imponentes – alguns em estilo soviético e outros mais modernos, a exemplo da Biblioteca Nacional. É uma cidade planejada que deu mais valor aos carros do que aos pedestres e, como consequência, é uma cidade com pouca vida. Dois pontos marcantes de Minsk: a estátua de Lenin e o prédio da KGB, que mesmo com o fim da URSS continuou a operar na Bielorrússia.

O restante do país é pacato, vilas pequenas, agricultura, florestas e regiões alagadas. As casas de madeira se parecem com as da Rússia: coloridas e com esquadrias carregadas de entalhes. O curioso é que a maioria das mulheres usa lenços na cabeça e os homens vestem-se com roupas estilo militar, camufladas.

Os principais pontos turísticos localizam-se fora da capital: o Palácio Radziwill (que data de 1583), em Niasvizh, e o castelo de Mir. Além destes, se não fosse por um alce que cruzou de repente a estrada à nossa frente, o interior da Bielorrússia teria sido de poucas emoções.

Saímos do país pelo Sudeste, na tríplice fronteira da Bielorrússia com a Rússia e a Ucrânia. É uma área comum aos três países, onde foi erguido há quase meio século o Monumento de Amizade Três Irmãs, uma construção simples, com três pilares altos (cada um representando um país) unidos por um anel. O monumento está deteriorado por falta de manutenção, possível reflexo da também "falta de manutenção da amizade" entre a Ucrânia e a Rússia. Todos os anos, em junho, o local reunia milhares de pessoas dos três países para comemorar a união dos seus povos, porém a partir de 2014 a tradição foi interrompida – a Rússia invadiu a Península da Crimeia, até então ucraniana.

Em território russo pela quarta vez

Íamos entrar na Rússia pela quarta vez. Pela morosidade dos agentes aduaneiros em nos liberar, o nosso amigo Konstantin, que nos aguardava em Briansk, já estava preocupado. Ele acompanhava nosso deslocamento pelo website, onde o dispositivo SPOT (rastreador/localizador pessoal por satélite) enviava de tempos em tempos informações sobre nossa localização. Nesse dia, exatamente no prédio da aduana russa, o localizador não se mexeu por mais de três horas. Vale a observação: nós não mantínhamos o dispositivo ligado constantemente. Ligávamos e enviávamos nossa localização uma ou duas vezes por dia, procurando não fazer o procedimento próximo ao local onde eventualmente passaríamos a noite. Essa informação na mão de alguém com más intenções poderia nos trazer problemas. Evitávamos correr riscos de forma desnecessária.

Havia se passado sete meses desde o nosso reencontro em Astracã e quase 16 meses desde que conhecemos Konstantin no Extremo Leste Russo, quando fizemos a viagem à Latitude 70 juntos. E ao nos aproximarmos da sua cidade, lá estava ele, aguardando-nos no acostamento da estrada principal, com um sorriso de orelha a orelha. Ao seu lado, o seu Toyota Land Cruiser novinho em folha.

Konstantin levou-nos para a sua casa, onde conhecemos sua mulher Katerina. Nos dias em que ficamos com eles, os dois fizeram de tudo para que nossa passagem por Briansk fosse inesquecível. Além dos longos e truncados bate-papos (não falamos uma língua em comum), do conforto de sua casa, das deliciosas refeições, eles nos levaram a uma *banya* – a típica sauna russa.

A *banya* que visitamos é de estilo rústico, construída com toras de madeira. Ao entrarmos naquele ambiente aconchegante, trocamos nossas roupas normais por roupas de banho, chinelos, roupões e chapéus de feltro. Logo iniciou-se a sessão. A primeira fase sucedeu-se em uma sauna comum e depois de 20 minutos de calor intenso sentamo-nos em uma sala de espera, onde podíamos nos servir, em um autêntico samovar russo, de chá preto e petiscos com geleias caseiras.

A segunda etapa foi receber um tratamento especial e individual: novamente na sauna, deitamos no tablado e ali fomos "surrados" com ramos de bétula. O movimento das folhas gera um calor ainda mais intenso no corpo e as folhas liberam substâncias que, segundo os russos, abrem os poros e ajudam a ventilar os pulmões. Na sequência, tomamos banho de piscina com água gelada, para ativar a circulação; por último, recebemos uma esfoliação no corpo com sal grosso, mel e limão. Mais um banho para finalizar e saímos de lá quase que flutuando, de tão leves e relaxados.

Konstantin é parapsicólogo. Ele já havia nos falado que em seu trabalho faz hipnoses e ensina as pessoas a caminharem sobre brasas ou cacos de vidro. Então, além da purificação na *banya* russa, nós pisamos descalços sobre vidros em cacos. Segundo ele, o segredo para não se cortar é pensar positivamente.

A região onde fica Briansk, sudoeste de Moscou, foi um dos maiores campos de batalha da Segunda Guerra Mundial – por isso existem muitos memoriais. Um deles é o monumento aos Motoristas do Exército. Uma prática dos russos nos chamou a atenção: eles buzinam em homenagem aos mortos sempre que passam em frente ao monumento. Konstantin contou que na floresta onde a guerra aconteceu ainda há trincheiras e bunkers e quem caminha nessa mata pode encontrar objetos deixados ou perdidos pelos soldados e, é claro, há o perigo das bombas que não explodiram.

Quando Moscou sentiu-se ameaçada pelas tropas nazistas (eles estavam a apenas 30 quilômetros), Stalin fez um apelo à população civil para lutar voluntariamente pelo país. Homens, mulheres, crianças e idosos – conhecidos por *partisans* – foram aos campos de batalha com o objetivo de atrapalhar o inimigo, roubando suas cargas, sabotando e prejudicando a comunicação. Como esses guerrilheiros conheciam muito bem a região, conseguiam ser efetivos nas ações de guerrilha e a participação deles na guerra foi crucial. Por serem civis, era menos provável que o inimigo reagiria abrindo fogo. O número de mortos dos dois lados das batalhas é alarmante.

Sempre chega a hora de partir

Como de praxe, chegara a hora de partir. As despedidas dos amigos que íamos arranjando pelo caminho eram sempre difíceis. Partimos de Briansk com a certeza de nos reencontrarmos algum dia

– tomara que no Brasil. Reescrevo essa frase de Izabel Gonçalves, pois ela retrata bem essa situação: "amizade verdadeira nunca acaba. O que a distância separa, o tempo amarra. E o nó que o tempo dá é difícil desatar".

E tocamos no sentido de Moscou. Como outras capitais, é uma cidade enorme, tem 12 milhões de habitantes, trânsito congestionado, hotéis e restaurantes caros. Não é uma cidade ideal para se ir de carro. Mesmo assim, decidimos encarar o trânsito intenso, cortando a cidade ao meio, pois queríamos ir ao centro histórico que passa ao lado da Praça Vermelha. Depois continuamos até Chernogolovka, uma cidade pequena situada a 60 quilômetros ao Norte, onde Alexander Trushnikov, amigo do Konstantin, já nos aguardava.

Alexander é também um amante de viagens em 4x4. Mora no porão de um prédio do centro de Chernogolovka, onde também tem seu escritório e uma espécie de clube off-road. Um lugar bagunçado e ao mesmo tempo agradável, cheio de mapas, peças de carros, equipamentos de camping e antiguidades – tudo misturado. Ficamos sabendo que o Alexander é muito conhecido e respeitado nesse meio em todo país. Ele foi um dos fundadores do 4×4 na Rússia. Dentre outras proezas, ele deteve o recorde mundial de maior altitude em um carro: 5.760 metros – conquista realizada no Tibete. Manteve-o por dois meses apenas, pois um time de chilenos logo o superou nos Andes.

Hoje Alexander organiza e dá suporte a expedições russas que viajam pela Europa e Ásia. Aqueles dois amortecedores que ganhamos de um landeiro em Iakutsk ao voltar da nossa investida à Latitude 70, no Extremo Leste Russo, foram arranjados por Alexander. Só ficamos sabendo disso ali.

Numa das noites em que jogávamos conversa fora em seu escritório, chegaram dois conhecidos dele: um trazia um cachorro boxer e o outro era um piloto de corrida e policial voluntário. O segundo, ao me cumprimentar, em décimos de segundo me algemou. Disse-me sorrindo ser uma lembrança da Rússia e que eu deveria levá-la comigo. "Com prazer", respondi, "mas será que você pode me dar também a chave?". De Chernogolovka, trouxe também uma caneca da Land Rover que ganhei do Alexander, o que me fazia lembrar dele constantemente. Usava-a com frequência enquanto escrevia esse livro.

Dormimos no Lobo, que ficou estacionado na rua, ao lado da Land Rover Defender de Alexander. Aquele porão, com banheiro e chuveiro, foi nossa base por alguns dias. Alexander não falava inglês, só poucas palavras em alemão, mas o que aprendemos em nossas viagens é que se ambos têm interesse em se comunicar, o entendimento acaba acontecendo.

Tomamos um ônibus e um metrô e fomos conhecer Moscou. Nossa primeira impressão, ao desembarcarmos na estação central, não poderia ter sido melhor – seu interior é famoso, pois parece um museu, com lindos detalhes em mármore e obras de arte. A Praça Vermelha fica logo ao lado e, na época do império, era o local do mercado, mas também onde o povo se concentrava para celebrar e assistir aos castigos impostos pela lei. Durante a Guerra Fria, os grandes desfiles militares exibiam os armamentos pesados e hoje essa é a área onde as pessoas vêm passar o tempo, assistir a concertos e curtir festivais e eventos culturais. São tantos os turistas, que o local mais parece um formigueiro humano.

Entramos na praça pelo lado onde fica o prédio do Museu de História Nacional. Ao lado direito fica o muro vermelho do Kremlin e o Mausoléu de Vladimir Lenin, uma construção em mármore ao autêntico estilo russo; para nós, ocidentais, parece impessoal e frio. O corpo mumificado de Lenin está exposto desde sua morte em 1924. O custo para mantê-lo é alto, mas a quantidade de turistas sempre presentes sugere que o investimento deve valer a pena.

À nossa esquerda, acompanhando toda a extensão da praça, fica a GUM (Gosudarstvenny Universalny Magazin) – a Loja de Departamento do Estado. Na época do comunismo, esta enorme construção representava tudo o que era ruim: filas enormes estendendo-se pela praça, falta de produtos destinados aos cidadãos e péssimo atendimento. Nos dias atuais, o edifício simboliza o extremo oposto do socialismo, pois virou um shopping center de alto padrão.

Na parte sul da Praça Vermelha projeta-se ao alto o que Moscou tem de mais marcante: a catedral ortodoxa de São Basílio. Foi construída entre 1555 e 1561 por ordem do czar russo Ivan, o Terrível, em homenagem às vitórias militares nas lutas contra os tártaros. O belíssimo templo quase foi ao chão por duas vezes: primeiro quando os franceses, liderados por Napoleão Bonaparte, cogitaram demoli-lo ao invadir Moscou em 1812; no século seguinte, foi a vez do próprio governo soviético considerar a sua derrubada, já que o regime era contra qualquer tipo de religião. Por ter se mantido em pé, as suas cúpulas coloridas em formato de cebola viraram símbolo da cidade e, quem sabe, de toda a Rússia.

Kremlin significa “fortaleza” e refere-se a complexos fortificados em qualquer uma das cidades históricas russas, sendo o de Moscou o mais importante. Foi nele que os fatos mais marcantes da história russa aconteceram: nas suas dependências, Ivan, o Terrível, orquestrou seu terror; Napoleão assistiu à cidade queimar; a Igreja Ortodoxa Russa estabeleceu seu centro; Lenin formou a ditadura do proletariado; Stalin enviou milhares de prisioneiros aos *gulags*; Khrushchov enfrentou a Guerra Fria; Gorbachov desencadeou a perestroika; e Iéltsin inventou a Nova Rússia. Hoje, a fortaleza continua sendo a sede do governo junto à residência presidencial no Grande Palácio e outros prédios administrativos.

Entramos no Kremlin pela Praça do Senado, onde um prédio moderno contrasta com três igrejas: uma onde os reis eram coroados, a outra onde a realeza realizava suas missas e a terceira serve de necrópole para os soberanos, os *tsars*. Tudo é enorme e impressiona pela riqueza dos detalhes.

O Centro Histórico de Moscou, fora do Kremlin, também é bonito. Caminhamos pelas ruas contemplando a arquitetura local. Ao fim do dia, já com as pernas doídas, sentamos em frente ao Teatro Bolshoi, que significa Grande Teatro em português. Deu vontade de entrar e assistir aos internacionalmente conhecidos espetáculos de balé, como O Cisne Branco, mas os tíquetes devem ser comprados com muita antecedência e nós não nos programamos para isso. O único lugar no mundo a ter uma franquia do Bolshoi e abrigar uma excelente escola de balé é a nossa vizinha cidade catarinense de Joinville.

Mas por incrível que pareça, a grande atração ficou por conta da pacata cidade onde havíamos deixado o carro – Chernogolovka. Com apenas 60 anos de existência, teve papel imprescindível durante a Guerra Fria. Foi um lugar ultrassecreto, sediando os institutos de pesquisa e desenvolvimento dos ramos da física, química, biologia e geologia – um centro de trabalho para os melhores cientistas do país. Eles tinham apenas duas opções na época: ou trabalhavam para o governo, ou corriam o risco de serem levados para um *gulag* na Sibéria.

Um dos maiores segredos mantidos em Chernogolovka após a Segunda Guerra Mundial foi o desenvolvimento de explosivos que separavam o núcleo do urânio, utilizados na energia atômica. Os centros de pesquisas desenvolveram também armas químicas e biológicas. Esta pequena cidade tornou-se uma congregação de intelectuais e dali saíram dois prêmios Nobel.

Visitando Chernogolovka na companhia de Alexander, percebemos que a cidade devia ter sido bem ajeitada na época da União Soviética, muito mais do que outros municípios russos. Mas hoje, apesar de ainda ser um dos principais centros científicos do país, com menos investimento do que outrora, é nítido que os edifícios estão meio abandonados e sem manutenção. Quanto ao destino dos cientistas? Aparentemente, acontece igual ao nosso Brasil e a muitos outros países: acabam indo para os Estados Unidos e Europa. Essa fuga de cérebros é motivada pela busca por melhores oportunidades de trabalho e remuneração.

Alexander nos levou por cada canto da cidade. Um dia tivemos a honra de visitar o prefeito Oleg em sua residência, onde aprendemos a fazer a tradicional sopa russa *borsh* com Nastya, a filha de Alexander, e fizemos muitos outros amigos.

A história da Matrioshka e do Cheburashka

Eis o que diz a lenda:

"Era uma vez um virtuoso carpinteiro russo chamado Sergey. Ele ganhava a vida talhando instrumentos musicais e brinquedos de madeira. Todas as semanas enfrentava o frio do bosque para buscar madeira e, assim, construir novos objetos. Certa manhã, ao sair, encontrou o campo todo coberto de uma grossa camada de neve e toda a madeira que encontrava no caminho estava úmida. Abatido pelo cansaço, decidiu retornar à casa e tentar a sorte no dia seguinte. No momento em que dava meia volta, um tronco de madeira esplêndido, o mais belo que havia visto em sua vida, chamou sua atenção. Pegou o tronco e retornou à sua oficina. Vários dias se passaram até ele decidir o que talhar naquele tronco. Por fim, decidiu fazer uma preciosa boneca.

A boneca que esculpiu ficou tão bonita que não queria vendê-la. 'Você se chamará Matrioshka', disse ele à inerte figura. Cada manhã, ao levantar-se, dava bom dia à sua companheira. Até que num certo dia ela respondeu: 'Bom dia, Sergey'. O carpinteiro surpreendeu-se, porém ao invés de sentir medo, ficou feliz por ter alguém com quem conversar.

Com o tempo, ele percebeu que Matrioshka estava triste e então perguntou-lhe o que estava acontecendo. Ela respondeu que todo mundo tinha um filho e ela também desejava ter um. 'Terei que te abrir e isso será doloroso', explicou Sergey. E ela disse: 'Na vida, as coisas importantes requerem sacrifícios'. E sem pensar duas vezes, ele talhou uma réplica menor e chamou-a de Trioshka.

Matrioshka já não se sentia mais sozinha, mas o instinto maternal agora apoderou-se de Trioshka. Então Sergey concordou que ela também teria uma filha e esta se chamaria Oshka. Esta, por sua vez, também quis um descendente. O carpinteiro contou-lhe que dessa vez a madeira poderia originar uma boneca má, mas ela não desistiu. Após pensar, ele talhou um boneco, bem pequeno, com bigode e lhe batizou de Ka. Com Ka em frente ao espelho, disse-lhe: 'Você é um homem, não pode ter filhos!'. Então colocou Ka dentro de Oshka, a Oshka dentro da Trioshka e a Triohska dentro da Matrioshka. Um dia, misteriosamente, Matrioshka desapareceu com toda a sua família e Sergey ficou desolado".

Entre as cinco palavras mais associadas ao maior país do mundo, Matrioshka é uma delas. Nesse conjunto de bonecas tradicionais russas, feitas em madeira, cada qual se divide ao meio para que dentro dela caiba uma boneca menor. Diferentemente do que muitos pensam, não possui origem russa. Popularizou-se há pouco mais de cem anos nas proximidades de Moscou, mas supõe-se que a sua origem seja japonesa, inspirada nos bonecos do sábio Fukurama, que podia ser dividido ao meio e continha dentro de si um outro exemplar idêntico, que continha outro menor e assim sucessivamente. O boneco japonês foi trazido para a Rússia por Elizaveta Mamontova, esposa de um industrial. Este objeto estrangeiro inspirou a pintura em madeira de uma menina camponesa de vestido, avental e lenço na cabeça pelo pintor Sergey Malyutin, que trabalhava em uma oficina de artesanato no povoado de Abramtsevo. Foi na Exposição Mundial de Artes de 1900, em Paris, que a Matrioshka ganhou popularidade e reconhecimento. As primeiras eram compostas apenas por três bonecas femininas representando avó, mãe e filha e uma última que variava entre um bebê, uma boneca masculina ou uma miniatura igual às anteriores. As bonecas fizeram tanto sucesso que dali em diante elas passaram a ser populares em outras cidades russas e, posteriormente, em toda a Europa e no mundo.

O nome Matrioshka vem de Matriona, um dos nomes mais populares na Rússia no passado. Deriva da palavra em latim "mater", que significa mãe e por isso ela virou símbolo de maternidade e fertilidade. O fato de as bonecas mais pequenas saírem do interior das maiores simboliza o ato da mãe dar luz à filha; a filha à outra filha e assim sucessivamente, como a continuidade da vida. Cada Matrioshka é única, assim como cada pessoa. Nós trouxemos uma de recordação.

Já o Cheburashka não é tão conhecido assim. Nós nunca havíamos ouvido falar dele, até que um amigo russo nos presenteou com o boneco em São Petersburgo. Cheburashka é o personagem principal de um livro de literatura infantil da antiga União Soviética, criado por Eduard Uspensky em 1966. Três anos mais tarde, o livro virou um filme e não demorou para que o pequeno urso com orelhas de macaco se tornasse o favorito das crianças de toda a comunidade soviética. Até hoje adultos e crianças o têm como mascote nacional. Sua história se espalhou também para a Suécia e Estônia. O mais interessante: assim como a ideia das Matrioshkas veio do Japão, a história do Cheburashka foi levada para lá, onde sua popularidade é até maior que em seu país de origem.

A história conta que Cheburashka vivia numa floresta tropical e num certo dia se deparou com uma caixa cheia de deliciosas laranjas. Depois de comer muitas, dormiu dentro da caixa, que foi transportada para um supermercado na Rússia. Quando o gerente abriu a caixa, encontrou a criatura estranha que mal ficava sentada, pois suas pernas estavam dormentes de tanto tempo que ficou na caixa. O comerciante o chamou de "Cheburashka", que significa "tombado" em russo coloquial. Cheburashka fez amizade com o crocodilo Gena, que trabalhava no zoológico. A partir daí a história se desenrola.

O Cheburashka original era amigo do crocodilo Gena. Já o nosso virou o grande parceiro do Pato Donald, mascote de nossas duas voltas ao mundo.

Localiza-se nas redondezas de Moscou o Golden Ring (Anel de Ouro), o paraíso dos kremlins e igrejas ortodoxas antigas. Ali iniciou-se e desenvolveu-se o Império Russo. Fomos conhecê-lo viajando por estradas vicinais, entrando em monastérios, conventos e museus. Só deixamos esse lugar de "contos de fada" quando caímos na rodovia principal entre Moscou e São Petersburgo, que estava congestionada devido aos trabalhos de duplicação.

São Petersburgo foi criada em 1700 por Pedro, o Grande – daí o nome. Arquitetos e artesãos de toda Europa, principalmente italianos, foram trazidos para construir a cidade, que também chegou a ser a capital do império. Ela perdeu o título no início da Era Soviética, quando Lenin, com medo de um ataque alemão, ordenou que a capital voltasse para Moscou. Lenin previu com assertividade: São Petersburgo foi sitiada durante três anos pelos alemães, na Segunda Guerra Mundial.

Sem dúvida, Peter, como é carinhosamente chamada pelos locais, é a cidade russa mais encantadora. É a que menos características soviéticas possui e a que mais se assemelha à Europa Ocidental. O museu Hermitage, localizado no Palácio de Inverno, é uma construção gigantesca, que abriga uma das principais coleções de obras de arte do mundo. Impossível não se encantar com sua arquitetura externa. O seu interior possui 1.057 salas conectadas por 117 escadas.

A Catedral do Sangue Derramado, inspirada na Igreja de São Basílio de Moscou, foi construída no local onde o Czar Alexandre II foi assassinado, em 1881. Durante a Segunda Guerra Mundial, uma bomba atingiu a sua cúpula mais alta. A bomba não chegou a explodir e permaneceu intacta no local por 19 anos. Somente quando os trabalhadores subiram no topo para reparar goteiras é que a bomba foi encontrada e desarmada. E se o seu exterior já é hipnotizante, o interior tomou horas da nossa atenção. A igreja possui uma interessante história de restauração: levou mais tempo (27 anos) para ser restaurada do que para ser construída (24 anos). Trinta restauradores trabalharam nos seus sete mil metros quadrados de mosaicos, um mais bonito do que o outro.

Subimos 262 degraus até a cúpula da Catedral de São Isaac, mas a vista mais bonita tivemos do mirante Strelka, localizado no outro lado do rio Neva. Fizemos também um passeio de barco pelos canais navegáveis, de onde tivemos uma perspectiva diferente da cidade. Durante o verão, em determinado horário da madrugada, as pontes sobre o rio se elevam cerca de 1,30 metro para que os navios consigam entrar ou sair do Mar Báltico. São Petersburgo é tão bonita que é também conhecida como a Veneza do Norte.

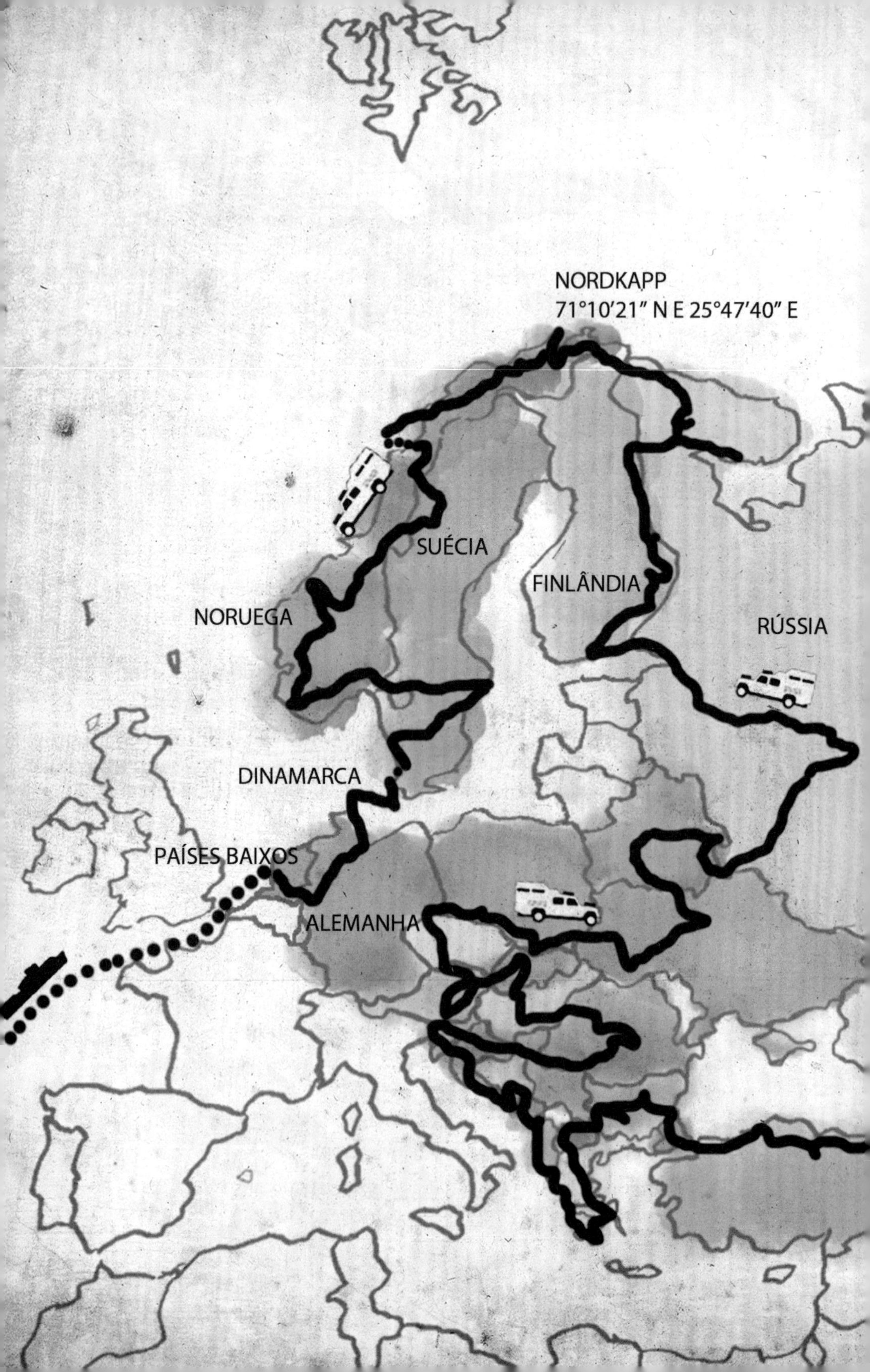
NORDKAPP
71°10'21" N E 25°47'40" E
SUÉCIA
FINLÂNDIA
NORUEGA
RÚSSIA
DINAMARCA
PAÍSES BAIXOS
ALEMANHA

12.
Países Nórdicos

A partir de São Petersburgo, na Rússia, percorremos poucos quilômetros para alcançar os países nórdicos, começando pela Finlândia. Tínhamos uma grande expectativa para essa fase da viagem, pois sabíamos que além de belas paisagens naturais encontraríamos países que se enquadram nas mais altas posições de IDH (Índice de Desenvolvimento Humano), ou seja, são regiões seguras e com elevado nível educacional. O IDH é um dado utilizado pela ONU (Organização das Nações Unidas) para analisar a qualidade de vida de uma determinada população.

Em termos de geografia, a Finlândia é o país com a maior área alagada em proporção ao seu território. Era início do verão e essa informação nos animava – nossa canoa poderia voltar às águas nos lindos lagos finlandeses. Outro motivo da nossa alegria era que reencontraríamos amigos que não víamos de longa data: a Helena, o Marcus e o filho Davi. Eles haviam se mudado para Helsinque e estavam morando lá praticamente desde que iniciamos esta viagem.

Helena e Davi dirigiram os 50 quilômetros que separam Helsinque de Porvoo para nos recepcionar. Depois dos abraços e da surpresa de ver o quanto o Davi crescera desde a última vez que o vimos, fomos passear na cidade – a segunda mais antiga da Finlândia. Porvoo possui belíssimas e conservadas casas de madeira construídas nos séculos 18 e 19. A catedral, apesar de ter suportado cinco incêndios e ser do século 15, ainda está bem preservada.

O território finlandês pertenceu originalmente à Suécia, por isso 30% da população de Porvoo adota o sueco como língua mãe. Em 1808 e 1809, na chamada Guerra Finlandesa, foi a vez do Império Russo conquistar esse território. Somente em 1917 o governo finlandês passou a agir com firmeza para garantir sua autonomia, declarando-se independente, à custa de muitas batalhas.

Apesar do preço alto e do desgaste para conquistar a sua independência, o país se reergueu. As reparações de guerra transformaram a Finlândia agrícola em potência industrial. Levando em conta os indicadores sociais, econômicos, políticos e militares, esse é considerado o segundo país mais estável do mundo depois da Dinamarca. Já dizia o provérbio oriental: "Homens fortes criam tempos fáceis e tempos fáceis geram homens fracos, mas homens fracos criam tempos difíceis e tempos difíceis geram homens fortes". Uma pesquisa que lemos nos mostrou que a Finlândia estava situada em primeiro lugar no World Happiness Report, uma espécie de índice mundial de felicidade. O resultado é fruto da abastada assistência social que o governo oferece ao cidadão finlandês.

Marcus, que não pôde ir a Porvoo, esperava por todos em Helsinque com uma deliciosa torta de cogumelos, acompanhada de salada e vinho tinto. O papo rolou noite adentro de forma prazerosa, tanto para eles quanto para nós, que pudemos falar português horas a fio. A conversa nos deu uma prévia de como veríamos as cidades finlandesas: limpas, organizadas e bonitas, tanto pelo entorno da natureza bem preservada quanto da inteligente intervenção humana na urbanização e arquitetura.

Os finlandeses são mundialmente reconhecidos pelo bom design dos seus produtos. Uma resposta para isso, segundo um amigo de São Petersburgo, é que eles têm as necessidades da pirâmide de Maslow atendidas e por isso sobra-lhes tempo e tranquilidade para criar. O psicólogo americano Maslow disse que as prioridades humanas devem ser atendidas de baixo para cima, em forma de pirâmide, ou seja, não se consegue satisfazer um nível mais alto sem que se tenha satisfeito primeiro os níveis da base da pirâmide. A hierarquia sobe nessa ordem: necessidades fisiológicas básicas, segurança, amor/relacionamento, estima e realização pessoal. É um ponto de vista que não deixa de ser interessante, porém contradiz o provérbio oriental mencionado acima.

Nos dias seguintes fomos conhecer a Biblioteca da Universidade, com seu design interno simples e ao mesmo tempo cativante. Visitamos igrejas, museus, mercados, praças, palácios e a ilha Suomenlinna, com suas fortificações antigas construídas para proteger a cidade dos invasores russos. Ficamos felizes ao nos deparar, em uma passagem subterrânea em Helsinque, com um pouco da arte brasileira em um belo grafite dos irmãos Gustavo e Otávio Pandolfo, conhecidos mundialmente como Os Gêmeos.

Guiados pelos amigos, fizemos passeios a pé, de bicicleta, de carro e até de canoa, como nosso plano inicial. Helsinque é uma cidade litorânea situada na costa do Golfo da Finlândia no Mar Báltico. Com dezenas de braços de mar e ilhas, o lugar é o paraíso para qualquer canoísta. Fui com o Marcus dar um passeio de canoa, enquanto a Helena, o Davi e a Michelle percorreram uma trilha até um pequeno cais, onde nos encontraríamos para um piquenique. Paramos em uma ilhota para descansar e no momento em que dávamos nova partida, o Marcus desequilibrou, fazendo a canoa virar. Fomos nós dois parar na água congelante. Nós e o celular do Marcus, que imediatamente deixou de funcionar.

O verão nos países nórdicos é uma delícia, pois a luz do dia praticamente não se extingue. Ao passear de bicicleta tarde da noite vimos o sol se pôr à meia-noite e nascer uma hora e meia depois. Percorremos trilhas e plataformas construídas em madeira sobre uma região alagada que leva os visitantes a lugares próprios para a observação de pássaros. Tudo em Helsinque é feito com muito capricho, mostrando que os governantes realmente trabalham para o bem do cidadão finlandês. É bonito de se ver a quantidade de benefícios que a população ganha em troca dos impostos pagos. Tudo é simples e muito bem feito.

Em geral, os povos dos países nórdicos são reservados, tímidos e respeitam demais a privacidade alheia. A Helena contou-nos algumas piadas que retratam esta característica e eles as reconhecem em seus comportamentos. São os chamados "pesadelos finlandeses". Eis alguns exemplos:

- Quando um finlandês quer sair do apartamento, mas o seu vizinho está no corredor do elevador. Agora ele terá que cumprimentar ou dividir o elevador com o vizinho... que pesadelo!
- Quando um estranho olha nos olhos de um finlandês... e sorri.
- Quando uma passagem criada na neve é muito estreita para

que duas pessoas consigam se cruzar e uma delas é um finlandês.

- Quando não há mais assentos duplos livres no ônibus e ele precisa sentar ao lado de um estranho.
- Quando alguém está no assento reservado a um finlandês e ele precisa informar o estranho sobre isso.
- Quando alguém senta ao lado de um finlandês no transporte público e puxa conversa.
- Quando o finlandês chega no teatro no último minuto e o seu assento está no meio da fila e ele tem que atrapalhar os outros para chegar ao seu lugar.
- Quando um finlandês precisa sair do ônibus e tem que importunar a pessoa sentada ao seu lado.
- Quando alguém que ele não conhece cumprimenta-o com um beijo ou abraço.
- Quando um vendedor de loja pergunta a um finlandês se ele precisa de ajuda; e o pior: se esse vendedor, na hora de pegar o dinheiro, sem querer, toca em sua mão.

Nós nos divertimos muito ouvindo essas situações.

Partimos de Helsinque no sentido Nordeste e os nossos amigos, que iniciavam as férias de verão, foram para Oeste, onde participariam de um concerto musical. O plano era de nos reencontrarmos no Norte dias mais tarde para que pudéssemos passar mais algum tempo juntos.

A infraestrutura na Finlândia para quem viaja é ótima. O governo oferece campings gratuitos com banheiros limpos (inclusive com papel higiênico) e churrasqueiras. Junto à pilha de lenha, que também é fornecida gratuitamente, há serrote e machado afiados. Há uma lei nacional chamada Jokamiehen Oikeudet, que em português quer dizer "direito de todos os homens". Significa que mesmo que uma propriedade nas zonas rurais seja particular, qualquer pessoa tem o direito de passar por ela, desde que seja a pé e de forma responsável.

Existem 40 parques nacionais espalhados pelo país, a maioria com locais para camping, com cabanas disponíveis a qualquer pessoa, desde que se respeite as regras (que não estão escritas): deve-se limpar a cabine após o uso, manter as coisas arrumadas e substituir os materiais usados, como lenha cortada e papel higiênico. Lembro-me de que ao chegarmos em um camping, um senhor que já estava ali por mais dias, ao ver que nos instalávamos, antecipou-se e levou um rolo de papel higiênico para o banheiro, caso precisássemos utilizá-lo.

Canoa n'água

Lançamos nossa canoa na água e fizemos mais um passeio maravilhoso durante dois dias nos lagos do Parque Nacional Kolovesi, uma região com muitos lagos e ilhas – um verdadeiro labirinto para canoístas. Como não são permitidos barcos a motor, o silêncio é quase total e a sinergia com a natureza garantida. Remamos por quilômetros, às vezes em áreas abertas, outras por entre passagens estreitas e sempre atentos a algum movimento na água, na esperança de poder ver uma espécie de foca rara: a foca anelada de Saimaa. Chegamos a ver um exemplar por um breve momento, quando uma se atirou de um barranco.

O Parque Nacional Koli foi outro destaque. Localiza-se às margens do lago Pielinen. De uma montanha de aproximadamente 350 metros de altitude foi possível ver o lago com suas ilhas estreitas e compridas, todas no mesmo sentido. Ali nem precisava ser geólogo para decifrar como o lago se formou no passado distante. O movimento de placas tectônicas deve ter feito com que essa parte da terra se rasgasse, deixando fragmentos na linha do sulco, que hoje são as ilhas. Essa era uma imagem digna para se fotografar do paramotor, mas depois de várias tentativas de decolagem que fiz em uma praia do lago, desisti. A faixa de terra descampada era curta e qualquer erro poderia resultar em uma queda n'água com motor e tudo.

A propósito, essa é uma das paisagens preferidas dos finlandeses, pois é um dos únicos lugares do país onde se é possível observar a natureza do alto. Exceto por algumas baixas montanhas que existem na Lapónia, no norte do país, a Finlândia é um território essencialmente plano.

Marcus, Helena e Davi chegaram naquela madrugada em nosso acampamento. A partir dali nosso time de exploração da Finlândia passou a ser integrado por cinco aventureiros. Com eles passamos mais uma semana pulando de lago em lago, de acampamento em acampamento, curtindo uma caminhada após a outra. Pela paixão e conhecimento que o Marcus tem por comidas que podem ser extraídas da natureza, junto a ele passamos a olhar mais atentamente para o chão, à procura de cogumelos e frutos silvestres. Era início da época de cogumelos, uma tradição forte dos países nórdicos. Mas é preciso ter conhecimento do que se pode ou não comer. Um livro que o Marcus carregava consigo ajudou-nos a diferenciar os comestíveis. Uma noite deliciamo-nos com cogumelos coletados por nós, refogados na manteiga com alho-poró.

Aprendemos com nossos amigos que nos acampamentos na Finlândia é tradição comer salsicha e *marshmallow* com bolacha e chocolate. Para preparar a salsicha, o costume é que cada um asse a sua em um espeto de ferro longo em formato de garfo, quando se senta ao lado da fogueira. Detalhe: os campings geralmente oferecem os espetos gratuitamente.

Finlândia virou sinônimo de sauna. Aliás, "sauna" é a única palavra finlandesa internacionalizada, isto é, presente em todos os idiomas. Ouvimos dizer que existe uma sauna para cada dois finlandeses: há quase três milhões delas no país, possivelmente uma em cada residência. Quando havia uma oportunidade, lá íamos nós para a sauna, pois mesmo no verão o clima é frio. A melhor que experimentamos foi a de um camping, sendo que o único horário livre que conseguimos foi à meia-noite. Que delícia! Especialmente quando intercalávamos o calor da sauna com um mergulho no lago congelante. O sangue pulsava nas veias.

O Parque Nacional Hossa foi o último que conhecemos na companhia de nossos amigos. Pela latitude elevada em que estávamos, passamos a ver renas e sentir na pele, cada vez mais, a presença dos mosquitos. Comemoramos o aniversário da Helena com mais acampamentos, caminhadas e remadas. Davi acompanhava os adultos mesmo nas caminhadas mais longas. Ele queria sempre estar à frente do grupo e quando nos guiava reduzia a velocidade para sincronizar o caminhar com suas perguntas, que pareciam não ter fim. Uma figura! Nossas noitadas também iam longe, regadas a cerveja, vinho e muita conversa. Para se ter uma ideia do quão claras eram as noites, certa vez jogamos baralho até as duas horas da manhã sem o uso de qualquer luz de lanterna ou lampião.

As férias dos nossos queridos amigos chegaram ao fim e enquanto eles tomaram o longo caminho rumo ao Sul até Helsinque, nós continuamos para o Norte, pois não tínhamos outra opção. Obrigamo-nos a dar um último pulo na Rússia, pois os primeiros 90 dias de permanência nos países pertencentes à Zona Schengen estavam para acabar. E para completar os 180 dias desde que entramos nessa zona de contagem pela primeira vez, ainda nos faltavam 10 dias. A partir daí a nossa permissão começaria do zero.

Quinta e última passagem pela Rússia

Foi muito bom termos sido obrigados a deixar a Zona Schengen, pois esse cantinho no noroeste da Rússia, chamado Península de Kola, é muito peculiar, tanto pela natureza, quanto pela história. Se não houvesse necessidade de renovar o visto, provavelmente teríamos nos dirigido direto para a Noruega e deixado de conhecer esse lugar exótico. A trajetória inicial nesta quinta vez em que entramos na Rússia percorreu a margem sul da Península de Kola, a partir da cidade Kandalaksha, onde o Mar Branco se inicia.

O Mar Branco é um braço do Mar de Barents e ambos pertencem ao Oceano Glacial Ártico – por isso suas águas são gélidas. Além da arquitetura tradicional russa que pudemos apreciar ao longo da estrada costeira, quando dirigíamos em direção Leste tivemos uma surpresa: a cidade de Umba sediava uma das principais bases de submarinos atômicos russos, por isso não era permitida a entrada de estrangeiros. É de se espantar com a informação que tivemos: na Península de Kola há mais ogivas nucleares do que em qualquer outro lugar do mundo. No final da península, longe da civilização, há um cemitério naval com rejeitos de reatores – um sério problema ambiental.

Nosso destino foi onde a estrada termina às margens do rio Varzuga, em uma pequena cidade de mesmo nome. É uma das mais antigas dessa península, muito mais velha do que o nosso país. Achei a cidade charmosa, mas ao fazer esse comentário recebi um olhar de desaprovação da Michelle, que a comparou com "qualquer outra cidade russa". Talvez a diferença que eu tenha percebido esteja no seu posicionamento geográfico, ao lado de um rio fervilhante de peixes. No centro há um monastério ortodoxo e um grupo de igrejas de madeira que datam de 1674.

A economia local depende exclusivamente da pesca. Esse rio é um destino de desova de salmões provenientes tanto do Atlântico quanto do Pacífico. Nossa vontade de pescar acabou quando nos deparamos com o custo da licença e na demora em obtê-la. O turismo de pesca de Varzuga é explorado por empresas russas, americanas e finlandesas. É um dos melhores locais para se pescar o salmão do Atlântico, um dos mais apreciados da espécie.

Se pescar ficou difícil, contentamo-nos com um salmão fresco e outro defumado – o primeiro compramos e o segundo ganhamos ao acamparmos ao lado de um vilarejo de pescadores. Fritamos o peixe junto com parte das ovas; outra parte das ovas comemos crua, assim como se come caviar. Não me lembro de ter comido um peixe tão saboroso em minha vida. O lugar onde estávamos, por ser muito interessante, deve ter me induzido a essa conclusão. Segundo o cidadão que nos vendeu o peixe, a rede que cruzava o rio de fora a fora havia pego poucos salmões naquele dia, "apenas dois mil", mas garantiu-nos que num dia bom chegou a capturar 12 mil.

A quantidade enorme de salmões se comparava a outra de mosquitos. Nem um centímetro de pele podia ser deixado de fora e, mesmo cobertos, éramos atacados por milhares desses insetos insaciáveis, que investiam suas picadas até por cima da roupa. Quando estávamos fora do carro na hora do pico dos mosquitos, próximo ao pôr do sol, cada cabeça imantava 30 ou 40 deles, que apareciam não se sabia de onde. Eram grandes, maiores e mais sedentos do que os mosquitos brasileiros. Para entrar no carro e não levá-los conosco, um de cada vez corria em círculos para deixar os mosquitos para trás. Entrávamos abrindo e fechando a porta com rapidez, mas mesmo com essa técnica avançada de fuga, alguns entravam no carro. Esses "alguns" aos quais me refiro giravam em torno de uns 30.

Como seria esse lugar de cima?

Vislumbramos ser a foz do rio Varzuga bonita para se ver e fotografar do alto. Dirigimos até uma praia deserta, perto da vila pesqueira Kuzomen e lá preparei o paramotor. Ele não estava lá essas coisas, falhava muito, mas a potência foi suficiente para eu tirar os pés do chão. O vento estava forte entre os dez e cem metros de altitude; fora isso, as camadas de vento mais amenas proporcionaram um voo tranquilo, dando-me margem para ir e vir em todas as direções.

Lá no alto abri a pochete e tirei a câmara já equipada com uma lente 28-70 milímetros e comecei a fotografar. Lá embaixo: o mar, o rio, os bancos de areia, a vegetação, a vila e os barcos – uma imagem linda e inesquecível. Enxergava o rio correndo paralelo ao mar por centenas de metros e, depois, entrando em perpendicular na península. Dava para ver o local de nosso acampamento e a vila de Varzuga.

De repente, quando olhava para o local onde o rio deságua no mar, vi um pontinho branco aparecer e logo desaparecer. Cismei com aquilo. O que poderia ser? Um lobo marinho? Nem sabia se os lobos marinhos habitam os mares boreais. O que seria então? Tirei mais algumas fotos da paisagem e, volta e meia, olhava para aquela parte do mar, para ver se o pontinho branco apareceria novamente.

Para minha felicidade ele apareceu outra vez e isso aconteceu a cerca de cem metros mar adentro. Decidi avançar e tentar identificar o estranho animal que aparecia e sumia. Ao voar por cima descobri tratar-se de uma beluga, ou baleia-branca – uma espécie dócil, completamente branca, que habita as águas do Ártico. Logo percebi que não se tratava de apenas uma, mas de um casal que provavelmente se alimentava de crustáceos e pequenos peixes na desembocadura do rio.

Nós já havíamos avistado belugas no Alasca, mas nunca de uma maneira tão privilegiada. Como estava com a câmera com lente grande angular, decidi pousar para trocá-la por uma teleobjetiva. Ao voltar, elas ainda estava lá, majestosas, aparecendo à flor d'água em nado sincronizado, subindo para respirar a cada minuto ou dois. Quando subiam, respiravam por três vezes e deixavam aparecer na superfície seus corpos brancos que contrastavam com as águas escuras do mar.

Foi um encontro maravilhoso! Tive a sensação de estar no lugar certo, na hora certa, fazendo a coisa certa. Voei cerca de meia hora ou mais sobre as baleias, dando voltas e mais voltas, pois era difícil fazer o enquadramento da fotografia. Além da câmera, havia outros três elementos a requerer minha atenção e minhas mãos: dois batoques, que dão a direção do paramotor, e o acelerador. Era preciso fazer curvas de forma contínua para que o deslocamento constante do paramotor não me tirasse a vista das baleias. Para girar, eu soltava a câmera e para fotografar, soltava os batoques e o acelerador. Apareciam fora d'água por segundos apenas e desapareciam novamente. De um lado, o sol estava contra e refletia na água; do outro lado estava perfeito para as fotos, mas aí nem sempre elas apareciam. Foi difícil, mas imensamente recompensador. Para mim foi uma das melhores surpresas da viagem. Imaginem: decolei para fotografar a paisagem e me deparei com baleias. Eu jamais esperava isso. Foi muita sorte.

Sorte é algo que a gente constrói

Será que dá para a gente acreditar na sorte? Eu confesso que já acreditei mais em épocas passadas. Lembro-me de quando via aqueles programas da National Geographic ou da BBC sobre a vida dos animais na África e pensava: "Puxa, mas como esses cinegrafistas têm sorte! Eles estão sempre no lugar certo, na hora certa e com uma câmera na mão. Tem que ter sorte para fazer essas imagens marcantes". Certo dia eu e a Michelle assistimos a um documentário da BBC, mostrando os bastidores das captações daquelas imagens. Equipes chegam a ficar enfurnadas na mata, na savana, nos desertos ou em cavernas por meses a fio, sofrendo com mosquitos, calor, frio, vento, poeira e outras intempéries. Uma espera longa para render, às vezes, apenas alguns segundos de filmagem.

Amyr Klink escreveu em um de seus livros que "sorte é algo que a gente constrói". Hoje pensamos assim também, pois ao rever os últimos dez anos de nossas vidas e lembrar o que a Michelle e eu já enfrentamos pelas estradas desse mundo, tendo ultrapassado dois mil e duzentos dias na estrada, rodando mais de 300 mil quilômetros e vivendo dentro de um carro por todo esse tempo, chego à conclusão de que um dia, lá no passado, nos demos a chance da sorte se apresentar. Se estivéssemos no conforto da nossa casa, as belugas não iriam aparecer na nossa frente.

Curiosos, ao baixar as fotos no computador, percebemos que a transparência da água do Mar Branco deu uma coloração fascinante para o branco dos cetáceos, conforme a profundidade em que nadavam. Quanto mais profundo, mais alaranjadas elas ficavam e o branco aparecia apenas quando alguma parte do corpo estava fora d'água. Um degradê espetacular. E o reflexo da luz do sol no mar deu a impressão de ser um campo de estrelas. A nós parecia que as baleias nadavam no céu.

Voltamos pela mesma estrada que costeia o Mar Branco e no caminho acampamos num local à beira-mar onde no passado se exploravam pedras ametistas. Dizem ser fácil encontrar algumas ainda, mas não achamos nada.

Em Kandalaksha dobramos rumo Norte e fomos até Kirovsk, cidade localizada aos pés das montanhas Khibiny, uma região bonita, considerada a Meca da geologia por conter no solo aproximadamente

600 tipos de minérios. A apatita é o mais explorado e a principal empresa a atuar na área é uma holding química russa chamada Fosagro. Esta empresa mantém um museu onde pudemos apreciar amostras de grande parte desses minérios, algo que nos deixou impressionados.

Também existe um departamento do museu dedicado ao Poço Superprofundo de Kola, onde se pode perceber que o homem sabe mais sobre galáxias distantes do que sobre o solo que está abaixo de seus pés. Se no espaço os satélites já atingiram distâncias de bilhões de quilômetros, a maior profundidade alcançada em direção ao fundo da crosta terrestre mal ultrapassou os 12 quilômetros – marco atingido próximo da Península de Kola entre os anos 1970 e 1994, época da Guerra Fria, quando os EUA e Rússia competiam pela supremacia da exploração espacial. O poço Superprofundo de Kola representa uma fração minúscula da distância até o centro da Terra, que tem 6.378 quilômetros.

Esse poço teve como princípio a realização de estudos científicos. O furo se ramifica, sendo que o chamado SG-3 atingiu 12.262 metros, tornando-se o mais profundo buraco já perfurado na Terra. As perfurações se encerraram em 1994 por conta das temperaturas da rocha, 80°C mais altas do que se previa, chegando a 180°, o que fez com que as brocas não aguentassem. Se alguém tiver a pretensão de perfurar o solo até o centro da Terra, as brocas terão que suportar temperaturas entre cinco e seis mil graus Celsius.

Uma descoberta importante no poço Superprofundo de Kola foi a detecção de atividade biológica em rochas com mais de dois bilhões de anos. A evidência clara de vida veio na forma de fósseis microscópicos envoltos em compostos orgânicos que permaneceram surpreendentemente intactos apesar da pressão e da temperatura extrema da rocha circundante.

Uma coisa nessa cidade que nos deixou inconformados foi que a União Soviética testou duas bombas atômicas nas montanhas Khibiny. A localidade do teste não propaga mais radiação, tanto é que pudemos ir até lá e ver. Mas imagine que você mora em Kirovsk e o governo decide fazer testes nucleares secretos a poucos quilômetros de sua casa. Um russo que conhecemos e que já vivia na região na época dos testes nucleares disse que ninguém imaginava sobre a possibilidade de haver radiação onde moravam.

Passamos por Revda e pela bonita cadeia montanhosa de Lovozero e tocamos em frente até a cidade mais importante da península: Murmansk. Localizada a quase 69° de latitude Norte – ou seja, nosso terceiro grande objetivo de Latitude 70 estava próximo –, Murmansk está a 200 quilômetros acima do Círculo Polar Ártico e a apenas 12 quilômetros do Mar de Barents. Antes da Primeira Guerra Mundial, esta cidade era apenas uma aldeia de pescadores, mas na guerra, devido à interrupção de importantes rotas marítimas russas, o governo se obrigou a construir ali um porto e ligou-o por ferrovias a São Petersburgo, a quase 1,5 mil quilômetros de distância ao Sul.

Na Segunda Guerra Mundial, Murmansk foi um dos principais portos de abastecimentos dos russos pelos exércitos ingleses e americanos e por causa disso foi intensamente bombardeado pelos alemães. Esse porto, curiosamente, mesmo que situado tão ao Norte, no período de inverno substitui o de São Petersburgo – o maior porto do noroeste da Rússia. Por fazer parte do circuito das correntes de águas quentes provenientes do Golfo do México, ele não congela em nenhuma estação do ano.

Konstantin, nosso amigo russo de Briansk, tinha amigos na cidade, Alexander e Irina, que nos receberam e nos guiaram pelos principais pontos de interesse. O marco Alyosha, de um soldado no alto de uma montanha, é o principal monumento da cidade. No porto estava atracado o navio NS Lenin, o primeiro quebra-gelo do mundo movido a energia nuclear. Segundo Alexander, os quebra-gelos chegam a partir camadas de gelo de até três metros de espessura. Eles precisam de muita potência para poder subir com a proa sobre a camada congelada, quando ela se parte com o peso do navio.

No caminho para a Noruega vimos mais duas atrações interessantes: um bunker alemão – trincheira e esconderijo subterrâneo usado na Segunda Guerra Mundial em território russo – e a vila militar Korsunovo, na qual não fomos autorizados a entrar e onde morou Iuri Gagarin, o primeiro ser humano a viajar no espaço sideral. Gagarin deu a volta completa em órbita ao redor do planeta em 12 de abril de 1961, a bordo da Vostok I, espaçonave que tinha 4,4 metros de comprimento, 2,4 metros de diâmetro e pesava 4.725 quilos. Em órbita, a uma altura de 315 quilômetros, sua volta ao mundo durou 108 minutos a uma velocidade aproximada de 28 mil quilômetros por hora. Gagarin rodou o mundo em 108 minutos, nós em 1.197 dias. Ele foi 15.960 vezes mais rápido do que nós.

Noruega, o centésimo país

Quando eu ainda nem sonhava em viajar pelo mundo de carro fui a São Paulo conhecer a Adventure Sports Fair, uma feira de aventuras e esportes ao ar livre. Ao circular pelos vários estandes no Pavilhão Bienal no Parque Ibirapuera, deparei-me com um que fazia divulgação de cruzeiros para a Antártica. Sempre tive o sonho de ir para lá, então parei para bater um papo com o atendente. No meio da conversa ele me falou já ter conhecido cem países. Quase caí de costas, juro: "cem países"! Na época parecia-me impraticável uma pessoa normal ter feito isso. Ao cruzarmos a fronteira do Noroeste Russo com a Noruega, somando as duas viagens da expedição Mundo por Terra, eu e a Michelle alcançamos esse mesmo número de países. Isso mostra que o "impossível" está apenas em nossas cabeças. Como curiosidade, ao final dessa segunda viagem, avançamos um pouco mais na contagem: visitamos 103 nações em 2.230 dias. Dividindo a quantidade de dias pelo número de países, chegamos a média de permanência de 21,65 dias em cada país.

A Michelle conta a sensação que isso traz:

> *Para mim a ficha de quão afortunados somos demorou um pouco para cair, mas acabou acontecendo em Estocolmo, na Suécia. Foi quase no fim da viagem, ao nos hospedarmos na casa do Carl, o amigo sueco de longa data do Roy. Fomos acomodados no quarto de sua filha e, dentre os diversos títulos que estavam dispostos numa estante, um livro de fotografias me chamou a atenção. Não me recordo o nome, mas era grande, bonito, da editora Lonely Planet. Ele listava centenas de lugares do mundo. Sentada na cama, folheando o livro, reconhecia a maioria dos lugares ilustrados nas fotos e pensava, repetidamente: "já conheço, já estive aí, já vi este lugar". Foi quando me dei conta de o quanto tínhamos viajado e conhecido deste vasto e belíssimo mundo. Dava para contar nos dedos os lugares desconhecidos por nós.*
>
> *Fechei o livro assustada e com um frio na barriga, e fui dormir.*

"Missão dada é missão cumprida" (Capitão Nascimento)

Mais adiante, naquele mesmo dia, em meio a um cenário exótico – vilas coloridas, penhascos, pastos verdes tomados por renas, lagos, rios e cachoeiras, além da marca dos cem países, tivemos mais um motivo para comemorar: alcançávamos pela terceira vez a Latitude 70°N e fechamos com chave de ouro nosso maior objetivo da viagem:

conquistar três latitudes 70, sendo uma em cada continente. Dessa vez ultrapassávamos a linha em solo norueguês.

Fomos nós que definimos a missão de alcançar três pontos do globo, um em cada continente, acima da Latitude 70°N de carro. Fizemos por termos consciência de que quando definimos metas, criamos propósitos para fazê-las acontecerem e com isso vem a motivação.

Só para relembrar:

✓ Primeira Latitude 70°N: Deadhorse, Alasca, EUA, em 14/09/15.

✓ Segunda Latitude 70°N: Ust-Kuyga, Extremo Leste Russo, no inverno, em 07/03/16.

✓ Terceira Latitude 70°N: Nordkapp, Noruega, dia 06/08/17.

Com muito chão ainda por percorrer sentido Norte, continuamos pela Península de Nordkinn, margeando o Fiorde Porsanger até a estrada terminar, no Cabo Norte (Nordkapp) – 71°10'21" N. É o ponto continental europeu mais ao Norte possível de se atingir por estradas, com exceção de ilhas longínquas no Ártico.

No entanto, a localidade mais ao Norte que chegamos foi em Knivskjelodden – 71°11'08" N –, uma península vizinha ao Cabo Norte. Para acessá-la é necessário caminhar 18 quilômetros, entre ida e volta, pois não existem estradas para lá. Knivskjelodden situa-se a quase um minuto em latitude (1.457 metros) mais ao Norte do que o Cabo Norte. Esse foi o lugar mais setentrional que já estivemos em nossas vidas. Caminhar até o Knivskjelodden foi inesquecível por dois motivos: desfrutamos de uma paisagem magnífica e por alguns minutos tivemos a certeza de que éramos as pessoas que estavam mais ao Norte da parte continental europeia. Quantas, das quase sete bilhões de pessoas que vivem no mundo, estariam mais ao Norte do que nós naquele momento?

O Cabo Norte é um complexo turístico muito bem estruturado. Para se ter uma ideia, ao lado do nosso carro devem ter pernoitado pessoas em mais de cem motorhomes. Isso sem contar os carros, bicicletas, motos e ônibus que levam para lá turistas dos navios de cruzeiro que aportam numa cidade mais ao Sul. O local oferece restaurantes, cafés, lojas, cinema e museu. Quanta diferença para Ust-Kuyga, a latitude 70 alcançada na Rússia. No museu aprendemos sobre a história do explorador inglês Richard Chancellor, o primeiro a contornar o Cabo Norte em 1553 em busca de uma rota para a China. Além disso, o museu relata passagens da Segunda Guerra Mundial: quando navios aliados afundaram, não muito longe dali, um importante cruzador alemão chamado Scharnhorst, que controlava o Mar de Barents a fim de que os russos não tivessem acesso a suprimentos de guerra, que chegavam, ou tentavam chegar, via porto de Murmansk. O ataque seguido de naufrágio aconteceu em 26 de dezembro de 1943, com 1.969 tripulantes a bordo, dos quais apenas 38 foram resgatados com vida.

Sol da Meia Noite ou Noite Absoluta

Você já parou para pensar o que é ou como acontece o Sol da Meia Noite ou a Noite Absoluta? Aprendemos na escola esse fenômeno magnífico. A Terra orbita ao redor do Sol num período de 365 dias. Enquanto faz este percurso, gira em torno de si mesma em 24 horas, tendo seu eixo de rotação com 23° de inclinação em referência a sua órbita.

Sendo assim, no momento do solstício de verão do Hemisfério Norte, que ocorre em 21 de junho, tudo o que estiver acima da latitude 66°33" N até o Polo Norte terá incidência de luz solar por pelo menos um dia completo. Por estar mais inclinada para o Sol, a calota da Terra fica exposta à luz e esta ocorrência se chama Sol da Meia Noite. Nesses lugares o Sol permanece 24 horas acima da linha do horizonte.

Nesse mesmo momento, no Hemisfério Sul acontece o solstício de inverno, pois a calota da terra que está além da latitude 66°33" S tem sua face inclinada para o lado oposto ao Sol e não recebe nenhuma luz solar. É quando ocorre a Noite Absoluta: o Sol fica 24 horas abaixo da linha do horizonte, ou seja, não aparece.

E os Círculos Polar Ártico e Antártico? As linhas imaginárias que circulam a Terra em 66°33" N e S correspondem ao Círculo Polar Ártico e Antártico, respectivamente, e foram delimitados exatamente por demarcarem a linha a partir de onde ocorre o Sol da Meia Noite ou a Noite Absoluta. Mas é preciso perceber que quanto mais ao Norte ou ao Sul a partir dessa linha, mais longo será o período do Sol da Meia Noite ou da Noite Absoluta, ao ponto de que os polos geográficos (Norte e Sul) terão, anualmente, seis meses de Sol da Meia Noite ou de Noite Absoluta. Veja se isso não é extraordinário:

no ponto exato onde estão os polos acontece apenas um nascer e um pôr do sol por ano.

Os dias 21 de março e 21 de setembro são quando a Terra, mesmo que inclinada, recebe incidência de luz solar desde o Polo Sul até o Polo Norte simultaneamente, pois seu eixo de inclinação está perpendicular ao sol. Esses dias chamam-se equinócios e são os que, independentemente de onde se estiver na Terra, o dia tem exatamente a mesma duração da noite: 12 horas.

Para complicar um pouco: os Trópicos de Câncer e de Capricórnio são definidos também pelo solstício. Essas são as linhas que delimitam a incidência em 90° dos raios de sol na superfície da Terra no solstício de verão. Quando ocorre no Hemisfério Norte, os raios incidem em ângulo de 90° na superfície da Terra e formam a linha do Trópico de Câncer e no Hemisfério Sul os raios incidem em 90° na Terra sobre a linha do Trópico de Capricórnio. Nesse momento os trópicos demarcam os pontos da Terra mais próximos do sol. Para situar melhor: o Trópico de Capricórnio corta as cidades de Guarulhos e Sorocaba, em São Paulo, e Maringá e Arapongas, no Paraná.

Infelizmente, não tivemos a satisfação de contemplar o Sol da Meia Noite, mas o perdemos por pouco: o último dia em que o Sol não se pôs no Nordkapp foi em 29 de julho e nós chegamos no dia 8 de agosto.

Um dos países mais bonitos

A Noruega é um dos países mais bonitos que já visitamos. As paisagens de montanhas, lagos, rios e cachoeiras de centenas de metros de altura dividem um mesmo cenário com o mar e os fiordes. Foi assim em quase toda a sua extensão. De Norte a Sul, em linha reta, o país tem aproximadamente 1,7 mil quilômetros. Mas pelas estradas que o serpenteiam para contornar os fiordes, que se estendem por centenas de quilômetros continente adentro, nós chegamos a rodar 4.468 quilômetros. A baixa velocidade imposta pelas curvas e sobe-e-desce foi ideal para podermos apreciar as belezas que passavam diante dos nossos olhos.

Percebemos que os noruegueses preferem construir túneis a pontes. Eles são os líderes mundiais em tunelamento, com a impressionante marca de 900 túneis no país, incluindo o mais longo do mundo, em Lærdal, com 24,5 quilômetros de extensão. Dirigimos por debaixo de montanhas, fiordes e do próprio Oceano Atlântico. Os noruegueses são tão desenvolvidos nisso, que alguns túneis têm até rotatórias para ramificação de trechos.

Vindos do Norte, cruzamos vilas com casas de madeira simples, onde predomina a cor bordô. Como o país, atualmente um dos mais ricos do mundo, já passou por períodos turbulentos na economia, o uso da cor bordô tem explicação: na época das vacas magras era a cor mais barata disponível no mercado, portanto a mais usada nas vilas dos pescadores e na zona rural. Quem tinha um pouco mais para gastar pintava a casa de amarelo e branco. Essas cores tornaram-se a marca registrada da Noruega.

O clima, mesmo no verão, estava chuvoso e frio, o que nos entediou um pouco. Falta de sorte, pois os verões noruegueses são geralmente mais quentes do que naquele ano. Queríamos desbravar a natureza, mas éramos desencorajados pelo mal tempo. Ainda bem que aprendemos prontamente com os nórdicos que "não existe mau tempo, somente vestimenta inadequada". Agasalhamo-nos para o frio, com roupas impermeáveis e fomos para fora do conforto do carro caminhar, remar e voar. Ao todo fizemos doze caminhadas – uma média de uma a cada dois dias e meio. E oportunidades não faltaram, já que a infraestrutura do país conta com mais de 20 mil quilômetros de trilhas demarcadas.

Conforme os dias iam passando, fomos acostumando-nos com os preços altos noruegueses. A Noruega é considerada um dos países mais caros do mundo para se viajar. Por isso nós estocamos o que pudemos na Rússia, mas mesmo assim precisávamos nos reabastecer com alimentos frescos. Nas primeiras visitas ao mercado saímos com as mãos abanando, mas fomos aprendendo o que era mais acessível, como algum tipo específico de pão, brócolis, couve-flor e cogumelos. Ah! cogumelos! Por florescerem com facilidade nas regiões nórdicas, os preços são baixos e, de tão carnudos, substituíram nossa carne. Almoçar ou jantar em um restaurante até que gostaríamos, mas depois de ver o cardápio e os preços, desistimos – nossas economias andavam escassas por estarmos quase no fim da viagem.

Lá o diesel também é caro. Os preços do litro variam de 1,40 até 2 dólares. Mas uma prática norueguesa que custamos a descobrir ajudou-nos a economizar alguns trocados; no domingo à tarde o preço baixa e volta ao normal na segunda-feira ao meio-dia. Entre quarta e quinta, em alguns postos, baixa novamente. Mesmo com os altos custos do país, nós conseguimos viajar dentro da expectativa que planejamos.

No arquipélago Lofoten, composto pelas ilhas Austvågøy, Vestvågøy, Flakstadøy e Moskenesøy, ficamos ainda mais encantados com a natureza da Noruega. Algumas ilhas têm o formato de altas montanhas. De tão próximas umas das outras, podem ser conectadas por pontes e túneis. Em cada uma vimos belas baías protegidas com suas vilas pitorescas e pastagens verdejantes. Henningsvær, por exemplo, é conhecida como a Veneza das Lofoten. É uma vila pesqueira onde logo após o inverno pode-se ver milhares de bacalhaus pendurados em varais para secarem antes de serem exportados para o mundo.

Kill a tourist

O turismo nas ilhas é intenso. Aliás, não apenas nas ilhas, mas em todo o país. Apesar de serem importantes para a economia norueguesa, os turistas parecem não ser muito bem quistos pelos locais. A insatisfação com o turismo excessivo ficou estampada no farol da vila Kabelvåg, onde alguém pixou: "kill a tourist", ou seja, "mate um turista".

Isso parece não estar acontecendo somente na Noruega, mas na maioria dos lugares turísticos do mundo, que vêm sendo devorados por hordas de visitantes. O aumento do poder aquisitivo e da população, a facilidade de transporte internacional, os novos tipos de acomodação e o fácil acesso à informação são alguns dos fatores que têm aumentado o turismo de forma exponencial.

Para a economia, o turismo é bem-vindo, mas em se falando de natureza e cultura de um povo, ele acaba trazendo certos incômodos, a exemplo das simples pilhas de pedras empilhadas, algo que virou sinônimo de Noruega.

Os povos andinos faziam pilhas de pedras e as chamavam de *apachetas*. Serviam para sinalizar os caminhos nos desertos e montanhas. Mas quando milhares de pessoas fazem o mesmo, com o intuito de deixar sua marca, a prática perde o propósito e vira um estorvo para a natureza e para a paisagem. Onde quer que fôssemos fazer uma trilha a pé, lá estavam as centenas de "apachetas".

A partir de certo momento passamos a derrubar algumas (perdoem-nos quem as empilhou). Mas é que esse ato gratuito de empilhar pedras sem propósito virou marca da interferência humana na natureza e pode ser um dos motivos da insatisfação dos locais. Não somente deles: uma placa de sinalização do governo alertava os turistas para que não empilhassem pedras, pois elas podem interferir inclusive em indícios históricos e arqueológicos. Na natureza nós deveríamos deixar somente nossas pegadas, que já são demais quando as pessoas chegam aos milhares por dia.

Fomos dirigindo pelas ilhas rumo Oeste, até chegarmos à praia Kvalvik. Não satisfeitos com o visual ao nível do mar, subimos os 543 metros do Pico Ryten para ter uma vista não só da praia abaixo à beira de um enorme penhasco, mas de grande parte do arquipélago Lofoten.

Por que não fotografam com um drone?

Há dias eu sonhava em fazer um voo sobre as ilhas Lofoten, mas pela situação geográfica, com montanhas por todos os lados que rotorizam os ventos, não seria o melhor lugar. Fiquei de olho na meteorologia e percebi que um dia o clima haveria de dar uma chance, quando um vento fraco vindo de Sudoeste entraria limpo por entre as montanhas. Decidi tentar, mesmo com a Michelle relutante com a ideia.

Fomos para uma área descampada próximo a uma ponte entre as cidades de Ramberg e Fredvang. No tempo em que eu montava e abastecia o paramotor e tentava decolar (sem êxito) nas primeiras vezes, dois carros pararam onde estávamos, olharam para nós com uma cara de Mister Bean quando vê alguém com um sanduíche menor do que o dele, abriram os porta-malas, tiraram seus drones, conectaram aos seus celulares, ligaram, decolaram (drones não sentem interferência de rotores) e voaram por cerca de 15 minutos cada um. Fotografaram tudo o que eu sonhava fotografar, pousaram, guardaram os equipamentos, deram uma olhada para nós com aquela cara novamente e seguiram viagem. Nós ali, frustrados por não estarmos conseguindo decolar.

Quando finalmente tirei os pés do chão, em segundos já estava arrependido, pois entrei em uma corrente descendente que fez o paramotor, cujo motor tem apenas 100 cc de cilindrada, relutar a subir.

O mar congelante abaixo de meus pés parecia dizer: “Venha! Venha”! Fiz uma curva suave para a direita, evitando ao máximo a perda de altura e dirigi-me para o vilarejo Fredvang, onde, pouco a pouco, consegui ganhar altura.

Fui subindo, subindo até encontrar ambiente propenso para voo – isto acima das montanhas mais altas a Sudeste, de onde havia decolado. É uma cadeia de quatro picos: Stortinden, Stabben, Sautinden e Stjerntinden, separados por menos de cinco quilômetros de distância entre cada um. Subestimei suas altitudes: são mais elevadas do que pareciam. Possuem, nessa ordem: 866, 777, 794 e 934 metros. Aprendi que para um voo seguro deve-se multiplicar a altitude por nove para saber a distância que poderia voar das montanhas caso o vento estivesse vindo daquela direção. Isso para evitar a rotação do vento, o que ainda dependia da sua intensidade.

Foi um dos voos mais longos que já realizei. O visual de cima é deslumbrante: uma mistura de montanhas rochosas com mata rasteira, praias com águas esverdeadas e vilas coloridas. Mas não foi por causa disso que voei por tanto tempo. Relutei a descer, pois voava confortavelmente perto dos mil metros de altitude e estava com medo de entrar novamente na zona turbulenta, aquela pela qual eu passara durante a subida. Como já disse Santos Dumont: “Não se espante com a altura do voo: quanto mais alto, mais longe do perigo. Quanto mais você se eleva, mais tempo se tem para reconhecer uma pane. É quando se está próximo do solo que se deve desconfiar”.

Eu precisava descer, pois o combustível estava chegando no limite. Sabendo que a Michelle entenderia minha decisão de não pousar onde decolei, busquei uma praia longínqua, onde supostamente as condições estariam mais seguras, mas mesmo assim não foi moleza. Eu procurei por bandeirolas (os noruegueses são patriotas e as penduram em frente as suas casas), mas para aumentar o pavor, quando as vi percebi que flamulavam em sentidos opostos, fazendo-me entender que lá embaixo o vento estava uma bagunça.

Tentei pousar uma vez, mas abortei para não precisar, depois, cruzar caminhando um rio que deságua no mar. Ao fazer o circuito de tráfego pela segunda vez, a fim de colocar-me de vento de nariz para o pouso, ao estar na “perna base” (como chamada na aviação a posição perpendicular à pista de pouso), devo ter entrado em uma zona de baixa pressão e despenquei vários metros.

Ali eu vi a viola em cacos. Não observei a vela fechar, tampouco escutei algum estrondo dela batendo ou fechando. Estava prestes a bater no chão com violência quando a asa retomou voo a apenas um metro do chão. Mantive os freios em meio curso e voei de través ao lado de uns arbustos sobre uma pequena duna de areia. Passou pela minha cabeça arremeter para fazer uma nova tentativa de pouso, mas meu instinto foi mais rápido e fez-me largar os batoques para simplesmente agarrar a vegetação rasteira e ali fiquei. Por incrível que pareça, o pouso foi suave como um disco de *frisbee* caindo na areia. Uau! Que sufoco! Juntei as mãos e agradeci a Deus por ter me colocado são e salvo no chão. Eu poderia ter me machucado com essa brincadeira, até porque havia muitas pedras na beira da praia. Mas nada aconteceu, nem um arranhão. Percebi, logo depois, estar extenuado. Deve ter sido a tensão nos músculos em 50 minutos de voo e as subidas e descidas atabalhoadas. Vivendo, quase morrendo e aprendendo...

Quando eu conto essa história ou outras de voos que fizemos pelo mundo, sou questionado: "Por que não leva um drone para fazer essas imagens? Não seria muito mais seguro?" A resposta que dou é com outra pergunta: alguém se atreveria perguntar ao Amyr Klink por que ele não levou um motor na sua travessia do Oceano Atlântico a remo? Obviamente seria mais seguro fotografar de um drone e eventualmente conseguiríamos imagens até mais bonitas. Mas onde é que ficariam as histórias? Não foi pelas histórias que nos propusemos a essa viagem? O dia em que comprar um drone é muito provável que irei parar de voar.

A aflição da Michelle

Desde o começo fui contra aquele voo de paramotor nas ilhas Lofoten. Só de pensar no Roy voando naquelas condições climáticas e geográficas me dava náuseas de medo. Depois de tantos anos juntos, aprendi que não adiantava teimar com ele, mas mesmo assim tentei convencê-lo a não decolar – em vão. Quando ele coloca uma coisa na cabeça é bem difícil de tirar, ainda mais quando realmente sonha com aquilo.

Assim que tirou os pés do chão percebi que o paramotor penava para subir, fechei os olhos e rezei para que nossa viagem não tivesse um final trágico bem no dia em que celebrávamos três anos na estrada.

Escrevi em nosso diário: "Fiquei em terra com o coração na mão torcendo para ele não esquecer do tempo de voo e acabar em uma pane seca sobre aquele mar congelante e assustador". Um senhor local parou para assistir à decolagem e veio me dizer, entusiasmado, ser a primeira vez que via uma aeronave como aquela na região. Ou seja, ninguém voava ali. Arregalei os olhos, pois essa notícia não me soava nada boa. Não querendo estragar sua euforia, demostrando que eu não estava nada feliz com isso, consegui apenas responder com um sorriso amarelo, tentando disfarçar minha aflição.

Depois de um bom tempo voando lá no alto, percebi que o Roy perdia altitude, sinal de que rumava para o pouso. Como estava longe, era certo que não retornaria para a área de decolagem onde eu o aguardava. Mantive contato visual para ter uma ideia de onde deveria ir resgatá-lo, até que ele desapareceu do meu campo de visão. Geralmente tínhamos um rádio para nos comunicarmos, mas no final eram tantos equipamentos para o Roy manusear em voo que nas últimas decolagens ele o dispensou. Eu tinha uma ideia aproximada de onde ele tinha se direcionado para o pouso, mas não sabia com precisão. Peguei o carro e fui naquela direção, aflita por saber se tinha pousado com segurança.

As estradas eram estreitas e sem nenhum acostamento onde eu pudesse parar. Fui e voltei até o final da via principal algumas vezes, mas nem um sinal do Roy. Sabia que uma hora ou outra ele iria aparecer à minha procura (se tivesse pousado bem, é claro). Havia uma estrada de chão pequena que adentrava rumo a uma praia. Meu palpite era que estivesse por ali. Já no começo deparei-me com um motorhome sendo guinchado: havia caído num barranco lateral e quase tombado. Para garantir que eu não me metesse na mesma enrascada, dei meia volta, estacionei o Lobo numa "rest area" na estrada principal e fui a pé procurá-lo. De repente, lá no horizonte surgiu a silhueta dele. Senti um alívio instantâneo ao vê-lo caminhando em minha direção. Estava acostumada a tê-lo 24 horas por dia ao meu lado e já sentia a sua falta.

A CIDADE Å

Concretizado meu sonho "quase de Ícaro" em voar sobre o mar norueguês, passamos pela cidade de Reine, um dos principais cartões postais do arquipélago e chegamos, ao final da estrada, à vila de "Å". Belo nome para uma cidade. Por ordem alfabética seria a primeiríssima da lista de localidades do mundo. Um pouco para frente, por questão de logística e custo, embarcamos o Lobo numa balsa para Bodø, localidade fora das ilhas Lofoten, e de lá seguimos para o Sul. Pela sexta e última vez cruzamos a linha do Círculo Polar Ártico. A partir daquele ponto a paisagem rala de latitude extrema começou a mudar.

Trondheim, a antiga capital e a terceira maior cidade do país, é belíssima. O que lhe falta é um pouco mais de vida nas ruas. Visitamos o Palácio Real e a coleção de armazéns na beira do rio. Todos são em madeira colorida e datam dos séculos 18 e 19. Um detalhe nesses armazéns são as mãos francesas, presas no alto, abaixo das cumeeiras. Nelas estão penduradas talhas, que serviam para erguer cargas ao longo de quatro ou cinco andares. Em alinhamento com esses guinchos, em cada andar existe uma porta maior de correr para receber ou retirar mercadorias. O sistema existe em dois lados: um de frente para os canais navegáveis e outro virado para a rua, onde estacionavam as carroças ou caminhões na época.

Do centro do país rumo ao Sul entramos na região dos fiordes mais bonitos. Como são imensos, em vez de contorná-los, cruzamos seis deles por balsa. As balsas (ferries), assim como os túneis, são meios de transporte essenciais na Noruega. Sem eles o país não anda. Existem mais de cem conexões de balsas para veículos – isso sem contar os exclusivos para passageiros.

Em Åndalsnes encontra-se a maior parede vertical da Europa: o Trollveggen. Com 1,2 mil metros de altura, é considerado um grande desafio para os montanhistas. Para acessar o topo do paredão contornamos onze curvas fechadas da serra Trollstigen (Escada do Troll) e depois caminhamos por 5,5 quilômetros ascendendo mais 600 metros. Ao chegar na borda do paredão olhamos para baixo e... Uau! Que coisa incrível! Passamos minutos deitados à beira do precipício, imaginando como seria legal se fossemos pássaros. De repente avistamos três pontinhos voando paredão abaixo. Estavam longe, pois tudo ali é enorme. Seriam pássaros? Olhando melhor, constatamos que eram pessoas quando seus paraquedas abriram próximo ao chão. Esse é o local dos sonhos dos *basejumpers* – mesmo que seja proibido saltar de lá.

Para mim, que já saltei de *basejump*, o coração bateu forte. A vontade de fazer um salto foi inevitável. Mas um monumento que visitamos lá no pé da montanha lembrou-me de que o *basejump* é um esporte de alto risco, que não perdoa os desatentos. Não perdoou meu amigo brasileiro Andrezão, o André Gasparotto Sementile, que foi meu instrutor nesse esporte, quando fiz cinco saltos de um viaduto de uma linha férrea, na cidade gaúcha de Encantado. André morreu ao saltar justamente desse precipício onde estávamos, em 2012, e seu nome estava escrito no monumento lá embaixo. Era o último da lista.

Na caminhada rumo ao paredão do Trollveggen encontramos um grupo de estudantes noruegueses, com os quais conversamos por alguns minutos. O professor falou-nos que a matéria que leciona é “vida ao ar livre”. É perceptível o quanto os europeus estão mais evoluídos com relação à educação, pois há tempos tiveram a percepção de que atividades básicas da vida, como o contato com a natureza, fazem a diferença na formação de um indivíduo.

Cadê os fiordes?

Já escrevi muitas coisas sobre a Noruega, mas nada sobre os fiordes. Fiordes são entradas de mar formadas entre altas montanhas rochosas. O que os difere de vales é, principalmente, o fato de serem formados pela erosão causada pelo gelo, como se fossem rios congelados – glaciares – que se deslocam com a gravidade até o mar com força tremenda, a ponto de, durante milhares de anos, escavarem caminhos profundos na rocha. Uma pista de que não se trata de um vale, e sim de um fiorde, são as paredes laterais lisas e riscadas, sem protuberâncias. Tudo por causa do atrito da pedra com as gigantescas massas de gelo.

Contornamos alguns fiordes, cruzamos outros de ferry e o primeiro que exploramos com mais atenção foi o Geiranger – um braço de mar com 15 quilômetros de extensão, cuja origem é em outro fiorde maior. Ele é estreito, cercado por paredões de pedra com centenas de metros de altura e muitas cachoeiras, despencando água doce diretamente no mar salgado. A fim de admirar e sentir de perto a pulsação daquele paraíso, colocamos a nossa velha e querida canoa ao mar. Logo remávamos perto das sete cachoeiras, que recebem o nome de 7 Sisters (7 Irmãs) e Suiter (Pretendente). Águas cristalinas e esverdeadas deixam mostrar o fundo repleto de vida marinha: águas vivas, ouriços, estrelas do mar e muitos peixes. Remamos por 18 quilômetros em um pouco mais de cinco horas, dividindo o espaço com barcos maiores, balsas, *speedboats* e caiaques. A sensação que tínhamos ao remar naquela cicatriz gigantesca aberta por geleiras milenares foi de puro deleite.

Quando retornávamos para o ponto de partida, a maré havia baixado, deixando a encosta exposta com centenas de mariscos presos à rocha. Empolguei-me e tive a ideia de terminar aquele maravilhoso dia com um jantar de frutos do mar. Peguei o pacote onde no início do dia havia colocado nosso lanche e enchi-o de mariscos. A Michelle primeiramente foi contra, pois achava que não era permitido fazer isso, mas quando preparei espaguete de mariscos na manteiga, ela não disse nada e com certeza me perdoou.

Passamos também pelo Fiorde de Sogn, o mais longo e profundo da Noruega – com 204 quilômetros de extensão e 1.308 metros de profundidade; também pelo Fiorde de Hardanger, com fazendas de frutas e flores selvagens nas encostas e o Fiorde de Nærøy, um braço menor do Fiorde de Sogn. Nesse último, seguimos sua margem por uma estrada estreita até a vila de Bakka. Ali remamos mais uma vez por três horas e meia ao lado de paredões com mais de 1,2 mil metros de altura.

Ao chegarmos ao Sul, colocamos mais uma vez nossas pernas para caminhar e fizemos três trilhas impressionantes – creio que as mais conhecidas da Noruega. A primeira, muito exaustiva devido ao desnível de mais de 750 metros e também pela extensão de 27 quilômetros, levou-nos a uma pedra comprida que se projeta sobre um abismo – o Trolltunga.

Geralmente, ao caminhar nas montanhas, buscamos paz e silêncio. Ao subirmos naquela pedra com uma vista deslumbrante para um enorme lago e o seu entorno montanhoso, queríamos tão somente sentar na sua borda com os pés sobre o abismo, comer um sanduíche e curtir a energia. Dessa vez não foi possível, pois havia fila enorme para subir na pedra. O local é alucinante, mas nós nos sentimos um pouco tolos por estarmos ali, esperando durante uma hora e meia para tirar uma foto. A pedra que se projeta sobre o abismo parece um palco de teatro, onde cada um dá o melhor de si em frente à sua câmera, enquanto é assistido por centenas de expectadores. Teve circo russo, bundalelê e até proposta de casamento. Apesar da espera, ao final, pudemos dizer que foi até divertido.

As outras duas caminhadas foram às margens do Fiorde de Lyse: uma até a pedra Preikestolen ou Pedra Púlpito e a outra para Kjeragbolten. A Pedra Púlpito é um dos destinos mais visitados da Noruega, recebendo, no verão, cerca de 200 mil pessoas. Para chegar a uma falésia com mais de 600 metros de altura e em formato de púlpito é preciso percorrer uma trilha de dificuldade média por cerca de quatro quilômetros. No caminho, grupos de turistas atrapalhavam nosso avanço. Como nessa temporada havíamos caminhado muito, estávamos em plena forma física e andávamos com rapidez e facilidade pelas trilhas acidentadas. Foi uma pena não estarmos tão preparados assim quando tentamos alcançar o cume do Huayna Potosí, na Bolívia.

Ao chegarmos no topo entendemos o motivo de tanto movimento: o lugar é lindíssimo e a vista panorâmica enche os olhos e a alma de qualquer um. Soma-se a isto o multicolorido das roupas das pessoas que estavam sobre a pedra com o contraste do fiorde ao fundo sumindo continente adentro. As fotos ficaram lindas. Não por acaso que o Lyse foi classificado por diversos guias de viagem como uma das mais espetaculares vistas do mundo, além de ter sido declarado Patrimônio da Humanidade pela Unesco.

Encontramos alguns brasileiros lá em cima e me pediram para fotografá-los. Começamos a conversar e contamos um pouco da nossa história, onde estivemos, para onde estávamos indo e contei que nosso primeiro livro foi o principal financiador daquela nossa viagem. Logo depois de nos despedirmos, escutei um falar ao outro, em tom sarcástico, que também gostaria de escrever um livro para poder viajar. Deve ter pensado que tudo para nós caiu do céu. Faz parte.

Kjeragbolten é uma pedra arredondada que por algum mistério da natureza encavalou-se em uma fenda na parte alta de um penhasco com quase mil metros de altura. A pedra não tem mais do que um metro quadrado de área e suas bordas são arredondadas, aparentando escorregadias. O vento forte não ajudava, mas subimos nela mesmo assim. Dá um frio na barriga só de lembrar que lá ficamos por alguns instantes. Um passo à frente, mil metros de queda livre; um passo atrás, a mesma coisa.

Em boa parte do caminho até o Kjeragbolten, principalmente nas áreas de maior dificuldade, estava sendo construída uma escadaria e uma calçada de pedra. O fato curioso é que os noruegueses, por não possuírem expertise para a construção daquele tipo de obra, importaram mão de obra nepalesa. As pedras grandes estavam sendo transportadas por helicóptero, que voou o dia inteiro levando pedras da parte baixa da montanha até o topo. Os nepaleses colocavam-nas solidamente, formando passarelas. Um norueguês confessou-nos que se caso caminhássemos por escadarias bambas, teriam sido construídas pelos locais, pois o serviço dos homens do Nepal tinha qualidade para durar eternamente.

Num lugar de difícil passagem havia correntes de segurança presas à rocha para evitar quedas. Por estarmos no auge do nosso pique e por haver fila para subir e descer, resolvemos escalar pelo lado, sem o uso das correntes. Foi quando escutamos um brasileiro falar: "Olha os aprendizes de cabra, aí!". Ele não imaginava que também éramos brasileiros, até ouvirem a Michelle responder: "Somos cabra não, moço." E caímos na gargalhada com sua feição de surpresa.

Em um dos últimos trechos da Noruega, enquanto esperávamos na fila em uma obra de estrada, um homem bateu na janela de nosso carro. Era Ron, proprietário de um Land Rover. Conversa vai, conversa vem, Ron nos convidou para visitá-lo em Valle. Aceitamos, mas estranhamos um pouco, pois sabíamos que o povo norueguês jamais abordaria um estranho dessa forma, ainda mais para convidá-lo à sua casa. Os noruegueses são reservados como todos os escandinavos. Quando chegamos, desvendamos o mistério: Ron é holandês e sua esposa Ania polonesa. Ambos moram há anos naquele país, onde tiveram dois filhos, Ulvar e Vilja.

As conversas que tivemos com Ron e Ania e também com outros viajantes deram-nos a impressão de que eles estavam com uma certa carência afetiva, pois a relação social de um estrangeiro com o povo norueguês é difícil. Ron contou-nos que apesar de morar há muito tempo lá ainda não havia conhecido pessoalmente o seu vizinho. Isso me fez questionar a validade do estudo que coloca a Finlândia em primeiro lugar no mundo no quesito "felicidade" e a Noruega em terceiro. Não que um povo reservado não possa ser feliz, mas existem coisas na vida que em minha opinião podem mascarar um pouco esse sentimento. Os índices utilizados no estudo foram: PIB per capita, expectativa de vida saudável, generosidade, exposição à corrupção, liberdade para fazer escolhas e apoio social – medido pela afirmação de que se tem alguém para contar em momentos de dificuldade.

A Noruega é um dos países mais ricos do mundo, o apoio social ao seu povo vai ao extremo. Ron disse que nenhum dos seus vizinhos criadores de ovelhas cuida de mais de cem animais. Acima desse número o criador perde o subsídio governamental. As fazendas, embora pequenas, são muito bem equipadas, o que nos faz concluir que para adquirir esses equipamentos provavelmente exista também algum subsídio. Como os vizinhos quase não se conversam, a ideia de existir uma cooperativa para a utilização de tanto maquinário não funcionaria.

Nós, brasileiros, temos uma colocação ruim em praticamente todos os índices da pesquisa da felicidade. Temos a corrupção, não temos um plano de saúde governamental adequado, a previdência não paga lá essas coisas, a segurança é precária e a renda per capita é baixa. Vivemos correndo e sonhando em conquistar melhor padrão de vida. Na Noruega, aparentemente, as pessoas vivem um dia após o outro com a segurança de que nada de mau vai lhes acontecer, o que pode tornar a vida um pouco maçante. Pelo menos para mim a monotonia pode afetar negativamente o índice de felicidade.

Outra questão é o frio: enquanto estivemos lá, em pleno verão, suplicávamos por dias mais quentes e luz do sol, pois em grande parte do tempo a temperatura esteve abaixo dos 10°C. Tendo viajado por esses países e tido a oportunidade de conhecer cidades brasileiras onde as pessoas sentam-se frente às suas casas ao final do dia para conversar com os vizinhos, enquanto as crianças descalças correm com suas pipas, jogam amarelinha ou futebol e nas praças os idosos jogam dominó ou truco, arrisco um palpite: somos mais felizes do que eles.

O que você andou bebendo?

Na fronteira da Noruega com a Suécia aconteceu um fato cômico: o policial pediu para eu fazer o teste de bafômetro em plena luz do dia. Assoprei o aparelho, que não acusou nada, mas não perdi a oportunidade de tirar uma casquinha e perguntei a ele: “É possível estar bêbado vindo da Noruega?” Para quem não sabe, o imposto sobre bebidas alcoólicas naquele país é muito alto. Beber na Noruega é só para quem tem muito dinheiro.

Fazia mais ou menos 20 anos que eu não via meu amigo sueco Carl Grevelius. Tornamo-nos grandes amigos em 1996, na Alemanha, quando frequentamos um curso de alemão. Na época tínhamos vinte e poucos anos, estávamos sozinhos e longe de casa. Com certo constrangimento, confesso que aprontamos muito naquele país.

Contei tantas histórias de festas malucas para a Michelle que ela confessou ter até medo de conhecer o Carl. A culpa dessa “vida loca” eu colocava sempre nele, dizendo serem esses suecos malucos e que fui influenciado por ele. Carl, por sua vez, falava a mesma coisa para a Madeleine, sua esposa. Contava as mesmas histórias sobre nossa vida na Alemanha, reforçando serem os brasileiros malucos. E ela também se sentia aflita em me conhecer.

Carl, Madeleine e seus seis filhos moram em Lidingö, um bairro tradicional da capital sueca. Os seis dias em que ficamos com eles foram muito agradáveis. As conversas iam noite adentro, sempre regadas por vinho e deliciosas refeições: canapés de camarão cru, torradas com creme de kantarelis (um cogumelo saboroso e nativo da região), bolinhos de carne, batatas e ervilhas cozidas servidas com geleia de *lingonberry*, salmão e sopas de frutos do mar.

Outro amigo, o Henrik Patzer, que conheci quando veio, juntamente com o Carl, visitar-me no Brasil, estava disposto a ser nosso guia por Estocolmo – belíssima cidade, centro cultural, político, financeiro e administrativo da Suécia. Localiza-se sobre 14 ilhas ao longo do lago Malar, historicamente importante por fazer conexão com o Mar Báltico. Para onde olhávamos, víamos água e beleza. Estocolmo é conhecida pelos edifícios e monumentos extremamente bem preservados, por seus parques arborizados, riquíssima vida cultural, gastronômica e pela boa qualidade de vida que oferece aos seus moradores. Nos últimos anos tem sido referenciada entre as melhores cidades para se morar no mundo. A área financeira, onde estão os bancos mais importantes, é o coração da Suécia. Enquanto caminhávamos por lá, Henrik apontou para um homem que caminhava tranquilamente na rua e contou-nos ser uma das pessoas mais ricas da Suécia. Lá isso pode acontecer.

Entramos em um dos bancos para trocar algumas coroas norueguesas que haviam sobrado e, para nossa surpresa, os bancos suecos não lidam mais com dinheiro de papel. Aliás, não só os bancos, mas muitos restaurantes e lojas só aceitam pagamento em cartão. Quanta diferença com relação a outros países do oriente. Alguns ainda praticam escambo. Lembro-me de um banco em Murgab, no Tadjiquistão, onde entrei para trocar dólares. Dentro dele havia apenas duas pessoas: um atendente e o segurança – um cofre, mais nada.

A empresa de investimentos do Carl fica na área financeira e ele conta orgulhoso que o prédio onde está sediada possui o elevador mais antigo do país. Disse-nos que é preciso pagar caro para se estabelecer naquela região, uma das mais valorizadas da capital, pois a classe investidora sueca dá muito valor ao *glamour*.

Caminhamos ao longo do Palácio Real (como curiosidade, a rainha da Suécia, Sílvia Renata Sommerlath, é filha de uma brasileira) e pelas ruelas da cidade antiga. Henrik levou-nos até a barbearia do seu pai, que atende há anos os nobres e políticos de Estocolmo. Para saber das fofocas políticas e da alta sociedade local é só falar com ele. Percorremos a rua mais estreita do Centro Histórico – a Mårten Trotzigs, que tem menos de um metro de largura – e curtimos uma bela vista da capital do mirante Monteliusvagen.

Falando em dinheiro

Uma informação interessante: quanto custou a nossa viagem?

Considerando todas as despesas, inclusive as passagens de avião e os despachos de navio, 69 mil dólares, ou seja, 58 dólares por dia. No período da viagem podemos considerar uma cotação média do dólar de 3,15 reais. Quando partimos, valia 2,30 reais, mas passou a valer mais de 4 reais em certos momentos. E, para nossa infelicidade, estava em alta quando tivemos que recomprar os equipamentos de fotografia e filmagem roubados, os quais não fazem parte desse total.

A forma como lidávamos com dinheiro variava de acordo com a infraestrutura de cada país e o momento da viagem, mas essencialmente usávamos cartão de débito, dólares e euros em espécie. Procurávamos nos atualizar tentando descobrir novas formas de perder menos nas transações bancárias, mas uma coisa é certa: sempre iremos perder para o sistema bancário, em qualquer país do mundo. O importante é aprender formas de se perder menos.

No começo usávamos um cartão de débito, tipo cartão de viagem. Abastecíamos no Brasil, em reais; o valor era convertido para dólar e, ao sacar, para moeda local no país em que estivéssemos. Os custos dele eram altos – o dólar utilizado no abastecimento era o turismo e sobre a transação incidia uma taxa de 6,38% de imposto (IOF). Na hora de sacar ou de fazer um pagamento, mais taxa de conversão. Isso sem falar do custo dos saques – para reduzi-lo procurávamos prever o quanto iríamos gastar no país e sacar o necessário para todas as despesas de uma só vez.

Nos EUA, por indicação de um amigo, abrimos uma conta bancária em meu nome no banco Wells Fargo. Não é algo usual abrir uma conta onde não se tem residência comprovada, mas deu certo, usando o endereço de um amigo. Essa conta foi útil por um tempo, pois era mais barata do que o cartão de viagem, mas também trouxe algumas frustrações. A maior foi quando fomos roubados nos EUA e ficamos sem lenço e sem documento. Fui até uma agência bancária para tentar sacar um pouco de dinheiro e poder refazer nossos passaportes e outros documentos, mas o máximo que consegui, mesmo comprovando de todas as formas que eu era o dono da conta, foi apenas cem dólares. Essa conta tinha um custo de 15 dólares mensais caso mantivéssemos menos que mil dólares depositados no banco.

Em transações internacionais, fora dos EUA, o cartão do Wells Fargo cobra 3%, uma taxa mais em conta do que a do IOF no Brasil. A questão era: como abastecer a conta se nosso dinheiro estava no Brasil? Conseguimos fazer isso de algumas formas: o patrocinador Intercroma depositou diretamente em nossa conta americana; encontramos brasileiros nos EUA que precisavam transferir dinheiro para o nosso país e, como nós precisávamos fazer a operação em sentido inverso, compramos seus dólares em espécie e fizemos o depósito correspondente em reais no Brasil: economia para os dois interessados; nossos familiares levaram dinheiro em espécie quando foram nos visitar; e, por meio de uma empresa de investimentos, conseguimos transferir do Brasil aos EUA pagando dólar comercial, mais 0,38% de IOF. Nesse último caso, a quantia anual que podíamos transferir era muito baixa, já que o valor autorizado é relacionado a uma renda comprovada no Brasil – o que não tínhamos.

Mais tarde, quando estávamos na Ásia, descobrimos uma forma melhor. Foi por meio do Banco do Brasil Américas, uma subsidiária do Banco do Brasil, com atuação nos EUA. A Michelle era correntista, então pôde abrir uma conta lá em Miami, fazendo tudo a distância. Mas a condição era que o primeiro depósito fosse de, no mínimo, 10 mil dólares. A vantagem: podíamos fazer a transferência de valores entre o Brasil e os EUA pelo próprio sistema on-line do Banco do Brasil, pagando dólar comercial + 0,38% de IOF. Esse cartão cobrava algo em torno de 1% em transações internacionais, a forma mais econômica de todos os cartões. Próximo ao término da viagem, porém, as transferências ficaram mais restritas e burocráticas e, como não tínhamos como comprovar renda, saímos novamente prejudicados.

Dependendo do país, levávamos dólares ou euros em espécie. É sempre bom ter uma reserva escondida no carro, pois em muitos países, principalmente em desenvolvimento, os raros caixas eletrônicos ou não funcionam ou não têm dinheiro no momento em que se precisa. Em outras situações, ter dólares ou euros em espécie vale muito mais do que usar cartão, pois o mercado negro paga bem. O Uzbequistão é um exemplo: o mercado paralelo paga 100% a mais do que o câmbio oficial. Porém, andar com dinheiro em espécie traz o risco de roubo e confisco.

Lidar com o dinheiro não foi o maior problema – difícil foi manter--se financeiramente estável viajando por tanto tempo sem auferir novas receitas. Apesar do patrocinador Intercroma ter arcado com uma boa parte do custo, mais de 2/3 das despesas saíram do nosso bolso. Isso sem considerar o valor investido antes do inicio da viagem com a compra de equipamentos e a preparação do carro. Levantamos esses recursos com a venda dos livros e com as palestras proferidas entre a primeira e a segunda viagem. Nesse intervalo, a Michelle também trabalhou como arquiteta, o que ajudou a reforçar o caixa.

Tínhamos o hábito de anotar todos os gastos diariamente e fazer um controle por meio de uma planilha para não extrapolar os custos mensais. Não pudemos visitar todos os atrativos pagos e otimizamos nas compras, principalmente de combustível e alimento, ao escolhermos marcas acessíveis e estarmos atentos às promoções. Se os restaurantes eram caros, cozinhávamos no carro e, é claro, dormíamos no Lobo todos os dias, o que não nos gerava custo. É fácil gastar o dobro – tudo depende do conforto de que se quer usufruir.

Nós estávamos propensos a gastar um pouco mais dessa vez, para podermos aproveitar melhor os atrativos da viagem, mas depois dos roubos que aconteceram na Colômbia e nos Estados Unidos, isso ficou completamente fora de cogitação. Ao final, acabamos viajando de forma mais econômica do que na primeira viagem.

Como já mencionamos nesse livro – lidar com recursos escassos acaba virando a pimenta da história. Muitos acontecimentos teriam sido diferentes caso não precisássemos controlar e economizar.

Terra dos Vikings

A história dessas terras está muito ligada aos Vikings – um antigo povo que se originou no que hoje compreende os territórios da Suécia, Dinamarca e Noruega. Constituíram uma cultura baseada na agricultura, artesanato e num notável comércio marítimo. Eram temidos pelo mundo por serem saqueadores, especialmente na antiga região da Bretanha, que compreende o Reino Unido. Viajavam em barcos rápidos chamados dracares, cuja velocidade facilitava ataques surpresa e fugas quando necessário. À medida que evoluíram em suas habilidades náuticas, conquistaram terras distantes, estabelecendo-se na Inglaterra, Escócia, norte da França, Rússia, Irlanda, Islândia e Groenlândia. Há registros de que os Vikings chegaram à Península Ibérica, na Palestina e, no ano

1000, muito antes de Cristóvão Colombo, alcançado a América do Norte, onde fundaram uma pequena colônia no atual Canadá. O apogeu desse povo ocorreu entre os séculos 8 e 11 e seu declínio se deu no século 12.

Nas proximidades de Ödeshög, junto à igreja de Rök, conhecemos a pedra de Rök – uma pedra rúnica dos tempos dos Vikings. Elas eram colocadas em espaços visíveis para homenagens póstumas a homens importantes. A esses textos dá-se o nome de runas – um tipo de escrita germânica da Europa do Norte. Dentre as 2,5 mil encontradas na Suécia, a de Rök possui o texto mais extenso. A pedra tem quase 4 metros de altura.

Gotemburgo é a segunda maior cidade da Suécia e, assim como a capital, é limpa e organizada, com um setor industrial moderno e desenvolvido. A Volvo foi fundada ali em 1927. Ouvi dizer que na fábrica existe uma prática interessante que sinaliza o respeito mútuo entre os funcionários: os que chegam mais cedo estacionam nas vagas mais distantes da porta de entrada, pois têm tempo para caminhar até sua área de trabalho antes do expediente começar; assim, os que chegam mais tarde encontram as vagas próximas e não precisam correr para não se atrasarem. Em nosso país faz-se o oposto: quem chega primeiro estaciona nas vagas mais próximas da entrada.

Mike Schmid, amigo alemão que conhecemos em nossa primeira viagem de volta ao mundo, mora em Gotemburgo há alguns anos e trabalha para a empresa alemã fabricante de peças automotivas Mann+Hummel. Mike e sua esposa Ivanka levaram-nos por todos os cantos da cidade. Os passeios tiveram direito a comidas tradicionais e cafés da tarde com tortas saborosas que eles chamam de *finca* – parte da cultura desse povo.

Pedágio em moedas de ouro

Seguimos viagem ao Sul até Helsingborg e de lá tomamos um ferry para cruzar os 4 quilômetros de mar que separam a Suécia da Dinamarca. Há poucos lugares na Escandinávia com uma história tão relevante como a do Estreito de Øresund: uma condição geográfica que garantiu a riqueza da realeza da Dinamarca por mais de quatro séculos. Em 1429 o rei da Dinamarca, Érico da Pomerania, introduziu o Sound Dues: todos os navios estrangeiros que passassem pelo estreito deveriam parar na cidade de Helsingör e pagar pedágio em moedas de ouro. Se algum navio recusasse o pagamento, os canhões dos dois lados da passagem (em Helsingör, na Dinamarca e Helsingborg, na Suécia) estariam a postos para abrir fogo. Em 1567 o montante cobrado chegou a representar entre 1% e 2% do valor do navio, incluindo sua carga. Para certificar-se de que o valor declarado era verdadeiro, os dinamarqueses se davam o direito de comprar o navio e suas mercadorias pelo valor declarado.

Somente o Estreito de Gibraltar, entre a Espanha e a África, possui tal importância estratégica. Ambos controlavam a entrada e saída dos mais importantes mares internos do mundo na época. O Sound Dues teve o seu fim em 1857 na Convenção de Copenhague, quando os três estreitos dinamarqueses foram declarados águas internacionais, levando a Dinamarca a perder a sua maior fonte de renda. A quantia levantada durante o tempo em que foi cobrado o pedágio representou dois terços da arrecadação do Estado nos séculos 16 e 17. Tamanha riqueza permitiu que várias gerações de reis dinamarqueses ostentassem a corte mais suntuosa do norte da Europa na época.

No lado dinamarquês do estreito, na cidade Helsingör, está o Castelo Kronborg. Este ficou famoso não só pelo Sound Dues mas por ter sido o cenário da história de Hamlet, um dos personagens mais famosos da obra de William Shakespeare. Por isso ele é mais conhecido como o Castelo de Hamlet. A cidade tem um charme à parte: possui uma coleção de casas coloridas em estilo enxaimel e murais pintados nas fachadas retratando os velhos tempos. Um antigo estaleiro foi revitalizado e transformado em área pública, abrigando o Centro Cultural, o Museu Náutico, a Biblioteca, cafés e praças abertas. A linguagem arquitetônica do antigo com o moderno é uma das características da Dinamarca e predomina em todo o país.

A Michelle queria conhecer o Museu de Arte Moderna Louisiana, um dos bons exemplos da integração arquitetura, arte e paisagem. A construção do museu é uma atração por si só, mas a exposição temporária que ocorria tornou nossa visita ainda mais interessante: chamava-se The Cleaner, uma retrospectiva da carreira de Marina Abramović – artista performática de Belgrado, na Sérvia –, retratando em fotos e vídeos as performances da artista. Marina iniciou os seus trabalhos na década de 70 e neles explora as relações entre o artista e a plateia, os limites do corpo e as possibilidades da mente.

Entre as performances, destacamos uma que experimentamos na pele – Imponderabilia. O público é induzido a passar por uma "porta humana", ou seja, um pequeno espaço que fica entre um casal de atores nus. A apresentação original foi feita em 1977 na Galeria Municipal de Arte Moderna de Bolonha, onde Marina e o artista alemão Ulay (seu companheiro de vida e arte) passaram noventa minutos de pé frente a frente, imóveis e nus, na entrada estreita do museu, forçando os visitantes que queriam entrar a passarem entre eles. A ideia de Marina e seu companheiro era de ficar ali durante seis horas, mas foi interrompida pela polícia, tamanho o afrontamento do seu estudo com os paradigmas da sociedade da época. Imponderabilia tinha o intuito de investigar as diferentes reações do público diante daquilo. Mexeu com todos e isso acontece até os dias de hoje. A prova está na postagem que fizemos inocentemente da experiência, com a foto de um de nós cruzando aquela porta. Gerou tanta polêmica entre as pessoas que a viram, que o próprio aplicativo Instagram a deletou de nosso perfil.

Marina fez outros experimentos em sua carreira e alguns são ainda mais chocantes. Prefiro não mencioná-los, pois só é possível entender o objetivo e o ponto de vista da artista quando se lê o seu descritivo completo. Um experimento mais ameno, mas que mexeu muito conosco, foi executado originalmente em Nova York, num local de muito movimento. Havia uma mesa e duas cadeiras: uma em que Marina ficava sentada, a outra liberada para qualquer pessoa que quisesse fazer-lhe companhia. Porém havia uma regra a ser seguida: a pessoa teria que encarar Marina olho no olho, o tempo que conseguisse, sem falar uma palavra ou fazer caretas. O estudo foi filmado e entre tantas reações que um simples olhar nos olhos despertou, houve pessoas que riram descontroladamente e outras que choraram.

Esse experimento nós pudemos fazer também ali no museu. Sentamos em frente a pessoas desconhecidas e, sem trocar qualquer palavra, passamos a olhar para elas sem interrupção enquanto aguentássemos. Foi muito interessante, pois tanto a pessoa que sentou em frente a Michelle quanto a que sentou na minha frente, dormiram. Simplesmente dormiram. A Michelle contou-me que enquanto olhava para seu companheiro de experimento, sentiu despertar uma grande curiosidade sobre quem era aquela pessoa, de onde vinha, o que fazia e, principalmente, o que estaria pensando dela.

Dentre as capitais europeias, Copenhague é a nossa preferida. É uma cidade portuária com mais de mil anos combinando edificações históricas com as de estilo moderno. Tem muitas áreas revitalizadas e bem planejadas. Tudo visa o benefício da população, o que torna a atmosfera local muito agradável.

A inovação está no sangue do dinamarquês: o país todo pulsa design. Apesar de ser um país pequeno, é referência mundial nas áreas do design e da inovação, sede da maioria dos escritórios, museus e obras de design, arquitetura e percursores em projetos eco conscientes.

Um exemplo da mente aberta e sem preconceitos do povo dinamarquês é a Freetown Christiania: desde 1971 é um escape do mundo capitalista. A área concentra hippies e pessoas descoladas do mundo inteiro, atraídas pelo conceito de comércio coletivo, workshops, programas de reciclagem e vida em comunidade. Enquanto a rua Pusher tem a fama de ser um lugar onde se pode comprar drogas abertamente, o restante do bairro mantém uma atmosfera de cidade do interior. Acampamos no estacionamento de um clube ao Sul desta área e todos os dias, para ir e voltar ao centro, cruzávamos pela Christiania. A primeira vez que cruzamos à noite fomos surpreendidos porque na área não havia iluminação pública, tampouco luz acessa nas casas; creio que nem energia elétrica havia. As pessoas circulavam com lanternas ou simplesmente no escuro.

Copenhague é a cidade das bicicletas. Poucos carros circulam pelas ruas centrais. As ciclovias são um exemplo para o mundo e a principal parte delas é a ponte para bicicletas e pedestres, bem no coração da cidade. O bicicletário da estação de trem Nørreport está sempre lotado – milhares de bicicletas estacionadas à espera de seus donos, que as deixam ali para irem aos seus trabalhos. Nas horas de rush há tantos ciclistas que tínhamos que ficar espertos para não sermos atropelados.

No dia em que estávamos para deixar a cidade, quando passávamos por uma zona comercial, reduzi a velocidade do Lobo, pois teria que parar em um sinaleiro. Naquele exato momento, um conhecido da nossa cidade chamado Maycon Postai, que mora e trabalha em Copenhague, levantou da mesa do escritório (o que, segundo ele, dificilmente fazia) e foi até a janela para relaxar e olhar o movimento, quando nos viu à sua frente, aguardando o sinaleiro abrir. Coincidência? Ficamos sabendo disso apenas dias mais tarde, quando uma amiga em comum nos contou o episódio.

Uma hora e meia ao sul de Copenhague fica a ilha Møn, que com seu ar pacato e bucólico parece se distanciar em séculos da capital. Fazendas, vilas pesqueiras e igrejas com afrescos de 500 anos ajudam a dar essa sensação. Ali localiza-se uma das partes mais interessantes do litoral da Dinamarca – o Møns Klint. Penhascos de calcário, resultados de uma elevação do solo marinho durante a Era Glacial, emergem 128 metros acima do nível do mar.

No topo da falésia caminhamos pela Floresta de Klinteskoven. Ela tem uma conotação diferente das florestas dos outros países nórdicos, pois possui árvores com mais de 400 anos com troncos muito grandes e folhas pequenas. Descemos por uma escadaria até a praia a fim de caminhar por uma faixa estreita de pedras entre o mar azul e os paredões brancos calcários. Num dado momento, algo passou voando à nossa frente como se fosse um raio. Devido à velocidade, foi impossível distinguir o que era, mas deduzimos ter sido um falcão peregrino – o ser vivo mais veloz do mundo, que pode atingir até 320 quilômetros por hora. O Møns Klint é um dos habitats do falcão.

A capital Copenhague situa-se na ilha Zelândia e Møns Klint na ilha Møn. Para irmos rumo Oeste, cruzamos a ilha Fiónia e, por fim, a península de Jutlândia, já conectada com o norte europeu. Circular facilmente por um país que tem 443 ilhas só é possível se ele possuir uma boa infraestrutura e o dinamarquês é um bom construtor de pontes.

Um exemplo é a Ponte de Øresund, que conecta a Dinamarca e a Suécia pelo Estreito de Øresund. É uma mega-construção e seu complexo rodoferroviário de 16 quilômetros é composto por três partes: uma ponte com 7.845 metros; um túnel de 3.510 metros e uma ilha artificial, Pepparholm, de 4.055 metros. Outra ponte que merece respeito é a Grande Belt (Østbroen), que interliga as ilhas Zelândia e Fiónia: com 18 quilômetros de extensão, possui o terceiro maior vão livre do mundo – 1,6 quilômetro. As duas obras tornaram a Dinamarca uma ligação estratégica entre a Escandinávia e o norte europeu.

As cores das folhas nas árvores diziam que o outono se aproximava e lembrava-nos que precisávamos tocar em frente. O último programa na Dinamarca foi visitar o Museu Viking de Ladby – localizado onde foi encontrada a tumba de um rei Viking. Ele devia ser uma pessoa importante no século 9, pois seu sepulcro foi realizado dentro de um barco com 21,5 metros de comprimento, carregado com diversos objetos: armas, joias, roupas, equipamentos de montaria, potes, panelas, moedas e um tabuleiro de jogos. A madeira do barco não resistiu aos mais de mil anos no solo, mas deixou seu formato impresso. Metais como pregos, argolas, âncora, além dos ossos de cachorros e cavalos sacrificados, preservaram-se.

Encontros e reencontros

A última pernada na Europa foi de preparativos para deixarmos o velho continente. Também foi uma espécie de férias e momento de encontros e reencontros. Fazia três anos que não víamos a Arlette, mãe da Michelle. Quanto tempo se passara e quantas coisas aconteceram nesse período. Ela estava para ir à Europa em viagem de turismo com algumas amigas, mas quando nos detalhou seu itinerário, vimos que passaria longe do nosso, por isso nem nos empolgamos muito para encontrá-la. O tempo foi passando, nossa viagem adiantou e constatamos que daria para fazer uma surpresa para ela em Dortmund, norte da Alemanha. A Michelle organizou esse encontro às escondidas da mãe com a Mirian, a guia de viagem do grupo.

Chegamos ao hotel antes delas e estacionamos o Lobo logo na entrada do prédio. Quando elas chegaram, foi um susto enorme: a dona Arlette encontrara "por acaso" com o veículo que levou a sua filha para os confins do mundo – e por tanto tempo. Foi emocionante ver o reencontro das duas na entrada do hotel. Para comemorar os poucos momentos que passariam juntas, a Michelle juntou-se ao grupo e foram ao show da cantora do momento da Alemanha – Helene Fischer. O espetáculo contou com uma série de malabarismos (a cantora contratou os produtores do Cirque du Soleil), uma superprodução. O encontro mãe e filha-perdida-no-mundo foi breve, pois no dia seguinte elas retornariam ao Brasil. Desta vez ficariam longe uma da outra por apenas algumas semanas.

Compramos alguns equipamentos eletrônicos, encomendei peças sobressalentes de Land Rover da Inglaterra para receber via correio e comprei uma bicicleta usada pela internet. Ela iria substituir a que vendi antes da viagem. Estava em perfeitas condições, tinha manual e tudo, mas para minha surpresa, quando fui buscá-la estava sem os pedais – essa é a condição das bicicletas quando elas vêm de fábrica. Nos Países Baixos, onde encontramos um estacionamento para passar a noite, pesquisei no GPS e vi que havia uma loja de acessórios de bicicletas a apenas quatro quilômetros dali. Estava louco para comprar os pedais e sair pedalando. Subi na bike e fiz o trajeto com a ponta dos pés no chão, o que despertou olhares abismados das pessoas que me viram, literalmente, "pé-dalando".

Comprei os pedais e para que pudesse voltar como um ciclista normal pedi emprestada uma chave de boca ao vendedor. Ele respondeu, na lata, que não podia emprestar. "Sério? Você não pode me emprestar uma chave para eu instalar os pedais que acabei de comprar contigo?", perguntei, indignado. E a resposta: "Isso mesmo. Se quiser, posso instalá-los para você, mas terei que abrir uma ordem de serviço". Provavelmente eu teria que marcar um horário para isso também. No Brasil ninguém deixaria de emprestar uma chave de boca para instalar um pedal recém-comprado. Pelo contrário, tenho certeza de que o vendedor se prontificaria a instalar ele mesmo, sem custo algum.

Saí da loja decepcionado e passei a rosquear os pedais com a própria mão. O vendedor, vendo aquilo, ficou constrangido e trouxe-me a chave. Depois explicou-se dizendo que não emprestava ferramentas para que a loja não virasse uma bagunça. Esse pequeno acontecimento reforçou nossa percepção de que a gentileza está mais presente nos países menos desenvolvidos. Dificilmente nos EUA ou Europa um viajante terá algum serviço feito gratuitamente, mas em países mais pobres isso é muito comum.

Para soldar o tanque de combustível sobressalente, nos EUA tive que pagar 75 dólares, ao passo que na Rússia, isso foi feito junto com outros reparos pelo mecânico sem cobrar um centavo. Na Austrália eu precisava fazer três furos no alumínio do para-lamas para instalar um snorkel recém-comprado. O mecânico pediu 15 dólares. Como não tinha furadeira, tive que pagar. Quando no Brasil alguém iria cobrar para fazer três simples furos numa chapa de alumínio para um viajante que está a meio mundo de distância da sua casa? Tivemos mais exemplos assim, não só relacionados a serviços mecânicos. Um livro guia que utilizamos na Ásia Central (Tadjiquistão) chega a alertar os viajantes para que não se aproveitem da generosidade do povo local: eles são capazes de matar um animal, que alimentaria a família por semanas, para servir os visitantes.

Chegara a hora de reencontrar a outra mãe, a minha – Leones. Ela veio acompanhada da minha irmã Natascha para passar alguns dias conosco nos Países Baixos. Fomos buscá-las no aeroporto e logo após os abraços apertados, juntos seguimos para o porto de Roterdã para despachar o nosso velho Lobo da Estrada de volta para a América do Sul. Sem ele para morar, alugamos uma casa em Egmond aan den Hoef, uma vila ao norte de Amsterdã, onde passamos alguns dias. Hospedar-se em uma casa permitiu-nos ficar mais tempo e ter mais intimidade. Preparávamos as refeições, assistíamos a filmes ou apenas batíamos papo na sala para matar a saudade.

Alugamos um carro para passear e fomos até Alkmaar, a cidade dos queijos; Delft, a cidade das porcelanas azuis; Leiden, a cidade do pintor Rembrandt; Volendam, uma vila pesqueira com lindas casas de madeira; Utrecht, onde foi assinado o primeiro tratado de paz na Europa; Bergen, cidade nobre com casarões antigos e, finalmente, Amsterdã, a capital. Todas as cidades holandesas são simpáticas e, em geral, possuem características similares: são cortadas por canais navegáveis, com pontes que se elevam para os barcos passarem; as casas são coladas umas nas outras com fachadas de tijolinhos. Pedestres não têm muita vez – quem manda nesse país são os ciclistas.

Leiden, que já havíamos conhecido em nossa primeira volta ao mundo, vista do alto do forte De Burcht confirmou nossa impressão de que é uma das cidades mais bonitas dos Países Baixos. Tem uma atmosfera agradável e é cheia de vida. Abriga a universidade mais antiga do país, fundada em 1575, e tem a reputação de fornecer ao mundo 16 Prêmios Nobel. Foram várias descobertas premiadas na área da física quântica, além da invenção do eletrocardiograma e da criação das condições da geração da menor temperatura atingida na história (-273 °C). Não é de se surpreender que Albert Einstein também lecionou ali.

Os Países Baixos foram revolucionários no assunto industrial. O distrito de Zaan criou um dos primeiros locais voltados somente à industrialização no mundo. Até o final do século 18, cerca de 600 moinhos de vento operavam ali e eram usados para tudo: moer grãos, fazer óleos, cortar madeira e até produzir tintas para os pintores famosos da época. Os pigmentos vinham de madeiras e minerais de todas as partes do mundo, inclusive do nosso pau-brasil.

A expertise que eles adquiriram para conseguir o melhor aproveitamento da força dos ventos é incrível. Para posicionarem-se no sentido do vento, alguns moinhos – os mais antigos – giravam 360 graus. Os mais novos só giram o topo junto à hélice, necessitando-se de apenas uma pessoa para fazer o ajuste. Feitos de madeira dura, de alta resistência ao atrito, os sistemas de engrenagens transmitiam a força do vento para os moedores de diferentes formas. De acordo com o trabalho a ser executado, usavam diferentes tamanhos de cavilhas e enxós. É um sistema tão impressionante quanto os mecanismos de um relógio suíço, só que em proporções maiores.

Com a invenção das máquinas a vapor e de combustão interna, o uso do vento perdeu importância. Hoje os poucos moinhos que sobraram – mil, dos dez mil que existiram nos Países Baixos – transformaram-se em museus.

Se não há espaço na terra, o jeito é avançar para o mar

Os Países Baixos estão entre os mais densamente povoados do mundo. E como já não havia mais espaço para tanta gente, das duas uma: ou conquistavam o território de seus vizinhos, Alemanha e Bélgica, ou iam para cima do mar. Como o próprio nome – Países Baixos – diz, são terras de baixa altitude. Geograficamente falando, eles possuem cerca de 27% de sua área e 60% de sua população situados abaixo do nível do mar. O ponto mais baixo, Nieuwerkerk aan den IJssel, perto de Roterdã, localiza-se a um nível de 6,76 metros abaixo do nível do Oceano Atlântico.

Grandes áreas dos Países Baixos foram conquistadas do mar – são conhecidas como pôlderes, ou seja, antigos lcitos oceânicos estancados por diques e depois secados. Os diques são obras de engenharia hidráulica, assim como são as barragens. Eles têm por finalidade manter determinadas áreas – os pôlderes – secos pelo represamento externo das águas correntes. No passado, o trabalho de retirada da água dos pôlderes era executado pelos moinhos de vento; hoje é feito por bombas elétricas.

Atualmente, os Países Baixos detêm a melhor tecnologia do planeta no que se refere à construção e manutenção de diques. O principal desafio é fazer com que resistam às tempestades do mar ou às enchentes dos rios, pois um terço do país está dentro de áreas vulneráveis. Ao longo dos séculos alguns desastres causaram a morte de milhares de pessoas.

Nas redondezas da casa que alugamos, uma área rural onde se plantam flores e criam-se vacas leiteiras, está localizada a praia de Egmond aan Zee. Desde o ano 977, quando o local se formou sobre as dunas costeiras, seus moradores lutam contra a força do mar. Em 1570 aconteceu um desastre de proporções enormes na costa holandesa e ficou conhecido como "a enchente de todos os santos". Um longo período de tempestade rompeu os diques e provocou uma grande inundação, trazendo a morte para milhares de pessoas. Em Egmond aan Zee, cerca de 50 casas desapareceram. Em 1741 o mar engoliu 36 casas e a igreja local. A última grande enchente ocorreu no início de fevereiro de 1953, quando uma tempestade afetou os diques do Sudeste. Mais de 1,8 mil pessoas morreram afogadas.

O governo investiu em um programa de larga escala de obras públicas para proteger o país contra futuras enchentes. O projeto levou mais de 30 anos e é considerado pela Sociedade Americana de Engenheiros Civis como uma das sete maravilhas da engenharia do mundo moderno. Mesmo assim, com o aumento gradual do nível dos oceanos causado pelo aquecimento global, os Países Baixos podem ser um dos primeiros a sentir o problema.

A praia de Egmond aan Zee estava lotada de pessoas encasacadas caminhando pela longa faixa de areia, acompanhadas de seus cachorros. Lá no meio do mar, quase como uma miragem, pode-se identificar uma grande quantidade de geradores eólicos – um programa destaque do país e um belo exemplo para o mundo. Desde 2017 todos os trens do país são movidos a energia gerada pelos ventos.

No passeio a pé por essa praia, um dos pontos altos foi nosso almoço. Experimentamos arenque cru, uma iguaria tradicional. Arenque é um peixe pequeno, comum nos mares do Norte. Após capturado é congelado e depois depositado no sal por alguns dias – dessa forma pode ser conservado por meses. O peixe foi servido de três diferentes formas e acompanhado de pão, salada e pepino em conserva.

Amsterdã demandou vários roteiros: da Estação Central, um dos principais marcos da cidade e onde chegamos de trem, saímos para caminhadas ao longo dos seus canais e marcos históricos e arquitetônicos. Um destaque é o museu de Van Gogh, onde guiados por um áudio-guia andamos por galerias apreciando a arte e aprendendo sobre a curta trajetória da vida desse maravilhoso pintor que gostava de pintar a vida rural e de expressar a essência das pessoas. Para tanto, utilizava técnicas que foram evoluindo ao longo da sua carreira, desde o pontilhado até as curvas em espiral. Pintou autorretratos, pois não tinha dinheiro para pagar modelos. Seu irmão Theo, quatro anos mais novo, foi o seu principal amigo e apoiador. Ao ver seus desenhos, Theo estimulou-o a seguir a carreira artística, que infelizmente não foi reconhecida antes de sua morte.

A carreira de Van Gogh como pintor durou apenas 10 anos e durante esse tempo ele produziu cerca de 900 quadros e 1,1 mil trabalhos em papel. Na última fase chegou a pintar um quadro por dia. Neste processo atravessou crises existenciais, bipolaridade e delírios psicóticos. Dizem que se matou com um tiro no peito aos 37 anos. Ao longo da vida vendeu apenas um quadro. Foi um artista fora do seu tempo.

No dia 13 de outubro minha irmã Natascha retornou ao Brasil e minha mãe Leones seguiu viagem sozinha pela Alemanha, República Tcheca e Polônia. Ficamos na Holanda por mais três dias e voltamos para Amsterdã para fazer a nossa despedida da Europa ao caminhar pelo distrito da Luz Vermelha (bairro dos bordéis), cujas ruas, bares e restaurantes ficam lotados. Foi o lugar perfeito para celebrar com uma boa cerveja o término dos nove meses no continente europeu.

No dia 16 de outubro, às 18h20, embarcamos para o Brasil. Lá de cima, os Países Baixos ia ficando para trás. Já estava começando a escurecer e pudemos ver algo que não vimos do chão – as estufas iluminadas. Um amigo contou que duas décadas atrás o país assumiu o compromisso da agricultura sustentável, produzindo o dobro de comida com metade dos recursos – e as estufas foram a solução. Há milhares delas.

Os Países Baixos são uma região pequena e populosa, que não conta com os recursos naturais necessários para a agricultura em larga escala, mas mesmo assim consegue ser um dos maiores exportadores de alimentos do mundo, equiparando-se a países que são mais de 200 vezes maiores em território. Eles reduziram em 90% o desperdício de água, eliminaram grande parte dos pesticidas químicos e cortaram em 60% o uso de antibióticos na criação de frango e gado. As fazendas climatizadas permitem a produção de alimentos de regiões de clima quente, a exemplo do tomate.

Segundo Ernst van den Ende, diretor do Grupo de Ciências das Plantas da WUR, reconhecida como a principal instituição de pesquisa agrícola do mundo, o planeta precisará produzir mais comida nas próximas quatro décadas do que aquilo o que todos os agricultores colheram nos últimos oito mil anos. Estima-se que em 2050 a Terra terá dez bilhões de habitantes e, segundo ele, se não conseguirmos um aumento significativo na produtividade das lavouras, com a redução massiva do uso de água e combustíveis fósseis, um bilhão de pessoas passarão fome.

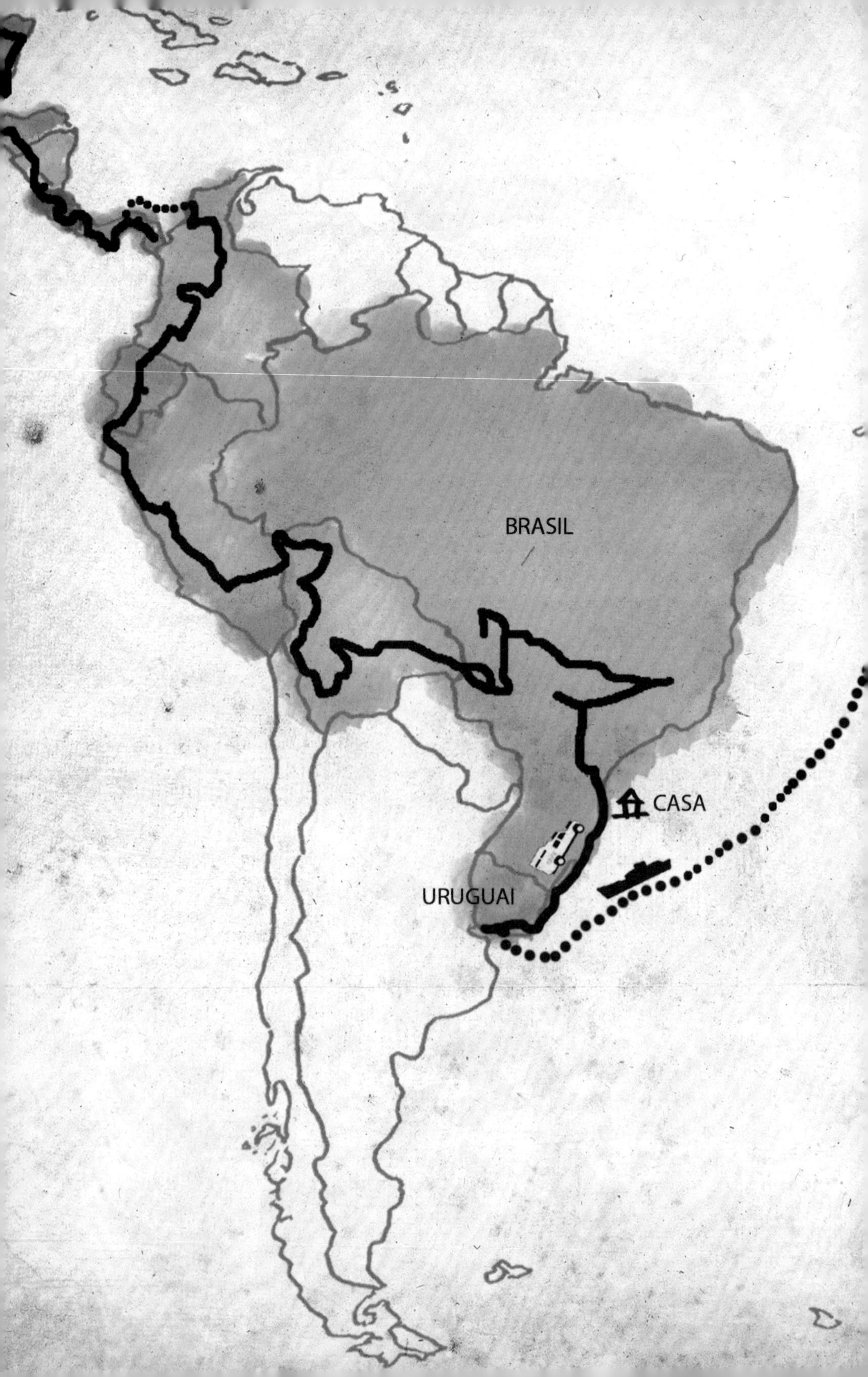
BRASIL
CASA
URUGUAI

13.
América do Sul 2

A Michelle bem que me alertou para renovarmos as carteiras de motorista antes de iniciarmos a viagem. Mas anteriormente à partida, para evitar mais correria e preocupações do que já tínhamos, com tantas coisas para cuidar, esquivei-me do conselho e empurrei o problema com a barriga para resolvê-lo no momento em que realmente precisasse me preocupar com ele. Como faríamos isso estando lá no outro lado do mundo? Eu não tinha a menor ideia.

Existem muitas situações em que me arrependi por não ter dado ouvidos à intuição feminina. As mais significativas foram a questão da renovação das carteiras e a sugestão de comprar maior quantidade de dólares antes da partida, quando o dólar estava em torno de 2,30 reais. Eu não comprei e claro que me arrependo até hoje, pois poderíamos ter economizado um bom dinheiro. Fazer o quê? O que foi feito, está feito. Na próxima vez darei mais ouvidos à Michelle.

Dos Países Baixos pegamos um voo para o Brasil e o Lobo viajou de navio para o Uruguai. Despachar um carro para algum porto brasileiro é pedir para se incomodar. O amigo Mauro Vieira, que foi de carro do Brasil aos EUA, na volta despachou o carro de Miami para o porto de Itapoá (SC) e teve problemas. Demoraram mais de duas semanas para liberar o carro, fazendo-o arcar, além dos custos dos trâmites normais, com os custos de armazenagem por causa da burocracia dos órgãos governamentais.

Fiquei sabendo também de um australiano que viajava o mundo

de motocicleta e enviou sua moto para um porto no Brasil (não me lembro qual), a fim de dar continuidade ao percurso pela América do Sul. Sua viagem terminou por ali, pois não conseguiu liberar a moto em tempo hábil para continuá-la. Os portos brasileiros estão com a moral baixa perante a classe de viajantes.

Nosso voo foi de Amsterdã para Florianópolis com escalas em Lisboa e Rio de Janeiro. De Florianópolis fomos de ônibus para São Bento do Sul, nossa cidade natal, mas meio a contragosto, pois não era nossa intenção voltar para casa antes do término oficial da viagem. Culpa minha: tivemos que ir para renovar nossas carteiras de motorista. A passagem em casa foi como um relâmpago, quase como se não tivéssemos passado, pois não era a hora ainda. Chegamos de surpresa e apenas almoçamos e jantamos com nossos familiares, muitos dos quais não víamos havia mais de três anos.

Vale aqui a nota: a Michelle muitas vezes sofre de pressão baixa. Mas ao fazer os exames médicos obrigatórios para a renovação da carteira, sua pressão estava alta pelo seu coração bater forte. Explicou ela ao médico que reencontraria a sua família naquela noite, depois de tanto tempo sem vê-los. Ele entendeu a situação, talvez tenha se comovido, e não fez nenhuma observação no exame.

No outro dia, com o problema das carteiras resolvido, botamos o pé na estrada novamente e, de ônibus, rumamos para o Uruguai, passando por Piçarras, Florianópolis e Porto Alegre até Chuí (RS). No caminho o ônibus fez uma parada de 15 minutos para irmos ao banheiro e comermos alguma coisa, mas enquanto utilizávamos da infraestrutura daquela parada, não nos atentamos para onde estávamos. Somente dentro do ônibus, aguardando a partida, descobri se tratar de Sombrio (SC), a cidade de Diogo Gonçalves, nosso até então amigo virtual que havia nos ajudado na campanha do Catarse. Havíamos parado na terra dele e quase que não percebemos. Procurei rapidamente o seu contato e enviei-lhe uma mensagem. Diogo me respondeu rapidamente que naquela hora estava muito próximo dali. Chegou a ir até lá, mas o ônibus já havia partido quando chegou. Nosso encontro teria que esperar mais alguns dias.

Outra lembrança dessa passagem de ônibus pelo Brasil foi que para poder nos comunicarmos com nossos familiares e amigos para ajudar nos trâmites da renovação das carteiras de motorista, compramos um chip pré-pago de celular em Florianópolis. Num dado momento, o telefone tocou e o toque nos deixou sem reação, sem saber o que fazer. Um olhou para o outro e falou: "atende, oras!". Parecia que estávamos com medo do celular. Pudera: fazia quase três anos e meio que ninguém nos ligava. Estávamos virando "bichos do mato" que não sabem nem atender um telefone.

Outro país, outro tudo

Em Chuí, cruzamos a pé a linha imaginária de divisa situada entre a Avenida Uruguai, no lado brasileiro, e a Avenida Brasil, no lado uruguaio, que demarca a fronteira entre o nosso país e o Uruguai. Um passo, outro país, outro idioma, outra moeda, outro fuso horário e outro time do coração nas Copas do Mundo de Futebol.

A chegada do nosso carro demoraria mais alguns dias. Por um website da companhia marítima podíamos acompanhar o seu progresso e àquela altura ele ainda navegava em águas internacionais, no navio cargueiro San Agostin. A espera deu-nos tempo para mochilar pelo Uruguai. Continuamos usando ônibus e fomos pingando por algumas praias: Punta del Diablo, Cabo Polonio e La Barra – a última nas proximidades de Punta del Este. Apesar do clima não condizer com o final do mês de outubro, pois ainda fazia frio, aproveitamos bastante o litoral uruguaio. Suas praias diferem das do Brasil por serem menos ocupadas com construções, o que lhes dá um ar mais bucólico.

O Cabo Polonio é a praia que mais remete a esse sentimento. Seu nome deriva de um galeão espanhol que naufragou na região em 1735. É um lugar pacato, pois as dunas de uma área de proteção ambiental praticamente isolam a pequena vila. Não se pode chegar em carro particular, apenas a bordo de caminhões que fazem o translado dos turistas pelos oito quilômetros da reserva, pois trata-se de uma vila só para pedestres. A eletricidade, pelo menos até o período em que estivemos lá, ainda não havia chegado – as casas e pousadas tinham que gerar sua própria energia por meio de painéis solares ou pequenos geradores eólicos. Tampouco havia sinal de celular ou wi-fi.

O lugar é realmente especial e fomos percebendo isso com o passar dos dias, ao começarmos a entender como funciona a vida local. Lá vivem pescadores, artesãos e funcionários do farol. Não pense que se consegue pão fresco às sete ou oito da manhã. Só os conseguíamos depois das dez e para isso era preciso aderir ao tipo de *vibe relax* local. Na casa onde se vende pães, vendem-se também *brownies* de marijuana – uma pista, talvez, da razão por que o pão ficava pronto tão tarde. Mesmo com nosso jeito careta de ser, ficamos tão relaxados que permanecemos cinco dias no Cabo Polonio, quando a ideia inicial era passar apenas dois. Do farol centenário muito bem preservado pudemos elevar nosso ponto de vista sobre o mar e as ilhas La Rosa, La Encantada e El Islote, sobre as quais vivem colônias permanentes de lobos marinhos. Os elefantes marinhos também aparecem de vez em quando, sem contar as baleias, até baleias-orcas, que sobem no inverno das águas gélidas austrais para procriar próximo ao cabo.

Dias com vento, dias sem vento, pores de sol maravilhosos, noites estreladas e belezas sem fim. Andávamos a pé pelas praias e dunas, guiados pelos cachorros da vila. Algum sempre vinha com a gente. Assim foram nossos dias no Cabo Polonio, um lugar completamente protegido dos problemas do dia a dia. O estresse ali não tem vez nem espaço.

Era uma casa muito engraçada, não tinha teto, não tinha nada...

Se alguém já perguntou onde Vinicius de Moraes encontrou inspiração para escrever A Casa, uma das canções de ninar mais conhecidas no Brasil, esse lugar tem nome e endereço. A história começou quando o artista plástico uruguaio Carlos Páez Vilaró, em 1958, viu em Punta Ballena, no Uruguai, o lugar ideal para seu ateliê. Começou construindo um cômodo feito em lata, que mais tarde deu lugar à madeira e depois ao cimento. A casa é hoje uma das construções mais icônicas do Uruguai. Ela não foi previamente projetada, Vilaró optou por construí-la sozinho, moldando-a com as próprias mãos, como se estivesse fazendo uma escultura. Durante trinta anos foi adicionando mais cômodos de acordo com a necessidade. Principalmente para receber os amigos que vinham passar uma temporada no local.

Um dos que o visitava com frequência era o poeta e compositor Vinicius de Moraes, que afirmava: “cada vez que vou à Punta Ballena, encontro uma casa diferente; ela está cada vez maior e parece nunca ficar pronta”. Então compôs a canção para as filhas de Vilaró. E a casa que o inspirou era mesmo muito engraçada. Na letra original, os últimos versos, ao invés de dizerem "mas era feita com muito esmero, na Rua dos Bobos, número zero", referiam-se à casa assim: "mas era feita com pororó, era a casa do Vilaró". A palavra pororó pode ser entendida como algo enrolado, demorado e sem objetividade, o que faria sentido com o modo como que fora construída. A Casapueblo, como foi batizada por seu idealizador e construtor, hoje abriga um museu, uma galeria de arte e um hotel e é um lugar imperdível para quem visita o Uruguai. É grande e, pelo jeito simples como foi fabricada, assim como uma casa de joão--de-barro, é encantadora. Como Vilaró vislumbrava, o branco das paredes contrasta com o azul do céu e do mar.

As obras de Vilaró também são maravilhosas e a casa apresenta uma homenagem a Carlos Miguel, filho do artista, que foi um dos 16 uruguaios sobreviventes do trágico acidente aéreo que aconteceu nos Andes em 1972. O voo 571 da Força Aérea Uruguaia fora fretado e transportava 45 pessoas, entre elas uma equipe de rugby, seus familiares e amigos. O avião caiu na Cordilheira dos Andes a uma altitude de 3,6 mil metros. O acidente ficou conhecido como o Milagre dos Andes (El Milagro de los Andes), pois com pouca comida e praticamente sem fonte de calor para sobreviverem ao frio a essa altitude, 16 pessoas foram resgatadas com vida 72 dias depois do acidente, incluindo o filho de Vilaró.

As buscas pelo avião haviam sido interrompidas logo no oitavo dia após o acidente. Dois sobreviventes conseguiram atravessar a pé a Cordilheira, com enorme sacrifício e em péssimas condições. Após dez dias de caminhada, encontraram um vaqueiro chileno que lhes deu comida e, em seguida, alertou as autoridades sobre a existência dos outros sobreviventes. A passagem mais incrível dessa história de sobrevivência foi que diante da fome e das notícias que eram escutadas pelos sobreviventes via rádio, de que a busca por eles tinha sido interrompida, eles passaram a alimentar-se da carne dos passageiros mortos, que havia sido preservada pelo frio.

Voltando à Casapueblo, Vilaró declarou que quando ficou pronta, acabou no formato do mapa do Brasil. Tão lindas são as obras e a casa que saímos da Casapueblo com vontade de fazer arte.

O Uruguai tem 3,5 milhões de habitantes e sua capital, Montevidéu, abriga um terço da população do país. Fundada em 1724 em um ponto estratégico na margem oriental do Rio da Prata, é uma cidade vibrante, próspera, segura, classificada como uma das cidades da América Latina com melhor qualidade de vida.

Sendo o futebol o esporte preferido dos uruguaios, Montevidéu foi sede da primeira Copa do Mundo de Futebol, realizada pela FIFA em 1930. Aliás, o Uruguai possui uma das mais gloriosas histórias do futebol, tendo sido duas vezes campeão da Copa do Mundo (1930 e 1950) e 15 vezes campeão da Copa América. As conquistas da Seleção Uruguaia tornam-se impressionantes pelo fato de que o país tem uma população menor do que a de algumas cidades brasileiras. O Uruguai é o país menos povoado a ter conquistado uma Copa do Mundo: possuía 1,75 milhão de habitantes em 1930.

Além do futebol, suas terras produzem boa carne e, pelo que se vê nas ruas, seu povo aprecia o bom chimarrão, o "mate", como eles chamam. Ao passear pelo centro ou na *rambla*, como referem-se ao calçadão à beira-mar, víamos muita gente com a cuia em uma mão e a térmica presa sob o mesmo braço. O hábito do mate é um legado das culturas indígenas quíchua, aimará, guarani e caingangue, que viviam na região hoje conhecida como Cone Sul – por isso o costume se estende aos países vizinhos: sul do Brasil, Argentina e Paraguai. A planta foi reconhecida pelo botânico francês Auguste de Saint-Hilaire, que lhe deu o nome de *Ilex paraguariensis*, em 1820. Como somos também da região do Cone Sul e herdamos dos ameríndios o gosto pelo chimarrão, é claro que não deixamos de comprar nossa cuia uruguaia, feita do purungo, o fruto da árvore cuieira. A diferença para as nossas cuias no sul do Brasil é que estas são recobertas com couro de forma artesanal.

Dia 07 de novembro, no meu aniversário, o presente que a Michelle me deu foi uma *parrilla para el almuerzo* no mercado do porto. Sentamo-nos em cadeiras altas, frente ao balcão do Restaurante Estancia del Puerto, onde a carne foi preparada na nossa frente. O "asado" que comemos é o que no Brasil chamamos de costela borboleta e a "pulpa" é similar à nossa fraldinha. Os acompanhamentos foram purê de batata, berinjela e abóbora na grelha, salada e cerveja. Para nossa surpresa, ao pagar a conta, o valor estava mais barato do que o escrito no cardápio. Na política uruguaia de incentivo ao turismo, o estrangeiro tem desconto dos impostos na alimentação.

O Porto de Montevidéu, na parte norte da Cidade Velha, é um dos principais da América do Sul e desempenha um papel importante na economia da cidade. Ele vem crescendo de forma consistente com o aumento do comércio exterior, mas um fator que deve ajudar no seu desenvolvimento é a baixa burocracia, se compararmos com as práticas nos portos do nosso país. Os trâmites para a liberação do carro foram rápidos e eficientes – demorou menos de dois dias. Não houve um centavo gasto sem o devido comprovante e isso está de acordo com o que o ranking dos países "mais e menos corruptos", calculado pela ONG Transparência Internacional, fala sobre o Uruguai, o país menos corrupto da América do Sul. Encontra-se na 23ª posição no ranking mundial, quando o Brasil, nesse mesmo estudo, encontra-se na 105ª.

De volta com o velho e guerreiro Lobo da Estrada em nossas mãos, partimos para a última fase da viagem e dirigimos um pouco mais ao Sul a fim de conhecer a Colonia del Sacramento, um programa imperdível. A cidade foi fundada em 1680 a mando da coroa portuguesa, mas em território espanhol. O cenário traz um ar de histórias de conflitos, invasões e negociações diplomáticas entre Portugal e Espanha. O que restou para contar dos três séculos de existência é a sua bela arquitetura portuguesa. Ela se parece mais com Paraty (RJ) ou São Francisco do Sul (SC), mas no Uruguai.

Dobramos rumo Norte e cruzamos por Minas, onde José Artigas, o herói nacional, está representado na maior estátua equestre da América do Sul. Depois subimos para La Pedrera e um novo descanso na praia. O próximo destino foi cruzar por entre os pampas uruguaios, onde a natureza ousou e decorou com muito zelo os Palmares de Rocha.

Localizado na província de Rocha, nas proximidades de Castillos, os Palmares de Rocha compreendem uma área de aproximadamente 70 mil hectares, onde cresceram, de forma agrupada, milhares de palmeiras de butiá que possuem entre 200 e 300 anos. É um ecossistema único – surpreendentemente pouco explorado pelo turismo – e de tão diferenciado, foi até declarado Patrimônio Mundial da Unesco. A palmeira é uma variedade chamada *butia odorata*, originária do Uruguai e do sul do Brasil. Distingue-se das demais pelo seu tronco, que chega a medir quase dez metros de altura. Descobrir desse fenômeno da natureza despertou-nos o desejo de avistar essas palmeiras do alto, pois com a altura de seus troncos, imaginamos que a sombra criada causaria um contraste sem igual nos campos ao entardecer.

Do Camino de los Indios (Ruta 16), que parte de Castillos, dobramos para o Leste em uma estrada de chão batido e dirigimos até acabar em uma fazenda. Bati palmas no portão da casa para chamar alguém a fim de pedir permissão para voar e nisso um pai e seu filho, com um sorriso em seus rostos, abriram a porteira e deixaram-nos, inclusive, acampar na fazenda. Dirigimos até um campo aberto, onde nos foi sugerido decolar, preparei o paramotor e fiquei aguardando por condições melhores, já que não estavam boas. Havia muito vento e térmicas, condição que eu tinha esperança que amenizasse no final da tarde. No meio tempo quem veio bisbilhotar foram algumas vacas, que se interessaram pela vela vermelha e azul do paramotor.

Às 17h45 tive que encarar o vento ainda muito forte, caso contrário perderia o melhor momento da luz do sol. Logo que tirei os pés do chão percebi que não seria um voo tranquilo. Havia uma área alagada, com pequenos rios que cruzam o campo e a água atua como um gatilho para desprender do solo o ar quente, gerando assim as térmicas. Meu voo foi tão chacoalhado que a Michelle, lá do chão com o coração na mão, jurou que eu não tiraria a câmera fotográfica da pochete. Ela escreveu no diário: "fui ver e fotografar as palmeiras do chão para me distrair e não precisar ficar sofrendo olhando para o alto". No começo eu fiquei com receio também, mas a cena lá do alto estava tão bonita, que a turbulência pareceu pequena. Larguei os batoques de direção e o acelerador e pus-me a clicar para não perder tempo.

Com o sol brilhando no horizonte, as sombras dos troncos alongam-se na pastagem verde e, ao final, destacam-se os tuchos das folhas que chegam a três metros de comprimento. A somatória das milhares de sombras cria uma beleza indescritível. Creio que o senhor Artigas Soares e seu filho, donos da fazenda e que moram lá provavelmente a vida toda, jamais imaginaram ou viram tal efeito de luz. Tirei muitas fotos: de cima, de lado, a favor e contra o sol, procurando evidenciar o efeito da luz perfeita sobre aquele ambiente exótico. É possível visualizar os Palmares de Rocha acessando a coordenada do Google Maps em imagem de satélite: -34.177866, -53.808133.

A aproximação para o pouso foi nervosa e quando coloquei os pés no chão fui repentinamente arrastado pela vela ainda inflada pelo vento. Pelo menos não pousei no piquete ao lado, onde havia um touro brabo bufando e olhando para mim. Essas palmeiras de butiá infelizmente estão ameaçadas. Na extensa área onde se encontram, cria-se gado e este come o fruto do butiá, dificultando assim a reprodução da espécie. Esse problema me remete às florestas de araucária que existem onde vivemos. A araucária é categoricamente proibida de ser derrubada. A rigidez da lei faz com que árvores novas também não se criem, pois acabam sendo arrancadas quando pequenas, para evitar que gerem problemas futuros aos proprietários das terras.

Outro dia, na hora de partir, passamos na casa de Artigas para agradecer a hospitalidade e oportunidade do voo. Solicitei seu endereço para enviar fotos impressas que cliquei lá do alto, mas segundo ele, os correios não chegam em sua casa. Pensou por um instante e lembrou-se de sua filha, que trabalha na Cooperativa Vivienda Siete, então pediu para enviarmos as fotos para lá. Nunca tivemos nenhum retorno dele, mas torcemos para que as fotos tenham chegado às suas mãos.

Antes de partir, Artigas pediu que adivinhássemos a sua idade. Erramos quando chutamos 70 anos, pois ele já tinha 87, com um vigor que muitos jovens teriam inveja. Baixo e magro, é muito forte. Tem sete filhas e um filho. Ao final da despedida, quando solicitei tirar uma foto com ele, percebi que não ficou contente: ele queria mesmo era tirar uma foto abraçado com a Michelle.

Continuamos viagem pelo Camino de los Indios, dobramos à direita na Ruta 14 para conhecer a Fortaleza de Santa Teresa e logo mais adiante percebemos que não adiantava mais nos enrolarmos para postergar nosso retorno ao Brasil – chegara a hora de voltar a falar português. Do Chuy com "y" (grafia uruguaia) cruzamos para o Chuí com "í" (grafia brasileira). No exato momento em que atravessamos aquelas avenidas que havíamos passado dias antes, filmamos a cabine para registrar a expressão em nossos rostos, que estavam carregados de emoção e felicidade. Logo à frente compramos sorvete para gastar o resto dos pesos uruguaios. À noite, para celebrar nosso regresso, jantamos em uma churrascaria próximo a Santa Vitória do Palmar (RS). Tomamos uma cerveja bem gelada, enquanto assistíamos a um amistoso da seleção brasileira de futebol contra a Inglaterra – e o jogo terminou empatado.

Foi bom voltar para o Brasil e poder conversar em português novamente. Fiquei tagarela, falando com quem cruzasse o nosso caminho: frentistas dos postos de combustível, garçons e atendentes. Era para compensar os mais de três anos em que estivemos longe do nosso país e dos brasileiros. Dá para sentir a diferença – os brasileiros irradiam calor humano.

TROCA DE PAPÉIS, POR CAUSA DE UM PAPEL – A CARTA DE MOTORISTA

A euforia do regresso escondia um pouco o cansaço do final de uma longa e exaustiva jornada. Estávamos cansados, física e mentalmente. As pessoas riam quando dizíamos que precisávamos tirar férias da viagem. Nossa vida na estrada foi intensa. Cozinhar, lavar louça, roupa, limpar a casa, abastecer o carro com água e combustível, fazer compras, fazer a manutenção do carro e da casa, pesquisar destinos, planejar as melhores rotas, dirigir, encalhar, desencalhar, encontrar lugar para acampar, caminhar, remar, voar, fotografar, filmar, baixar fotos e vídeos, escrever diários, atualizar website, conhecer lugares e pessoas, cruzar fronteiras, andar, fazer trilhas, subir montanhas, atravessar desertos, fazer câmbio, calcular, trocar dinheiro, ler, fazer higiene pessoal, cuidar de nós e... a cada fronteira começar tudo de novo.

Com tanto a fazer, tínhamos que trabalhar em equipe e as tarefas acabaram dividindo-se naturalmente de acordo com as afinidades. Na viagem passei a ser a dona da casa e o Roy do carro, ou seja, eu mandava dentro e ele fora, porém nos ajudávamos em ambas situações e havia mútua cooperação. Se um cozinhava, o outro lavava a louça. O Roy me ajudava lavando roupa, pois tinha mais força para esfregá-la com o uso do balde e eu o auxiliava na mecânica quando o espaço era pequeno e não cabia a sua mão, ou quando ele perdia as ferramentas – o que era normal. Saí de casa sem noção nenhuma de mecânica e fui aprendendo de tanto ajudar o Roy. Hoje sei o nome das peças, dos sistemas, como funcionam e para que servem.

Ao final da viagem, aconteceu uma troca de papeis: como só eu tinha a carteira de motorista em dia, tive que assumir a direção. O Roy possui carteira tipo E, que inclui caminhões, e para renová-la, seria necessário o exame toxicológico, cujo resultado levaria dias para sair. Não podíamos esperar, então decidimos renovar somente a minha CNH. Por isso voltei do Uruguai dirigindo e o Roy virou meu copiloto, cuidando do GPS, dos mapas e do caderno de anotações. Essa troca de papéis ajudou-nos a entender as dificuldades um do outro. É que como "a grama do vizinho sempre parece ser mais verde", aconteceram diversas discussões sobre quem trabalhava mais.

Empatia, na psicologia, trata disso: é a identificação de uma pessoa com a outra. É quando alguém, por meio das suas próprias especulações ou sensações, se coloca no lugar de outra pessoa, tentando entendê-la. Em suma, é a capacidade que temos de nos colocar no lugar do outro. Há um provérbio indígena americano que diz: "Ande um quilômetro com os sapatos de outro homem antes de criticá-lo". Ao nos colocarmos no lugar do outro, somos melhores pais, filhos, amigos, profissionais, líderes e, sem dúvida, melhores indivíduos.

Sentada no banco do motorista tive um outro ponto de vista das dificuldades da estrada, do dia-a-dia e da nossa relação. E não foi apenas um quilômetro: foram centenas, dirigidos pela BR-101 rumo ao norte de Santa Catarina, o que me deu tempo para refletir e desculpar-me com o Roy por algumas implicâncias tolas que tive durante a viagem.

É PRECISO SABER OUVIR

Nossa vida acadêmica se dá em etapas: primeiro estudamos o fundamental, depois o ensino médio, faculdade, pós-graduação e outros graus de aprendizado – não necessariamente todos. Todo esse processo tem por objetivo que nos tornemos bons profissionais para servirmos à sociedade. Mas nada, pelo menos de forma oficial, nos prepara para a vida e o relacionamento a dois.

Tão logo começamos a trabalhar em uma empresa, passamos por mais treinamentos: liderança, negociação, delegação, como maximizar os lucros e reduzir despesas e desperdícios, como expressar-se com eficiência diante de plateias e sair-se bem em mesas de negociações. Mas quando o assunto é relacionamento e vida de casal, pisamos na bola e cometemos erros grosseiros. Hoje em dia, um simples atrito já leva a pensar em separação.

Somando as duas viagens, a Michelle e eu ficamos juntos, em tempo integral, por 2.230 dias – 1.033 na primeira e 1.197 na segunda –, ambas de forma contínua. A Michelle brinca dizendo que a somatória desses dias corresponde a bodas de ouro. Siga o seu raciocínio: um casal, em uma vida normal, separa-se durante o dia para trabalhar, algumas vezes encontra-se para o almoço, outras não, e se vê ao final do dia. Isso quando um deles não viaja a trabalho, o que pode separá-los por vários dias. Nós, em viagem, passamos praticamente 24 horas por dia um ao lado do outro, sem nenhuma trégua ou "descanso".

É claro que essa convivência intensa provocou turbulências em nosso relacionamento e não temos por que esconder. Qualquer tensão entre um casal, por menor que seja, é multiplicada pelo tempo de permanência juntos e ela cresce de forma exponencial quando temos que encarar contratempos irremediáveis: frio ou calor extremos, nuvens de mosquitos agressivos, problemas mecânicos com o carro, roubos, encalhes em lugares remotos e até uma simples poeirinha que insiste em penetrar pelas minúsculas frestas do carro. Quando esses contratempos vêm de forma isolada é mais fácil de lidar, mas quando há o acúmulo deles – e quase sempre eles vêm como uma somatória – acontece a inevitável crise.

Se para desencalhar o carro, por exemplo, você entra para pegar uma ferramenta, esquece que está com os sapatos sujos de lama e pisa no tapete, lá vem bronca. Ou então bate o cansaço e a fome ao mesmo tempo, começa a escurecer e o carro ainda não foi tirado do encalhe: tudo o que um faz irrita o outro nessas horas. Uma ferramenta quebra, outra se perde; ou quando o cabo do guincho estoura, quebrando faróis e trazendo mais complicações para se resolver no futuro e, assim, a tensão vai crescendo, crescendo, até que num momento explode para os dois lados. Num desses dias, o estopim da discórdia nem foram as dificuldades somadas até então, mas uma cueca deixada por descuido no corredor.

Como qualquer casal, não fizemos nenhum curso para "casamentos felizes", pois nada nos prepara para esta longa fase da vida. Em nosso caso, aprendemos na prática e de forma intensiva ao passarmos tanto tempo juntos confinados em um carro. Creio que desenvolvemos o tal do amadurecimento emocional – para mim, uma capacidade consciente de não se deixar abater com facilidade frente às frustrações e entraves da vida – ou, para nós, aos dissabores de uma viagem tão puxada, com tantos imprevistos e situações incertas e estressantes. Como na vez em que nosso carro pegou fogo, nos EUA: passamos duas semanas e meia estacionados em frente a uma mecânica, num calor infernal, para consertá-lo, mas conseguimos manter a calma para lidar com aquela situação. Longe de casa, sozinhos, contando somente com nossas habilidades, tivemos que nos adaptar e trabalhar juntos. Isso nem sempre é fácil, mas é preciso.

Quando havia um desentendimento entre nós, geralmente voltávamos a nos falar logo, mas em alguns momentos cada um ia para o seu canto, magoado com o palavrão que saiu da boca do outro e que, provavelmente, nem tenha sido proposital. Saber ouvir com atenção, tolerar mais o comportamento do parceiro, reconhecer seus próprios erros e pedir desculpas, saber o momento certo de tocar em assuntos delicados, livrar-se do rancor e aceitar melhor as críticas são habilidades que fazem parte do equipamento emocional daqueles que viajam e vivem juntos. E a melhor maneira de fazer isso é de forma consciente, sabendo que essas atitudes farão com que as coisas melhorem para ambos os lados. Creio ter sido esse o segredo de não ter havido tantas divergências entre nós.

Em viagem, ou em convivência prolongada, ninguém esconde quem realmente é. Você mostra que não é perfeito e percebe defeitos no outro. O importante é colocar na balança e ver que as qualidades superam os defeitos.

Na fase final da viagem, enquanto subíamos pela BR-101, depois de tanto tempo juntos, fazendo as mesmas coisas, vendo as mesmas paisagens, percebemos que quando eu ia falar alguma coisa, a Michelle já sabia o que era antes mesmo de eu abrir a boca. Também acontecia o tempo todo de um falar o que o outro estava pensando. Sintonia total.

Saímos da 471 nas redondezas da Reserva do Taim para dar um mergulho na lagoa Mirim e depois deixamos a mesma rodovia pela direita para irmos até a cidade de Rio Grande por um percurso alternativo: o Corredor dos Pinheiros. O caminho é lindo e cruza algumas fazendas, o que obrigou-me a abrir inúmeras porteiras, já que quem estava na boleia agora era a Michelle. Muita água, pássaros, gado e cavalos, além de dezenas de geradores eólicos.

Rio Grande surpreendeu-nos pela quantidade de pessoas que aproveitavam o feriado de 15 de novembro na Praia do Cassino. Milhares delas estacionaram seus carros sobre a areia da praia, formando um corredor de música alta e churrasco. Espaço, pelo menos, havia: a praia, com seus 73 quilômetros de extensão, é considerada uma das mais longas do mundo, sem interrupção.

A cidade de Rio Grande está localizada à margem sul do estuário que conduz as águas da imensa Lagoa dos Patos ao Oceano Atlântico. É a cidade mais antiga do estado e foi criada no início do século 18 como forma de assegurar a posse das terras sulistas aos portugueses. Ali foram estabelecidas imensas fazendas de criação de gado.

Almoçamos em um restaurante próximo ao porto e à tarde cruzamos de balsa a foz da Lagoa dos Patos até São José do Norte, onde se inicia uma das mais importantes rodovias brasileiras, a BR-101. Ela vai do Rio Grande do Sul ao Rio Grande do Norte percorrendo 4.615 quilômetros e acompanha, paralelamente, toda a costa atlântica brasileira.

O fato inusitado envolvendo o primeiro trecho dessa estrada em solo gaúcho – com 321 quilômetros entre São José do Norte e Osório – foi que ele levou cinco décadas para ser pavimentado. E foi a conta-gotas, tanto é que ficou conhecida como a estrada do inferno. Tal apelido fazia jus à realidade, pois era um carreiro de areia, lama e poças d'água, onde atolar era uma redundância. Os viajantes, para se livrarem desses obstáculos, desviavam pela rodovia vizinha BR-116, que passa por Pelotas e Porto Alegre.

No ano 2000, quando eu voltava de uma viagem solo que fiz até Ushuaia (Argentina) em uma moto Super Ténéré 750, fiz questão de ver in loco as condições da estrada do inferno. Entrei e saí logo, pois ela estava tão precária que me obriguei a fazer o percurso com mais de 300 quilômetros pela areia da praia. O inconveniente desse trecho, a poucos metros de onde as ondas batiam, foi que ao norte de Bojuru a foz da Lagoa do Peixe (não confundir com Lagoa dos Patos) estava aberta. Por sorte encontrei alguns pescadores que me indicaram me afastar do mar por alguns quilômetros, onde eu encontraria um lugar raso e seguro para cruzar. Pilotando minha moto com todo cuidado, fui seguindo taquaras fincadas na areia que demarcavam a parte mais rasa de água. Se houvesse um buraco naquele trecho de 900 metros dentro d'água, certamente eu não o veria e poderia até perder minha moto.

Por volta de 2010 a estrada do inferno foi finalmente pavimentada e pudemos fazer todo o trajeto que marca o início de um dos principais eixos rodoviários do país.

Café azedo

E chegamos novamente em Sombrio (SC). De carro, dessa vez, pudemos parar para conhecer pessoalmente o amigo virtual que nos ajudou lá atrás nas arrecadações do projeto Catarse – o Diogo Gonçalves. A sensação, ao nos encontrarmos com ele e a esposa Samanta, era que já éramos amigos de longa data. Celebramos o encontro com deliciosos frutos do mar e um belo churrasco preparado de forma bem especial por seus pais. A cidade de Sombrio ficou conhecida por nós como "a terra onde se toma café com muito açúcar para que não fique azedo". Lá não se diz amargo, se diz azedo: "O seu café ficou azedo, companheiro? Se ficou, coloque mais umas três colheres de açúcar!".

Com a Michelle dirigindo e eu navegando, seguimos rumo ao Norte. Com essa troca de papeis, não foram só nossas atribuições que se alteraram, mas os hábitos também. Dessa vez quem esqueceu coisas pelo caminho foi a Michelle – deixou as meias na casa do Diogo.

O compromisso seguinte foi um encontro de Land Rovers que aconteceria naquele final de semana em um camping na cidade de Garopaba (SC). A marca, ícone mundial do 4x4, tem fã clubes espalhados por todo o mundo e no Brasil é muito forte. Certos encontros em nosso país já chegaram a reunir mais de 500 carros. Esse foi um encontro regional, mas mesmo assim havia muita gente. Foi emocionante, pois conhecíamos quase todos; muitos sabiam que estávamos em viagem e não faziam ideia que chegaríamos ali de supetão. Quem nos convidou fora o organizador Gustavo Grether de Souza. Ao estacionarmos nosso Land Rover próximo à churrasqueira, fomos aplaudidos e recebidos com abraços, boa carne, cerveja gelada e muita conversa.

Passamos pela praia Guarda do Embaú, considerada uma das mais bonitas do Brasil, e depois por Florianópolis, onde encontramos mais amigos: primeiro os afilhados de casamento Greici e Victor e depois os também afilhados de casamento Peter (Peti) e Cris, quando a festa do reencontro foi grande. Juntaram-se ao grupo: Hucky, Kaline, Fitzy, Clovinho, Alessandro e o Santeiro.

Por causa de um compromisso em Joinville, nessa última semana de viagem enrolamos um pouco. Podíamos ter acelerado o passo para chegar logo em casa, mas tínhamos confirmado nossa presença no V Encontro Catarinense de Escritores, organizado pelo Donald Malschintzky, que havia nos convidado para fazermos uma palestra sobre nossas aventuras e o sabor de contá-las em livros.

Antes do evento houve uma coletiva de imprensa com a presença dos palestrantes convidados. Tive a honra de sentar ao lado do velejador Amyr Klink, citado algumas vezes nesse livro. Um dos jornalistas, na entrevista, perguntou ao Amyr: mas o senhor, mesmo, quem é? Fiquei constrangido pela inexperiência do rapaz, que não havia se preparado para a entrevista. Parecia aquele repórter de TV escalado para cobrir o baile de carnaval na ilha Porchat e, sem conhecer as celebridades da festa, perguntava: "Você é o famoso quem?". Isso virou piada no mundo do jornalismo. Baixei a cabeça e pensei: não saber quem é o Amyr Klink é o mesmo que desconhecer o Alexandre Garcia ou Boris Casoy em um evento do mundo do jornalismo. Bem, ninguém é obrigado a gostar de aventuras.

Os bons filhos à casa retornam

Finalmente chegamos à nossa querida São Bento do Sul (SC) – e dirigindo o mesmo carro no qual três anos e quatro meses antes havíamos partido, só que em sentido oposto. Foi como se tivéssemos descoberto que a Terra é redonda, já que seguimos a Oeste até que chegamos novamente no ponto de partida.

Tocamos direto para a Associação Leopoldo Rudnick, onde uma festa nos esperava. Ao ver a quantidade de pessoas que nos aguardavam, queríamos buzinar, mas a buzina não estava funcionando havia muito tempo. O jeito foi gritar e depois abraçar: Arlette, Odenir, Leomar, Leones, Natascha, Igor, Simone, Henrique, Gustavo, Elisandra, Lara, Caio, Daniela, Cleiton, Yasmin, Viviane, Maria Helena, Liane, Mafra, Leo, Germano, Giuliano (Bugio), Rafael, Bianca, Louise, Felipe, Viviane, Luca, Ivy, Iguaçu, Silvia, Rosiane, Mauro, Mauri, Gustavo, Cristian, Felipe, Alamir (Piti), Letícia, Victor Hugo, Camila, Thiago, João Carlos, Müller, Eliane, Alice, Charles, Liana, Celine, Lauro, Thiago, Daiana, Rodrigo, Giovanna, Eduardo, Elvis, Cibele, Leandro, Edilaine, Marcos, Cibele, Felipe, Swen, Katia, Emanuela, Branco, Tabata, Juraci, Harley, Andréia, Jóici, Daniel, Antonella, Clévio, Eda, Danni, e talvez mais alguém, a quem peço desculpas se esqueci-me de registrar.

Às três horas da madrugada chegamos em casa. E como a melhor parte de qualquer viagem é quando a gente chega ao lar e abre a torneira do chuveiro, tomamos um banho demorado e capotamos.

CUSTOS DE VIAGEM	EM DÓLARES
1. COMBUSTÍVEL	12.736,-
2. MANUTENÇÃO VEÍCULO	9.594,-
3. DESPACHOS MARÍTIMOS	9.455,-
4. MERCADO	8.989,-
5. REFEIÇÕES (RESTAURANTES)	6.502,-
6. VOOS	3.741,-
7. ESTADIA	3.359,-
8. PASSEIOS	2.633,-
9. VISTOS	2.024,-
10. OUTROS TRANSPORTES	1.706,-
11. MANUTENÇÃO MOTORHOME	1.095,-
12. TAXAS	737,-
13. DOCUMENTOS	613,-
14. SEGUROS	600,-
15. PEDÁGIOS	525,-
16. BALSAS	477,-
17. SOUVENIRS	459,-
18. ESTACIONAMENTO	306,-
19. LAVANDERIA	258,-
20. SAÚDE	255,-
21. LIGAÇÕES	209,-
22. BANHEIRO/DUCHA	159,-
23. CORREIO	155,-
24. LIVROS	147,-
25. INTERNET	103,-
26. LAVAÇÃO	65,-
27. OUTROS	2.646,-
TOTAL	69.548,-

OBS:. OS VALORES NÃO INCLUEM EQUIPAMENTOS E O CARRO.

14. Epílogo

"Quando vocês olham para o relógio, o que veem passar?"

O silêncio tomou conta do auditório, resultado talvez da simplicidade da pergunta ou da forma direta como foi formulada. Logo um dos participantes arriscou: "Vejo os segundos passarem".

Outro disse, em seguida: "Eu vejo os minutos e as horas passarem".

Seguiu-se um momento de quietação e o conferencista se pronunciou: "A resposta de ambos está correta. Isso é óbvio, não é? Mas eu acrescentaria algo que vocês não estão considerando: os segundos, minutos e horas que estão passando marcam o tempo das suas existências aqui na Terra, portanto, o que veem passar são suas próprias vidas".

A Michelle e eu nos olhamos assustados. Evidentemente, não é agradável ouvir alguém dizer que a nossa vida está passando... É difícil para o ser humano aceitar essa realidade: o tempo passa para todos de forma igualitária. Mas o palestrante tinha razão, cada movimento do ponteiro reduz nosso tempo de vida e não há dinheiro ou poder que consiga fazê-lo parar, voltar ou retardar.

Fiz uma rápida reflexão sobre o que acabara de ouvir e me atemorizei ainda mais. Nessa viagem, parti com 39 anos e voltei com 43, tendo celebrado quatro aniversários na estrada desta vez: no Peru, no Canadá, no Cazaquistão e no Uruguai. A Michelle comemorou três: Estado Unidos, Cazaquistão e Noruega. Um dia antes da partida ela havia completado "trintão". Retornou com 33.

TEMPUS FUGIT

Por que será que ultimamente temos a sensação de que os dias estão passando com mais rapidez? Ouvimos isso a todo instante. É um fato até contraditório, pois segundo especialistas, os dias estão ficando mais longos. Não é algo que conseguimos perceber, mas a ação gravitacional da Lua e do Sol influenciam no movimento das marés, que agem para desacelerar a rotação da Terra. A cada século nossos dias ficam 1,7 milissegundo mais longos.

A sensação de que os dias estão ficando mais curtos é motivada por questões psicológicas e influenciada pela forma como utilizamos o tempo ao nosso dispor. Pense quando foi a última vez em que você saiu da rotina para fazer algo inusitado: acampar, fazer uma aula de dança, assistir a uma peça de teatro, aprender a tocar um instrumento, ver o nascer do sol, fazer artesanato, viajar para uma cidade que não conhece ou até mesmo tomar um delicioso banho de chuva. Caso tenha feito algo assim é provável que lembrará dessas ações com grande riqueza de detalhes, mesmo que isso tenha acontecido há muito tempo. Os acontecimentos rotineiros são os que a longo prazo não memorizamos, pois neles não há emoção ou informações novas, por isso fica a sensação de que o tempo passa rápido.

Ao viajar para países desconhecidos, forçosamente, quebramos hábitos e rotinas. Conduzidos por um planejamento que conecta os lugares mais pitorescos da Terra, mudamos de forma constante paisagens, costumes, idiomas, moedas e comidas, o que fez o tempo passar pela gente com grande carga de emoção. Essa viagem foi emocionante, tornou-se inesquecível. Esperamos que para você, leitor, também tenha sido, já que viajou conosco até estas últimas páginas.

Claro que certos acontecimentos ficaram registrados com mais impacto em nossa memória. Como o dia em que encontramos com os ursos e lobos no Alasca; quando voei sobre as baleias-brancas, ou belugas, na Rússia; ou as horas trabalhadas para desencalhar nosso carro no Mar de Aral no Uzbequistão. Jamais esqueceremos de ter dado meia volta quando estávamos a menos de 300 metros do cume da montanha Huayna Potosí, na Bolívia. Do dia em que fomos roubados na Colômbia. Foi inesquecível voar por cima da terceira maior pirâmide do mundo em Teotihuacán, no México, e o momento em que o motor do carro pegou fogo nos Estados Unidos. Quem pode esquecer de um frio de -55°C, tendo que dormir dentro de um carro? Ou dos 900 quilômetros dirigidos sobre rios e lagos congelados, vendo caminhões que haviam caído na armadilha da natureza pelo fato do gelo ter se quebrado? Das estepes da Mongólia e das cidades da antiga Rota da Seda no Uzbequistão. Da caminhada de 56 quilômetros debaixo de chuva e frio na Áustria. Das remadas nos fiordes da Noruega, além de muitos outros momentos. Tenho certeza de que daqui a 20 anos lembraremos desses momentos como se tivessem acontecido ontem.

Seguindo o raciocínio de que coisas novas e inusitadas deixam mais recordações, esses dias deveriam parecer ser mais longos – e realmente foram. Não me lembro de ter tido a sensação de que a viagem estava passando rápido demais. Pelo contrário – em alguns momentos, como no frio da Rússia, aquele inverno parecia que nunca terminaria.

Tecnologia para ganhar tempo – sim e não

Em nossa percepção, nada está interferindo mais na sensação da redução do tempo do que o uso excessivo da internet. Com smartphones à disposição dia e noite e mensagens chegando a cada segundo, e-mails para checar e responder, as piadinhas para ver e replicar, as nossas cabeças ficam abarrotadas. Hoje, os jornais virtuais e os blogs são infinitos – é só rolar a barra que aparecerão milhares de assuntos para roubar mais ainda o nosso tempo. As mídias sociais e os jogos contribuem para aumentar o nível de ansiedade. Quando vemos, passou o dia, o mês, já é Natal e parece que não fizemos nada de realmente significativo. A tecnologia veio para nos dar mais tempo e facilidade na resolução dos afazeres, mas acaba roubando o precioso tempo de nossa vida.

A Michelle e eu gostamos de tecnologia. Acho incrível ver onde o ser humano chegou com ela, mas, sorrateiramente, percebemos que ela está tomando conta de nós. Um simples aparelho de celular está nos deixando dependentes e, por conta disso, menos preparados para a vida. Amyr Klink destaca em seu livro Linha d'Água: "Estranho mesmo esse mundo das modernidades tecnológicas, onde se emburrece tão rapidamente. Onde tão rapidamente se perde a sabedoria do simples". Dou razão a ele, pois muita coisa que sabíamos fazer antes dessa invasão tecnológica estamos desaprendendo – desde uma simples conta de somar ou tabuada até a nos orientar. Tudo está ficando ao alcance dos dedos e não mais na memória.

Fazer uso de um celular durante a viagem para que pudéssemos conversar com parentes e amigos, a qualquer momento e onde quer que estivéssemos no mundo, poderia nos dar a sensação de não estarmos tão longe de casa. Por isso optamos por viajar sem ele. Queríamos realmente nos sentir sozinhos e distantes. Quer dizer, sejamos francos: compramos um celular quando fomos roubados para substituir o GPS perdido e assim passamos a utilizá-lo para nos orientar e como estante de livros digitais. Mas não o usávamos com um cartão SIM com um número de telefone.

Ouvíamos muito: "O quê? Vocês viajam sem número de telefone e sem internet?". Sim, tão simples como o fato de que todos nós sobrevivíamos sem isso num passado não muito distante. Nós queríamos curtir a distância e a saudade, por isso viajamos sem a comodidade de poder fazer ou receber chamadas. Se precisássemos contatar alguém, procurávamos um café ou outro lugar com acesso a wi-fi.

O importante para nós, na verdade, é buscar o equilíbrio e, assim, manter a mente saudável. O mundo dá muitas voltas e as coisas acontecem em ciclos. No uso dos transportes, por exemplo, alguns povos já deram um passo atrás com respeito à facilidade de locomoção. Moradores de alguns países da Escandinávia perceberam que o mais fácil nem sempre é o mais saudável e estão substituindo os carros pelas bicicletas. Quem sabe na comunicação também surja um movimento de retrocesso para voltarmos a conversar nos ônibus e metrôs olhando nos olhos. Será que um dia voltaremos a interagir com os locais afim de pedir informação da direção a seguir?

Se um dia escrevermos um livro-guia para futuros viajantes, trataremos de deixar um bom número de páginas em branco para que cada um possa preenchê-las com suas próprias experiências, dicas e anseios. Roteiros predeterminados, blogs e aplicativos de viagem o levarão para os mesmos lugares onde outros estão indo. É válido usá-los como informação, mas sem tornar-se dependente deles. É preciso deixar-se levar pelo coração e pela intuição.

Um personagem do livro Ghost Rider – A Estrada da Cura, escrito por Neil Peart, baterista e letrista da banda de rock Rush, matou a charada sobre roteiros de viagem. Disse: "Apenas siga a sua roda da frente".

Vita brevis, ars longa

Por termos dado duas voltas ao mundo, conhecido mais de cem países, às vezes ouvimos comentários como: "Vocês já não têm mais o que ver no mundo, pois já conhecem tudo". Por incrível que pareça, a realidade é o oposto. Quanto mais viajamos, mais percebemos o quão pequeno é o nosso conhecimento sobre o mundo, pois é viajando que descobrimos coisas que antes nem passavam em nossas cabeças existir.

Foi na primeira viagem, ao cruzar o Paquistão, que tivemos o desejo de conhecer o país vizinho, o Afeganistão. Lá fomos, e valeu a pena. Antes, jamais havíamos pensado em ir para lá. Dessa viagem trazemos muitos novos sonhos e eles estão anotados em uma caderneta de ideias. Isso sim nos faz ter a sensação da vida ser curta, pois parece que não teremos tempo de fazer tudo o que desejamos. Parece que todos os nossos desejos de novas aventuras não cabem no tempo de uma vida. Sonhamos não somente em conhecer outros lugares, mas em explorá-los de forma diferente, em outros meios de locomoção, entrar a fundo em seus territórios, esmiuçar os costumes, conviver com o seu povo, conhecer cada detalhe das suas culturas.

Tanto que fazer uma terceira viagem é um assunto que volta constantemente em nossas conversas, especialmente depois de revivermos nossas anotações e memórias para escrever este livro. Mas se há uma motivação maior para voltar à estrada, é trazida por uma pessoinha muito preciosa que passou a fazer parte de nossas vidas – a Serena, nossa filha que nasceu no Brasil logo que voltamos.

Um dia ela verá nossos livros e poderá questionar: "Onde eu estou nessas fotos?" Não temos ideia se ela simpatizará em ser viajante e aventureira como os pais, mas seria injusto se não lhe déssemos pelo menos a oportunidade de pegar o gosto por uma vida mais desprendida, sem barreiras, sem fronteiras. Mário Sérgio Cortella ensina que o mundo que deixaremos para os nossos filhos depende dos filhos que vamos deixar para o nosso mundo.

Mais uma viagem? Bem, a caminha no Lobo a nossa filha Serena já ganhou. O que falta?

"Se me fosse dado, um dia, outra oportunidade, eu nem olhava o relógio. Seguiria sempre em frente e iria jogando pelo caminho a casca dourada e inútil das horas..."

Do poema O Tempo, de Mário Quintana.

***

www.mundoporterra.com.br
DEFENDER
SC-SÃO BENTO DO SUL
DML·5644

Currículo

Nome: Lobo da Estrada
Marca: Land Rover
Modelo: Defender CSW HCPU 130
Ano fab/mod.: 2003/2004
Motor: 300Tdi (diesel)
Fabricação: brasileira
Quilometragem em 2020: 350 mil quilômetros rodados

FORMAÇÃO

- Graduado nas estradas do mundo;
- Especialista em areia, água, lama, pedras, neve, gelo, asfalto e piche;
- Mestre em exploração de lugares inóspitos;
- Doutor em companheirismo;
- PHD em fazer histórias.

EXPERIÊNCIA PROFISSIONAL

- Entre 2007 e 2009: unidade transportadora e de moradia na Expedição Mundo por Terra – World Expedition;
- Entre 2014 e 2017: unidade transportadora e de moradia na Expedição Mundo por Terra – Latitude 70.

INFORMAÇÕES ADICIONAIS

- Realizou duas voltas ao mundo;
- Dos 350 mil quilômetros rodados, 300 mil foram feitos fora do Brasil;
- Deixou seu rastro em 92 países e em todos os continentes, com exceção da Antártica;
- Cruzou 137 fronteiras internacionais;
- Transpassou oito vezes a Linha do Equador;
- Transpassou seis vezes a linha do Círculo Polar Ártico;
- Atingiu três vezes a Latitude 70º Norte;
- Cruzou rios, montanhas, florestas, savanas e desertos;
- Navegou o Oceano Pacífico, o Oceano Atlântico, o Oceano Índico, o

Mar Vermelho, o Mar do Caribe, o Canal do Panamá, a Represa de Aswan (Egito), o Estreito de Gibraltar (entre a África e a Europa), o Rio Zaire (entre os dois Congos) e o Rio Amazonas (Brasil);

- Esteve às margens do Oceano Pacífico, Oceano Atlântico, Oceano Índico, Golfo do Alasca, Golfo do México, Mar do Caribe, Golfo de Honduras, Mar Mediterrâneo, Mar Negro, Mar de Alborão, Mar Adriático, Mar Jônico, Mar de Mármara, Mar Vermelho, Mar Cáspio, Mar Morto, Mar de Aral, Baía de Bengala, Mar de Barents, Mar de Okhotsk, Mar do Japão, Mar da China Meridional, Mar de Timor, Mar de Arafura, Mar da Noruega, Mar Branco, Mar Báltico, Golfo da Tailândia, Estreito de Malaca, Mar Arábico, Mar de Ligúria, Mar das Baleares e Golfo da Finlândia;
- Subiu a 4.890 metros acima do nível do mar (Cordilheira Branca, Peru) e desceu a 428 metros abaixo do nível do mar (Mar Morto, Jordânia);
- Serpenteou nas cordilheiras dos Andes, Himalaia, Alpes, Pirineus, Atlas, Rochosas, Cáucaso, Balcãs, Cárpatos, Alpes Dináricos, Alpes Escandinavos e Serra do Mar;
- Transpassou os desertos do Atacama (Argentina e Chile), Sonora (México e EUA), Outback (Austrália), Saara (Egito, Mauritânia, Mali e Marrocos), da Namíbia (Namíbia e Angola), Kalahari (África do Sul), Nubia (Sudão), do Thar (India e Paquiatão), Sechura (Peru), de Tatacoa (Colombia), Gobi (Mongólia), Wadi Rum (Jordânia), Salar de Uyuni (Bolívia) e o Kyzylkum (Uzbequistão e Cazaquistão);
- Teve os pertences de seus donos roubados na Colômbia e nos Estados Unidos;
- Teve sete pneus furados;
- Usou placa com números árabes, no Egito;
- Percorreu estradas remotas – se é que se pode chamar de estradas – entre a Angola e República Democrática do Congo, entre o Camarões e a Nigéria e entre o Quênia e a Etiópia;
- Ousou-se fora da estrada em lugares como:
  - No meio do Deserto do Saara na Mauritânia, por 520 quilômetros;
  - Sobre rios e lagos congelados no Extremo Leste da Rússia, por 900 quilômetros;
- Perdeu-se nas estepes da Mongólia;
- Encalhou no Saara (Egito e Mauritânia), na Frazer Island (Austrália), no Pantanal (Brasil), no Maasai Mara (Quênia), no Deserto de Gobi (Mongólia), no Mar de Aral (Uzbequistão) e no Deserto da Namíbia (Angola), dentre outros lugares;
- Resgatou uma Toyota de um precipício no Paquistão e um caminhão de dentro de um rio na Mongólia, além de ter socorrido tantos outros carros encalhados ou com problemas mecânicos mundo afora;
- Acelerou no Circuito do Grande Prêmio de Mônaco de F1, na Rodovia Pacific Coast (Estados Unidos), na Rodovia dos Ossos e Transiberiana (Rússia), na Rodovia Karakoram (Paquistão), na Rodovia Pamir (Tadjiquistão), na Estrada da Morte (Bolívia), na Transamazônica e na Trans-

pantaneira (Brasil), na Rota dos Jardins (África do Sul) e na Rodovia do Alasca (Canadá e Estados Unidos);

- Deu carona para argentinos, sul-africanos, alemães, franceses, brasileiros, suíços, austríacos, holandeses, venezuelanos, coreanos, zimbabuanos, quenianos e para um cachorro na Rússia;
- Esteve de frente com leões, girafas, elefantes, crocodilos, hipopótamos, rinocerontes, cangurus, coalas, veados, antílopes, dromedários, camelos, ursos, um lobo, um lince, alces, renas e muitos pássaros;
- Foi mordido por uma hiena no Quênia;
- Exibiu-se para fotos em frente às pirâmides do Egito e do Sudão, aos Templos de Ankor Wat do Camboja, a templos budistas na Tailândia e Laos, às mesquitas de barro em Mali, às cidades europeias, às ruínas de Palmyra na Síria, à beira da cratera de um vulcão na Nicarágua e nas antigas cidades da Rota da Seda na Ásia Central;
- Encarou todos os tipos e qualidades de diesel e óleos;
- Pernoitou em postos de combustível, igrejas, casas noturnas, campings, Walmarts, cassinos, praças, beira da estrada, no mato, mirantes, estacionamentos, postos policiais, casa de amigos, no meio do deserto, na beira da praia, estações de trem ativas e abandonadas, na beira de rios e precipícios, dentro de contêineres, no porão de ferrys, no pátio de escolas, aeroportos, oficinas mecânicas e centenas de outros;
- Dormiu sob céus estrelados, chuvas torrenciais, auroras boreais, eclipses, superlua e o Sol da meia-noite;
- Relacionou-se (somente amizade) com diversos outros veículos, inclusive Toyotas;
- Acomodou pessoas do mundo inteiro em seu interior para café da manhã, almoço ou janta (em uma oportunidade acomodou nove pessoas sentadas, quando jantavam macarronada à bolonhesa);
- Quase pegou fogo na Mongólia e no Brasil e, de fato, pegou fogo nos Estados Unidos;
- Resistiu a uma variação de temperatura de 105°C: de 50°C (Paquistão e Saara) até -55°C (Oymyakon, o lugar permanentemente habitado mais frio do mundo, na Rússia);
- Tombou no Extremo Leste da Rússia.

PONTOS POSITIVOS

- Atraente e fica bem na foto;
- Chama atenção por onde passa;
- Pequeno por fora e grande por dentro;
- Aconchegante;
- Às vezes doente, mas nunca morto, como dizem os russos.

PONTOS A MELHORAR

- Por onde anda, deixa sua marca (óleo);
- Alguns problemas mecânicos;
- Entra água na cabine;
- Entra pó na cabine;
- Entra vento gelado na cabine;
- Em estradas esburacadas, chacoalha e faz barulho;
- Quanto mais experiente, mais beberrão.

PORTFOLIO DE REPORTAGENS

- Revista nacionais e internacionais: Claudia, Overlander Brasil, 4x4 e Cia, Ler & Cia, MotorHome, OQ Santa Catarina, Acontece, Overland Journal (Estados Unidos), Land Rover Owner International (Inglaterra), Ruta's 4WD (Venezuela), Land Portugal (Portugal), 4x4 Travel (Alemanha), dentre outras;
- Jornais nacionais e internacionais: Estado de São Paulo, Folha de São Paulo, Diário Catarinense, Zero Hora, A Notícia, Notícias do Dia, Mais Off Road, Gazeta do Povo, A Gazeta, Perfil, Evolução, O Tempo, Folha do Norte, Republikein (Namíbia), Witten Aktuell (Alemanha), Der Westen (Alemanha), Jornal de Edmonton (Canadá), dentre outros;
- Reportagens nacionais e internacionais em TV, rádio, internet e menções em diversos livros.

PARTICIPAÇÃO EM EVENTOS

- Adventure Sports Fair (São Paulo);
- Fenajeep (Brusque);
- Exposições em Shoppings: Barigui (Curitiba), Mueller (Joinville), Beiramar (Florianópolis), Continente Park (São José), Neumarkt (Blumenau), Balneário Camboriú (Balneário Camboriú), Zipperer (São Bento do Sul);
- Encontros Land Rover Brasil;
- Venezuela Off Road & Adventure Festival – Venezuela
- Overland Expo – Estados Unidos.

CONDIÇÃO ATUAL

Disponível para cair na estrada e sair viajando por aí a três.

Agradecimento

Queremos registrar nosso agradecimento aos queridos amigos que, por meio da campanha de financiamento coletivo, compraram nosso livro antecipadamente e, assim, ajudaram-nos a tornar realidade mais esse sonho. Vocês também fazem parte dessa história.

Abel Savio, Adalberto Targino Studart, Ademir Silva, Ademir Tomasoni, Adhrius Dias, Adilson Trentin, Adimilson Pacheco Duarte, Adolfo da Silva, Adriana Monsalvarga, Adriane Giese, Adriano A. Weiller, Adriano Engler, Adriano Guilherme Butzke (Butcha), Adriano Milton Preisler, Adriano Stiegler, Afonso José Guedes Salles, Afonso Miguel Solak, Afonso Valentin Schwartz, Alan Burghard Klemz, Alan Nivaldo Wolf, Alessandra Paula Diener, Alessandro Fernandes Peres, Alex Sardenberg Gomes, Alexandre Cabaleiro, Alexandre de Stéfani, Alexandre Franco Viana, Alexandre Oldmans, Alexandre Rost, Alexandre Silva de Avila, Alexandre Weihermann, Alexsandro Caetano, Alexsandro Rabelo, Aline Caroline Casado Baqueta, Aline Paula Ragazzi Rother, Aline Tripode Brites Braceiro, Alis Queiroz de Souza, Alisson Moretti Enke, Allan Bisoni Viana, Allana Linda de Sousa Brito, Alpina Turismo, Alvaro Ferrari, Álvaro Link, Amanda Cavalheiro, Ana Aguiar, Ana Angélica Costa, Ana Cristina Peçanha Dantas, Ana Paula Schreiner, Anahiê Matos Lopes, Anderlei Cortez, André Luiz de Paula, André Andrade, André Felipe Mudrei, André G. Valle Nery, André Gerson Ganske, André Lemmi, André Lucas Munhoz, André Moreno Romero, André Poltronieri, André Ribeiro, André Tezza, Andrea Maria Dubezkyj, Andréia Reguse, Anerzirio de Sousa Neto, Angela Cristiane Kruger Olsen, Anildo Theiss Júnior, Anira Elisete Linzmeyer, Antonio (Caio) Bechueti, Antonio Carlos Souza Jr., Antonio Dias Mafra, Antônio Gomes Neto, Antonio Mildenberg, Arlette Weiss, Arno Duarte Filho, Aroldo Marcelo Sampaio, Arthur Amorim, Arthur Deschamps Brito, Arthur Ferreira, Artur Quirino, Augusto Canova, Augusto Mallon, Barbara de Castro Telles Cesar Pestana, Beneth Torquato, Beto Mesquita, Blue Home Overlands, Braulio Hantschel, Brayan Linhares, Bruna Mesquita, Bruna Odppes, Bruno Cabral Creare, Bruno da Silva Guimarães, Bruno Gambini, Bruno Gustavo Jollembeck, Bruno Schlossmacher, Cadmo Cardoso, Caio Peters, Caio Pompeo P. Alves, Caique Sencine Makimoto, Camila Grosskopf Prim, Camila Warnecke Teixeira de Freitas, Camping Família X, Carin Cristiane Katzer Muhlbauer, Carina Varella Galastri, Carla Merkle, Carlito Franzoi, Carlos A. Toschi Maciel, Carlos Alberto de Castro, Carlos Alexandre de Souza da Silva, Carlos Alfredo Muller, Carlos Eduardo Krueger Pacheco, Carlos Eduardo Strate, Carlos Eurides Nascimento, Carlos Gomes de Oliveira, Carlos Henrique Linzmeyer, Carlos Isaias (Zaza), Carlos Ivan da Silva Pereira, Carlos Neckel, Carlos Primão, Carolina Piccoli, Carolina S. Dos Santos Madeira, Carolina Wolff, Caroline Munaretto, Carsten Rennecke, Cássio da Luz Gularte, Cássio Diogo Cunha do Amaral, Catherine Rigoni, Célio Dela Vedova, Célio Fioravante Benato, Cepa, Charles Alcir Netto Pereira, Charles R. Weiss, Charley Malewschik, Cibele Eichstadt Buddemeyer, Cicero Ghizoni, Clarissa Reck de Barros, Clauberto José Weiss Pereira, Claudia Ferraz Rodrigues Pegoraro, Claudia Goulart, Claudia Regina Giraldi Kneubuehler, Claudinei de Miranda, Claudio B. Hannemann, Cláudio Cezar de Mello Jr., Claudio Espindola Oliveira, Clayton Rudnick, Cleber de Assis, Cleber Ramos Colle, Cleber Voss, Cleber Zavarize, Clegio Giacobbo, Cleison Luiz de Oliveira, Cleusa Nalú Tascheck Strecker, Clévio Jorge Scheffer, Constance Maria Do Valle Lemke, Cristian Malschitzky, Cristiano Pavoski, Cristiano Reis Mählmann, Cristina DS, Cyntia Cristina de Carvalho e Silva, D1 Solutions!, Daiane Grosskopf Blaskovski, Dan Suguio, Dani Castilho, Daniel Borges Moreira, Daniel Branco, Daniel da Silva Freitas, Daniela Garcia Pscheidt, Danieli Galvan Fregadolli, Danielle Ehrat, Danielle Raphaela Voltolini, Danilo Hamilko de Barros, Danilo Scolfaro Fava, Darwin Weiss, DASA, Davi Luiz Pavei, Davis Casella, Daytrippers, Delci Balbino de Souza, Denis Lichtblau, Devlin Carraro, Dhiogo Maran, Diego Freire da Silva, Diego Gomes Cardoso, Diogo

Guilherme de Vasconcelos Gonçalves, Diogo Pereira Gonçalves, Diogo Stelmach, DIRECTCALL TELECOM, Djalma Iceman, Djouzi Américo, Donald Neumann, Donaldo Kobus, Douglas Augusto Godoi, Douglas Gibi, Douglas Martim Konflanz, Douglas Stevan da Silva, Duva Leonardo Steck Brunelli, Dyego Isidoro, Eder Bonesi, Eder Luiz Silveira, Edi Pauli, Edilson Conceição, Edmir Bitencourt de Souza, Edson Campolina, Edson Mesadri, Edson Ricardo Cesca, Eduardo Camargo, Eduardo dos Santos Fiedler, Eduardo Drefahl, Eduardo Hahn, Eduardo Issa, Eduardo Kohler, Eduardo Maciel Ribeiro, Eduardo Marins do Carmo, Eduardo Martins, Eduardo Menezes Rodrigues, Eduardo Posebon, Eduardo Prado Nasser, Eduardo R. C. Rocha, Eduardo Rocha da Silva, Eduardo Sobral, Eduardo Sokulski, Eduardo Sousa Amaral, Eleandro Pauli, Elenice Smekatz de Almeida, Eliane de Melo, Eliane Vieira, Elisan Nadrowski, Elizabete Menezes Simões, Eloá Cristhine Prim, Elvis Cantuaria, Elvis Pauli, Emerson Hatschbach, Emílio Kombi, Emmanuelle Socha Maia Bastos, Enio Luiz Rossetti, Eric Mileski Finger, Erick Silva de Oliveira, Érico Nunes Ferreira Bastos, Erion Lara, Érique Moser, Erivelton Machado, Ernesto Jorge Diener Neto, Ernesto Piovesan, Estevan Luis Terruel, Eustáquio Macedo Melo Júnior, Evaldo Silva Filho, Evandro Estevão Marquesone, Evandro Luiz Konflanz, Evelin Paula Borba, Everaldo Skalinski, Everton Alexandre Juliani, Everton Pitz, Expedição na Estrada, Expedição Wanderlust, F. Amaury Olsen, Fabiane Lodi, Fabiane Malewschik Kobylarz, Fabiano Fernandes Pereira, Fabiano Kutach, Fábio Aguiar Fonseca, Fábio de Souza Batista, Fabio Janowski da Cruz, Fábio Mafra Figueiredo, Fabio Maia Vallim, Fabio Massao Murakami, Fabio Osowsky, Fábio Rossi Hernandes, Fabio Weihermann, Fabricio Mendes de Oliveira, Família Abdalla Cordeiro, Família Dal Bó, Família Maestrelli, Família Milbauer, Família Peli, Família pelo Mundo, Família Picinin, Família Rank, Família Reguse, Família Rocha Maziero Jakiemiv, Família Valente, Família Westarb, Fausto Tonin Filho, Felipe da Silva Nascimento Rangel, Felipe de Souza Albuquerque, Felipe Farias, Felipe Moratelli Wink, Felipe Pachewsky, Felipe Poyer, Felipe Rodrigues, Felipe Schultz, Felipe Sozzi, Felipe Tolstikow, Feliz Motorhome, Fellipe Puiati, Fernanda Mendes Viana, Fernanda Patza, Fernando Assumpção, Fernando Durante, Fernando E. Lee Jr., Fernando Fontanella, Fernando Mattana, Fernando Quint, Fernando Santana Torquato, Fernando T. Camacho, FIAÇÃO SÃO BENTO S.A., Flávia Moreira Carrieiro, Flávio Albuquerque Regis, Flávio Augusto Vicentini, Flavio Fernando Costa, Flávio Henrique de Oliveira Lima, Flavio Michele Martinho, Floro Daniel Teixeira de León, Francine Luiza Jasnievski Weihermann, Francisco Benites, Francisco Brossard de Souza Pinto, Francisco Chao Rodriguez, Franklin de Sá, Frederico Schardong, Gabriel Casteglioni, Gabriel Ennes Pizzaia, Gabriel Franco Vieira, Gabriel Naeher Backes, Gabriel Portas, Gabriel Toueg, Gabriel Vieira, Gabriel Weihermann, Gabriel Wielivsky Rocha, Gabriely Barbieri, Gelson Paulo Bagetti, Geni Marin Buono, Genir Tazonieto, Gerson da Silva Morais, Gerson Grohskopf, Gerson Treml, Gian Carlo Gazda, Giancarlo Baraúna, Giancarlo Zambiazzi, Gilberto André Neckel, Gilberto de Souza Freitas Junior, Gilberto Felisberto Coimbra, Gilberto Gomes, Gilmar Weiss, Giovani Ricardo Schuster, Giovani Santos, Giovanna de Pellegrin, Giovanni Junckes, Giraffes On The Road, Gisele Valério, Gislaine Guilherme Toledo, Giuliano E. Hruschka, Grayce Rodrigues, Greici Weinzierl Gonzalez, Gui Chagas, Gui Stresser, Guido Jr., Guilherme Ademar Pedri, Guilherme Bittencourt, Guilherme Brianti, Guilherme Fay Neves, Guilherme Schoepping, Gunar Adolfo Paploski, Gunnar O. R. Diener, Gustavo Amaral, Gustavo Consentino, Gustavo Grether de Souza, Gustavo Krause, Gustavo L. Bezerra, Gustavo Monteiro, Gustavo Passos, Gustavo Torquato Costa, Hailton Correa do Nascimento, Hailton Pariz, Hans J. Barg, Harley Guido Hennich, Harriet Hackbarth, Heino Albert Hauck, Helen Karina Schlup, Helena Hinke Dobrochinski Candido, Helio Cucato Junior, Hélio Luiz D'alberto Junior, Helio Oba, Helton Alcântara Araújo, Henrique Gaudencio Cidral, Henrique Kale Neto, Henrique Smirnof Nascimento, Hercilio Malinowsky (Filho), Heron Marcos de Oliveira, Hiro Toyonaga Maciel, Homenstain, Horst Cristian Sprotte, Horst Nering, Hudson Silva Brandão, Hugo Haverroth Hilgert, Humberto Willians Lourenço, Iandara Schettert Silva, Igor Rudnick, Indianara Prestes de Souza, INTERCROMA S.A., Ion Furlin, Irio Rogério Sprotte, Isaac Maggi Kras Borges, Isadora Rosa, Isaias Ramos da Silva, Ismael Marques, Ismar Lisboa Batista, Italo Gerez, Iuliky Romani Wittcinski, Ivan Felipe, Ivan Medeiros Teles, Ivan Pereira Diniz, Ivana Maria Lampe, Ivo Luis Olsen, Ivo Mario Mathias, Ivy Scheffer Schultz, Izabel Pariz, Jackson Evandro Budke, Jackson

Jader da Silva, Jacson Kollross, James Polz, Jasmim Teixeira, Jayme Vasconcellos, Jean Victor Silva de Andrade, Jeferson Antony Branquinho, Jefferson Renato Ferreira Pinto, Jehovah Martins da Silva Junior, Jerffeson Nascimento, João A. F. Andrade, João Baêta, João Batista Correa Junior, João Carlos Bach, João Carlos Figueiredo da Fonseca, João de Almeida Paiva, João Marcelo Rockstroh, João Miguel Gaspar Susano, João Paulo Ramalho, João Paulo Roco Francisco, João Paulo Rodrigues Inácio, João Vicente de Miranda Guimarães, Joaquim Agante, Joaquim C. Thomas, Joel Alexandre Witkowsky, Joel de Oliveira Júnior, Joel Henrique Machado, Jonas Fernandes Lemos Pinheiro, Jorge Appel Soirefmann, Jorge Costa, Jornada na Estrada, José Adilson Nogueira, Jose Aparecido, José Augusto Souza Figueiredo Junior, José da Silva Carneiro Júnior (Nico Jr.), José Dalton Resende Magalhães Cardoso, Jose Galego, José Luciano Cavalheiro da Silva, José Mendry Junior, José Paulo da Rocha Brito, José Roberto Prioli, José Soares Pinto Júnior, José Volney de Sousa Jr., Joseane Michalsky Uhlig, Júlia Araújo Pinto, Julia Fendrich, Juliana Hagemann dos Santos, Juliana Naeher, Juliano Hermes, Junior Costa, Jyoti, Kainan Narlock, Karin Becker, Karina Rückl, Karoline Gonçalves, Katharina Brazil, Kátia Regina Berkenbrock, Kátia Regina Pieckocz, Katiusia Andressa Brand, Kelly Ferreira dos Santos, Kepler Benicio Dias, Keyla Kinder Benvegnu, Khrislley P. de Oliveira, Klaus C. Liesenberg, Koyaru, Lab Three Coworking, Laercio D. Henning, Land Parts, Lara Peters, Larissa Vargas, Laura Cristina da Silva, Laura Uhlig, Lays Augusta Caixeta, Ldngyn, Leandro José Kohler, Leandro Menezes Lopes, Leandro Neiderdt, Leandro Rodrigues de Oliveira, Leila Florêncio, Leo Malewschik Mafra, Leomar Rudnick, Leonardo Chinellato, Leonardo Dantas, Leonardo Geronazzo, Leonardo Luís Assunção Ripani, Leonardo Rocha, Leonardo Werner, Leonardo Zimmermann, Leones M. Rudnick, Leonidas Ribeiro dos Santos Filho, Leopoldo Einloft Lopes, Letícia Heuko Pscheidt, Lia Linke Weiss, Liane Malewschik Mafra, Lidiane Dorneles do Amaral, Lilian Weiss Schuhmacher, Lima Ferreira, Lino Zschoerper Neto, Lisandro José Fendrich, Lisandro Uhlig, Livia Kohiyama, Loja de Móveis J Costa Ltda, Lu Koetzler, Lu Siviero, Luã Olsen, Lucas Barboza, Lucas Ferrari, Lucas Jantsch, Lucas Lichtblau, Lucas Luiz Marafon, Lucas Marinho, Lucas Mendes Alves Andrade, Lucas Pereira Felipe, Lúcia Rossa, Luciana C.P., Luciano Aguiar Mesquita, Luciano Annes Nunes, Luciano Maia Bastos (Lucky), Luciano Peters, Lúcio Otávio Menin, Luís Alexandre Hioka, Luis Carlos Noriller, Luis Felipe Eckel, Luis Gustavo Wiggers Mees, Luis Henrique Balista Johansen, Luiz Alberto Moscon, Luiz Carlos da Silva, Luiz Gustavo Paterlini, Luiz Henrique Coelho, Luiz Marcelo B. Mansolim, Luiz Santana Lima, Magno de Moura, Magno Mendes, Magnus Mesquita, Maico Djames Pscheidt, Maiquel Beneton, Malu Silveira, Mandaramor em Família, All4adream, Manoel da Silva Zoschke, Manuel Elias Rodrigues, Marcela Squizatto Alano, Marcelo Carlos da Costa, Marcelo Goffermann, Marcelo Gruber, Marcelo Kuhn, Marcelo Luiz de Andrade, Marcelo Mearim, Marcelo Ricci, Marcelo Silva Cunha, Marcelo Taschek, Marcelo Teruo Uehara, Marcelo Weiss, Marcelo Witt, Marcia B. Ramos, Márcia Cambraia Belderrain, Marcia Do Valle, Marcia Lepage, Márcio César Guiselini, Marcio Hilgenstieler, Márcio Jahns, Marcio Massakazu Ytiroko, Márcio Mesquita Gonçalves, Marcio Nossol, Márcio Piassi, Marco Alves, Marco Aurélio Moura de Albuquerque, Marco Rodrigo Redlich, Marcos Grupenmacher, Marcos Henrique Mascarenhas, Marcos Janczkowsky, Marcos Linzmeyer, Marcos Melo, Marcos Müller, Marcos Rey Madeira, Marcos Roberto Linke, Marcos Rogério Wiese, Marcos Vitor Pires Duque, Marcus Vinicius Novellino, Maria Helena Weiss Monteiro, Maria Inês Sparrenberger, Maria Luiza Beppler Lutz, Mariana Bittencourt, Mariana Ganança, Mariane Stal, Marilisa Brito, Marinez Guzatto Rocha, Mário Cezar Priotto, Mario R. Preuss, Marisa Nascimento, Maristela Alexandre, Marivaldo Nazario, Mark Behling, Marli Weiss, Marlon Lelis Barbosa, Martha Nucci, Mateus Brasil, Mateus Pereira Gazola, Mateus Saurin Dos Santos, Matheus Eger Manasia, Matheus Huebl, Matheus Perie, Mauricio Brauch, Maurício Davi Werner, Mauricio Lopes, Maurício Madureira Brito, Maurício Moreira Rosa, Mauricio Reny Westphal, Mauricio Sozzi, Mauro Braga, Mauro Osowsky, Mauro Vieira, Max Barreto Silva, Max Kablukow Fercondini, Maximiliano Rech, Mayara Miotto, Maycon Santos, Michael Douglas da Silva, Michel Jonys, Michele Muller, Micheli Santos Caliari, Michelle Carolinne da Cunha Pereira, Miguel Stuart, Mileide Freire, Milton Tesserolli Filho, Milton Zielke, Míriam Mendel, Morgana Creuz Ganske, Mundi360, Munique Daloia Barreto, Murilo Norberto Bandeira, Murilo Scafe, Nadja Sampaio, Natascha Rudnick, Nathalia Vechi, Nayara

Pereira Machado, Neide Sosvianin, Nelson Fernandes Filho, Nelson Valandro, Niarkos M. de Oliveira, Niedja Santos, Nilson Berttollo, Nina Triaca Danielli, Nivaldo Grolla, Nós de Joinville, Odenir Carlos Weiss, Omar Junior, Orlei Cabrine, Oscar Falk, Osvaldo Honório de Abreu, Pablo Baierle Ferreira, Pablo Roxo, Patakori pelo Mundo, Patricia Alves Ribeiro, Patricia Serafini, Patrick Kaminski, Patrick Menin, Patrick Silva, Patrick Vendramin, Paula Luchina Hoeschl, Pauli Guinchos, Paulo Barossi, Paulo Cezar Althaus, Paulo Diniz Costa França, Paulo Eduardo Rückl, Paulo Franco Goulart Júnior, Paulo H. R. Nascimento, Paulo Henrique de Alcantara, Paulo Maia, Paulo Roberto Ferreira, Paulo Roberto Soares Werneck, Paulo Sérgio Mello de Jesus, Paulo Tomasovic Junior, Paulo Victor Fernandes de Souza Nascimento, Paulo Yuri Sato, Pedro Damasco, Pedro Ribeiro, Pedro Robson Ferreira de Sousa, Pedro Rodrigues Ávila, Pelas Estradas e Destinos, Pery Bennett, Pessoas em Movimento, Plínio Vicente Ceccon, Pok Reis, Programa Bibliofonia, Projeto Américas, Projeto Mundo Cão, Rafael Buchmann, Rafael Casagrande, Rafael de Mello, Rafael Morais, Rafael Munhoz, Rafael Pellicciolli, Rafael Rodrigues da Costa, Rafael Saragoza Garcia, Rafael Socha, Raimundo Munhoz Junior, Raimundo Shuniti Waga, Raíssa Canova, Ralph Lima Fonseca, Ramónn Alves, RANCHO GRANDE LTDA, Raul Stolf, Rayanne Brandão de Oliveira, Regina Lá Rosa Pereira, Regina S. de Pinho, Régis Evânio Padoa, Reinaldo Mallon, Reinaldo Queiroz Alves, Renata Fernandes Pistoresi, Renata Jacomolski, Renata Paulert Zuffa, Renato de Barros Oliveira, Renato Machado, Renato Nóbrega de Oliveira, Rhanã Lacerda Fabem, Ricardo Aydos, Ricardo Braga, Ricardo Cortez de Sousa, Ricardo da Silveira, Ricardo de Almeida Horn, Ricardo Fuzon, Ricardo Hofling, Ricardo José Alves Rocha, Ricardo Marques, Ricardo Rabin, Ricardo Rauen, Ricardo Rheinheimer, Ricardo Sonntag, Ricardo Suterio, Ricardo Takeuti, Ricardo Tissot, Richard Malinowsky, Robert Klimmek, Roberto Jaeschke, Roberto Kaestner Mattar, Roberto Luiz Diehl, Roberto Motta Soares, Robson Alves Pereira, Robson Lincoln, Rodando pelas Américas, Rodolfo Wehrs, Rodolpho Randow, Rodrigo Alexi, Rodrigo Araldi de Oliveira, Rodrigo Baptista Mallon, Rodrigo F. Hruschka, Rodrigo Fischer Bittencourt, Rodrigo Madureira Mocellin, Rodrigo Martinez, Rodrigo Schuhmacher, Rogério Caggiano, Rogério de Oliveira Melo, Rogério Lezino, Roland Baschta Neto, Rômulo Fonseca, Ronaldo Morgado Ribeiro, Ronan Robl, Rosely Mezzaroba, Rosemiro Bertoldi Soares, Rosiane Godk, Rosilene Eiselt Tauscheck, Rubens Fonseca, Rubens Linhalis Filho, Rubens Valdir Welter, Rudinei Paulo Alf, Samuel Scur Paim, Sandra Eduarda Enke Horongoso, Sandra Yonekura, Sandro Hüttl, Sandro Luiz Costa, Sandro Silveira Kbelo, Sarah Albino, Saulo Alves Torres Monteiro, Saulo Augusto, Sebastião Rodrigues, Sérgio Adas, Sergio Araujo Pereira, Sergio Bruno, Sérgio Destro, Sérgio Falcão, Sergio Isoppo Porto, Sérgio L. Moterle Jr., Sergio Pinto da Silva, Sérgio Rente, Sérgio Rodrigues Alves, Sergio Sosvianin, Shirley Fernanda Beloti, Shyarra Roberta Robl Becker, Sidney Kraemer, Sidney Ricardo Vertuoso, Silmara Neide Siqueira Taschek, Silvan Chaves dos Anjos, Silvana Rodrigues da Silva Leitão, Silvia Brum dos Santos, Simony das Mercedes Sabino, Solange Trento Slongo, Sonaly Bobato Fenner, Sonho Viajante, Stephan Paul, Stephanie Reis, Strafit Junior, Tácio Francisco Schmitz, Tarcisio Magevski Rodrigues, Taylor Martinelli, Teodoro Thiesen, Terence Okamoto, Teresa Tromm Steffen, Terra Adentro, Terra Sem Fronteiras, Thassia Weihermann Fuchner, Theo Bonow, Thiago Gomes Rechi, Thiago Kazu Maoski, Thiago Padilha, Thomaz Ramonn Fischer Jahn, Thomaz Rodrigues Botelho, Tiago Francisco Lira, Timo Sven Fischer, Tobias Schartner, Travel Lovers Br, Tulio Cesar Jansen, Ully Cipriano, Vagner Ribeiro, Vagner Rodrigues da Rosa, Val Neumann, Valéria de Moraes Barbosa, Valfrido Dandolini Bez Fontana Filho, Valter Campos, Valter P. Batista, Vamos pro Alasca, Vanderlei José Piermann, Vanderlei Luís Sulzbach, Vanessa Hofmann, Vem Conosco, Viajantes Maiores de 60, Viajo Logo Existo, Vicente Assis do Sacramento, Victor Luis de Almeida Vohryzek, Victor Scur Barth, Victoria Motorhomes, Vilberto Serafim, Vilmar César Eiselt, Vilmar Monich, Vinicius Cechinato, Vinícius Lupi, Vitor Menoita Pinto, Vitor Sayegh, Vivacidades, Vivendo Mundo Afora, Vivian Kock Weihermann, Viviane Weiss, Vladimir Schmidt, Volnei da Fonseca, Wagner Costa Paranaguá, Wagner Mara, Waldeques Costa, Walter José Cruz Cavalcante, Waltevir Luiz Ribeiro Junior, Wander Girelli, Washington H. Marques Junior, Weligtonn Renann Tavares, Wellington Gregoris, Wellington Schneider, Werner Jorge Roeben, William Christhie, Willian Porfirio, Willian Schweigert, Wolney Malschitzky, Yasmin Weiss Peyerl e Yhon Cesar Silva.